A. Slaby with expressions

HOANG Nga.

LE SAVIEZ VOUS ?

Le perroquet de mer des eaux
tropicales dort dans un
« sac de couchage ».
Il met une trentaine de minutes
à se confectionner cette enveloppe
de mucus.

LE SAVIEZ VOUS ?

Mille et une histoires vraies et insolites

Sélection
du Reader's Digest

PARIS • BRUXELLES • MONTRÉAL • ZURICH

LE SAVIEZ-VOUS ?

est la traduction française de
DID YOU KNOW ?
réalisé par Dorling Kindersley Limited pour The Reader's Digest Association Limited,
Berkeley Square House, London W1X 6AB.

Nous remercions tous ceux qui ont contribué à la réalisation de cette adaptation.

Traduction
Philippe Bas-Raberin, Marie-Christine Fenwick, Muriel Fletcher, Laurence Lenglet, Serge Wojcieckowski

Équipe éditoriale de SÉLECTION DU READER'S DIGEST
Secrétaire d'édition, responsable de l'adaptation : Véronique Valdant
Lecture-correction : Béatrice Omer, Catherine Decayeux, Emmanuelle Dunoyer
Maquette : Gilles Péricaud
Couverture : Dominique Arduré, Françoise Boismal
Fabrication : Gilbert Béchard

Nous remercions également pour leur collaboration :

Caroline Lozano (secrétariat d'édition), Bernard Laygues, Jasna Samic
et Claude Vincent (révision), Dominique Carlier, Christiane Keukens,
Nicole Coulle, Odile Larguèze et Miriam Palisson (lecture-correction).

Sommaire

Chapitre quatre :

LES MERVEILLES DE LA VIE ANIMALE

Chapitre cinq :

L'ESPRIT ET LE CORPS

Chapitre neuf :

VOYAGES ET MOYENS DE COMMUNICATION

Chapitre dix :

LES MAÎTRES DE L'ART

CHAPITRE PREMIER

AUX FRONTIÈRES
DE LA
CONNAISSANCE

Comment définir le froid ? Dans la pratique, la température nous paraît sans limites : un froid glacial peut s'intensifier le jour suivant. Or les scientifiques savent aujourd'hui que la température minimale est de − 273 °C *(page 34)*. La température caractérise la vitesse du mouvement des molécules, qui s'immobilisent, en effet, à − 273 °C. C'est l'un des principes fondamentaux qui régissent les lois de notre univers. Leur découverte et leur codification permettent à la science de progresser.

PLÉIADE DE GÉNIES

Idées folles à l'origine de la science

Aristote, logicien et philosophe macédonien, vécut à Athènes au IVᵉ siècle avant J.-C. On doit à ce « père de la science », que le monde, l'être humain, les arts, l'éthique et la métaphysique passionnaient, la première classification – identique à la nôtre – des espèces vivantes. Pourtant, certaines de ses théories se caractérisaient par leur grande imprécision.

Même après avoir décrit plus de cinq cents espèces animales, et en avoir disséqué une cinquantaine, il croyait toujours, par exemple, que le cerveau servait à rafraîchir le sang. Pour lui, toute chair générait des vers, un corps lourd chutait plus rapidement qu'un léger, et les tremblements de terre résultaient d'air échappé de notre planète : autant d'erreurs fondées sur la logique et l'observation, mais aussi sur la méconnaissance des lois de la physique. Il avait ainsi bâti sa théorie des séismes sur la conviction que toute matière était constituée de terre, d'eau, d'air et de feu. Ayant observé que la matière solide s'enfonce dans les liquides, d'où montent alors des bulles d'air, et que le feu s'élève dans les airs, il en avait conclu que chaque élément possédait une certaine « pesanteur » ou « légèreté ». Le feu était l'élément le plus léger, la terre le plus lourd ; la pesanteur la plus considérable était au centre de la planète, qui était aussi celui du

Vers 343 avant J.-C., Aristote (à droite), premier philosophe et savant de Grèce, fut le précepteur du futur Alexandre le Grand et le prépara à son rôle de roi de Macédoine.

Aristote a écrit des centaines d'ouvrages consacrés aussi bien à l'art dramatique qu'à la biologie, dont il ne subsiste malheureusement qu'une infime partie.

cosmos. Aristote expliquait le flottement des étoiles au-dessus de nos têtes par un cinquième élément sans poids : l'éther. Persuadé du bien-fondé de ses théories, il commit sa plus grosse erreur en rejetant les idées du philosophe grec Démocrite, qui voyait un cosmos composé d'infimes particules.

De la théorie à la pratique

Si Aristote aboutit à de telles conclusions, c'est qu'à l'instar des autres Grecs de l'Antiquité il ne songea jamais à soumettre ses théories à l'expérience. Ce n'est qu'au XVIIᵉ siècle et sous l'influence de Francis Bacon que les savants n'avalisèrent une théorie qu'après expérimentation.

Mais Aristote mérite bien son titre de père de la science, car il a toujours fondé ses théories sur l'observation logique du monde réel, base de toute science.

Son influence fut considérable en Europe durant tout le Moyen Âge. L'enseignement philosophique et théologique appelé scolastique reposait sur les concepts énoncés par Aristote.

LE REVERS DE L'ALCHIMIE
Quête d'or ou d'immortalité ?

Pendant des siècles, les alchimistes médiévaux ont cherché à transmuer les métaux vils, c'est-à-dire le plomb, l'étain, le cuivre, le fer, en or, mais sous le couvert de la chrysophée (l'art de la fabrication de l'or) se cachait leur véritable ambition, qui était tout autre : ils visaient en fait l'immortalité.

Au début, leurs recherches se fondaient sur le vieux principe qu'une combinaison de terre, d'eau, d'air et de feu est à l'origine de toute chose. Les alchimistes croyaient qu'en dosant les proportions des quatre éléments nécessaires à la fabrication chimique du plomb ils fondraient de l'or. Ils concentrèrent leurs expériences sur la découverte d'une substance – appelée pierre philosophale – qui, alliée au plomb, aboutirait à cette étonnante transmutation.

Interprétations

Les descriptions de telles expériences sont souvent truffées de métaphores obscures et sujettes à diverses interprétations. Pour preuve, ce texte particulièrement abscons : « Montez de la Terre aux Cieux avec sagacité, puis redescendez sur terre et unissez le pouvoir des éléments supérieurs et inférieurs... »

S'agirait-il d'une référence à la combinaison de certaines substances chimiques ou d'un processus d'auto-purification spirituelle ? Les alchimistes croyaient raffiner les matériaux « de base » pour en tirer la substantifique moelle – autrement dit la pierre philosophale – et pouvoir libérer l'âme de son enveloppe charnelle. La substance transmuant le plomb en or conférerait

également perfection spirituelle et immortalité à l'alchimiste. D'essence divine, celui-ci deviendrait alors hermaphrodite.

Avides de découvrir la pierre philosophale, deux alchimistes étudient la distillation de substances chimiques dans un alambic.

LE SAVIEZ-VOUS ?

La dernière fois que des savants ont prêté attention à un alchimiste se vantant d'avoir changé du plomb en or remonte à 1783.
La Royal Society de Londres somma son membre James Price d'en faire la démonstration.
Incapable de renouveler son expérience, Price se suicida sous les yeux de trois de ses confrères en avalant de l'acide prussique.

GÉNIES EXCENTRIQUES

Isaac Newton et Albert Einstein étaient des personnages aussi complexes que contradictoires.

Mathématicien génial et d'une vive intelligence analytique, Newton nourrissait d'étranges convictions. À la fin de sa vie, il étudia l'alchimie et la transmutation des métaux. Découverts à sa mort, ses manuscrits sur la fin du monde et sur les prophéties de Daniel embarrassèrent ses amis, qui les gardèrent secrets pendant plusieurs années.

Enfant, Albert Einstein, qui manquait de mémoire, passait le plus clair de son temps à bâtir des châteaux de cartes et à assembler des puzzles. Einstein quitta l'école à quinze ans et échoua l'année suivante aux examens d'admission de l'école polytechnique de Zurich. Enfin admis, il détesta tellement les études qu'il avoua s'être détourné des sciences durant plusieurs mois. Son diplôme décroché de justesse, il devint précepteur puis inspecteur de brevets à Berne.

Malgré ces débuts peu prometteurs, le plus grand savant du XXe siècle allait devenir mondialement connu, trois ans plus tard, avec sa célèbre théorie de la relativité.

GRAVITÉ ET RELATIVITÉ

Ces génies ont remis les planètes à leur place

Isaac Newton et Albert Einstein, deux mathématiciens fascinés par le phénomène de la gravité, nous ont aidés à mieux comprendre l'Univers.

En 1687, Newton publiait son œuvre maîtresse, *Les Principes mathématiques de philosophie naturelle* : il démontrait le premier que la gravité est une force, et que les pommes tombées des arbres, les révolutions de la Lune autour de la Terre et celles des planètes du système solaire obéissent à la même loi, celle de la pesanteur. Pour étayer sa thèse, il inventa virtuellement le calcul différentiel.

Supériorité de Newton

Pendant plus de deux siècles, les lois de la mécanique newtonienne ne furent pas remises en question. Les savants voyaient l'Univers comme une grande machine dont le fonctionnement évoquait celui d'un mouvement d'horlogerie aux rouages interdépendants. Cet assemblage semblait flotter comme un navire sur le fleuve du temps. Puis Einstein survint.

Publié en 1905 dans une revue scientifique allemande, son mémoire exposant la théorie de la relativité restreinte était un défi au bon sens et à l'expérience ; il présentait des concepts totalement différents de ceux de Newton.

Tout est relatif

Par des mathématiques très complexes, Einstein démontrait que l'Univers n'est pas réglé comme un mouvement d'horlogerie. Les dimensions des objets ne sont pas fixes et même l'évolution du temps est sujette à variation. La modification des conditions d'observation change l'apparence d'un événement ou d'un objet.

L'exemple suivant illustre la théorie d'Einstein : pour un habitant de la Terre, la taille et la masse d'une fusée propulsée à la moitié de la vitesse de la lumière sont respectivement la moitié et le double de l'évaluation de l'astronaute à bord de l'engin. L'astronaute voit une Terre ovoïde lui tourner autour, dont la masse lui paraît aussi

deux fois plus lourde. Chacun des deux observateurs, situé dans un référentiel distinct (la Terre, l'espace) a une perception du temps différente.

Ces différences sont indécelables dans notre vie quotidienne, et les lois de Newton sont toujours d'une précision suffisante. Mais les théories d'Einstein, tant sur le comportement des particules élémentaires subatomiques qu'à l'échelle astronomique, sont fondées. Einstein édifia sa théorie de la relati-

vité générale en découvrant que le temps et l'espace ne sont pas des valeurs absolues mais intimement liées. Elle fut publiée en 1916. Il laissait entendre que la gravité résulte de la « déformation » du temps et de l'espace à proximité de corps célestes comme les étoiles et les planètes et provient de leurs masses. À moins de trente-sept ans, Einstein rejetait le concept newtonien d'un Univers mécaniste, levant ainsi le voile sur les secrets de l'astronomie et de l'atome.

Savant de renom mondial, Albert Einstein, photographié dans son bureau peu avant sa mort, survenue en 1955, avait conservé sa simplicité.

QUESTIONS INSOLUBLES
Les adeptes du bouddhisme zen

Longeant une rivière, un maître du bouddhisme zen fut un jour témoin d'un phénomène miraculeux : un de ses disciples marchait sur l'eau.

« Que fais-tu ? lui cria le maître, interloqué. – Je traverse la rivière, répondit tranquillement le disciple. – Suis-moi », ordonna le maître. Après une longue marche en pleine chaleur, ils finirent par trouver un passeur et montèrent dans son bateau. Le maître dit alors avec fermeté : « Voilà comment on franchit une rivière. »

Cette anecdote caractérise les apparentes absurdités que peut générer le bouddhisme zen. Introduit en Chine en l'an 520 de notre ère par un moine indien du nom de Bodhidharma, le zen semble la plus illogique et la moins scientifique de toutes les méthodes d'investigation de l'invisible.

L'objectif majeur du disciple est d'aller réellement au-delà du verbe et de la pensée pour ranimer la vision intérieure de Bouddha et atteindre l'illumination, qui est la connaissance de la conscience universelle, c'est-à-dire de l'Esprit.

La leçon de l'exemple

Un maître zen n'enseigne rien à ses disciples. Ceux-ci l'entourent uniquement dans l'espoir de percer le secret de sa sérénité et de sa spontanéité. Le moment de l'illumination s'appelle le *satori*. Puisqu'il n'existe aucune méthode pour y parvenir, le disciple réalise et comprend l'accession au *satori* par l'intuition et non par la raison, en pratiquant la concentration, assis dans la position du lotus.

Devinette

Le *koan* – énoncé contenant un problème sans solution intellectuelle – est sans doute l'aspect le plus déroutant du zen. Il s'agit de poser une question et d'y répondre sans logique.

Ainsi, la question « Qu'est-ce que Bouddha ? » appelle des réponses du style : « Un kilo et demi de graines de lin. » Questionné sur l'origine de tous les Bouddhas, un maître a affirmé mystérieusement : « La montagne de l'Orient se déplace sur l'eau. »

Certains *koan* comportent des illogismes : « Quel est le bruit du claquement d'une main ? » ou « Après réduction d'un grand nombre à une unité, comment réduire celle-ci ? » ou encore : « Marchez en chevauchant votre monture. »

Philosophie cachée

Sous le masque de l'absurde de la philosophie se cache une profonde sagesse. Les énigmes déconcertantes ont pour but de souligner l'incapacité de la logique ou du langage d'éveiller l'esprit. Elles encouragent aussi à conserver sa spontanéité face aux événements et aux difficultés. L'adepte apprend à réagir instantanément, à s'adapter aux circonstances et à développer son esprit intuitif.

Fort de cette pratique, le samouraï – guerrier japonais – arrivait à se plier à une discipline qui s'avérait particulièrement dévastatrice pour ses ennemis.

UN DRÔLE DE PROPHÈTE
Le pouvoir de l'amour et de la haine

Pour les Grecs de l'Antiquité, toute chose du cosmos se composait de quatre éléments : à savoir la terre, l'eau, l'air et le feu. Mais Empédocle, philosophe du Ve siècle avant J.-C. et promoteur de cette théorie, avait aussi des idées plus modernes.

Pour lui, deux forces fondamentales, l'amour et la haine, régissent les quatre éléments. L'amour unit, la haine sépare. Si les combinaisons sont temporaires, les éléments et les forces sont indestructibles. La pérennité fondamentale de la matière est un principe auquel adhèrent les scientifiques d'aujourd'hui.

Selon Empédocle, l'histoire de l'Univers passe par des cycles dominés tour à tour par l'amour et la haine. La terre, l'eau, l'air et le feu se sont unis sous la prépondérance de l'amour. Puis la haine a séparé les éléments, qui ont fini par se rassembler partiellement à certains endroits. Volcans et sources, par exemple, démontrent la présence du feu et de l'eau dans la terre.

Au commencement

On peut dresser un parallèle entre la théorie d'Empédocle et celle des temps modernes, à savoir qu'une gigantesque explosion – le Big Bang – est à l'origine de l'Univers, dont l'expansion va se poursuivre jusqu'à une nouvelle phase de contraction puis une nouvelle explosion.

Au dire d'Empédocle, les arbres ont été la première forme de vie sur terre. L'amour était alors dominant. Puis aux arbres ont succédé des ébauches de corps – torses étêtés, créatures aux mains innombrables, bétail à tête humaine, parfois uniquement des membres.

Ces formes bizarres se sont rassemblées, et seules les plus accomplies ont survécu. La théorie d'Empédocle anticipait donc la doctrine de la sélection naturelle établie au XIXe siècle par le biologiste et naturaliste britannique Charles Darwin.

Ultime reconnaissance

Empédocle était plein de contradictions. Lorsque la population d'Agrigente – colonie grecque de Sicile où il naquit – lui offrit la couronne, il instaura la démocratie alors qu'il se croyait d'essence divine.

Empédocle décida donc de disparaître comme un dieu sans laisser de trace, au lieu d'offrir le spectacle d'une mort ordinaire. Selon la légende, il s'échappa une nuit pour aller se jeter dans le cratère du mont Etna. Le volcan l'engloutit, mais rejeta une de ses sandales, que ses amis découvrirent le lendemain matin.

LE SAVIEZ-VOUS ?

En 1958, les autorités soviétiques contraignirent Boris Pasternak à refuser le prix Nobel de littérature ; elles refirent pression sur le lauréat de 1970, qui n'était autre qu'Alexandre Soljenitsyne. L'écrivain ne céda pas et accepta le prix. Quatre ans plus tard, il était exilé d'Union soviétique.

PRIX PRESTIGIEUX

L'étrange histoire du plus grand honneur

Celui qui fut à l'origine d'un des plus grands moyens de destruction du monde en tira une fortune qu'il voua à la promotion de la paix. Inventeur de la dynamite, Alfred Nobel a aussi fondé le prix qui porte son nom.

Né à Stockholm en 1833, Nobel parcourut le monde. Rentré en Suède en 1863, il se mit à expérimenter la fabrication de la nitroglycérine, explosif liquide d'instabilité notoire. Après l'explosion de son laboratoire, qui causa la mort de son frère cadet et de quatre employés, Nobel poursuivit ses recherches sur un radeau et sous le contrôle de la police. Il découvrit enfin que la nitroglycérine mélangée à du sable puis moulée en bâtons se manipulait sans danger.

Succès mondial

L'invention de Nobel – qu'il appela dynamite – eut un énorme succès commercial. Il fit construire 93 usines dans le monde entier. Leur production annuelle atteignait 66 500 t

à l'époque de sa mort, en 1896.

Soucieux du maintien de la paix internationale, Nobel stipula dans son testament que les revenus de la majeure partie de sa fortune seraient consacrés à la « distribution annuelle de prix décernés à ceux qui, l'année précédente, auraient le mieux contribué au bien de l'humanité ».

Après quatre ans de querelles amères suscitées par l'interprétation du testament, la fondation Nobel voyait enfin le jour avec l'attribution de cinq prix annuels (auxquels s'ajouta celui des sciences économiques en 1969), sur recommandation de quatre institu-

Le prix Nobel (qui s'élève aujourd'hui à environ 6 millions de francs) s'accompagne d'une médaille conçue par Erik Lindberg en 1902, ornée du portrait de Nobel sur une face et d'une allégorie de la Nature et de la Science sur l'autre.

tions : l'Académie suédoise des sciences (physique, chimie et sciences économiques), l'institut Karolin de Stockholm (physiologie et médecine), l'Académie de Stockholm (littérature) et la Commission norvégienne du Nobel (paix).

Surprenants résultats

Créé pour la promotion de la paix, le prix Nobel a engendré amertume, envie et concurrence. Pour devenir admissibles, certains savants ont notoirement retardé ou avancé la publication de leurs travaux. Dès les premières années, les prix de littérature et de sciences ont récompensé des ouvrages originaux qui ont certainement contribué à la compréhension internationale. Reste à savoir s'ils ont servi à la promotion de la paix !

Quant au grand public, il s'intéresse souvent plus à la distribution de ces récompenses et aux controverses qu'elles suscitent qu'aux valeurs qu'elles représentent. Alfred Nobel n'a donc pas réussi à changer le monde.

SACRIFIÉ À LA SCIENCE

Le chancelier d'Angleterre et philosophe Francis Bacon fut le premier à exiger la vérification de toute théorie scientifique par l'expérience pratique.

Par une journée hivernale de 1626, Bacon – âgé de soixante-cinq ans – se rendait en diligence avec un certain docteur Witherborne à Highgate Hill, banlieue de Londres. Comme les deux amis parlaient de la conservation des aliments par le froid, Bacon proposa de faire une expérience. Il acheta un poulet à une paysanne, lui demanda de tuer la volaille et de la trousser. Il bourra lui-même le poulet de neige.

Cette besogne lui prit du temps. Glacé par la neige, Bacon se mit à frissonner et, trop faible pour rentrer chez lui, il fut emmené dans une maison du voisinage appartenant à l'un de ses amis.

On le coucha dans un lit humide. Son rhume évolua en une bronchite dont il mourut le 9 avril. « Mais l'expérience, souligna-t-il dans sa dernière lettre, avait parfaitement réussi. »

DE MODESTES DÉBUTS

Les mystères de la vie

Comment expliquer la vie ? Quelle force motrice anime la grenouille ou même la pomme de terre, mais pas le caillou ?

Les êtres vivants respirent, se nourrissent, transforment leur alimentation en énergie, éliminent, grandissent, se reproduisent et réagissent à toutes sortes de stimulations. Un extraterrestre pourrait donc penser que l'automobile est la principale forme de vie sur terre. Car si elles ne grandissent pas, les voitures se nourrissent ; elles convertissent également le combustible en énergie, évacuent, se déplacent, réagissent aux stimulations de leurs conducteurs et sont bien adaptées à leur environnement.

Nous savons bien cependant que les machines sont dénuées de vie. Contrairement aux plantes et aux animaux, elles ne se reproduisent pas et n'existeraient pas sans l'action de l'homme.

Entre vie et non-vie, où est la frontière ? À la limite de la vie, le virus est un organisme dépourvu du noyau cellulaire qui régit la reproduction et la croissance d'êtres vivants plus complexes. Sa reproduction dépend d'autres formes de vie. Les virus prolifèrent en envahissant des cellules vivantes dont ils tirent les aci-

Les automobiles, qui se déplacent à toute allure en éclairant leur route, sont les objets apparemment les plus mobiles sur terre.

des nucléiques indispensables à leur reproduction. Après la destruction de leurs hôtes, les nouveaux virus vont alors infecter d'autres cellules.

De nombreux organismes parasitaires doivent vie et reproduction à leurs cellules hôtes. Dénués de vie hors d'un tissu vivant, les virus – en état de dépendance absolue – ne sont plus que des molécules inertes disposées en structures cristallines. On a découvert en 1972 des organismes submicroscopiques qui sont encore plus petits que les virus, les viroïdes.

Les chercheurs de l'université Stanford, en Californie, ont créé en laboratoire des virus de synthèse en assemblant des substances chimiques. Introduite dans des cellules vivantes, cette matière s'est animée pour croître et se reproduire.

Les substances chimiques utilisées étaient des molécules de protéines et d'acide nucléique – composants fondamentaux de la vie. Mais personne ne peut expliquer l'animation de ces substances chimiques. La nature et la source de l'« élan vital » demeurent un mystère.

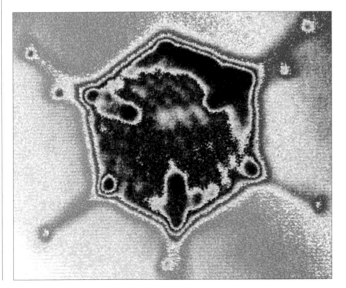

Sur cette image informatique, on peut voir un virus grippal, composé d'un noyau d'acide nucléique et d'une coque de protéine dans une membrane flexible comme une paroi de cellule. D'autres virus, dépourvus d'enveloppe protectrice externe, sont encore plus élémentaires que celui-ci.

TOUT EST RELATIF

Tailles records chez les animaux

Le plus petit mammifère au monde est la pachyure étrusque, également appelée musaraigne étrusque, et le plus petit oiseau est le colibri. Leur poids – 2 g environ – est inférieur à celui d'un bourdon. Ces petites bêtes sont à la limite de la miniaturisation des animaux à sang chaud, car leur superficie de peau est si importante par rapport à leur volume que pratiquement toute la chaleur générée par l'organisme est perdue.

Certains animaux à sang froid ont une taille encore plus réduite : comme leur température varie en fonction de l'environnement, ils n'ont pas à emmagasiner de chaleur. Le plus petit du monde est le gobie nain, poisson de 8 mm de long, pratiquement transparent, et ne pesant que 4 mg. Toutes ces créatures se composent de nombreuses cellules individuelles. Or le protozoaire – une des premières formes de vie – est, lui, unicellulaire.

L'organisme humain comptant 50 milliards de cellules, on est tenté d'imaginer des protozoaires microscopiques. Mais certains, aujourd'hui disparus, étaient d'un diamètre avoisinant

Cet œuf d'épyornis aurait suffi à fournir l'équivalent d'un œuf de poule à 180 personnes.

25 mm et des espèces actuelles atteignent encore 15 mm.

Les œufs sont toujours unicellulaires. Ceux de certains oiseaux et reptiles aujourd'hui disparus étaient énormes. Le plus gros découvert à ce jour mesure 37,5 cm de long. C'est un œuf d'épyornis, oiseau vivant entre autres à Madagascar à la fin du tertiaire.

ANIMAUX INVISIBLES

Le Hollandais Antonie Van Leeuwenhoek est le père de la microbiologie. À la fin du XVIe siècle, ce tailleur de verres optiques construisit un microscope agrandissant jusqu'à 280 fois, qui permit pour la première fois d'observer des protozoaires unicellulaires, des levures, des cellules sanguines humaines et des bactéries. Mais personne ne savait ce qu'étaient alors ces merveilleux animalcules. Les bactéries restèrent une curiosité inexpliquée pendant presque deux cents ans. Les bactéries sont les plus petites formes de vie animale indépendante. Les plus grosses ont moins d'un dixième de la taille d'un globule rouge, qui mesure à peine 0,08 mm. Les plus petites sont, elles, 14 000 fois plus petites qu'une cellule sanguine !

La grande évasion

Mais ces infimes organismes sont gigantesques comparés aux virus, qui doivent vie et reproduction à une cellule hôte. Au début du XXe siècle, on les appelait des « agents filtrables », puisqu'ils traversaient des filtres qui retenaient n'importe

Des bactéries en bâtonnets sur une tête d'épingle (coloration artificielle) révèlent (à gauche) leur vraie taille au microscope.

quelle bactérie. Le virus grippal, par exemple, équivaut au sixième de la plus petite bactérie. Le virus de la mosaïque du tabac, qui décolore les feuilles de tabac, est 100 fois plus petit que la bactérie la plus minuscule. Le virus le plus microscopique à notre connaissance (2 500 fois plus petit qu'une minuscule bactérie et cause de la brunissure des pommes de terre) n'est visible que sous un puissant microscope électronique.

Entre les bactéries et les virus se place un troisième groupe de micro-organismes : les rickettsies. On assimile les rickettsies aux virus, puisqu'elles se reproduisent à partir de cellules vivantes. Elles doivent leur nom à Howard T. Ricketts, qui les découvrit en 1907 à Mexico, où il étudiait le typhus, qu'il contracta et dont il mourut.

Les plus grandes rickettsies, dix fois plus grandes que les plus petites bactéries, sont visibles sous microscope optique, mais il en faut quand même 9 500 pour parvenir à l'épaisseur d'un cheveu.

BROUET COSMIQUE

La création : diverses hypothèses

La Genèse dit : « Dieu contempla sa création et en fut satisfait. » Les croyants n'ont jamais mis en doute les origines de la vie sur la Terre. Or, si la plupart des scientifiques rejettent l'interprétation biblique de la création, ils ne proposent pas pour autant d'explication convaincante.

Si la vie s'est manifestée spontanément, le processus pourrait bien se poursuivre. Le virus est la forme de vie la plus élémentaire à notre connaissance. Nous en découvrons toujours de nouveaux, mais comme il s'agit probablement de matière génétique maligne échappée des cellules d'autres êtres vivants, les virus ne sont peut-être pas les meilleurs candidats à la paternité de la vie.

D'après une autre théorie, vie et matière ont toujours coexisté ; la vie était présente avant le Big Bang, gigantesque explosion d'énergie qui, aux dires des astronomes, marque l'origine de l'Univers. Concept difficile à admettre, car la plupart des scientifiques estiment qu'avant le Big Bang toute la matière était condensée dans un espace minuscule.

Concours de circonstances

La création aurait pu n'être qu'un accident, la réunion extraordinaire de divers facteurs chimiques. Certaines expériences étayent cette thèse. On peut fabriquer en laboratoire des acides aminés – qui composent les protéines à l'origine de toute vie – par décharge électrique dans un mélange de méthane, d'hydrogène, d'ammoniac et de vapeur d'eau. Dans les années 1950, des chercheurs de l'université de Floride ont utilisé, non pas l'électricité, mais des sources de chaleur avoisinant 1 000 °C pour tirer de mélanges gazeux similaires treize sortes d'acides aminés.

Pour les scientifiques d'hier, l'atmosphère originelle de la Terre était composée en grande partie de méthane et d'ammoniac, mais nombreux sont ceux qui, aujourd'hui, s'accordent pour dire qu'il s'agissait plutôt d'une combinaison de dioxyde de carbone, d'azote, d'eau et, en moindre quantité, d'hydrogène et de monoxyde de carbone. Récemment, des chercheurs japonais ont bombardé de protons (particules atomiques à haute énergie) un mélange de monoxyde de carbone, d'eau et d'azote, simulant ainsi les radiations des éruptions solaires qui se produisent périodiquement à la surface du Soleil. D'importantes quantités d'acides aminés ont résulté de cette expérience ainsi que certains acides nucléiques nécessaires à la reproduction des cellules.

Les ingrédients organiques indispensables à la vie auraient donc pu naître du brouet de gaz brumeux entourant la Terre à ses origines. Mais nous sommes encore loin aujourd'hui d'avoir découvert comment ces ingrédients se sont constitués en êtres vivants.

Éclairs, rayons cosmiques et météorites ont peut-être joué un rôle dans la création des molécules organiques dont la combinaison est à l'origine des premiers êtres vivants sur la Terre.

UNE VIE VENUE D'AILLEURS

La vie s'est-elle manifestée sur la Terre dès la formation de la planète ? Si la Terre a environ 4,5 milliards d'années, les fossiles les plus anciens découverts par les géologues ne remontent qu'à 3,1 milliards d'années. Mais il s'agit de vestiges de bactéries et d'algues bleues, dont l'évolution s'est poursuivie pendant des centaines de millions d'années. Leurs ancêtres ont donc survécu aux températures élevées de la planète à ses origines et à une atmosphère dépourvue d'oxygène. Leur naissance s'est-elle produite sur la Terre ou a-t-elle eu lieu ailleurs ?

Ces vingt dernières années, les astronomes ont identifié la présence de nombreuses molécules organiques dans la matière dispersée dans l'espace. Certains pensent que comètes et météores convoieraient des acides aminés et même des virus qui, tombés sur une planète réunissant les conditions appropriées, se développeraient lentement sous d'autres formes. Ainsi, l'origine des premiers fossiles de la Terre se niche peut-être dans un coin du cosmos.

Les acides aminés, comme ces cristaux d'arginine observés au microscope, auraient-ils été véhiculés sur terre par une comète ou une météorite ?

À LA DURE
La vie continue même dans des conditions extrêmes

Les organismes vivants arrivent à survivre même dans les endroits les plus inattendus. N'a-t-on pas découvert, par exemple, des bactéries dans des trous d'eau presque bouillante dans le parc national de Yellowstone, aux États-Unis ? Certains parviennent à se reproduire à des températures bien supérieures à 100 °C. Une variété d'algue prospère dans de l'acide sulfurique concentré très chaud. À l'inverse, des températures inférieures à celle d'un congélateur n'affectent pas non plus certains micro-organismes. Des tardigrades – minuscules vertébrés de 1 mm, doués d'une grande résistance au froid – ont été expédiés dans l'espace et soumis à une température de – 272 °C. Une fois dégelés, ils étaient indemnes. On les a plongés ensuite tour à tour dans de l'acide carbonique, de l'hydrogène pur, de l'azote, de l'hélium et de l'hydrogène sulfuré. Quelques gouttes d'eau ont suffi à les ranimer.

Certaines bactéries survivent au flux de neutrons produit au cœur des réacteurs nucléaires. En revanche, la plupart des micro-organismes sont vulnérables aux rayons ultraviolets et la lumière du Soleil peut leur être fatale.

Bactéries et spores fongiques survivent dans la stratosphère, glacée et pratiquement dépourvue d'oxygène. Certains oiseaux volent jusqu'à 9 000 m. On a découvert des araignées sur les flancs du mont Everest, à 6 700 m d'altitude. Les poissons et les crustacés tapis dans des abysses résistent à des pressions énormes, mais explosent une fois remontés à la surface.

Autres formes de vie

L'adaptabilité de ces organismes laisse penser que la vie existe peut-être sur d'autres planètes. La vie sur la Terre dépend de composés de carbone. Mais le silicium peut se substituer au carbone dans de nombreuses molécules. Pour certains chercheurs, des organismes constitués de silicium s'adapteraient mieux aux températures extrêmes d'autres planètes.

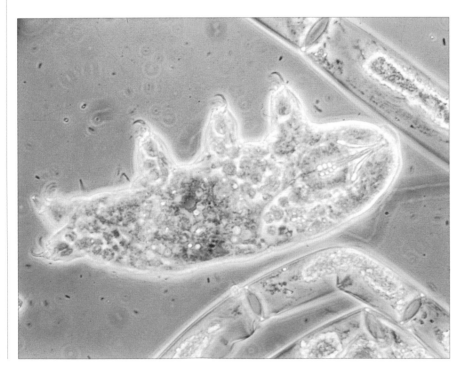

Expédié dans l'espace, surgelé, desséché, plongé dans des solutions chimiques, le minuscule tardigrade a toujours survécu.

UNE HISTOIRE DE GÈNES

Les savants retrouvent la mère de l'humanité

Selon la Genèse, les êtres humains descendent du même ancêtre féminin. C'est aussi la conclusion des généticiens de l'université de Californie, à Berkeley, qui précisent que la mère de l'humanité n'était pas la seule femme sur terre, mais que c'est d'elle que notre espèce *(Homo sapiens)* est issue.

Ces chercheurs étaient leur thèse sur l'ADN, acide désoxyribonucléique, présent dans toute forme de vie et élément constitutif des chromosomes, qui déterminent l'hérédité. La production d'ovules et de sperme chez les parents se traduit, lors de la division des cellules souches de reproduction, par la perte de la moitié de leur stock d'ADN. Au cours de la fécondation, les deux demi-stocks se réunissent pour constituer les chromosomes du nouvel individu. Parfois des « erreurs de copie » surviennent pendant l'étape de division cellulaire. Des gènes, ou des portions de gènes, peuvent être modifiés, changés de place sur un chromosome. Un morceau de chromosome peut être échangé avec un autre. Cela entraîne des mutations qui se traduisent par l'apparition de caractéristiques nouvelles dans une famille.

Hérédité purement maternelle

À la naissance, nous héritons de mitochondries, organites qui contrôlent certains aspects de notre métabolisme (notamment la conversion des aliments en énergie et en tissus) par un ADN indépendant des chromosomes. Élément crucial pour les chercheurs de Berkeley : les mitochondries proviennent uniquement de la mère et ne se combinent pas aux mitochondries mâles pendant la reproduction. Les mitochondries de l'enfant sont donc identiques à celles de sa mère, à moins d'une mutation de l'ADN.

Les chercheurs de Berkeley ont répertorié toutes les différences connues de l'ADN mitochondrial de cinq

D'après les recherches des généticiens, l'être humain descendrait d'une Africaine. Mais celle-ci a-t-elle été la toute première femme ?

grands groupes de races et de régions d'Afrique, d'Asie, d'Europe, d'Australie et de Nouvelle-Guinée. En remontant aux mutations communes à deux ou plusieurs groupes, puis à celles d'un seul, ils ont pu dresser l'arbre généalogique de l'humanité. L'approximation du rythme des mutations permet aux biochimistes d'en situer l'époque et le lieu. Leurs recherches ont abouti à une femme vivant en Afrique il y a 140 000 à 290 000 ans – une Ève africaine inconnue.

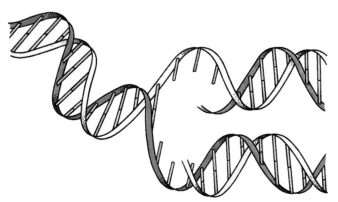

Grâce à la double spirale de l'ADN, les instructions codées d'un organisme vivant se recopient par division de chaque noyau cellulaire. La séquence des quatre substances chimiques constitue les échelons de l'hélice d'ADN.

IL SE SUICIDE POUR UN CRAPAUD

Le désespoir d'un biologiste controversé

Contrairement aux autres crapauds, le crapaud accoucheur d'Europe de l'Ouest préfère l'accouplement sur terre ferme et n'est donc pas pourvu de coussinets nuptiaux.

Les crapauds ont une vie amoureuse fort intéressante. La plupart des espèces s'accouplent dans l'eau, et le mâle reste agrippé à la femelle plusieurs semaines si nécessaire jusqu'à l'émission du frai. La fécondation a lieu à l'extérieur, le mâle étreignant fermement la femelle de ses pattes antérieures et fécondant les œufs (ovules) après leur ponte. Aussi, à la saison des amours, des coussinets foncés, hérissés de piquants, apparaissent sur les pattes du mâle et l'aident à s'agripper à la peau visqueuse de sa compagne.

Le crapaud accoucheur préfère, lui, la terre ferme : le mâle n'a donc jamais de coussinets nuptiaux. En 1909, le biologiste autrichien Paul Kammerer déclara pourtant avoir élevé plusieurs générations de crapauds accoucheurs dotés de ces coussinets.

Kammerer avait cantonné ses cobayes dans un environnement qui les obligeait à s'accoupler dans l'eau. Des coussinets rudimentaires apparurent sur leur progéniture mâle et s'accentuèrent à la génération suivante.

Les travaux de Kammerer déchaînèrent les passions, car ils paraissaient confirmer le bien-fondé d'une théorie tombée dans l'oubli.

Cent ans plus tôt, le célèbre naturaliste français Jean-Baptiste Lamarck (1744-1829) soutenait que les animaux transmettaient à leur progéniture des particularités physiques dues à leur environnement.

Mais les généticiens actuels ne décèlent aucun mécanisme physique de transmission. Les crapauds accoucheurs de Kammerer auraient-ils réalisé l'impossible ?

Encre révélatrice

Indignés par les allégations de Kammerer, les scientifiques lancèrent une violente attaque, qui se poursuivit des années. En 1926, un de ses antagonistes américains se rendit à Vienne pour disséquer l'un des crapauds. Les piquants du dernier spécimen préservé – les autres ayant disparu pendant la Première Guerre mondiale – avaient été brisés par des manipulations antérieures. Mais pis encore : une injection d'encre de Chine expliquait l'assombrissement de la peau, et rien n'indiquait la présence de coussinets nuptiaux.

Persuadé que ceux-ci résultaient d'un « retour » génétique à l'époque où le crapaud accoucheur s'accouplait dans l'eau, Paul Kammerer dut cependant reconnaître humblement la présence d'encre ; mais il nia toute connaissance de la fraude. Quelques années auparavant, deux équipes de chercheurs avaient examiné séparément le crapaud incriminé, avec beaucoup d'attention, et vu les coussinets, sans déceler aucune injection d'encre.

Six semaines après la révélation de la fraude, Kammerer se suicida à l'âge de quarante-six ans. Avait-il falsifié ses résultats ? Jusqu'ici, aucun biologiste n'a réussi à mener à bien de telles expériences.

On ignore qui a injecté de l'encre dans la peau du crapaud. Kammerer avait une réputation de grande honnêteté. Le coupable était-il un assistant soucieux d'améliorer l'apparence du crapaud ou un adversaire de Kammerer, prêt à saboter l'ultime preuve de ses expériences ?

LE SAVIEZ-VOUS ?

Le crapaud accoucheur doit son nom à la sollicitude du mâle pour sa progéniture. Après avoir fertilisé les chaînes d'œufs de la femelle, il se les enroule autour des pattes postérieures pour les garder humides et les protéger des prédateurs jusqu'à l'éclosion. Lorsque les œufs sont prêts à éclore, le crapaud plonge ses pattes dans une mare et « accouche » dans l'eau de ses têtards.

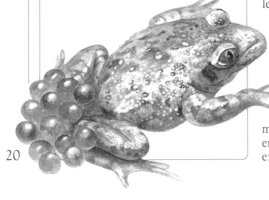

UN OISEAU PIRATE

La théorie darwinienne de la sélection naturelle prédit la lente évolution des espèces, qui s'adaptent à leur environnement. Mais la nature fourmille d'exceptions, comme la frégate, oiseau côtier des tropiques, dont le plumage, les pattes et les ailes sont inadaptés à la vie aquatique.

Dotée d'un plumage perméable, la frégate ne peut nager ou plonger pour se nourrir sans s'imbiber d'eau. Ses pattes, pas assez palmées, la gênent pour barboter après l'amerrissage. Ses longues ailes fines – dont l'envergure peut atteindre 2,30 m – ne battent qu'à l'aide du vent. Si la frégate tentait de reprendre son vol après l'amerrissage, elle se briserait les ailes dans les vagues.

Sur la terre ferme, la frégate est également gênée par ses ailes : aussi bâtit-elle son nid au sommet des rochers ou des arbres. Elle y retrouve le vent, qu'elle peut affronter pendant des heures.

On peut vivre de la mer de plusieurs façons, et la frégate en pratique une bien connue des marins – la piraterie. Si la pêche est ardue, autant laisser la besogne à d'autres ! Inadaptée à son environnement par rapport aux autres oiseaux de mer, la frégate mange du poisson sans se mouiller : sa technique consiste à obliger d'autres oiseaux aquatiques à régurgiter leurs aliments, qu'elle attrape au vol avec une adresse étonnante. Il lui arrive aussi de happer des poissons – surtout volants – à la surface de l'eau. Elle

Une superbe frégate se prépare pour un acte de piraterie aérienne. Le sac rouge du mâle, poche gonflée d'air, l'avantage pour faire sa cour.

pêche en piquant sur les poissons, cueille la proie du bout de son bec, puis remonte sans se mouiller les pattes, ni les plumes.

ATTENTION : SOURIS BREVETÉE !
Des animaux et des plantes sur mesure

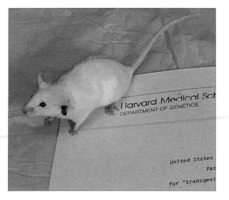

Les chercheurs de l'université de Harvard ont fait breveter cette souris, qui doit beaucoup à la génétique.

En avril 1988, après quatre ans d'hésitation, l'Office américain des brevets délivrait le certificat numéro 4 736 866 à une souris. L'université de Harvard et deux de ses chercheurs avaient demandé un brevet pour une souris porteuse d'un gène humain du cancer du sein. Aucun animal n'avait été breveté jusqu'alors. Toutes les tentatives antérieures avaient échoué : les techniques utilisées pour la modification génétique d'animaux n'étaient, en effet, pas nouvelles. Mais, peu après, l'université d'Adélaïde, en Australie, annonçait qu'elle en demandait un pour un porc à croissance rapide.

Ces deux produits, parmi d'autres, du génie génétique rapportent gros à la recherche scientifique et médicale et représentent aussi un énorme potentiel économique pour l'agriculture. Mais comment différencier la sélection traditionnelle de la modification génétique des plantes et des animaux ?

L'acide nucléique de l'ADN détermine la forme et les fonctions de toute forme de vie. Il est le support des gènes dont sont constitués les chromosomes nichés dans le noyau de la cellule. Séparément ou en combinaison, les gènes déterminent entre autres le bleu des yeux d'un animal ou le rouge d'une fleur. Les générations suivantes héritent de ces caractéristiques. Le généticien doit identifier les gènes producteurs des caractéristiques qu'il tente de reproduire, puis les copier pour les implanter dans un tissu vivant.

La tâche est ardue, car chaque paire de chromosomes d'une cellule contient de 10 000 à 90 000 gènes, dont le rôle dans la croissance, la biochimie et le comportement reste encore très mysté-

rieux. Et pourtant les gènes de chaque plante, de chaque animal sont uniques. La tâche du généticien est facilitée lorsqu'il dispose d'informations concernant l'organisme étudié.

Les gènes identifiés doivent ensuite être transférés. Une méthode consiste à modifier certaines bactéries qui attaquent l'organisme cible en y déposant les nouveaux gènes ; une autre, à utiliser des « canons à gènes » pour tirer dans les cellules de minuscules « balles » de tungstène enrobées des gènes à transférer ; ou encore, à introduire ces derniers dans les cellules préalablement perforées par électricité. Mais rien ne garantit la « prise » des nouveaux gènes dans la cellule, ni l'effet recherché.

Le génie génétique a néanmoins enregistré des succès fascinants. Non loin d'Édimbourg, un troupeau de brebis donne un lait riche en substances coagulant le sang présentes jusqu'alors uniquement chez l'homme. Extraites de ce lait, ces substances peuvent servir au traitement des hémophiles.

On a vu apparaître également des plantes sur mesure. Ainsi les botanistes envisagent-ils la production de café sans caféine, et même de tabac sans nicotine.

LE PLUS GRAND MAMMIFÈRE TERRESTRE

D'où vient le long cou de la girafe ?

P ourquoi la girafe a-t-elle un long cou ? Exemple spécifique de tout débat sur l'évolution, ce dada de la controverse biologique ne cesse de semer la confusion depuis le début du XIXᵉ siècle, car la doctrine darwinienne exposée dans les manuels d'aujourd'hui paraît moins acceptable que celle du naturaliste français Jean-Baptiste Lamarck.

Un cou... de chance

Pour les biologistes actuels qui allient le darwinisme (ou théorie de la sélection naturelle) à la génétique du XXᵉ siècle, l'évolution résulte des variations infimes et aléatoires de l'ADN, séquence de substances chimiques contenant le code de développement de tout organisme vivant.

À la suite d'une mutation fortuite de son matériel génétique, la girafe naît avec un cou qui lui donne une bonne longueur d'avance sur ses cousins et lui permet d'attraper le feuillage des hautes branches. Comme elle se nourrit plus facilement, elle vit plus longtemps que ses congénères et donne naissance à une nombreuse progéniture qui hérite de cette particularité. Privées de cet avantage, les girafes à petit cou finissent par disparaître.

Cette thèse du hasard paraît inacceptable à bon nombre d'entre nous. Selon les théories du transformisme et de la génération spontanée, avancées par Lamarck en 1809, soit cinquante ans avant la publication de *De l'origine des espèces,* de Darwin, l'évolution obéit à une force qui incite les êtres vivants à se perfectionner en fonction de leur environnement.

Autoperfectionnement

Selon Lamarck, les girafes ont étiré leur cou pour atteindre le sommet des arbres, car des espèces concurrentes avaient dévoré le feuillage du bas. Leur progéniture a hérité de cette particularité, et les générations suivantes ont poursuivi le processus, bénéficiant de cous toujours plus longs qu'elles ont encore étirés, jusqu'au moment où elles se sont alimentées sans effort. Les parents pouvaient donc transmettre des attributs physiques acquis.

Mais, aujourd'hui, les darwinistes condamnent la théorie qui a perpétué

Pour que la girafe puisse s'abreuver en baissant la tête, et non en s'agenouillant, ses pattes et son cou ont dû suivre la même courbe de croissance.

le nom de Jean-Baptiste Lamarck, à savoir le mécanisme de l'évolution par la transmission des caractères acquis.

Du temps de Darwin, les biologistes ignoraient tout de la nature des gènes et des processus de variation entre individus. La chimie de l'hérédité demeurait un véritable mystère.

Pour Darwin, la façon de se servir d'un membre ou d'un organe pouvait expliquer les variations d'une espèce de plantes ou d'animaux. Tout en considérant la sélection naturelle comme l'ultime agent de l'évolution, Darwin n'a pas rejeté comme hérésie – contrairement aux biologistes modernes – la théorie du naturaliste français Lamarck.

Peut-être les girafes ont-elles étiré le cou pour s'abreuver. En effet, si elles n'avaient pas le cou si long, elles seraient obligées de s'agenouiller pour boire... Or elles éprouvent de grandes difficultés à plier leurs longues pattes.

La girafe se nourrit aux branches les plus élevées des arbres, inaccessibles aux autres herbivores ; le guerenouk atteint les branches médianes en se dressant sur ses pattes de derrière.

UNE COUVERTURE DE SURVIE

Qu'est-ce qui maintient l'atmosphère autour de la Terre ?

Sans air, notre monde serait dénué de vie. Pour survivre et se développer, les plantes et les animaux ont besoin du Soleil, mais aussi de l'oxygène et de l'eau contenus dans l'atmosphère. C'est à la pesanteur que nous devons la présence de cette couche atmosphérique.

L'air est un mélange gazeux de molécules se déplaçant à très grande vitesse. La gravité de la Terre est si forte qu'aucun déplacement inférieur à 40 000 km/h – soit 17 fois la vitesse plafond de l'avion Concorde – ne lui échappe. Heureusement que les molécules se déplacent moins vite et que la pesanteur terrestre retient l'atmosphère ! Aux dires de certains astronomes, la Lune aurait eu aussi son atmosphère. Mais comme sa gravité ne représentait qu'un sixième de celle de la Terre, l'atmosphère lunaire se serait dispersée dans l'espace.

Une place au soleil

La vie telle que nous la connaissons s'est développée sur la Terre grâce à la situation idéale de notre planète dans le système solaire. Les végétaux – premières formes complexes de vie – avaient besoin de la lumière solaire pour vivre et se reproduire.

Ils produisent aussi de l'oxygène. Les animaux terrestres – surtout les mammifères – n'ont pu atteindre leur forme actuelle que parce qu'ils évoluaient dans l'atmosphère, riche en oxygène. Si la Terre avait été plus proche du Soleil, l'élévation de la température aurait augmenté la vitesse des molécules d'oxygène, qui se seraient alors échappées ; et si elle avait été plus lointaine, le froid aurait empêché l'évolution de la vie.

Les scientifiques se mettent enfin à comprendre la nature des différentes couches de l'atmosphère. À la fin du XIXᵉ siècle, le lâcher de ballons équipés de baromètres et de thermomètres a permis de découvrir que, si la pression diminue en altitude, les variations de température sont plus complexes. Les savants ont alors divisé l'atmosphère en couches délimitées par ces variations. La température de la troposphère et celle de la mésosphère diminuent avec l'altitude, alors qu'elle augmente dans la stratosphère et dans la thermosphère. L'envoi de fusées et de satellites, réalisé grâce aux progrès de la technologie des années 1940, a permis aux scientifiques de sonder les couches élevées de l'atmosphère.

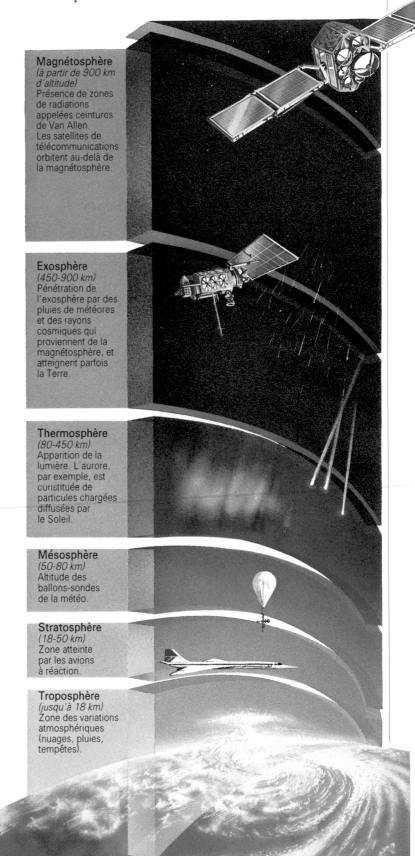

Magnétosphère
(à partir de 900 km d'altitude)
Présence de zones de radiations appelées ceintures de Van Allen. Les satellites de télécommunications orbitent au-delà de la magnétosphère.

Exosphère
(450-900 km)
Pénétration de l'exosphère par des pluies de météores et des rayons cosmiques qui proviennent de la magnétosphère, et atteignent parfois la Terre.

Thermosphère
(80-450 km)
Apparition de la lumière. L'aurore, par exemple, est constituée de particules chargées diffusées par le Soleil.

Mésosphère
(50-80 km)
Altitude des ballons-sondes de la météo.

Stratosphère
(18-50 km)
Zone atteinte par les avions à réaction.

Troposphère
(jusqu'à 18 km)
Zone des variations atmosphériques (nuages, pluies, tempêtes).

LA CONQUÊTE DES HAUTEURS

Vers 1860, le météorologiste britannique James Glaisher alla explorer la stratosphère en ballon à la demande de la British Association. Le 5 septembre 1862, accompagné de son pilote, Henry Coxwell, il s'éleva jusqu'à 8 840 m – ce qui correspond pratiquement à l'altitude du mont Everest. Mais le ballon montait toujours, et le scientifique, privé peu à peu d'oxygène, perdit subitement connaissance.

Coxwell, lui, très faible, parvint cependant à ouvrir la soupape avec ses dents et à faire redescendre le ballon. Plus tard, les deux aérostiers évaluèrent leur altitude maximale à 11 300 m. Ils étaient les premiers à réaliser un tel exploit, qui faillit tout de même leur coûter la vie.

Un physicien suisse, le professeur Auguste Piccard, battit ce record en 1931 en s'élevant à 16 153 m à bord d'un ballon équipé de la toute première cabine étanche.

Le capitaine de frégate Malcolm D. Ross et feu le capitaine de corvette

En 1862, le pilote Coxwell sauve la vie de Glaisher, évanoui à 11 000 m d'altitude.

Victor Prather, de la marine américaine, détiennent toujours le record de l'ascension en ballon : en 1961, ils ont survolé le golfe du Mexique à 34 668 m d'altitude.

LE SECRET DE LA VIE
La foudre fait pousser les plantes

L'électricité déchargée par un seul éclair suffit à combiner les gaz d'oxygène et d'azote en oxyde nitrique qui, dissous dans l'eau de pluie, pénètre dans le sol sous forme d'acide nitrique.

Si toutes les plantes ont besoin d'azote, rares sont celles qui l'obtiennent directement de l'atmosphère. Par son action électrochimique, la foudre en fournit une partie.

Elle a peut-être exercé une influence encore plus grande sur le processus de la vie. Au début des années 1950, le chimiste Harold Urey et ses étudiants de l'université de Chicago ont simulé les effets de la foudre sur un mélange de gaz similaires, pensait-on, à ceux de l'atmosphère originelle de la Terre. L'expérience leur a permis d'obtenir des acides aminés, substances chimiques constitutives des protéines de la matière vivante. Ainsi, la première manifestation de la vie sur la Terre, il y a des millions d'années, est peut-être née d'un éclair.

En dépit de son pouvoir destructeur, la foudre serait à l'origine de la formation des éléments fondamentaux de la vie.

CHALEUR RÉFRIGÉRANTE

Un chaud et froid aux confins de l'espace

Si on traverse l'atmosphère terrestre pour se rapprocher de l'espace intersidéral, la température baisse de 1 °C tous les 150 m pour atteindre − 65 °C à 18 km.

À cette altitude, qui marque l'entrée dans la stratosphère et dans la couche d'ozone, les rayons ultraviolets solaires transforment l'oxygène en ozone, et cette réaction chimique dégage de la chaleur. La température remonte alors régulièrement pour atteindre − 3 °C à 50 km de la surface de la Terre.

On arrive alors à la frontière entre la stratosphère et la mésosphère, dans laquelle l'air est si léger que l'échauffement par les ultraviolets est insignifiant. Le froid s'intensifie et chute à − 90 °C, à 80 km.

On pénètre ensuite dans l'ionosphère, qui s'étend sur 300 km et où se produit un phénomène étrange : les ondes courtes des ultraviolets et des rayons X solaires percutent les molécules et arrachent alors des électrons aux atomes. Ces ions – les molécules privées de certains électrons –, qui se déplacent à très grande vitesse, sont donc brûlants.

La température d'un ion peut atteindre 5 000, voire 10 000 °C. Mais ces particules sont si rares et si éloignées les unes des autres qu'un astronaute sans combinaison, en balade dans l'espace, gèlerait instantanément.

LE MAIRE MAGICIEN

Les pouvoirs de l'atmosphère

En 1654, Otto von Guericke se fit une belle réputation de magicien dans la ville allemande de Magdeburg, dont il était le maire.

D'abord juriste, von Guericke avait des talents multiples. Mathématicien, physicien, mécanicien et ingénieur, il s'intéressait tout particulièrement aux recherches consacrées à la nature de l'atmosphère. Il voulait mettre en évidence la force de la pression atmosphérique en prouvant ses effets sur un récipient sous vide. Il construisit donc une pompe à vide qui aspirait l'air.

Il démontra la force de sa pompe et celle de l'atmosphère avec tout le talent d'un grand metteur en scène. Un de ses tours, présenté à Magdeburg devant l'empereur Ferdinand III et sa cour, lui valut son succès.

Il avait fabriqué deux hémisphères de cuivre de 5,10 cm de diamètre aux joints si précis qu'ils formaient, après assemblage, une sphère hermétique. Il la vida de tout son air, puis attela à chaque hémisphère huit chevaux qui tentèrent en vain de les séparer. Après admission d'air, en revanche, les deux moitiés se détachèrent très aisément.

Il fit une autre démonstration en pompant l'air d'un grand cylindre vertical équipé d'un piston. Cinquante hommes s'agrippèrent à des cordes rattachées au piston par des poulies. L'air

En 1654, Otto von Guericke souleva 50 hommes en inventant une pompe à air capable de créer un vide presque parfait. Aussi passa-t-il pour un magicien.

expulsé du cylindre fit descendre le piston : les cinquante hommes se retrouvèrent suspendus en l'air !

Vingt ans plus tard, les pouvoirs magiques de von Guericke épatèrent une fois encore la population de Magdeburg.

Le maire avait fixé sur sa maison un baromètre à eau de sa fabrication. C'était un tube de plus de 9 m de haut surmonté d'une section en verre étanche. Von Guericke était capable, grâce à lui, de prévoir le temps ; en effet, par beau temps, les passants pouvaient apercevoir une figurine, qui disparaissait à l'approche de précipitations.

DES MACHINES ÉTERNELLES

À la recherche du mouvement perpétuel

Toute machine, quels que soient ses dimensions ou son usage, a besoin d'énergie pour fonctionner : fuel de chauffage, courant du secteur, lumière du Soleil, etc.

Mais pendant des siècles, les inventeurs ont tenté de créer un engin qui, après démarrage, générerait et recyclerait sa propre énergie.

La quête du mouvement perpétuel a inspiré la construction de roues hydrauliques, de moulins à vent et d'horloges, qui ne s'arrêteraient jamais.

Cette quête était vouée à l'échec, car une machine au mouvement perpétuel défierait les lois de l'Univers. Selon les principes de la thermodynamique, la conver-sion d'une forme d'énergie (comme l'eau courante, par exemple) en une autre (celle d'une roue hydraulique) se traduit par une déperdition d'énergie (chaleur ou friction), aussi infime soit-elle. Sans apport énergéti-que, toute machine finit par s'immobiliser un jour.

L'homme croit être parvenu au mouvement perpé-tuel en lançant dans l'espace des sondes qui, une fois mises en orbite en état d'apesanteur, sont capables de tourner indéfiniment sans poussée. Mais leur mouve-ment n'est pas vraiment éternel : le Soleil s'use et va entraî-ner la destruction de tout le système solaire.

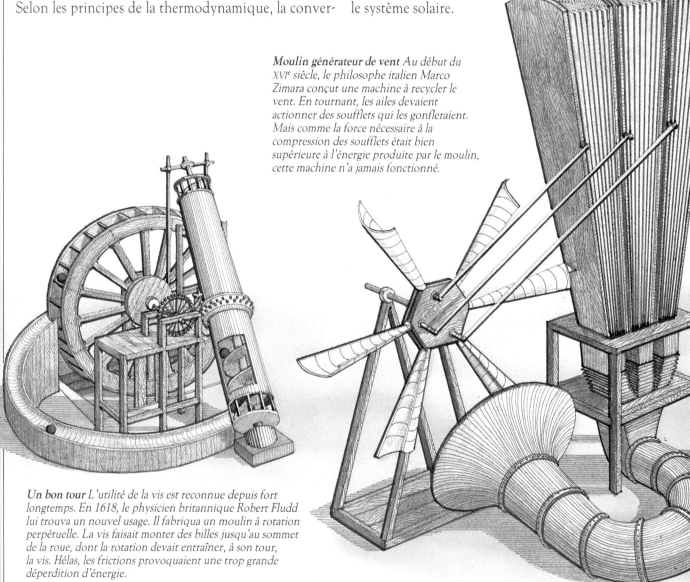

Moulin générateur de vent *Au début du XVIᵉ siècle, le philosophe italien Marco Zimara conçut une machine à recycler le vent. En tournant, les ailes devaient actionner des soufflets qui les gonfleraient. Mais comme la force nécessaire à la compression des soufflets était bien supérieure à l'énergie produite par le moulin, cette machine n'a jamais fonctionné.*

Un bon tour *L'utilité de la vis est reconnue depuis fort longtemps. En 1618, le physicien britannique Robert Fludd lui trouva un nouvel usage. Il fabriqua un moulin à rotation perpétuelle. La vis faisait monter des billes jusqu'au sommet de la roue, dont la rotation devait entraîner, à son tour, la vis. Hélas, les frictions provoquaient une trop grande déperdition d'énergie.*

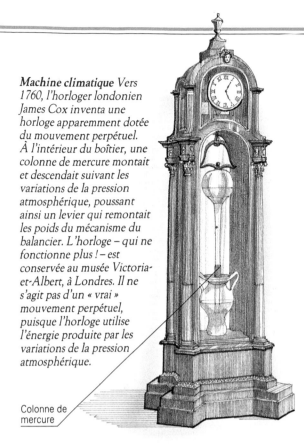

Machine climatique *Vers 1760, l'horloger londonien James Cox inventa une horloge apparemment dotée du mouvement perpétuel. À l'intérieur du boîtier, une colonne de mercure montait et descendait suivant les variations de la pression atmosphérique, poussant ainsi un levier qui remontait les poids du mécanisme du balancier. L'horloge – qui ne fonctionne plus ! – est conservée au musée Victoria-et-Albert, à Londres. Il ne s'agit pas d'un « vrai » mouvement perpétuel, puisque l'horloge utilise l'énergie produite par les variations de la pression atmosphérique.*

Colonne de mercure

UNE SUPERCHERIE

Vers 1850, un ingénieur construisit une machine à deux roues qu'il disait animée par un mouvement perpétuel. La rotation de la grande roue provoquait le déplacement de poids posés sur ses rayons. S'ensuivait un déséquilibre qui entraînait la petite roue. En réalité, de l'air comprimé actionnait le mécanisme.

Attraction permanente *En 1648, un évêque anglais suggéra d'utiliser de la magnétite – oxyde naturel de fer magnétique – pour parvenir au mouvement perpétuel. Il posa sur un pilier une puissante magnétite qui attirait une boule métallique au sommet d'une rampe. Près du sommet, la boule devait tomber dans un trou et reprendre son ascension. Mais l'aimant, trop puissant, empêchait la boule de tomber dans le trou.*

Magnétite

Boule métallique

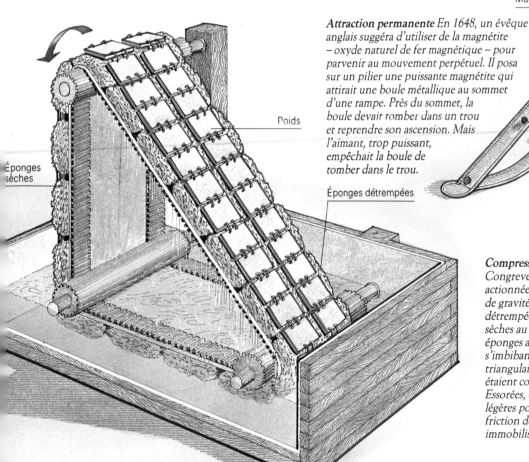

Éponges sèches

Poids

Éponges détrempées

Compression *En 1827, William Congreve inventa une machine actionnée par des éponges ! La force de gravité exercée sur des éponges détrempées devait tirer des éponges sèches au sommet d'une pente. Les éponges absorbaient l'eau du bac. En s'imbibant, elles entraînaient la bande triangulaire. En sortant de l'eau, elles étaient comprimées par des poids. Essorées, elles devenaient suffisamment légères pour monter la pente. Mais la friction des rouleaux et de l'eau immobilisa la machine.*

LES SECRETS DU CRISTAL

Une matière dure et tendre

Diamants, crayons et flocons de neige ont un point commun : leur structure, merveille de la nature, est cristalline. Le mot cristal vient du grec *krustallos*, qui signifie « glace », car on pensait alors qu'une variété de quartz avait été gelée au point de ne jamais fondre.

Si l'on sait que certains solides aux structures ordonnées et souvent magnifiques, comme le flocon de neige gelé ou le diamant, sont des cristaux, on ignore bien souvent que le graphite, dont est constituée une mine de crayon noir, est aussi un cristal. Pour l'homme de science, le cristal est une substance solide dont la structure moléculaire est ordonnée. On trouve des cristaux de toutes les tailles et de toutes les formes et ils se composent d'un grand nombre de substances. En Irlande, la Chaussée des Géants, agrégat de cristaux de roche basaltique, est aussi haute qu'un bâtiment de quatre étages, alors que les cristaux de graphite sont presque invisibles. Un seul élément peut produire des cristaux

Quartz pur ou cristal de roche

sons avec les lamelles du dessus ou du dessous sont peu efficaces. Ces minces couches souples de carbone se pèlent aisément et c'est cette friabilité de la mine de crayon qui laisse une trace sur le papier. Le graphite s'utilise également comme lubrifiant parce que ses atomes roulent les uns sur les autres.

Sous l'action d'une pression, certains cristaux, comme le quartz, se chargent d'électricité, qui les fait vibrer. Le courant alternatif d'une horloge à quartz fait vibrer le cristal avec une telle régularité que le mécanisme ne varie pas d'une seconde par an.

La Chaussée des Géants sur la côte d'Antrim, en Irlande du Nord, se compose de milliers de cristaux de roche basaltique.

différents : l'eau. Celle-ci ne se cristallise-t-elle pas en blocs de glace ou en flocons de neige ?

Le diamant et le graphite sont des cristaux de carbone. Mais pourquoi le diamant est-il si dur alors que le graphite est si tendre qu'on l'utilise pour fabriquer de la mine de crayon et du lubrifiant ? L'explication – simple – est la suivante.

Le cristal se présente sous deux formes : cubique pour le diamant et en lamelles en ce qui concerne le graphite.

Les atomes de carbone du diamant, disposés régulièrement dans tout l'espace, sont tous « soudés » à leurs voisins immédiats. Ceux du graphite s'allient tout aussi bien avec les atomes situés dans un plan, mais les liai-

DIGNE D'UNE REINE

Le plus gros diamant du monde, le *Cullinan*, fut découvert en Afrique du Sud le 25 janvier 1905 dans la mine Premier, au Transvaal. Trois fois plus volumineux que l'*Excelsior*, qui détenait jusqu'alors le record, il pesait 3 106 carats – soit un tiers de plus. Comme l'Afrique du Sud faisait partie de l'Empire britannique, le Transvaal offrit la pierre au roi Édouard VII à l'occasion de son 66e anniversaire.

Isaac Asscher, joaillier d'Amsterdam, en tira neuf grandes gemmes et une centaine de petites. La plus grosse pierre, ou *Étoile d'Afrique*, de 530 carats, orne le sceptre royal. Le *Cullinan II*, de 317 carats, est serti dans la couronne impériale britannique. Son diamètre est celui d'une montre d'homme.

L'*Étoile d'Afrique* orne le sommet du sceptre d'Élisabeth II ; le Cullinan II est serti à la base du gros rubis de la couronne impériale.

LE DÉTECTIVE VOLANT

Un cristal aérien surveille les retombées de Tchernobyl

Durant l'hiver 1988, un hélicoptère transporta un dispositif remarquable au-dessus de la Cumbria (comté du nord-ouest de l'Angleterre) : un gros cristal d'iodure de sodium, encastré dans un caisson en Inox. Il allait détecter les dernières retombées radioactives de la catastrophe nucléaire de Tchernobyl, survenue le 24 avril 1986.

Pour le Dr David Sanderson, à la tête du Centre de recherches nucléaires des universités écossaises, le choix du cristal s'imposait. En effet, les substances radioactives émettent des rayons gamma, qui pénètrent la plupart des matières, sauf précisément l'iodure de sodium, cristal très dense qui vibre en absorbant l'énergie des rayons qui le frappent.

Le cristal était enrobé de thallium. Ce métal réagit à chaque rayon gamma en émettant de la lumière dans l'ultraviolet, dont les variations d'intensité servent à identifier toutes les substances radioactives. L'équipe recherchait notamment du césium 134, métal artificiel créé par l'homme prouvant la présence de radiations ne pouvant avoir été émises que lors de l'accident.

D'autres appareils reliés au caisson pour l'analyse des ultraviolets décelèrent du césium 134. Les vibrations du cristal avaient ainsi fourni le relevé le plus détaillé des dernières retombées de la catastrophe de Tchernobyl sur la Grande-Bretagne.

LE SAVIEZ-VOUS ?

Les cristaux de glace fondent dès que la température s'élève au-dessus de 0 °C. Mais l'Américain Percy Bridgman, professeur à l'université de Harvard, prix Nobel de physique en 1946, découvrit, en étudiant les effets de pressions phénoménales sur différentes substances, la « glace VII », qui ne fond même pas à 100 °C.
En soumettant de la glace à ces très fortes pressions, il en compressa tellement les atomes et les molécules que même la chaleur ainsi produite ne put les séparer.

DUR COMME VERRE

Dureté, éclat et clarté caractérisent le cristal de verre. On connaissait depuis longtemps les propriétés de l'oxyde de plomb, qui, lorsqu'il est additionné à de la pâte de verre, donne à cette dernière une résistance et une pureté incomparables. C'est l'Anglais George Ravenscroft qui mit au point la fabrication industrielle du cristal au plomb, en 1674, grâce à une méthode spéciale : la fusion à pots couverts.

Mais le verre n'est pas du cristal. Du temps de Ravenscroft, le verre était rouge ou vert, suivant le sable qu'on utilisait pour sa fabrication. Ravenscroft tentait simplement d'obtenir le verre le plus clair possible, qui, par son éclat, rappelait le cristal de roche. Sa tentative réussit et le nom demeura.

Si le verre n'est donc pas du cristal, c'est, en outre, à peine un solide. Les atomes et les molécules de la plupart des solides sont organisés et liés en structures ordonnées. La fusion d'un solide détruit celles-ci, mais l'arrangement structurel réapparaît dans la matière resolidifiée après refroidissement. Les molécules d'un flocon de neige se brouillent en fondant, mais la congélation de l'eau en un nouveau flocon leur rend une structure élaborée. En revanche, la solidification, ou gel, du verre — rapide et irrégulière — se traduit par un désordre des molécules.

Curieusement, le verre doit précisément sa dureté à ces irrégularités. En théorie, un verre parfait serait cinq fois plus solide que l'acier le plus résistant, mais il reste irréalisable à ce jour, à cause de petits défauts de fabrication incontournables. Aujourd'hui, le verre le plus résistant au monde atteint toutefois, sans le dépasser, le même degré de solidité que l'acier.

LE LEURRE LUMINEUX DE LA LUCIOLE

Des cristaux à la rescousse

Dans certaines régions d'Asie tropicale, on peut voir des arbres scintiller la nuit. Ils semblent reliés les uns aux autres par des guirlandes lumineuses.

L'éclat simultané de milliers de lucioles rassemblées sur leurs branches explique cet extraordinaire spectacle, où chaque arbre abrite une espèce différente de ver luisant.

Si la raison d'un tel spectacle est méconnue, les biologistes savent maintenant pourquoi et comment la luciole luit en plein vol.

Cet insecte devient lumineux quand il cherche à s'accoupler. Le mâle d'une espèce répandue en Amérique du Nord, *Photinus pyralis*, émet un signal lumineux régulier en vol. Au sol, la femelle répond sur un rythme spécifique à son espèce et alerte le mâle, qui atterrit auprès d'elle.

Ces signaux éloigneraient aussi d'éventuels prédateurs, prévenus contre le goût amer de la luciole – l'avertissement reste parfois inefficace : certaines grenouilles, en effet, gobent tant de lucioles qu'elles se mettent à luire à leur tour !

La « lanterne » de la luciole contient de l'oxygène et de la luciférine, dont la réaction chimique génère la lueur. Une enzyme, la luciférase, accélère le processus, d'où intensification de la lueur. Par ailleurs, cette lanterne comporte aussi une couche de cristaux d'urate d'ammoniac qui diffusent la lumière.

Des lucioles illuminent un arbre de signaux simultanés émis par les cristaux de leur organisme.

Sur Mesure

Pied et pouce

La longueur d'une ceinture, le poids d'un grain de blé, le volume d'une poignée de farine : ce sont autant de mesures millénaires qui sont aujourd'hui complètement oubliées.

Pourtant certaines autres, très anciennes, sont encore de mise dans certains pays. C'est le cas du pouce *(inch)*, correspondant à la largeur d'un pouce d'homme (25,4 mm), en vigueur en Grande-Bretagne et aux États-Unis. Cette mesure existait déjà chez les Romains, qui comptaient seize pouces *(digitus)* dans un pied *(pes)*.

Le pied du système impérial britannique (30,4 cm) équivaut à peu près à celui du système romain.

Photographiées grandeur nature, trois drachmes de la Grèce antique et des oboles frappées à l'effigie de dieux et de rois. Une drachme valait six oboles.

Tours de taille et autres mesures

Pour les Anglo-Saxons, un yard équivalait autrefois à la longueur d'une ceinture d'homme (900 mm). Par son manque de précision, ce système présentait des inconvénients manifestes ; le roi Henri Ier d'Angleterre aurait standardisé le yard, au XIIe siècle, en mesurant la distance entre son nez et son bras tendu. Le plus ancien étalon du yard que l'on a retrouvé est une barre d'argent, coulée en 1445, qui appartenait à la corporation des tailleurs de Londres.

Pour les unités de poids, on s'est longtemps servi de semences. Le grain, jadis poids d'une seule graine, fait toujours partie du système impérial britannique. Malgré les variations de poids entre semences, une livre (453,6 g) se divisait et se divise toujours en 7 000 grains (64,8 mg). Dans la Babylone antique, les semences servaient à déterminer une superficie : la terre agricole se mesurait au nombre de graines destinées à son ensemencement.

Une poignée de monnaie

La poignée est une mesure toujours en vigueur sous plusieurs formes. Les Grecs de l'Antiquité divisaient en six petits poids de fer, ou oboles, la drachme (poignée). Aujourd'hui, la drachme est tout à la fois l'unité monétaire grecque et un poids. Elle a aussi survécu dans le système anglo-saxon, où elle équivaut au 1/16 d'une once, soit 1,8 g.

Une mosaïque romaine d'Algérie représente un paysan et ses bœufs. L'ager (champ romain), dont dérive l'acre du système anglo-saxon, correspondait au terrain labouré par une paire de bœufs en un jour.

> **LE SAVIEZ-VOUS ?**
>
> *Aux temps bibliques, le Proche-Orient utilisait deux sortes de poids : la mesure commune et la mesure royale, plus lourde, réservée exclusivement au paiement des impôts en nature levés par le souverain, qui, en revanche, payait en mesure commune. Le Trésor royal était donc toujours bénéficiaire.*

LE SYSTÈME MÉTRIQUE
Une invention française erronée

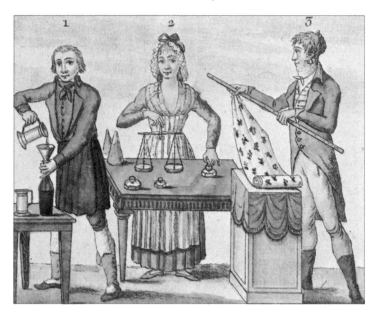

Dessin explicatif du système métrique, publié dans un journal français en 1800 : le litre (figure 1), le gramme (figure 2) et le mètre (figure 3).

Après la Révolution française, en 1789, l'Académie des sciences fut enfin habilitée à entreprendre une réforme, dont la nécessité s'imposait depuis longtemps. Il s'agissait d'établir un système logique de mesures pour simplifier tous les échanges commerciaux – car jusqu'alors les différentes mesures variaient d'une ville à l'autre.

Une commission, composée notamment du chimiste Antoine Laurent de Lavoisier et du mathématicien Joseph Louis de Lagrange, se prononça pour un système basé sur la dizaine, dont l'unité – le mètre – représenterait le dix millionième d'une ligne droite reliant le pôle Nord à l'équateur et passant par Paris, soit une distance de 10 000 km. Après huit ans de relevés et de calculs, la jeune République française instaura officielle-

L'are est une mesure de surface tombée en désuétude.

ment le nouveau système métrique de poids et mesures.

Le mètre servait de référence pour toutes les unités. Le gramme correspondait au poids de 1 cm³ d'eau distillée à 4 °C. La capacité du litre – unité de volume – était de 1 000 cm³. Certaines mesures adoptées à l'époque sont tombées en désuétude : ainsi l'are (100 m²) fut détrôné par l'hectare, 100 fois plus grand.

Un succès international

À la Révolution succéda l'ère des conquêtes napoléoniennes – Napoléon rêvant de ressusciter l'Empire de Charlemagne. L'armée française exporta

dans une grande partie de l'Europe son système métrique. Logique et simple, il devint bien vite international. Et pourtant, ce système repose sur une imprécision.

Dans les années 1960, les données communiquées par les satellites artificiels confirmaient que les premiers calculs de la distance du pôle Nord à l'équateur étaient erronés. La distance exacte n'est pas de 10 000 mais bien de 10 002 km, soit une erreur de 1/5000. La longueur du mètre ne fut pas modifiée pour autant, mais redéfinie.

Depuis 1983, le mètre est la longueur du trajet parcouru dans le vide par la lumière pendant une durée de 1/299 792 458 de seconde. Cette redéfinition, d'une rigueur scientifique, ne perturbera sans doute guère l'acquéreur de 1 m de tissu ou de 1 st de bois.

Le stère, égal à 1 m³, est une unité de mesure utilisée uniquement pour le bois.

LE SAVIEZ-VOUS ?

Malgré l'application du système métrique dans de nombreux pays, certaines mesures anciennes ont la vie dure. La taille d'un cheval, par exemple, se compte en mains (1 main = 100 mm) ; la force d'un caractère d'imprimerie en points (le point Didot correspond à 3/8 de mm). Le vin se mesure en arrobas (16 l) en Espagne, et en koilon (33 l) en Grèce.

LE POIDS DE LA TERRE

Une ingénieuse expérience résout le phénomène de la gravité

Il y a 200 ans, et sans même sortir de chez lui, le savant anglais Henry Cavendish mesura la masse de la Terre pour la première fois.

Les travaux de Newton lui avaient enseigné que tous les objets subissent une force d'attraction qui dépend de leur masse (plus l'objet est lourd et plus l'attraction est forte) et de la distance qui les sépare les uns des autres. Cette distance se calcule à partir non pas de la surface de l'objet mais de son centre. Aussi, sommes-nous plus légers au sommet d'une montagne qu'au fond d'une vallée, puisque l'altitude nous éloigne du centre de gravité de la Terre.

Newton exprima la notion de gravitation par une équation de cinq quantités : les masses de deux corps (M_1 et M_2) ; la distance (D) entre leurs centres ;

la force de gravité (F) ; et un terme abstrait (G) représentant la constante gravitationnelle, invariable quelles que soient les masses et les distances. Voici la formule de Newton :

$$F = \frac{M_1 \times M_2 \times G}{D^2}$$

Comme Newton ne s'intéressait qu'aux principes de la gravité, il ne chercha pas à découvrir la valeur numérique de G, que tout le monde ignorait.

Quatre valeurs de l'équation de Newton étant connues, il ne restait plus qu'à calculer la cinquième. Cavendish constata qu'en appliquant la formule de Newton il mesurerait la masse de la Terre : M_1 représenterait un corps dont la masse lui était connue ; M_2 serait l'inconnue à découvrir, c'est-à-dire la masse terrestre. La distance approximative du centre de la Terre étant connue, il connaîtrait aussi la distance (D) entre ces deux corps. Une simple balance servirait à démontrer la force de gravité (F) entre le corps choisi et la Terre. Mais il lui était nécessaire de connaître la quatrième valeur, G, pour résoudre l'équation de Newton.

Comment définir G ? La faiblesse de la force de gravité contrariait le calcul de la constante gravitationnelle – négligeable entre objets, même gros comme des maisons.

Cavendish releva le défi en concevant un dispositif qu'il plaça bien à l'abri des courants d'air dans un caisson

d'acajou. Sa machine devait amplifier l'action de la force de gravité et la rendre perceptible.

Dans le caisson, il posa deux sphères de 5 cm de diamètre, dont il connaissait la masse exacte. Il les attacha aux extrémités d'une barre horizontale suspendue à un mince filin. Puis il accrocha deux sphères plus grandes, de 30 cm de diamètre, à une autre barre horizontale pivotant au-dessus de la première.

Cavendish rapprocha graduellement les grandes sphères des petites en actionnant le pivot. Le champ de gravité des grandes sphères attirait les petites, ce qui provoquait un déplacement de la barre suspendue au filin, mouvement très léger, certes, mais mesurable. Le savant calcula ensuite la force nécessaire (sans l'influence gravitationnelle des grandes sphères) au déplacement des petites sphères et de leur barre sur la même distance. Il avait ainsi tous les nombres pour calculer la constante gravitationnelle de Newton : les masses de ses deux paires de sphères (M_1 et M_2) ; la distance entre leurs centres (D) ; et la force de gravité (F) exercée sur eux. L'insertion de ces valeurs connues dans l'équation de Newton lui permit de découvrir la valeur de G.

Le calcul de la masse de la Terre devenait un jeu d'enfant. Mais la méconnaissance, à l'époque, de la distance exacte du centre de la Terre faussa légèrement les calculs de Cavendish. En revanche, cette méthode fournit en 1895 la masse précise de la Terre : 5 976 trillions (soit 5 976 millions de millions de millions) de tonnes.

Pour mesurer la force de gravité exercée par deux grandes sphères sur deux petites, Cavendish construisit un appareil protégé par un caisson d'acajou et éclairé par des chandelles, dont la lueur passait par des trous. Le savant prit ses mesures grâce à des télescopes fichés dans les parois.

LE CHAUD ET LE FROID

L'eau bouillait jadis à zéro degré !

Aujourd'hui, les deux principales échelles thermométriques – d'un usage courant – sont l'échelle Celsius et l'échelle Fahrenheit et l'on peut, grâce à un rapide calcul, passer facilement de l'une à l'autre. Mais imaginez la confusion qui devait régner au début du XVIIIᵉ siècle, où l'on utilisait au moins 35 échelles différentes de température !

C'est grâce au physicien allemand Daniel Gabriel Fahrenheit (1686-1736) que l'on se mit enfin à utiliser une seule échelle de température. Né à Dantzig, Fahrenheit partit très jeune en Hollande avec l'intention de faire du commerce. Mais il décida bientôt de fabriquer des appareils de physique, en particulier des aéromètres et des thermomètres. Pour les besoins de ses divers travaux, il apprit à souffler le verre. En 1715, il construisit le premier thermomètre à colonne de mercure scellée dans un tube de verre gradué.

Points de repères

Fahrenheit partit du corps qui lui paraissait le plus froid – un mélange de glace et de sel – pour en faire le 0° de son thermomètre, puis il mesura la température du corps d'une personne en bonne santé. Entre ces

Ces trois types de thermomètre (électrique, au mercure et jetable) mesurent la température corporelle.

deux points, il devait y avoir 12 graduations. Mais comme le mercure de son thermomètre montait plus haut que prévu, il décida de multiplier par 8 les divisions de son échelle, afin d'éviter de grandes unités incommodes. Ainsi, au lieu d'attribuer une valeur de 12° à la température du corps, le physicien la détermina à 96° (8 × 12). Sur l'échelle de Fahrenheit, le chiffre exact est de 98,6° (37 °C), car le tube de verre comportait d'infimes imperfections expliquant cette différence.

Fahrenheit mesura ensuite les points de congélation et d'ébullition de l'eau pure : respectivement 32° et 212°. Étant donné la constance de ces températures à une pression déterminée, elles étaient des repères idéals. Au IIᵉ siècle avant J.-C. déjà, le physicien grec Galène s'en était servi pour établir son échelle de température. L'usage de l'échelle Fahrenheit ne tarda pas à se répandre.

Mais en 1742, l'astronome et physicien suédois Anders Celsius (1701-1744) – qui avait pris part à l'expédition française de 1937 chargée de mesurer un degré du méridien dans les zones polaires – proposait une échelle concurrente où l'eau bouillait à 0° et gelait à 100°. (On inversa complètement ce système après sa mort.)

L'échelle de Celsius trouva naturellement sa place dans le système métrique, introduit en France à la fin du XVIIIᵉ siècle. Échelle standard de tous travaux scientifiques, elle est utilisée dans les pays qui ont adopté le système métrique.

En revanche, les pays anglophones lui préfèrent l'échelle Fahrenheit.

Échelle Celsius pour ce thermomètre français à mercure du XVIIIᵉ siècle. Les vagues de chaleur et de froid des années précédentes sont inscrites dans le boîtier.

LE ZÉRO ABSOLU

Au début du XIXe siècle, le physicien et chimiste français Louis Joseph Gay-Lussac (1778-1850), enseignant à l'École polytechnique, aboutit à une conclusion inattendue mais somme toute logique. Ayant constaté que les gaz se contractaient sous l'effet du froid, comme les autres matières, il calcula qu'ils disparaîtraient à − 270 °C puisque leur contraction serait telle que leur volume deviendrait nul. L'impossible devenait réalité : la matière était réduite à néant.

Le froid immobile

Le célèbre physicien écossais William Thomson (1824-1907) − futur lord Kelvin − résolut cette énigme cinquante ans plus tard en démontrant que la température d'une substance traduit la vitesse de déplacement des molécules qui la composent. Les molécules d'un gaz qui refroidit occupent un espace de plus en plus faible. Thomson calcula ensuite que toute molécule gazeuse s'immobiliserait complètement à − 273,15 °C, zéro absolu, ou zéro Kelvin (0 K).

Fort de cette démonstration, Kelvin s'employa à réfuter les conclusions de Gay-Lussac : à cette température, un gaz ne se contracte pas jusqu'au néant apparent. Il commence, en effet, par se liquéfier − et parfois même par se solidifier −, puis cesse pratiquement de se contracter. Il devient alors virtuellement impossi-

ble d'extraire l'énergie résiduelle qui agite les molécules. Kelvin pensait qu'en réalité il était impossible d'aboutir, non à la disparition des gaz, mais au zéro absolu.

Froid limite

Mais les savants se font fort de relever les défis les plus ambitieux, et ceux de l'époque se mirent rapidement à la recherche de ce zéro absolu. Ils appliquèrent une technique complexe de réduction de l'énergie magnétique à un composé appelé sulfate d'éthyl de cérium, et le refroidirent ainsi jusqu'à 0,00002 °K s'approchant à 1/50 000 de degré du zéro absolu.

COURANTS FROIDS

Les supraconducteurs

En 1987, le Suisse K. Alexander Müller (né en 1927) et l'Allemand J. Georg Bednorz (né en 1950) battaient un record : le prix Nobel de physique leur fut décerné moins de deux ans après l'aboutissement de leurs travaux.

La prompte attribution d'un tel honneur reflétait l'importance accordée à leur découverte des supraconducteurs « chauds ». Ces matériaux exceptionnels n'offrent aucune résistance au passage du courant électrique. Le terme « chaud » peut induire en erreur. En 1911, le physicien hollandais Kamerlingh Onnes découvrit que la résistance électrique du mercure disparaissait à − 269,03 °C (4,12 K). En 1986, les chercheurs Müller et Bednorz obtenaient un matériau céramique supraconducteur à − 238 °C (35 K). Un supraconducteur « chaud » est donc en réalité très froid.

Des applications multiples

L'importance des supraconducteurs est d'abord d'ordre économique. La résistance des transformateurs et des lignes représente une perte d'environ 2 % de la production totale d'électricité. On peut imaginer l'extraordinaire efficacité d'un matériel fonctionnant à 100 % : les ordinateurs seraient beaucoup plus rapides ; les nouveaux trains sans frottements à lévitation magnétique utiliseraient beaucoup moins d'énergie ; les scanners magnétiques seraient moins onéreux et donc rendus accessibles à un plus grand nombre de patients.

En 1989, les chercheurs aboutissaient, à force de ténacité, à une céramique spéciale composée d'oxydes de thallium, de baryum, de calcium et de cuivre, qui devenait supraconductrice à − 145 °C (128 K). Le supraconducteur idéal fonctionnerait à température ambiante sans refroidissement.

En revanche, on n'a toujours pas découvert pourquoi curieusement les supraconducteurs perdent leur résistance électrique.

Mais même si le supraconducteur à température ambiante reste − malheureusement − encore aujourd'hui du domaine du rêve, les supraconducteurs ultrafroids, eux, auront leur place dans la technologie de demain et dans les usines de l'espace, où le maintien de basses températures ne présentera alors pas de problème.

La plupart des supraconducteurs sont infranchissables par les champs magnétiques, comme ce petit aimant repoussé par une céramique supraconductrice.

ALIMENTATION LIQUIDE POUR LES FUSÉES

Des gaz superfroids

Pas facile d'envoyer une fusée dans l'espace ! L'engin doit soulever son poids rapidement pour échapper à la pesanteur terrestre, ce qui nécessite une poussée constante. Le moteur d'une fusée doit fournir une énorme explosion continue.

Le combustible de toutes les grosses fusées s'écoule dans une chambre de combustion, dont les gaz d'échappement sont évacués par une tuyère. Pour brûler, le combustible a besoin d'oxygène – inexistant dans l'espace. Une fusée spatiale transporte donc non seulement son carburant – notamment de l'hydrogène – mais aussi des réserves d'oxygène.

Les fusées spatiales transportent l'hydrogène et l'oxygène à l'état liquide et à très basse température pour deux raisons : liquéfiées, ces matières, comme tous les corps gazeux, prennent moins de place ; le mélange liquide hydrogène/oxygène se mesure avec une excellente précision, et son explosion se contrôle avec plus d'exactitude.

Une navette américaine avant le couplage de son réservoir extérieur de combustible (flanqué de ses deux fusées d'appoint).

L'ORDRE ET LE CHAOS

Remplissez un bocal d'une couche de grains de café et d'une autre de sucre en poudre. Vissez le couvercle et agitez. Les

Le frottement d'une scie provoque une déperdition d'énergie sous forme de chaleur. Cette image en infrarouges montre les zones chaudes, rouges et jaunes (le long de la poignée et sur la ligne de coupe).

couches, qui étaient distinctes, se sont mélangées. Cet exemple illustre le deuxième principe de la thermodynamique : l'entropie, qui mesure l'amplitude du désordre d'un système, augmente dans un système isolé. Dans l'expérience café/sucre, en l'occurrence, le système est isolé par le bocal fermé.

Déperdition d'énergie

Quel que soit le degré d'efficacité d'une conversion d'énergie en une autre – par exemple d'électricité en lumière –, il y a toujours une dissipation d'énergie sous forme de chaleur. Ainsi, lorsque l'on scie un matériau quelconque, chacun sait d'expérience que la lame et la poignée chauffent à l'usage. Cette augmentation de température se traduit par celle

du désordre, c'est-à-dire de l'entropie.

Dans l'Univers, l'énergie se convertit perpétuellement sous une forme ou sous une autre. Si l'Univers est un système isolé (les astronomes ne s'accordent toujours pas sur ce point), l'entropie augmente puisque l'énergie dissipée le réchauffe. Finalement – dans des milliards d'années –, à court d'énergie efficace, l'Univers s'échauffera progressivement jusqu'à l'autodestruction.

Pour les Grecs, le chaos désignait le désordre total qui aurait sévi avant la création de l'ordre cosmique. Mais si l'on considère que l'entropie ne cesse d'augmenter, le chaos auquel croyaient les Grecs devait être, selon les principes de la thermodynamique, un état parfaitement ordonné.

QUE D'EAU, QUE D'EAU...
Extraordinaire élément, le plus commun sur terre

L'eau est le composé chimique le plus commun sur la Terre. Elle est si abondante que les océans recouvriraient toute la planète d'une couche d'eau de 2,5 km si l'écorce terrestre était lisse. L'eau, qui se présente naturellement sous trois formes – liquide, solide et gazeuse (vapeur) – a des propriétés remarquables.

Les substances se diluent généralement mieux dans l'eau que dans tout autre liquide : les atomes des molécules d'eau sont disposés de telle façon que celles-ci se comportent comme des mini-aimants, avec une charge électrique positive sur une face et négative sur l'autre. Étant donné l'attraction entre des charges électriques opposées, une molécule d'eau s'attache à celles d'autres substances, quelle que soit leur charge. Ainsi, des composés aussi variés que le sel, le sucre et l'alcool se diluent facilement. L'eau, qui est très « collante », dissout certaines matières en

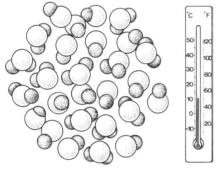
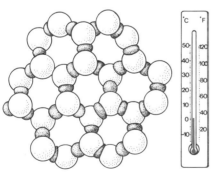

La plupart des substances solides ont une densité moindre à l'état liquide. Pour se solidifier, les molécules se rapprochent et se soudent. Lorsque les molécules d'eau (en haut) s'organisent en cristaux de glace (en bas), elles occupent davantage d'espace. La densité de la glace est inférieure à celle de l'eau, ce qui explique pourquoi les glaçons flottent.

Après avoir découpé la glace, un plongeur amorce sa descente dans l'Antarctique.

séparant leurs molécules. Par contre, les molécules d'eau sont soudées les unes aux autres, et il faut déployer beaucoup d'énergie pour les séparer et faire passer l'eau de l'état solide à l'état liquide. En effet, contrairement à d'autres composés simples contenant de l'hydrogène, l'eau fond et bout à des températures très élevées. Le méthane, par exemple, bout à – 161 °C, donc à une température bien inférieure à celle de congélation de l'eau.

Autre anomalie de l'eau : sa façon de geler. La congélation de la plupart des liquides se manifeste tout d'abord au fond. La densité des couches gelées augmente et les couches chaudes – plus légères – montent. Le liquide froid reste donc au fond.

Congélation

C'est à la surface de l'eau, au contraire, que la glace se forme tout d'abord. Prenons l'exemple d'un lac dont l'eau est à 10 °C en automne. Refroidies par l'hiver, les eaux de surface augmentent de densité et s'enfoncent petit à petit. À l'inverse des autres liquides, l'eau atteint sa densité maximale à 4 °C (température supérieure à son point de congélation), et le mouvement de l'eau du lac cesse.

Les eaux de surface continuent à refroidir et, malgré la diminution de leur densité, ne sombrent pas puisque la densité des couches inférieures est plus grande. L'augmentation du froid transforme les eaux de surface en glace à 0 °C. À moins d'un hiver très rigoureux, la couche de glace protégera le lac du froid et l'empêchera de geler complètement.

LE SAVIEZ-VOUS ?

Une grande partie du sel d'eau de mer gelée – contenu dans des poches liquides – ne gèle pas. La glace marine contient de 1/10 à 1/100 du sel de l'eau de mer. Elle est potable après sa fonte.

✳ ✳ ✳

Seulement 2,8 % de l'eau de la Terre est de l'eau douce. 6 % sont à l'état liquide, plus de 90 % sont retenus par les calottes polaires et le reste se trouve sous forme de vapeur d'eau dans l'atmosphère. La nappe phréatique, elle, contient 98 % de l'eau douce à l'état liquide.

✳ ✳ ✳

La quantité d'eau sur la Terre n'a pas varié depuis sa création, il y a quelque 4 600 millions d'années.

SONS ET SILENCES

Hauteur, intensité et timbre de notre ouïe

Un gigantesque tambour – mesurant 2,4 m de diamètre – trônait jadis sous une verrière dans la cour de l'usine Boosey & Hawkes, fabricants d'instruments de musique près de Londres. Alors que ce tambour rendait un faible son, les vêtements des spectateurs paraissaient pourtant comme fouettés par le vent.

La peau du tambour vibrait et propageait des ondes d'une si faible fréquence que l'oreille humaine ne pouvait les capter.

Notre oreille fonctionne exactement comme un tambour – les ondes sonores font vibrer la membrane tendue du tympan. Celle-ci ne réagit pas à une onde de basse fréquence – moins de 20 vibrations par seconde. L'augmentation de la perception du son correspond à une élévation de fréquence des ondes auxquelles l'oreille réagit. Lorsque l'air vibre à plus de 20 000 vibrations par seconde, les ondes nous parviennent trop rapidement pour y réagir et en capter le son.

La propagation du son dépend du milieu porteur. Contrairement à la lumière, le son ne se transmet pas dans le vide qui, par définition, ne contient aucun support matériel pour les ondes. Un appel au secours lancé dans l'espace ne servirait à rien.

L'air n'est pas un agent de transmission très efficace : le son s'y déplace en effet à près de 1 200 km/h,

Ce tambour de 2,4 m servait à simuler des coups de tonnerre dans les théâtres londoniens.

alors qu'il circule 4 fois plus rapidement dans l'eau de mer, 10 fois plus dans du bois ou de la fonte, et 16 fois plus dans du verre. Certains métaux très résistants, notamment la carbolite, propagent le son à la vitesse de 43 000 km/h.

Les basses fréquences, ou grandes ondes, se propagent plus loin, puisque les menus obstacles n'affectent pas la structure fondamentale de l'onde, comme la vague de l'océan qui passe sans coup férir sur les petits rochers. Voilà pourquoi les cornes de brume, par exemple, dont la tonalité est très basse, s'entendent de fort loin.

Les basses fréquences, également, sont absorbées par la surface qu'elles frappent, tandis que les hautes fréquences sont réfléchies. Le fonctionnement du sonar – appareil à ultrasons utilisé en milieu marin – illustre bien ce phénomène : l'objet est détecté grâce à l'écho qu'il provoque pour un son aigu.

La technique Schlieren permet de photographier le déplacement de l'air. Cette photographie représente les ondes sonores émises par une étincelle électrique.

SOURD COMME UN CHAT BLANC AUX YEUX BLEUS

On oublie souvent que les animaux peuvent eux aussi être atteints de surdité. Les éleveurs de chats blancs, à poil court ou long, connaissent bien cette infirmité.

Le gène spécifique responsable de la blancheur parfaite du pelage, combiné avec d'autres gènes, détermine aussi la couleur des yeux et la formation des oreilles du chat.

De nombreux chats blancs naissent avec des troubles auditifs d'une oreille ou parfois des deux. En outre, on ne peut prédire la couleur des yeux des chats blancs : certains naissent avec des iris orange, d'autres les ont bleus ou parfois vairons.

Or, la plupart des acquéreurs préfèrent les chats aux yeux bleus, ceux mêmes qui sont le plus souvent atteints de surdité. Cependant, une nouvelle race aux yeux bleus, le blanc croisé de siamois, se distingue : elle a, elle, une ouïe excellente.

À BON ENTENDEUR...
Animaux aux drôles d'oreilles

Il y a deux cents ans, le biologiste Lazaro Spallanzani voulut savoir comment les chauves-souris s'orientaient dans l'obscurité. Il en aveugla quelques-unes, sans résultat. Il leur boucha ensuite les oreilles avec de la cire. Cette fois, les chauves-souris furent handicapées. Pourquoi l'ouïe leur était-elle si importante ?

Rares sont ceux qui ont l'oreille assez fine pour entendre le couinement de la chauve-souris. C'est pourquoi l'énigme ne fut résolue que cent cinquante ans plus tard. En 1938, deux chercheurs de Harvard, Donald Griffin et G.W. Pierce, utilisèrent des micros très sensibles pour capter les sons à haute fréquence (de 20 000 à 130 000 vibrations par seconde) émis par la chauve-souris. Ces vibrations constituent le radar de l'animal, qui évite les obstacles en se guidant sur leur écho.

Des expériences récentes démontrent que les chauves-souris repèrent aussi leur nourriture par le son. Certaines, insectivores, rabattent leur proie en augmentant le nombre de vibrations. Couinements et échos en succession rapide leur donnent alors la position de leur proie. Celles qui mangent du poisson le repèrent grâce aux mouvements qui agitent la surface de l'eau. Quant aux fructivores, elles n'ont qu'à ouvrir les yeux !

Ces mammifères ont des oreilles semblables aux nôtres. Mais certains êtres vivants entendent avec des oreilles très différentes des nôtres. Les insectes ont un faisceau de nerfs reliés à une mince cuticule vibrante, que les grillons portent sur l'articulation des pattes antérieures, les puces sur le haut du corps et d'autres insectes sur l'abdomen.

Les chenilles se servent de leurs poils pour détecter les guêpes ; les moustiques et moucherons mâles utilisent leurs antennes pour entendre le bourdonnement des femelles.

La chauve-souris émet des sons aigus dont l'écho l'aide à repérer ses proies. Mais certains smérinthes les entendent et s'abritent.

ATTENTION AU BRUIT DU SILENCE
Les sons inaudibles nuisent à la santé

Les sons inférieurs à 20 vibrations par seconde sont trop bas pour être perçus par l'oreille humaine. Mais ces infrasons (produits à des niveaux d'énergie élevés, donc très forts s'ils étaient audibles) peuvent avoir, dans certains cas, des effets désastreux sur l'organisme.

Certaines machines émettent des infrasons déplaisants. On sait notamment que l'entrée d'air des avions à réaction et même les tuyaux d'orgues génèrent des niveaux élevés de sons à basse fréquence, source de vertiges et de nausées.

Dans les années 1970, Vladimir Gavreau, du CNRS, inventa des sifflets de police géants à basse fréquence dont l'usage devait contribuer à la lutte contre la criminalité. Utilisés à distance, les infrasons handicaperaient ravisseurs d'otages et criminels ; les forces de sécurité n'auraient plus à investir les lieux, et les otages risqueraient moins leur vie dans un échange de coups de feu.

Timbre démolisseur

L'un des premiers sifflets de Gavreau a un diamètre de 1,50 m. Scellé dans du béton, il n'a jamais fonctionné au maximum de son rendement, 160 dB, mais l'inventeur estima qu'un autre sifflet moins puissant pourrait abattre des murs. Quoi qu'il en soit, les utilisateurs de ce dispositif ne pourraient s'en servir efficacement sans en pâtir eux-mêmes. Gavreau a donc conçu un autre sifflet directionnel émettant des sons à 3,5 vibrations par seconde, qui n'a jamais été construit.

Le son blanc, constant sur toute une gamme de fréquences audibles, peut avoir des effets plus positifs. Il a d'ailleurs déjà été utilisé dans certaines méthodes de relaxation contre la douleur.

Le son blanc, qui couvre la gamme moyenne de la voix humaine, peut aussi brouiller les tables d'écoute, comme le bruit d'une douche masque une conversation au micro. L'eau noie la voix par des sons d'une gamme étendue de fréquences.

UN MONDE QUI TIENT DEBOUT

Comparée aux autres forces naturelles, la gravité est un poids plume

Si nous gardons les pieds sur terre, si planètes et galaxies restent en place, c'est grâce à la gravité. Et pourtant, des quatre forces fondamentales de l'Univers, la gravité est la plus faible. Les trois autres, la force électromagnétique et les forces nucléaires dites « forte » et « faible », agissent sur les particules élémentaires constituant les atomes.

L'électromagnétisme – énergie tout à fait identique à celle qui alimente nos foyers et aux signaux de radio et de télévision – maintient les électrons en orbite autour du noyau de l'atome ; sa charge électrique crée un champ magnétique qui les garde en place.

Le noyau se compose de protons et de neutrons soudés par la force nucléaire « forte ». La fission du

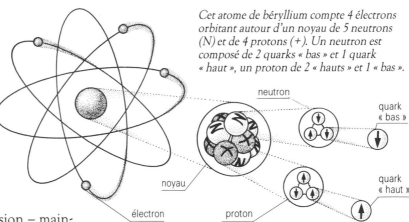

Cet atome de béryllium compte 4 électrons orbitant autour d'un noyau de 5 neutrons (N) et de 4 protons (+). Un neutron est composé de 2 quarks « bas » et 1 quark « haut », un proton de 2 « hauts » et 1 « bas ».

neutron
quark « bas »
noyau
quark « haut »
électron
proton

Le bombardement d'un atome d'uranium par des neutrons provoque la fission du noyau, qui libère à son tour des neutrons, pour alimenter le bombardement d'autres atomes. Cette réaction en chaîne libère l'énergie énorme des bombes atomiques.

noyau – notamment dans le cas d'une explosion nucléaire – se traduit par un bombardement de particules et une production de radioactivité. La force nucléaire « faible » est responsable du comportement de certaines particules impliquées dans la désintégration du neutron. Elle contrôle aussi l'énorme explosion thermonucléaire qui alimente notre Soleil.

L'intensité de ces forces varie énormément. Ainsi, deux navires de 50 000 t placés côte à côte s'attirent irrésistiblement sous l'effet de leur gravité, mais de simples amarres suffisent à les maintenir séparés.

Défi à la gravité

La force électromagnétique est 100 millions de millions de millions de millions de millions de millions de fois supérieure à celle de la gravité. L'épingle attirée par un petit aimant de couturière constitue une victoire sur la force de gravité terrestre. Notre organisme est électriquement neutre ; mais si le millionième de leur poids était chargé d'électricité, deux personnes se tenant à bout de bras se repousseraient violemment comme les pôles identiques de deux aimants.

La force nucléaire « forte » est cent fois plus puissante que celle de l'électromagnétisme, mais ne s'exerce que sur des distances de l'ordre de la taille du noyau atomique. Par ailleurs, la force « faible » est 100 millions de millions de millions de millions de millions de fois supérieure à celle de la gravité. Cette dernière s'exerce au niveau cosmique, alors que la force « faible » agit sur des particules de dimensions infimes.

LE SAVIEZ-VOUS ?

Lord Ernest Rutherford (1871-1937), physicien natif de Nouvelle-Zélande qui découvrit l'existence des neutrons dans le noyau atomique, ouvrant ainsi la voie aux armes et à l'énergie nucléaires, déclara en 1933 : « L'énergie résultant de la fission de l'atome ne vaut pas grand-chose. La transformation de l'atome en source énergétique n'est que balivernes. »

LE TALON D'ACHILLE DES SAVANTS
La force la plus mystérieuse de l'Univers

Bien avant que la chute d'une pomme ait incité Newton à s'intéresser à la gravité, quiconque tombant dans les escaliers ou jetant un caillou dans une mare se rendait compte qu'une force contrôlait la chute des corps. La gravité nous paraît évidente, mais de toutes les forces naturelles, c'est celle que les scientifiques connaissent le moins.

L'électromagnétisme, les forces nucléaires « forte » et « faible », qui sont les trois autres forces fondamentales de l'Univers agissant au sein de l'atome ne sont, elles, plus un mystère pour les physiciens.

Les théories mathématiques donnent des explications à ces phénomènes. Par contre, si les scientifiques savent ce qui se produit dans un atome, ils sont incapables de dire « de quoi » se compose la gravité. Ils ont cependant relevé certains parallèles entre le processus de la gravité et celui de la lumière. Cette similitude servira peut-être, à l'avenir, à découvrir la véritable nature de la gravité.

Particules et ondes

La lumière est composée de « grains » d'énergie, ou photons, qui agissent soit comme des corps distincts, soit comme si la lumière n'était qu'une onde continue. Autre caractéristique de la lumière : à distance double, une lampe fournit un éclairement non pas deux mais quatre fois plus faible, car la lumière rayonne à partir de sa source selon une calotte sphérique. À distance double, la lumière doit couvrir la superficie quatre fois.

Comme la force de gravité diminue de la même façon, les scientifiques suggèrent – sans l'avoir prouvé – que cette force pourrait, elle aussi, se présenter comme des particules, des ondes, ou les deux conjointement. Situation paradoxale que de connaître et de pouvoir prévoir exactement les effets de la gravité, tout en ignorant ce qu'elle est ! La plus familière des forces régissant notre Univers est aujourd'hui encore la plus mystérieuse.

PHOTOGRAPHIES DE L'INVISIBLE
Le cheminement d'une particule

Les particules élémentaires constituant un atome sont invisibles et d'un poids presque nul. Pour parvenir à 1 kg, il faudrait 1 673 millions de millions de millions de millions de millions de protons. On peut se demander comment s'y prennent les scientifiques pour photographier le déplacement de ces particules.

Ce qu'ils photographient n'est, en fait, que la trace de ces particules en mouvement laissée dans un récipient rempli d'une autre substance. Les scientifiques ont tout d'abord vu des particules subatomiques dans la chambre à

Photographie de particules subatomiques traversant l'hydrogène liquide d'une chambre à bulles (coloration artificielle).

brouillard qui, en 1927, valut le prix Nobel à son inventeur, le physicien écossais Charles Wilson. Dans cette chambre à brouillard, la vapeur d'eau parvient à sursaturation – c'est-à-dire à sa condensation en gouttelettes à une température donnée – après dilatation et refroidissement. Pour ce faire, la chambre ne doit contenir aucune particules de poussières sur lesquelles se forme habituellement la vapeur d'eau.

L'électron ou le proton échauffent cette vapeur en la traversant, et la condensation ainsi produite forme un petit sillage au passage de la particule, comme la traînée d'un avion à réaction. La masse de la particule s'obtient en appliquant un champ électrique ou magnétique qui en dévie la trajectoire. Les physiciens mesurent pour cela l'énergie exigée pour cette déviation.

En 1952, le physicien américain Donald Glaser perfectionna cette technique avec la chambre à bulles, contenant de l'hydrogène liquide amené à une température où toute addition d'énergie le transforme en vapeur. La particule projetée dans la chambre vaporise le liquide, laissant un sillage de bulles. Les scientifiques peuvent même photographier la collision et la dispersion des particules. C'est en observant les bulles d'un verre de bière que Glaser eut l'idée de cette technique.

LE SAVIEZ-VOUS ?

Le physicien américain Murray Gell-Mann obtint le prix Nobel de physique en 1969 en suggérant l'existence des quarks, particules subatomiques à l'origine de la matière et qui, pensait-il, se divisaient en trois sortes. Il leur attribua ce nom inspiré d'une phrase de Finnegans Wake, roman de James Joyce : « Trois quarks pour Muster Mark. » Il y en aurait davantage, estiment aujourd'hui les physiciens. Leurs caractéristiques insolites leur ont valu une terminologie idoine : haut, bas, charme, étrange, dessus et fond (les deux derniers, rebaptisés, portaient à l'origine les noms de vérité et beauté). On les a aussi affublés de « couleurs » (rouge, vert, bleu, cyan, magenta et jaune) correspondant à des états particuliers.

CHAPITRE DEUX

L'ESPACE

Certains scientifiques associent l'extinction des dinosaures, survenue il y a 65 millions d'années, au gigantesque essaim de comètes orbitant autour du Soleil au-delà de Pluton. Ils pensent qu'une étoile inconnue décrirait une orbite elliptique autour du Soleil *(page 58)*, et que, tous les 30 millions d'années, elle se rapprocherait du Soleil et le bombarderait de millions de comètes, dont certaines tomberaient sur la Terre – perturbant notre climat et causant des extinctions massives d'espèces. Si l'existence de cette « étoile de la mort » reste à confirmer, les astronomes détectent à d'importantes distances de la Terre des corps célestes et des phénomènes fascinants qui influencent notre système solaire.

LE SOLEIL ET SES TURBULENCES

Une gigantesque bombe H génère notre lumière solaire

Pour le profane, le Soleil, ce globe lumineux qui a éclairé l'humanité durant toute son histoire, est un modèle d'éternité. Les astronomes, eux, savent que cette « centrale nucléaire » toujours en activité peut être moins fiable qu'on ne le croit.

Le volume de cette boule de gaz incandescents – principalement de l'hydrogène – équivaut à près de 1,3 million de fois celui de la Terre.

Si l'on voulait écrire son poids en tonnes, il faudrait faire suivre le chiffre 2 de 27 zéros. Cela représente 300 000 fois le poids de notre planète. Le centre du Soleil est ainsi soumis à une pression égale à 300 millions de fois celle de notre atmosphère.

La température atteint 15 000 000 °C au centre du Soleil, où se produit une réaction nucléaire génératrice de lumière et de chaleur identique à celle de la bombe H avec la « combustion » nucléaire de l'hydrogène qui se transmue en hélium. Comme dans toute réaction nucléaire, une partie de la matière se convertit aussi en énergie. La production d'hélium ne représente en effet que 92,3 % de l'hydrogène brûlé ; le

Ces protubérances solaires sont des nuages d'hydrogène représentant plusieurs fois la taille de la Terre.

reste se transforme en lumière, en chaleur et en rayons X notamment. Quatre millions de tonnes de matière solaire disparaissent ainsi chaque seconde.

La température superficielle ne dépasse pas 5 800 °C. La surface visible est marbrée de taches brillantes, qui révèlent l'ascension de gaz brûlants, ou sombres, traduisant la descente de gaz moins chauds. Des boucles de champs magnétiques invisibles remontent parfois briser la surface et bloquent l'écoulement d'énergie. Les zones d'émergence et de rentrée des boucles apparaissent comme des taches sombres, puisqu'elles ont refroidi. Les protubérances – des nuages d'hydrogène couleur rouge feu plus grands que la Terre – s'élèvent puis retombent dans le ciel solaire.

Peut-on se fier à un astre aussi bouillonnant ? Le Soleil va-t-il un jour nous brûler vifs ou au contraire nous geler à mort ?

L'étude permanente du Soleil nous révèle de nombreuses irrégularités, comme cette baisse de sa température de 0,1 % depuis 1979. Cette infime diminution, probablement réversible, s'inscrit dans les fluctuations régulières naturelles de l'activité solaire. Et tous les spécialistes s'accordent à penser que le Soleil sera encore une source de vie pour quelque 5 milliards d'années.

BOMBARDEMENT SOLAIRE

Le 7 juillet 1988, 3 000 pigeons voyageurs participant à une course annuelle quittèrent leurs cages du nord de la France pour rallier leurs pigeonniers au sud de l'Angleterre. Le Soleil leur joua un mauvais tour.

Deux jours plus tôt, une explosion colossale s'était produite à la surface du Soleil, projetant dans l'espace des nuages de protons chargés d'électricité et d'autres particules subatomiques qui avaient perturbé le champ magnétique terrestre. Se guidant sur le Soleil ou les étoiles, les pigeons voyageurs se fient à leur boussole magnétique interne pour s'orienter par mauvais temps. Déroutés par les perturbations célestes, de nombreux pigeons s'égarèrent.

Les pigeons ne sont pas les seuls à pâtir des explosions solaires. Celles-ci dégagent des particules de haute énergie qui constituent un risque d'irradiation et même de cancer pour les astronautes. Elles ajournent les vols de navette spatiale. Les astronautes qui ont une chance de construire un jour des bases sur la Lune ou sur Mars devront les recouvrir de roches pour les protéger des radiations des explosions. Quant aux long-courriers de l'espace, ils devront comporter des « abris-tempête » pour l'équipage en cas d'explosion.

LE SAVIEZ-VOUS ?

Si les réactions nucléaires au centre du Soleil s'arrêtaient, il faudrait dix millions d'années pour que sa surface se mette à refroidir et que la Terre en ressente les effets.

OMBRES CÉLESTES

Pourquoi des éclipses ?

Dans les récits d'aventures, le héros exploite souvent sa connaissance des éclipses pour impressionner des tribus superstitieuses, comme Tintin qui, dans *le Temple du Soleil*, terrifie ses ravisseurs en « éteignant » le Soleil.

Auteur des *Mines du roi Salomon*, H. Rider Haggard fut l'un des premiers à décrire ce phénomène dont pourtant la parfaite compréhension lui échappait.

L'intrigue de son roman reposait sur une erreur, corrigée dans les éditions suivantes. Il prétendait que les éclipses solaires se produisent entre deux nuits de pleine lune. Or, ce phénomène intervient lorsque la Lune s'interpose entre le Soleil et la Terre, alors qu'il y a pleine lune quand notre satellite se trouve du côté de la Terre opposé au Soleil. Une éclipse solaire se produit donc toujours deux semaines avant ou après la pleine lune. L'éclipse solaire totale est très rare. La dernière qui a eu

lieu à Paris remonte à 1724 et la prochaine est prévue pour 2026.

Les éclipses lunaires, elles, ne se produisent qu'à la pleine lune – mais pas tous les vingt-huit jours – lorsque notre satellite entre dans l'ombre de la Terre.

Au cours d'une éclipse de Soleil, le centre de l'ombre de la Lune passe le

---

LE SAVIEZ-VOUS ?

Après l'étude d'éclipses antérieures, des astronomes français ont récemment déclaré que le Soleil devait être un peu plus grand il y a quelques centaines d'années. Leurs homologues britanniques réfutent cet argument en invoquant la pollution atmosphérique, qui fausserait la vision du Soleil depuis trois cents ans. Ils soulignent que le Soleil, mesuré dans des régions non polluées d'Amérique, est plus grand que mesuré à Greenwich, sous les fumées londoniennes.

---

long d'une bande de 272 km de large sur la surface de la Terre. Toute lumière solaire y disparaît quelques minutes, le ciel s'obscurcit et les étoiles apparaissent. Observés de la Terre, la Lune et le Soleil semblent de taille presque identique, puisque la Lune occulte le Soleil.

Généralement masqués par l'intensité lumineuse du Soleil, certains phénomènes apparaissent alors autour du disque sombre de la Lune. Des protubérances rouge vif – des nuages d'hydrogène – et la couronne d'un blanc perlé de l'« atmosphère » solaire deviennent visibles.

La Terre, en projetant son ombre, obscurcit complètement son satellite lors d'une éclipse lunaire. La Lune dépasse parfois cette ombre et semble juste un peu plus pâle. Une éclipse lunaire totale se produit lorsque la Lune entre dans la partie centrale de l'ombre. Elle se pare alors d'une teinte rougeâtre, due à des rayons solaires réfractés par l'atmosphère terrestre.

DESTINATION : L'ÉTOILE LA PLUS PROCHE

Les sondes spatiales à l'assaut du Soleil

Construites par l'Agence spatiale européenne et lancées par les États-Unis dans les années 1990, de nouvelles sondes vont nous permettre d'approfondir notre connaissance du Soleil.

En 1990, une navette américaine lançait Ulysse, première sonde à survoler les pôles solaires. Ulysse a d'abord mis le cap sur Jupiter : la plus grosse des planètes du système solaire attirera la sonde et la fera tournoyer comme la pierre d'une fronde pour l'expulser hors de son écliptique, c'est-à-dire du plan de son orbite.

Ulysse survolera un pôle solaire en 1994 et l'autre l'année suivante. Ses données aideront les astronomes à mieux comprendre les pôles, le vent solaire, le champ magnétique du Soleil et la poussière cosmique.

À l'affût des séismes solaires

Une seconde sonde, Soho (Solar Heliospheric Observatory), sera lancée en 1995. L'héliosphère est une vaste

région entourant le Soleil où se détectent les effets du vent solaire, qui est un courant continu de particules atomiques éjectées de l'astre. L'orbite de Soho sera moins originale que celle d'Ulysse, mais ses observations seront tout aussi précieuses.

L'analyse des variations de la lumière du Soleil fournira des informations sur les séismes solaires – vibrations qui se produisent en surface comme des ondes sonores surgissant de ses profondeurs. Il sera possible de détecter des soulèvements et des affaissements de 10 km d'amplitude.

Quant à Vulcan, sa date de lancement n'est pas encore fixée. Si Soho suit une orbite qui le rapprochera bien davantage de la Terre que du Soleil, Vulcan, lui, « effleurera » ce dernier en se plaçant dans l'orbite de Mercure, planète la plus proche du Soleil (environ 58 millions de km). À l'équateur de Mercure, la température méridienne dépasse 300 °C. Le plomb y fondrait ! Vulcan affrontera des températures de 2 200 °C en s'approchant à 2,4 millions

de km du Soleil. Il sera équipé d'un bouclier thermique qui, chauffé à blanc, se vaporisera sans toutefois empêcher l'analyse des gaz de l'atmosphère solaire par les instruments de bord.

Avant d'aller étudier les pôles du Soleil, la sonde Ulysse prendra ... la direction opposée !

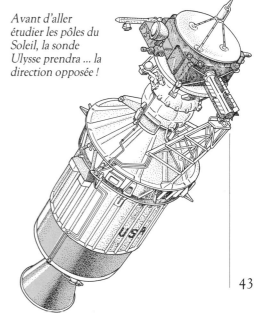

FRONTIÈRES SPATIALES

Pourquoi des vaisseaux spatiaux-usines ?

Les tout premiers produits étiquetés « made in space » furent de minuscules sphères obtenues à partir de plastique liquide et fabriquées au cours de plusieurs missions successives effectuées par la navette américaine au début des années 1980. Sur la Terre, la force de gravité exercée sur les matériaux et les machines cause en effet d'infimes imperfections dans la fabrication de telles sphères alors que celles que l'on fabrique en apesanteur sont, au contraire, de géométrie parfaite.

Grosses comme des pointes d'épingle, ces sphères, créées à des centaines de millions d'exemplaires, ont trouvé de très nombreux usages, notamment pour l'étalonnage d'échantillons sur une lamelle de microscope et le contrôle de filtres ultrafins. Industries et universités étaient alors prêtes à les payer la coquette somme de 23 millions de dollars le kilo. Ce plastique valait 2 000 fois son poids en or !

Industrie en expansion

La croissance des cristaux dans une solution chimique qui se refroidit est meilleure en apesanteur. Les scientifiques étudient parfois la composition d'une substance en la cristallisant, car son analyse par rayons X révèle sa structure chimique avec précision. Sur Terre, la convection – des courants ascendants de liquide chaud et des courants descendants de liquide froid – gêne l'homogénéité de la cristallisation. Ce phénomène n'intervient pas en apesanteur.

Médicaments, métaux et puces

Les coûts de fabrication spatiale étant très élevés, seuls des produits, dont on est tout à fait sûr de la rentabilité, peuvent être élaborés en petites quantités dans l'espace : médicaments d'une pureté incomparable, alliages de métaux qui se mélangent mal sur Terre et « puces » électroniques quasi parfaites réalisées à partir de matériaux cristallins.

Une société aérospatiale américaine s'est associée à une firme pharmaceutique pour fabriquer des produits comme l'interféron (substance protéique naturelle utilisée dans le traitement de certaines infections et aussi du cancer) et le facteur VIII (agent de coagulation du sang destiné aux hémophiles). Ces deux produits sont purifiés par électrophorèse, procédé plus efficace dans l'espace et qui permet d'obtenir des versions très pures de ces médicaments d'une valeur inestimable.

TÉLÉREPÉRAGE

La Terre sous l'œil des satellites

Les photographies par satellite étaient auparavant l'apanage des « espions militaires du ciel », mais rien ne vous empêche aujourd'hui d'acheter la photo de votre jardin prise par les satellites civils français, américains et soviétiques.

Les satellites les plus sophistiqués à l'heure actuelle sont français. Appelés Spot (Système probatoire d'observation de la Terre), ces engins placés en orbite à 830 km au-dessus de la Terre photographient des bandes de 80 km de largeur. En vingt-six jours, les caméras-télescopes de chaque satellite photographient ainsi les moindres recoins de notre planète.

Chaque satellite Spot est équipé de deux caméras-télescopes pointées vers le sol selon des angles de prise de vue légèrement différents. Elles prennent des clichés d'une même région durant les passages successifs du satellite, à par-

tir desquels un ordinateur reconstitue le relief du terrain. La clientèle de Spot compte des industries minières, des ministères dressant le répertoire des ressources naturelles de leur pays, des

constructeurs de pipelines étudiant de vastes étendues de terrain. Une chaîne de télévision a même utilisé des photos de Spot pour déterminer l'emplacement de ses émetteurs-relais.

Spot 4, qui doit être lancé en 1992, sera encore plus performant. Il observera quatre longueurs d'ondes lumineuses reflétées par la Terre – une verte, une rouge et deux infrarouges (chaleur). La comparaison de chaque zone terrestre dans chacune de ces longueurs d'onde révélera les caractéristiques de la végétation, de l'humidité du sol, de la nature des roches, de l'extension des zones construites. Spot 4 pourra déceler des objets de 10 m de diamètre.

L'analyse des images Spot, comme celle-ci, représentant des montagnes algériennes, permet d'évaluer les ressources naturelles d'un pays.

AU-DELÀ DU GRAND BLEU
L'avion spatial est pour demain

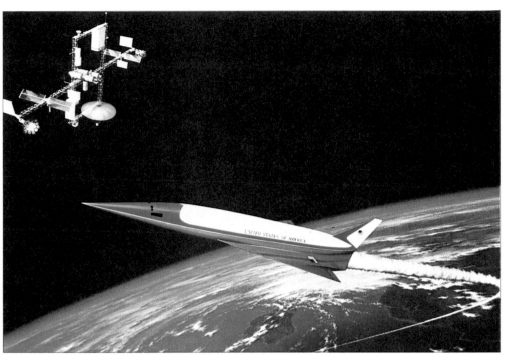

Jusqu'à présent, les usagers des lignes aériennes ont peu bénéficié des retombées de la technologie spatiale. Mais la mise au point de nouveaux avions de ligne va permettre aux touristes et hommes d'affaires européens de rallier le Japon en trois heures, alors qu'il en faut douze actuellement.

Grâce aux progrès de l'aéronautique, l'avion spatial décollera d'une piste conventionnelle, montera dans la haute atmosphère et poursuivra son vol dans l'espace à des vitesses hypersoniques (plusieurs fois la vitesse du son dans l'air).

Dans les couches basses de l'atmosphère, l'avion spatial sera propulsé par des réacteurs identiques aux turboréacteurs des gros avions de ligne, relayés par des stato-réacteurs à haute altitude. Tournant à très grande vitesse, les turbines des turboréacteurs compriment l'air qui y pénètre et contrôlent la combustion du carburant ; les statoréacteurs ne comptent que des pièces fixes, c'est la vitesse même de l'appareil qui fait entrer l'air dans le moteur et le comprime.

LE SAVIEZ-VOUS ?

Le savant français Benoît Lebon a suggéré la construction du « monorail », premier système de transport circumterrestre. Un anneau creux serait assemblé au-dessus de l'atmosphère, à une centaine de kilomètres d'altitude, avec des sections acheminées par fusée. Une grande boucle métallique (un fil continu ou un flux de billes) tournerait dans cet anneau, propulsée par des moteurs électromagnétiques. La force centrifuge de la boucle en mouvement la maintiendrait en place, ainsi que l'anneau lui-même. Des câbles reliant ce dernier à la Terre hisseraient les cargaisons, chargées ensuite sur des transporteurs et expédiées sur la boucle, avant d'être redescendues sur d'autres points du globe.

Encore plus haut, l'oxygène raréfié étant insuffisant pour la combustion du carburant, des moteurs de fusée alimentés en oxygène liquide stocké dans les réservoirs de l'avion spatial entreront en action. La résistance de l'air étant alors minime, l'appareil se déplacera à une vitesse qu'il n'atteindrait jamais à plus basse altitude.

L'avion spatial, utilisant l'oxygène de l'air sur une grande partie du vol, en transportera moins qu'une fusée conventionnelle – environ deux fois moins que la navette spatiale. Il ne sera donc pas équipé du gigantesque réservoir d'oxygène largué peu après le lancement de la navette. Cette économie représente un cinquième du coût de lancement d'un satellite placé en orbite proche de la Terre.

Cette technologie s'appliquerait aussi aux avions de ligne volant à des vitesses hypersoniques dans l'air raréfié des hautes altitudes. Plusieurs nations mettent au point des avions spatiaux.

La France étudie le projet de l'AGV (Avion à grande vitesse) pour les années 2015-2020. Cet appareil de 300 t pourra transporter 150 passagers à une altitude de 30 000 m et à une vitesse de 5 000 km/h.

Les Britanniques proposent le HOTOL (Horizontal Take-off and Lan-

Le NASP de la NASA rallierait un satellite en orbite et servirait aussi d'avion de ligne hypersonique.

ding), dont le prototype sera un avion-robot capable de mettre sur orbite un satellite de 7 t. Il pourrait aussi servir d'avion de ligne pour des vols intercontinentaux avec 80 passagers à bord, en tenant compte du réservoir d'hydrogène liquide placé dans la carlingue, longue de 52 m (comme celle du Concorde).

La NASA poursuit ses recherches sur le NASP (National Aerospace Plane) qui aurait trois moteurs, dont deux réacteurs – un turboréacteur et un statoréacteur à hydrogène à combustion supersonique – plus un moteur de fusée.

L'appareil allemand Sanger II serait propulsé par des « turbo-statoréacteurs », dont les moteurs fonctionneraient d'abord comme des turboréacteurs à une vitesse deux à trois fois supérieure à celle du son, puis comme des statoréacteurs pour atteindre six fois la vitesse du son. Il parcourrait ainsi 15 000 km en trois heures avec 250 passagers. Il pourrait aussi transporter à 35 km d'altitude un appareil empenné comme la navette spatiale, qui, après largage, poursuivrait seule sa course.

LE FARDEAU DE L'APESANTEUR

Les voyageurs de l'espace courent des risques

Scientifiques et ingénieurs de l'espace prévoient des vols habités vers Mars – dix-huit mois dans chaque sens – et des expéditions sur des planètes plus lointaines qui prendront des années. Le jour viendra peut-être où nous passerons une partie de notre vie dans des bases spatiales – des enfants pourraient même y naître et y grandir. Mais les scientifiques doivent d'abord résoudre les problèmes physiologiques causés par une apesanteur prolongée.

Allégés d'un grand poids

Avant l'ère spatiale, les écrivains de science-fiction et les visionnaires scientifiques croyaient que l'état d'apesanteur délivrerait le genre humain de son poids. En l'expérimentant brièvement, les astronautes ont constaté qu'elle s'accompagnait d'inconfort et de dangers qui limitaient les perspectives de vols spatiaux prolongés.

L'afflux de sang à la tête est l'un des effets immédiats de l'apesanteur. Les grandes artères sont dotées de barocepteurs, qui régularisent la circulation sanguine. L'apesanteur dupe les barocepteurs, qui « pensent » que le haut du corps manque de sang et le font monter des jambes. Le visage gonfle et les narines se bouchent.

De son côté, le cerveau croit que cet afflux de sang traduit un excès de liquides dans l'organisme. Il libère alors des hormones qui commandent aux reins

LANCÉ EN ORBITE

Depuis le 4 octobre 1957, date du lancement par l'URSS de Spoutnik 1, premier satellite artificiel de la Terre, plus de 20 000 objets ont été envoyés dans l'espace (dont près de 7 000 sont encore en orbite). Or, la mise en orbite d'un satellite est très onéreuse – et son coût est proportionnel à l'altitude de l'orbite. D'où l'idée d'exploiter une technique susceptible de produire de substantielles économies : la jonction par filin de deux engins spatiaux.

Imaginez un long filin reliant le satellite au vaisseau orbital de lancement – une navette en l'occurrence. Si le satellite était doucement largué dans l'espace, le filin se tendrait finalement au-dessus de la navette, à la verticale par rapport à la Terre.

Normalement, un corps en orbite libre se déplace plus lentement à mesure qu'il s'éloigne de la Terre. Mais ainsi suspendu au-dessus de la navette,

le satellite serait tiré à la même vitesse que celle-ci. Après son largage, la vitesse excédentaire par rapport à celle de son orbite normale (sans filin) le propulserait sur une orbite plus élevée.

Pour une navette en orbite à 400 km d'altitude et laissant filer un câble de 100 km, un satellite solitaire bénéficierait, après largage du filin, d'une poussée « gratuite » lui faisant gagner 10 km d'altitude. L'énergie ainsi utilisée se traduirait, en retour, par une perte d'énergie équivalente de la navette, qui l'entraînerait sur une orbite plus basse, mais celle-ci doit de toute façon redescendre sur Terre.

Si, en plus, ce câble était un conducteur électrique, il aurait une autre fonction. La traversée du champ magnétique terrestre le chargerait d'électricité, qui serait utilisée pour recharger les batteries et alimenter les ordinateurs de bord.

d'éliminer davantage d'urine – d'où déshydratation – et diminuent le nombre de globules rouges – d'où anémie.

Des os fragilisés

Les muscles s'affaiblissent puisqu'ils ne luttent plus contre la pesanteur. Dans les vols prolongés, le cœur peut rétrécir de 10 %. L'ossature, qui, sur Terre, se fonde sur la contrainte exercée par le poids pour tirer du sang le calcium dont elle a besoin, réagit aussi à l'apesanteur. Libérés des contraintes habituelles, les os perdent du calcium, partiellement éliminé par les urines. Sans médication appropriée, les os deviennent friables et le calcium éliminé peut former des calculs rénaux. Un régime alimentaire riche en minéraux permet de réduire ces déséquilibres, mais pas autant que les médecins le souhaiteraient.

Les cosmonautes, dont certains sont restés en orbite plus d'une année, pratiquent des exercices destinés à simuler les effets habituels de la pesanteur sur l'organisme. Mais cette gymnastique, à laquelle ils consacrent plusieurs heures quotidien-

nes, ne résout pas tous les problèmes. Les Soviétiques ont donc aussi expérimenté un stimulateur musculaire à pulsions électriques et la « combinaison pingouin », qui impose une activité musculaire constante.

Apesanteur inconfortable mais sans danger pour les passagers de vols de courte durée de la navette spatiale.

L'EMPIRE DU SOLEIL

Trop chaud sur Vénus, trop froid sur Mars, parfait sur la Terre

On a longtemps cru que nos voisines Vénus et Mars étaient les planètes de notre système solaire les plus aptes à remplir les conditions nécessaires à la vie. Mais les sondes spatiales nous ont appris que la température moyenne de Vénus est de 460 °C et que sa pression atmosphérique est 93 fois supérieure à la nôtre. À l'inverse, avec une température moyenne de – 60 °C, Mars est une planète glacée à l'atmosphère raréfiée de dioxyde de carbone. Aucune forme de vie, même primitive, ne pourrait se manifester sur ces deux planètes.

La Terre, en revanche, a toujours bénéficié d'un climat relativement doux et l'eau y a toujours été présente, même lorsque le Soleil brillait à 70 % de sa capacité actuelle, il y a des milliards d'années. Pourquoi ? Parce que le dioxyde de carbone de notre atmosphère retenait la chaleur solaire. Les niveaux d'anhydride carbonique se sont perpétuellement adaptés à la température de la Terre, tandis que sur Vénus il y en a toujours trop et sur Mars jamais assez.

Question d'équilibre

L'échange constant de dioxyde de carbone entre l'atmosphère et les roches terrestres régit le thermostat planétaire de la Terre. Les roches en désagrégation absorbent chimiquement le dioxyde de carbone qui est dissous dans les eaux de pluie et que dégagent par exemple les éruptions volcaniques. Par ailleurs, les végétaux absorbent également du dioxyde de carbone et fabriquent de l'oxygène converti par les animaux en anhydride carbonique.

Si la température moyenne de la Terre chutait pour une raison ou pour une autre, les eaux de surface s'évaporeraient moins, ce qui entraînerait une diminution des pluies et un ralentissement de la désagrégation des roches. Les volcans, eux, dégageraient tout autant de dioxyde de carbone, qui augmenterait dans l'atmosphère, bloquant ainsi plus d'énergie solaire, et la température remonterait. La situation s'inverserait si la température moyenne de la Terre montait au-dessus de la normale.

Sur Vénus, l'absence d'eau rend inopérant le « thermostat » de dioxyde de carbone. Cette planète est placée trop près du Soleil. À l'origine, Vénus comptait autant d'eau que la Terre, mais celle-ci s'échappa de l'atmosphère pour se répandre dans l'espace. Au lieu de pénétrer les roches, le dioxyde de carbone est resté dans l'atmosphère vénusienne.

Mars a probablement bénéficié à une époque d'un climat favorable – on y décèle des vallées creusées par des cours d'eau. Mais, en raison de sa petite taille, la chaleur interne de la planète a progressivement diminué. De plus, son écorce n'est pas sujette aux éruptions : les roches retiennent donc le dioxyde de carbone dans une atmosphère raréfiée qui de ce fait ne peut plus capter la chaleur.

> ### LE SAVIEZ-VOUS ?
>
> *Le mathématicien, astronome et physicien allemand Carl Friedrich Gauss (1777-1855) proposa le premier de communiquer avec Mars. En 1802, il suggéra, en Sibérie, le tracé de figures géométriques visibles pour des astronomes martiens. En 1874, le savant et poète français Charles Cros (1842-1888) proposa le contraire : d'énormes lentilles qui concentreraient des rayons solaires sur les déserts martiens et serviraient à l'envoi de messages.*

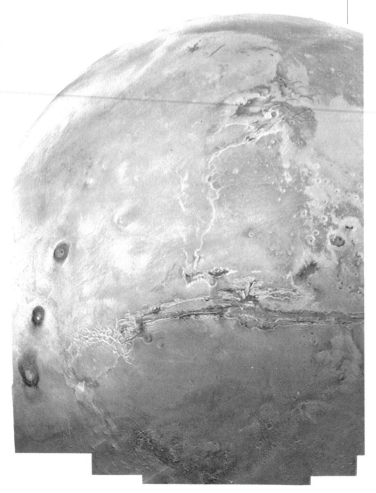

Mars a des volcans (trois sont visibles sur la gauche) dont le plus gros de tout le système solaire, Olympus mons (600 km de diamètre). Les éruptions, toutefois, sont très rares, car la planète a perdu une grande partie de sa chaleur.

COLLISION AVEC UNE COMÈTE

*Le monde terrorisé par la queue
d'un monstre céleste*

En 1910, le monde fut pris de panique : à Lexington (Kentucky), des croyants se réunirent en prière pour affronter leur destin ; les habitants de Rome s'arrachèrent les bouteilles d'oxygène ; à Chicago, on bourra de chiffons les interstices des portes ; la population d'Istanbul se posta sur les toits. Le monde s'apprêtait à affronter la queue de la comète de Halley.

L'astronome britannique William Huggins venait de révéler la présence d'un gaz dangereux dans plusieurs comètes, notamment celle de Halley : un gaz cyanogène, qui dégage un poison mortel, le cyanure de potassium. Beaucoup de gens croyaient qu'il empoisonnerait notre atmosphère.

Le noyau d'une comète est constitué d'un mélange de glace et de poussière qui s'étale sur une dizaine de kilomètres de diamètre. Si, durant son orbite, la comète se rapproche du Soleil, à une distance trois fois supérieure à celle qui nous sépare de cet astre, les glaces fondent partiellement et se vaporisent ; poussière et gaz ainsi dégagés forment

La comète West traverse le ciel en laissant un sillage de gaz bleus et de poussières blanches.

une « chevelure » déployée sur 100 000 km au moins.

Les radiations solaires étirent une partie de cette matière en queue, dont la plus importante jamais observée est celle de la Grande comète de 1843, longue de 330 millions de kilomètres, ce qui représente deux fois la distance de la Terre au Soleil.

Mais les craintes de 1910 étaient infondées : les gaz de la queue d'une comète sont si raréfiés que leur contamination est indécelable.

À notre connaissance, le noyau de la comète de Lexell – passant en 1770 à 1 200 000 km (soit trois fois la distance de la Terre à la Lune) est celui qui nous

a frôlés de plus près. Nous n'avons plus à redouter cette comète, puisque la force d'attraction de Jupiter l'a propulsée sur une autre orbite et que les astronomes ont perdu sa trace.

Tous les millions d'années environ, la Terre entre en collision avec un noyau de comète ou un astéroïde de diamètre égal ou supérieur à 1 km. Mais, de mémoire d'homme, aucune comète n'est jamais entrée en collision avec la Terre.

En revanche, une comète a heurté le Soleil en août 1979. Une caméra vidéo reliée au télescope d'un satellite des forces aériennes américaines a enregistré ce phénomène. Cette collision passa inaperçue jusqu'à l'examen des films deux ans plus tard. Auparavant, on n'avait jamais vu cette planète dont les débris ont accru l'éclat de la couronne solaire pendant plusieurs heures. Par la suite, on a observé d'autres collisions de comètes avec le Soleil.

TRITON DANS TOUS SES ÉTATS

Lancée en 1977, la sonde Voyager 2 a transmis des photos spectaculaires de Triton, la plus grande lune de Neptune, au relief varié. Le terrain présente peu d'aspérités : les collines et les parois des cratères ont une altitude de 500 m.

Pour les scientifiques, la surface serait constituée d'un mélange tendre de roches fondues et d'azote et de méthane gelés, sans compter de grands lacs vraisemblablement remplis d'eau glacée. À – 236 °C, ce satellite est le milieu le plus froid jamais observé dans l'espace.

L'hémisphère sud de Triton est couvert de « neige » d'azote et de méthane, d'un rose résultant des transformations chimiques causées par les radiations cosmiques. Triton, Io (satellite de Jupiter) et Titan (satellite de Saturne) sont les trois lunes du système solaire dotées d'une atmosphère. Celle de Triton – très raréfiée puisque sa pression à la surface équivaut au dix millionième

de celle de la Terre – est constituée d'azote, également principal composant de notre atmosphère.

De mystérieuses taches sombres contrastent avec la neige de Triton. D'après les spécialistes, ce sont peut-être des plaques de matières poussiéreuses rejetées par l'activité volcanique – l'azote liquide de poches souterraines, réchauffé par la chaleur interne, se gazéifierait par explosion.

Dans cette atmosphère d'azote raréfié, des aurores se lèvent sur Triton, alimentées par les particules perdues des anneaux de Neptune. Invisibles à l'œil nu, ces aurores ne dégagent qu'une lumière ultraviolette.

Jusqu'alors, seules les lunes Triton et Néréide étaient connues. Or, en dépassant Neptune, la sonde Voyager 2 en a découvert pas moins de six autres, dont une plus grande que Néréide, que sa teinte sombre avait jusqu'alors cachée à nos télescopes.

LE SAVIEZ-VOUS ?

L'intérêt que l'on porte aux comètes ne date pas d'aujourd'hui. La preuve en est que, dans l'Antiquité déjà, on relatait leur passage. Le terme vient du grec kometes, *qui signifie « longue chevelure » et se réfère à la queue de la comète.*

LA PLANÈTE BLEUE

*La dernière mission de Voyager
aux confins du système solaire*

En août 1989, Voyager 2 survolait le monde lointain de Neptune et ouvrait aux astronomes de nouveaux horizons. Mais, si la sonde a résolu de nombreuses énigmes posées par la gigantesque planète bleue, elle a soulevé autant de questions.

Neptune est actuellement la partie la plus éloignée du système solaire. C'est la minuscule Pluton qui est habituellement détentrice de cette position. Mais celle-ci se situe en ce moment à son point d'orbite le plus rapproché du Soleil.

À 4 347 millions de kilomètres au minimum de la Terre, la lumière solaire ne représente que 1/900 de celle que nous recevons. Chaque photo prise par Voyager dans ces ténèbres nécessitait donc une exposition de trois secondes avant transmission sur la Terre.

De la Terre, Neptune apparaît comme un minuscule disque bleu. Voyager a découvert un monde à l'épaisse atmosphère bleue constituée de méthane toxique. Se fondant sur les données des télescopes terrestres, les astronomes s'étaient trompés de plus de deux heures en évaluant le jour neptunien à dix-huit heures et douze minutes ; les ondes radio reçues par Voyager ont indiqué que la période de rotation de Neptune était de seize heures et trois minutes.

La sonde a décelé d'étranges particularités : une tempête permanente, la Grande Tache sombre, qui rappelle la Grande Tache rouge de Jupiter ; et une tache plus petite près du pôle sud. La Grande Tache sombre se déplace vers l'ouest à 1 100 km/h ; la tempête du sud de la planète est relativement immobile par rapport à la face cachée de Neptune. Environ à mi-chemin entre les deux tempêtes s'étend un banc de nuages persistants dont le mouvement rapide lui a valu le nom de Scooter.

Cette activité atmosphérique est supérieure à celle de Jupiter, dont les tourbillons de nuages ont été saisis par les objectifs de Voyager. La lumière solaire et la chaleur dégagée par la planète, soit 1/20 de celle alimentant l'atmosphère de Jupiter, fournissent l'énergie de l'atmosphère de Neptune. On cherche une explication à l'agitation de l'atmosphère de cette planète pourvue

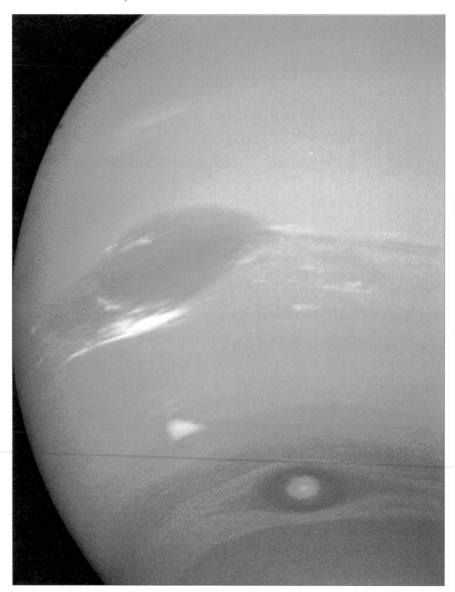

de si peu d'énergie. Autre surprise : l'orientation du champ magnétique de Neptune. Pour les scientifiques, les pôles magnétiques devaient se situer, comme sur la Terre, près de ses pôles géographiques. La sonde devait donc survoler le pôle géographique nord. Or, les pôles magnétiques sont à 50° de l'axe de rotation. Voilà pourquoi Voyager, programmé, a survolé une région du champ magnétique moins intéressante que prévu.

Cinq ans avant le survol de Neptune, les astronomes découvraient des arcs qui feraient partie d'anneaux cein-

Révélés par les photos de Voyager avec la tempête de la Grande Tache sombre (au centre à gauche), une autre tache plus petite (en bas) et (entre les deux) Scooter, le banc de nuages.

turant cette planète. Voyager confirma la présence de plusieurs minces anneaux de Neptune avec, à l'extérieur de ceux-ci, des arcs – taches brillantes –, et une lune minuscule au centre de chacun d'eux. Les arcs et autres caractéristiques des anneaux ceinturant les planètes les plus éloignées sont encore des mystères.

49

PLANÈTE DOUBLE
L'entourage de Pluton informe les astronomes

Les astronomes considèrent souvent la Terre et la Lune comme une seule planète, « double » : la Lune est si grande que son diamètre équivaut au quart de celui de la Terre. Mais on a découvert en 1978 que ce qualificatif correspondait mieux à la lointaine petite Pluton, et à l'un de ses satellites : le diamètre de Pluton ne représentant que le double de celui dudit satellite.

Personne ne soupçonnait l'existence de ce compagnon jusqu'au jour où l'Américain James Christy se pencha sur d'anciennes photos où Pluton paraissait allongée et ovale. L'astronome réalisa que ces photos n'étaient pas déformées, mais qu'elles témoignaient de la présence d'un compagnon que la caméra n'avait pu séparer de Pluton.

Cette découverte reçut le nom mythologique de Charon, nocher d'Hadès (Pluton), qui aidait les âmes des morts à franchir le Styx. L'orbite de Charon, à 20 000 km de Pluton, est d'environ une semaine.

Charon fournit bientôt une multitude d'informations sur le monde obscur de Pluton, minuscule point lumineux pour les plus grands télescopes et dont les astronomes ignoraient encore la taille et la masse. L'application de la loi de la gravité au déplacement de Charon permit aux astronomes de calculer la masse combinée des deux corps : 1/500 de celui de la Terre, Pluton constituant la grande masse.

La densité de Pluton équivalant au double de celle de l'eau, cette planète se composerait essentiellement de roches et de glace. Pour de nombreux astronomes de jadis, Pluton aurait été un satellite égaré de Neptune, théorie désormais peu plausible puisque les lunes des confins du système solaire se composent essentiellement d'eau glacée ou de gaz gelés.

Vue de la Terre, l'orbite de Charon la fait actuellement passer devant puis derrière Pluton, c'est pourquoi chaque corps s'obscurcit tour à tour. Cet alignement nous permet de mesurer leur taille avec précision ; la vitesse des deux corps étant connue, les astronomes peuvent déterminer la durée d'occultation d'un corps par l'autre. Nous savons que le diamètre de Pluton est de 2 284 km, et celui de Charon de 1 192 km.

Taches brillantes

Les astronomes ont aussi analysé les périodes où l'éclat de Pluton diminue nettement. Charon, lors de son passage, obscurcit certaines zones lumineuses de Pluton. Pour les astronomes, ces zones seraient d'étincelantes calottes glacières. En revanche, comme l'éclat ne diminue pas au passage de Pluton devant Charon, ce dernier ne compte probablement pas de glacier.

Ce programme d'exploration des confins du système solaire ne prévoit pas le lancement d'autres sondes, et les astronomes devront, pour l'instant, se contenter de cette vision floue de Pluton et de Charon.

VERMINE CÉLESTE
On attendait une planète, survint une nuée d'astéroïdes

La police spatiale recherchait un fugitif. Persuadée de la disparition d'un membre du système solaire dont elle ne possédait pas la description, elle allait concentrer ses recherches près de l'écliptique. La zone orbitale des planètes comportait en effet un grand vide entre Mars et Jupiter ; on pensait qu'une planète inconnue aurait pu s'y tapir.

Ce scénario n'est pas emprunté à un film de science-fiction : il nous vient du passé. La police spatiale date de 1800. Elle se composait de 24 astronomes réunis par l'Allemand Johann Schröter dans son observatoire de Lilienthal. Mais c'est un astronome étranger à ce groupe, Giuseppe Piazzi, qui annonça la découverte d'une nouvelle planète le 1er janvier 1801 et lui attribua le nom de Cérès, déesse protectrice de la Sicile, dont Piazzi était originaire.

Succès policier

En 1807, la police spatiale avait découvert, à l'issue de ses investigations, trois autres corps orbitant entre les planètes Mars et Jupiter. À la fin du siècle dernier, plus de 450 petites planètes – aussi appelées astéroïdes – étaient répertoriées. En 1891, une photographie du ciel montrait enfin un astéroïde. Le temps d'exposition des télescopes suivant le déplacement du ciel par rapport à la rotation terrestre révèle les étoiles fixes comme des points et les astéroïdes comme des traits puisqu'ils se déplacent par rapport aux étoiles. Leur grand nombre leur a valu l'étiquette de « Vermine céleste ».

Saturne avait-elle un satellite ?

Les astronomes ont répertorié plus de 4 000 astéroïdes et calculé leurs orbites. Le plus volumineux, Cérès, a un diamètre de 1 003 km ; il est suivi de Pallas, 608 km, et de Vesta, 538 km, seul astéroïde assez proche de la Terre pour être visible à l'œil nu.

Chiron – le plus mystérieux – serait un ancien satellite de Saturne. Son orbite, dont un sixième croise celle de Saturne, se situe entre les orbites de Saturne et d'Uranus.

Les astéroïdes ne seraient pas les vestiges d'une planète qui aurait explosé, comme on le croyait jadis : leur matière n'aurait jamais formé de planète. Ce ne sont que des résidus du système solaire. La masse totale des astéroïdes est inférieure à celle de la Lune.

LE SAVIEZ-VOUS ?

La mythologie puis l'imagination ont inspiré les noms des astéroïdes – ces planètes dont les dimensions ne dépassent pas quelques centaines de kilomètres. L'orbite du n° 694 ayant été calculée par les étudiants de l'université Drake de l'Iowa, cet astéroïde a été baptisé Ekard – inversion de Drake. Le n° 1 625 est devenu le Norc en hommage au Naval Ordnance Research Calculator, l'un des premiers ordinateurs. Hapag est le sigle d'une compagnie maritime allemande ; Bettina, le prénom de l'épouse du baron Albert de Rothschild, qui en a acquis les droits. Quatre astéroïdes découverts dans les années 1980 portent les noms de chacun des Beatles.

JUPITER RÈGNE SUR LES ASTÉROÏDES

La distance d'un corps au Soleil détermine sa vitesse orbitale, celle-ci diminuant avec son éloignement. Un astéroïde qui décrit une orbite le rapprochant davantage du Soleil que de Jupiter dépasse régulièrement ce géant, dont la puissante attraction perturbe alors son mouvement.

Pour certaines orbites, les forces de gravitation de ces perturbations se cumulent, allant jusqu'à propulser l'astéroïde sur une nouvelle orbite.

Supposons que des perturbations expédient un astéroïde sur une orbite de quatre ans. Celle de Jupiter étant de douze ans, l'astéroïde dépassera la planète tous les six ans après une orbite et demie, alors que Jupiter sera à mi-parcours de la sienne. Les deux corps s'aligneront en un point situé à 180° de leur précédente rencontre. Six ans plus tard, l'astéroïde dépassera Jupiter au même point que douze ans plus tôt. Le champ de gravitation jupitérien attirerait cet astéroïde dans son orbite aux deux mêmes points pour l'expédier sur une nouvelle orbite plus éloignée ou plus proche du Soleil. En fait, on ne trouve pas d'astéroïdes en orbite quadriennale, pas plus que sur d'autres orbites « interdites », qui sont appelées les vides de Kirkwood, du nom de l'astronome américain Daniel Kirkwood qui, en 1857, prédit leur existence.

Exemples encore plus frappants de l'influence jupitérienne : les dizaines d'astéroïdes capturés par Jupiter et entraînés sur orbite.

Les astéroïdes « prisonniers » appartiennent à deux groupes : l'un centré en un point à 60° devant Jupiter, l'autre à 60° derrière, mais des membres individuels de ces groupes s'écartent de ces positions. On a donné à ces astéroïdes les noms des héros de la guerre de Troie.

Un astéroïde qui met quatre ans à orbiter autour du Soleil dépasse Jupiter (dont l'orbite est de douze ans) tous les six ans. Les astéroïdes « prisonniers » sont entraînés dans l'orbite de Jupiter.

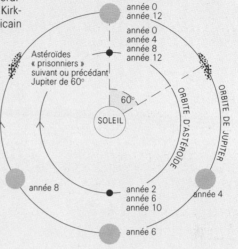

UN GÉANT PUISSANT MAIS SUR LE DÉCLIN
Le mouvement des gaz chauffe la plus grande planète du système solaire

Jupiter dont le volume représente 1 300 fois celui de la Terre, est le monstre des planètes. C'est une gigantesque boule où prédomine l'hydrogène sous forme gazeuse, mais que les énormes pressions gravitationnelles du noyau ont dû comprimer dans un état métallique étrange. De la Terre nous croyons voir, rayée de bandes jaunes et brunes, la surface de Jupiter ; ce n'est en réalité que le sommet de gros nuages de composés d'ammoniac et de soufre. Les nuages plus légers et plus élevés sont probablement des cristaux d'ammoniac à l'état solide, puisque les températures peuvent être inférieures à – 167 °C.

Jupiter bouillonne d'énergie, comme le révèlent les jaillissements d'ondes radio de ses violentes tempêtes atmosphériques et de ses énormes aurores. Mais les mouvements d'Io en perturbent notre réception. Io, la plus proche de Jupiter, est l'une des quatre grandes lunes de la planète. D'un diamètre de 3 630 km, elle est légèrement plus grande que notre Lune.

Les particules tourbillonnant dans l'intense champ magnétique de Jupiter – dont la force en surface représente 20 fois celle du champ magnétique terrestre – font monter un autre courant plus constant d'ondes radio. Ce champ magnétique est orienté dans le sens opposé à celui de la Terre (par rapport à son axe de rotation). Une boussole terrestre désignerait le sud et non le nord de Jupiter.

Ce champ puissant attire des particules subatomiques qui sont dangereuses pour les engins spatiaux. Elles ont presque enrayé les instruments du Pioneer I de la NASA, qui survolait Jupiter en 1973. Cette sonde subit des radiations 500 fois plus fortes que celles déjà fatales à un être humain. Io se déplace à l'intérieur de ces ceintures de radiations qui bombardent la surface de cette lune et en arrachent des particules dont le sillage gazeux suit Io dans son orbite.

Un troisième type d'émissions radio émane d'une source de chaleur interne. Pour les astronomes, Jupiter dégage de l'énergie tout en rapetissant depuis sa formation (c'était originellement un nuage de gaz). Les molécules gazeuses prennent de la vitesse en retombant, et lorsqu'elles heurtent la matière dense proche du centre de la planète, l'énergie de leur mouvement se convertit en chaleur qui chauffe la planète géante.

Voyager repère Io (en bas au centre) projetant son ombre (en bas à gauche) sur Jupiter.

51

UN FOYER DANS L'ESPACE

La technologie de la colonisation de Mars

Le largage d'instruments scientifiques sur Mars est une chose, mais l'établissement d'une base habitée destinée à l'exploration de la planète en est une autre. Car, si les températures diurnes y dépassent le point de congélation, l'atmosphère raréfiée rejette la chaleur solaire. Même à l'équateur, la température nocturne chute à − 50 °C. L'atmosphère contient surtout du dioxyde de carbone : il y manque l'oxygène indispensable à l'homme et à la combustion de carburants conventionnels. Par ailleurs, aucune couche d'ozone ne repousse les radiations mortelles des ultraviolets. Mais des scientifiques cherchent à inventer des moyens de transport, des vêtements et un environnement destinés aux colons du futur.

Véhicule martien L'université d'Arizona abrite un prototype de cet ingénieux deux-roues tout terrain (ci-dessous). Chaque roue comporte 8 sacs de gaz ; c'est leur dégonflage et leur regonflage qui font avancer l'engin. Le cylindre de gaz contrôlant le mouvement ainsi que les instruments destinés à la collecte de données se logent dans l'axe reliant les deux roues.

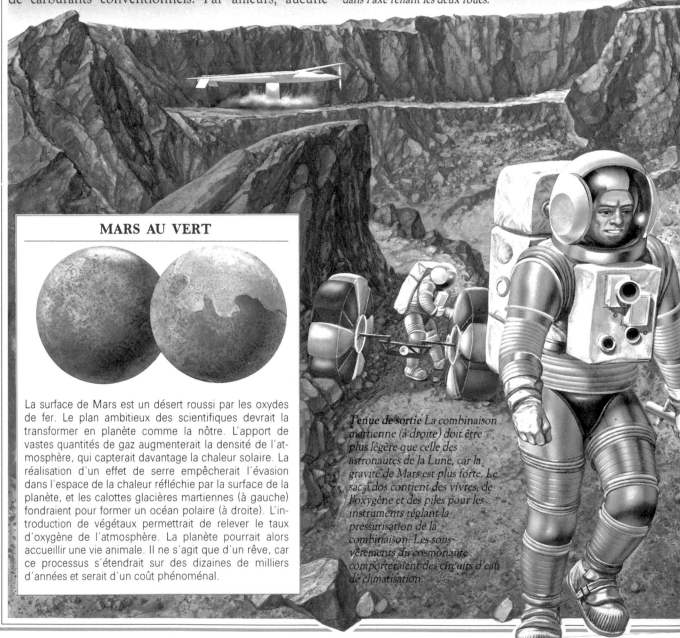

MARS AU VERT

La surface de Mars est un désert roussi par les oxydes de fer. Le plan ambitieux des scientifiques devrait la transformer en planète comme la nôtre. L'apport de vastes quantités de gaz augmenterait la densité de l'atmosphère, qui capterait davantage la chaleur solaire. La réalisation d'un effet de serre empêcherait l'évasion dans l'espace de la chaleur réfléchie par la surface de la planète, et les calottes glacières martiennes (à gauche) fondraient pour former un océan polaire (à droite). L'introduction de végétaux permettrait de relever le taux d'oxygène de l'atmosphère. La planète pourrait alors accueillir une vie animale. Il ne s'agit que d'un rêve, car ce processus s'étendrait sur des dizaines de milliers d'années et serait d'un coût phénoménal.

Tenue de sortie La combinaison martienne (à droite) doit être plus légère que celle des astronautes de la Lune, car la gravité de Mars est plus forte. Le sac à dos contient des vivres, de l'oxygène et des piles pour les instruments réglant la pressurisation de la combinaison. Les sous-vêtements du cosmonaute comporteraient des circuits d'eau de climatisation.

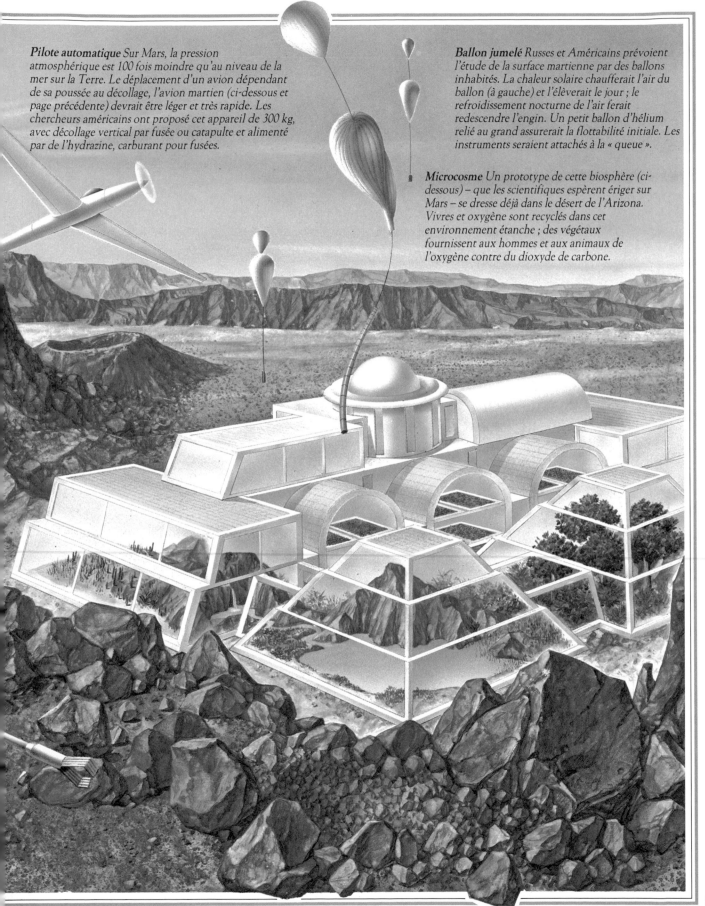

Pilote automatique Sur Mars, la pression atmosphérique est 100 fois moindre qu'au niveau de la mer sur la Terre. Le déplacement d'un avion dépendant de sa poussée au décollage, l'avion martien (ci-dessous et page précédente) devrait être léger et très rapide. Les chercheurs américains ont proposé cet appareil de 300 kg, avec décollage vertical par fusée ou catapulte et alimenté par de l'hydrazine, carburant pour fusées.

Ballon jumelé Russes et Américains prévoient l'étude de la surface martienne par des ballons inhabités. La chaleur solaire chaufferait l'air du ballon (à gauche) et l'élèverait le jour ; le refroidissement nocturne de l'air ferait redescendre l'engin. Un petit ballon d'hélium relié au grand assurerait la flottabilité initiale. Les instruments seraient attachés à la « queue ».

Microcosme Un prototype de cette biosphère (ci-dessous) – que les scientifiques espèrent ériger sur Mars – se dresse déjà dans le désert de l'Arizona. Vivres et oxygène sont recyclés dans cet environnement étanche ; des végétaux fournissent aux hommes et aux animaux de l'oxygène contre du dioxyde de carbone.

LE BERCEAU DE LA VIE

Un télescope spatial témoin de la naissance d'autres systèmes solaires

Si la vie se manifeste en d'autres points de la Galaxie comme sur la Terre, elle n'est concevable que sur des planètes. Or certains astronomes auraient vu naître de l'espace des étoiles et des systèmes planétaires similaires à notre système solaire.

Aucun télescope ordinaire ne pourrait en être témoin. Une étoile naît au cœur de nuées interstellaires de gaz et de particules dont la lumière visible ne peut s'échapper, contrairement aux radiations infrarouges. Lancé en janvier 1983, le satellite inhabité IRAS (Infrared Astronomy Satellite) devait explorer toutes ces régions, ainsi que les nombreuses autres sources d'infrarouges que nous cache l'atmosphère terrestre. De l'hélium liquide refroidissait le télescope d'IRAS à – 270,6 °C pour empêcher les radiations produites par sa propre chaleur de l'« aveugler ».

L'attraction exercée par le passage d'une étoile ou par l'onde de choc de l'explosion perturbe un nuage de gaz interstellaires. Ce nuage se fragmente alors en gigantesques globules, des centaines de fois plus gros que notre Soleil. Chaque globule s'effondre pour former un noyau de matière dense dont naît une protoétoile, et non pas une étoile proprement dite puisque son rayonnement n'est pas produit par de l'énergie nucléaire, mais par l'énergie libérée lors de l'implosion de la matière.

L'élévation considérable de la température, qui atteint jusqu'à 10 millions de degrés dans le noyau de la protoétoile, entraîne alors différentes réactions nucléaires, et la nouvelle étoile se met à briller. Les astronomes parlent dans ce cas d'une étoile « variable », dont l'éclat fluctue sous l'influence des tourbillons des dernières vapeurs du nuage mère.

La suite des événements est encore mystérieuse. Des matières solides continueraient à orbiter autour de la nouvelle étoile. IRAS a identifié des particules grosses comme du gravier orbitant autour de deux jeunes étoiles, résidus éventuels laissés lors de formation de planètes ou bien matériau pour la formation d'une nouvelle.

Dernier contrôle d'IRAS par les techniciens de la NASA avant son lancement en 1983 (en bas). Le satellite sert à l'étude des trois étapes de la formation d'une étoile (à droite). L'onde de choc créée par l'explosion d'une étoile perturbe des nuages de poussière (en haut). Leur contraction génère des taches rougeâtres et brûlantes : les protoétoiles (au centre) ; à 10 millions de degrés, les réactions nucléaires s'amorcent, et de nouvelles étoiles apparaissent (en bas).

UNE ÉTOILE PEUT EN CACHER UNE AUTRE

La vacillation des étoiles révèle d'invisibles compagnons

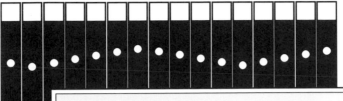

Les vacillations d'une étoile sous l'influence d'une planète ou d'une étoile invisible, sur une durée de soixante-quinze ans.

Sans l'aide de nos télescopes actuels, toute planète située au-delà de notre système solaire se perdrait dans le rayonnement de son étoile mère. Cependant, bien d'autres méthodes scientifiques permettent de détecter sa présence.

Le champ de gravité de la planète dans l'orbite de l'étoile mère attire cette dernière et la fait vaciller : cet effet est imperceptible lorsqu'il s'agit d'une planète grosse comme la Terre, mais il est substantiel si sa masse se rapproche de celle de Jupiter (équivalant à 318 fois celle de la Terre).

Constaté sur plusieurs étoiles, ce phénomène a été contesté dans certains cas (on prétendait qu'il s'agissait du vacillement des télescopes !). Il nécessite une confirmation.

Les études des spécialistes tendent à prouver que deux corps – dont les masses représentent environ 70 % et 50 % de celle de Jupiter – seraient dans l'orbite de l'étoile de Barnard. Observée dans l'infrarouge, une autre étoile – et non une planète – d'une masse équivalant à 60 fois celle de Jupiter a paru se dessiner.

La longueur d'onde de la lumière d'une étoile permet aussi de détecter un compagnon invisible ; celle d'une étoile vacillante varie : elle est plus courte si l'étoile se rapproche de la Terre et plus longue si l'étoile s'en éloigne. Cette méthode a permis de découvrir que l'étoile Gamma Céphéi avait peut-être un compagnon, dont la masse serait 1,6 fois celle de Jupiter.

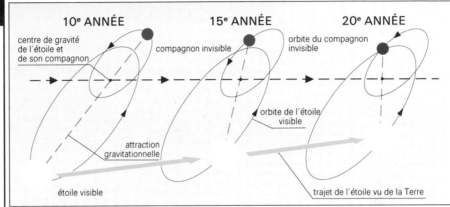

10e ANNÉE — **15e ANNÉE** — **20e ANNÉE**

centre de gravité de l'étoile et de son compagnon — compagnon invisible — orbite du compagnon invisible — orbite de l'étoile visible — attraction gravitationnelle — étoile visible — trajet de l'étoile vu de la Terre

L'étoile et son compagnon – grande planète ou étoile – orbitent autour du même centre de gravité. Le trajet « vacillant » de l'étoile révèle la présence du compagnon.

Nous pouvons aujourd'hui détecter une planète, gigantesque boule de gaz, si éloignée de l'étoile mère qu'elle serait glacée et ne saurait abriter une forme de vie comme la nôtre. Mais là où il existe des planètes comme Jupiter, il doit y en avoir d'autres semblables à la Terre. Lancé en avril 1990 par la navette américaine, le télescope spatial Hubble orbite à 600 km d'altitude, c'est-à-dire bien au-delà de notre atmosphère brumeuse. L'éclat d'une étoile lui permet de détecter les caractéristiques propres à une atmosphère planétaire riche en oxygène – environnement qui pourrait être favorable à l'épanouissement de la vie.

Lancé en 1990, le télescope spatial Hubble prend 20 images par jour.

EXPLORATEURS ROBOTS

La Galaxie colonisée par des essaims de robots autoreproducteurs

Bien que la vitesse de la lumière soit de 300 000 km/s, l'éclat de Proxima, étoile de la constellation du Centaure, met quatre ans à nous parvenir. Il nous faudrait cinquante ans pour atteindre les plus proches étoiles en nous déplaçant au dixième de la vitesse de la lumière. En revanche, l'usage de robots autoreproducteurs accélérerait l'exploration de la Galaxie.

Une sonde spéciale

Les chercheurs de la NASA ont envisagé l'envoi d'une sonde-robot dans un système stellaire où des planètes ont été décelées. Le trajet serait d'une quarantaine d'années. À son arrivée, la sonde serait en mesure de tirer de la matière d'un astéroïde deux doubles d'elle-même.

Puis elle étudierait le nouveau système et transmettrait ses observations à la Terre, tandis que ses doubles s'élanceraient à l'assaut de deux étoiles plus éloignées pour répéter l'opération.

Se dédoublant ainsi tous les quarante ans, le nombre de sondes passerait à 16 en vol en cent soixante ans, sans compter celles étudiant les systèmes planétaires. Il y en aurait 256, cent soixante ans plus tard et, après un millier d'années, plus de 30 millions de sondes se déploieraient dans toute la Galaxie.

UN UNIVERS SUR MESURE

Des conditions idéales

Dans les années 1950, le cosmologue britannique Fred Hoyle mit en évidence le fait que, curieusement, les éléments avaient été créés dans les proportions idéales pour l'émergence de la vie. La plupart des éléments qui constituent la Terre ont été créés il y a des milliards d'années à l'intérieur d'une étoile. L'hydrogène et l'hélium font exception : ils ont été formés antérieurement, lors du Big Bang à l'origine de l'Univers. En explosant, l'étoile permit le mélange de ces éléments avec le gaz et les particules interstellaires. Formée ultérieurement, la Terre incorpora tous ces éléments.

Toutes les formes vivantes contiennent approximativement le même nombre d'atomes de carbone et d'oxygène. Des matériaux courants comme la roche ou la terre – à teneur élevée en oxygène – n'auraient pu exister s'il y avait eu moins d'oxygène sur la Terre ; en revanche, un excès d'oxygène aurait empêché la formation des molécules géantes de la vie.

Le carbone et l'oxygène proviennent d'autres types d'atomes créés dans l'« autocuiseur » stellaire. Hoyle nota qu'une infime modification du rapport des forces nucléaires aurait complète-

Ce magazine américain de 1939 se trompe : il n'y a pas d'hommes verts sur Vénus.

ment faussé l'équilibre de carbone et d'oxygène et que la Terre n'aurait pu alors abriter la vie.

Un tel concours de circonstances évoque le « principe cosmologique anthropique », qui repose sur l'affirmation que l'Univers a été conçu à l'endroit idéal pour qu'émerge la vie.

La force de gravité apparaît aussi en harmonie avec l'électromagnétisme et les forces atomiques. Une légère accélération de cette force aurait amoindri le Big Bang, ralenti puis stoppé et brisé l'expansion de l'hydrogène et de l'hélium originels. La durée de vie de l'Univers se serait alors comptée en siècles, et les étoiles n'auraient pu évoluer.

Mais si, au contraire, la force de gravité avait été plus faible, la raréfaction précoce des gaz aurait empêché l'apparition des étoiles. L'harmonie présidait bien à la création de l'Univers.

Aléas de la création

Pour certains sceptiques, l'Univers ne serait pas le fruit d'une conception intelligente : notre cosmos ne serait que l'un des innombrables univers « parallèles » créés par le Big Bang. Les conditions initiales auraient varié au gré du hasard, et les lois naturelles n'auraient permis l'émergence de la vie que dans un nombre infime d'entre eux.

L'Univers nous paraît miraculeusement sophistiqué puisque nous ne pouvons que constater le « ratage » de tous les autres.

CHEVAUCHÉE DANS LES ÉTOILES SUR UN FAISCEAU DE MICRO-ONDES

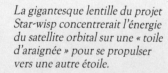

Sera-t-il possible, dans quelques décennies, de voir de près une étoile ? Le projet Star-wisp prévoit la construction d'une gigantesque « toile d'araignée » de 1 km de diamètre déployée dans l'espace.

La sonde, une sorte de filet métallique si fin qu'il ne pèserait que 20 g, serait propulsée dans l'espace interstellaire par un puissant faisceau de micro-ondes émis par un satellite à énergie solaire tournant autour de la Terre.

Une lentille flottante de 50 000 km de diamètre (4 fois celui de la Terre) concentrerait ce faisceau de micro-ondes. Grâce à son accélération, corres-

pondant à 155 fois celle de la gravité terrestre, la sonde atteindrait en une semaine la vitesse considérable de 60 000 km/s, ce qui équivaut environ à 1/5 de la vitesse de la lumière. Constellé de puces ultrasensibles, Star-wisp serait un superordinateur.

La gigantesque lentille du projet Star-wisp concentrerait l'énergie du satellite orbital sur une « toile d'araignée » pour se propulser vers une autre étoile.

Ces puces ultrasensibles, réagissant à la lumière, transmettraient des images de l'environnement de la sonde. Star-wisp atteindrait en vingt et un ans l'étoile Proxima qui fait partie de la constellation du Centaure. Pendant le survol de cette étoile, qui prendrait environ une quarantaine d'heures, la sonde transmettrait des séries d'images de toutes les planètes en orbite.

UNE CITÉ D'ÉTOILES

Notre Galaxie ressemble à un tourbillon d'étoiles

Cette photo montre la Voie lactée, de la constellation du Sagittaire (à gauche) à celle du Centaure (à droite).

L a Voie lactée, bande blanchâtre qui ceinture le ciel, n'est que le faible aperçu d'un vaste ensemble d'étoiles, de gaz et de poussières. La Galaxie a la forme d'un disque, dont la vision par la tranche n'est autre que la Voie lactée, où les multitudes d'étoiles semblent se fondre en une masse de faible luminosité.

Comme 30 % des galaxies, la nôtre se présente, de l'extérieur, sous la forme d'une spirale dont les circonvolutions délimitées par les couloirs des étoiles, des gaz et des particules constituent les ondulations du disque. Leur teinte bleuâtre révèle une certaine chaleur, comme le bleu d'une lampe à arc prouve une chaleur supérieure à celle d'une ampoule électrique. La compression de nuées gazeuses due à une ondulation entraîne la naissance d'étoiles. Tous les bras spiraux sont donc composés de jeunes étoiles.

Plus dense que le reste du disque et relativement exempt de gaz et de poussières, le bulbe de la Galaxie est constitué d'étoiles âgées. Leur teinte rougeâtre atteste une chaleur inférieure à celle d'étoiles nouvelles – tout comme le fer rouge est moins chaud que le fer chauffé à blanc.

Le centre galactique émet de puissantes ondes radio – indice d'une certaine agitation. Mais, dans la constellation du Sagittaire, des nébuleuses obscurcissent cette source d'ondes qui pourrait être un trou noir engouffrant des millions de tonnes de matière par seconde. (Un trou noir est le résidu hyperdense d'une super-nova – explosion d'une énorme étoile. Totalement invisible, il attire tout objet qui s'en approche de trop près.)

Un cycle de deux cents millions d'années

La Galaxie a un diamètre de 100 000 années-lumière. Situé aux deux tiers de son centre, notre système solaire met, à la vitesse de 250 km/s, plus de deux cents millions d'années à boucler une seule orbite. Tous les trente millions d'années, son oscillation lui fait traverser le plan central du disque.

On a cru jadis que cette immense roue céleste renfermait tout l'Univers. Or on en dénombre des milliards d'autres, sans compter celles qui demeurent hors de portée de nos plus puissants télescopes.

Vision picturale de notre Galaxie avec, au centre, des étoiles âgées, et de jeunes étoiles de couleur bleuâtre dans les bras spiraux. Les points orange sont des agglomérations de milliers d'étoiles.

NAINES BLANCHES ET ÉTOILES À NEUTRONS

Toutes les étoiles de masse équivalente à celle de notre Soleil deviennent des naines blanches dans l'ultime stade de leur évolution. Après épuisement de son hydrogène, le Soleil s'amenuisera en une boule de gaz brûlants, plus petite que la Terre, et de matière si concentrée qu'une seule pincée pèserait 1 t sur notre planète.

Par ailleurs, toute étoile d'une masse de 40 % supérieure à celle du Soleil explose et devient une supernova. Le résidu de cette explosion – plus compact encore que celui d'une naine blanche – constituerait l'étoile à neutrons, corps solide formé non pas d'atomes, mais d'un seul type de particules subatomiques : les neutrons.

Une étoile à neutrons comprime une masse égale à celle du Soleil dans un volume de 20 km de diamètre. Sa force de gravité en surface est si élevée qu'une de ses « montagnes » serait moins haute qu'un morceau de sucre, mais son escalade nécessiterait plus d'énergie que celle déployée toute une vie par un être humain.

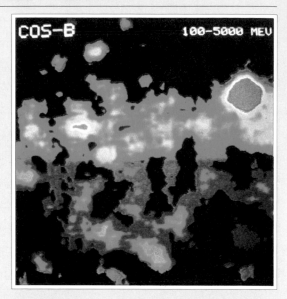

Geminga (grosse tache orange) serait une étoile à neutrons dont la matière est la plus compacte. Si la matière est encore plus comprimée, la gravité est si intense qu'elle « s'évanouit » en formant un trou noir.

L'ÉTOILE DE LA MORT
Un compagnon du Soleil révélé par l'extinction des espèces

Les fossiles sont le témoignage des innombrables espèces de plantes et animaux qui ont disparu en l'espace de quelques milliers d'années. L'extinction des dinosaures, remontant à la fin du crétacé (il y a soixante-cinq millions d'années) en est l'exemple le plus connu.

À côté des dinosaures, tous les reptiles ailés et aquatiques, c'est-à-dire 75 % de toutes les espèces, disparaissaient aussi. L'extinction des espèces qui sévit il y a 245 millions d'années fut plus dévastatrice encore, elle n'épargna que 10 % des espèces. L'étude des fossiles nous révèle d'autres disparitions moins drastiques.

L'explication avancée par des professeurs de l'université Berkeley en Californie, Luis Alvarez et son fils Walter, a suscité une vive controverse. Ils avaient découvert dans des prélèvements effectués à Gubbio (Italie) une mince couche d'iridium entre les roches du crétacé et celles du tertiaire.

Or, l'iridium est rare sur la Terre mais non pas sur les météorites. Pour Luis et Walter Alvarez, une comète aurait déposé la couche d'iridium en tamponnant la Terre dans une collision qui aurait soulevé d'énormes nuages de poussières voilant le Soleil durant des années, perturbant le climat et causant ces extinctions en masse.

À la recherche d'un fil conducteur

Des paléontologues de l'université de Chicago découvrirent ensuite que ces extinctions semblaient se produire tous les trente millions d'années. Partant de ce principe, les géologues notèrent alors une régularité similaire dans la formation des cratères – points d'impact des comètes sur la Terre. Cependant, la dis-parité des données n'autorise encore aucune certitude.

Si une telle régularité était effective, pourquoi les comètes devraient-elles s'y soumettre ? Ces astres proviennent, croit-on, d'un gigantesque essaim orbitant autour du Soleil bien au-delà de l'orbite de Pluton. Le passage d'étoiles perturbe la trajectoire de certaines comètes, qui dérivent vers le Soleil. Mais quelles autres perturbations les affecteraient à point nommé tous les trente millions d'années ?

Invisible voisin

Le coupable serait peut-être un compagnon invisible du Soleil – étoile si imperceptible qu'elle nous aurait échappé. Elle décrirait une orbite très elliptique autour du Soleil à une distance moyenne de 1,4 million d'années-lumière. Tous les trente millions d'années, cette étoile se rapprocherait au quart de cette distance et projetterait sur une période de plusieurs millions d'années près d'un milliard de comètes en direction du Soleil, dont quelques-unes viendraient heurter la Terre.

Cette étoile aux conséquences désastreuses pour la vie sur la Terre a reçu le nom de Némésis, déesse grecque de la vengeance. Comme nous sommes à mi-chemin entre deux bombardements cométaires, le prochain assaut du système solaire n'est pas pour demain.

LE SAVIEZ-VOUS ?

La nébuleuse d'Orion – immense nuage de gaz et de poussières visible à l'œil nu dans l'« épée » de la constellation du même nom – a un diamètre de 30 al (290 milliards de km). Un échantillon de 25 mm de diamètre prélevé sur toute l'épaisseur de cette nébuleuse – à la matière incroyablement raréfiée – ne contiendrait, en matière, que l'équivalent d'une petite pièce de monnaie.

L'étoile qui se déplace le plus rapidement dans notre ciel nocturne est l'étoile de Barnard. Invisible à l'œil nu, elle traverse le ciel en cent quatre-vingts ans et son diamètre est égal à celui de la lune pleine. En l'an 11 800, elle dépassera le Soleil à une distance de 3,85 al – plus près donc que l'étoile Proxima du Centaure, qui en est actuellement la plus proche.

MORT D'UNE ÉTOILE
Feux d'artifices dans la Galaxie

En février 1987, les astronomes virent exploser une étoile obscure du Grand Nuage de Magellan, galaxie proche de la nôtre. Au cours des dix premières secondes de son agonie, cette étoile dégagea plus d'énergie que tout le reste de l'Univers visible. Jusque-là, seules 4 supernovae – explosions d'étoiles massives – avaient été observées aussi près du Soleil avant l'invention du télescope.

L'étoile dont provenait celle que l'on baptisa Supernova 1987 A avait été répertoriée sous la référence Sanduleak -69° 202. L'astrophysique et les observations antérieures permirent de reconstituer son histoire.

Mort précoce pour les plus grandes

Les étoiles massives ont la vie courte. Âgé d'environ quatre milliards et demi d'années, le Soleil aborde la maturité. D'une masse équivalant à 20 fois celle du Soleil, Sanduleak -69° 202 – supernova de type II – n'a vécu que onze millions d'années. Pendant les dix pre-miers millions, elle a – comme le Soleil – « brûlé » l'hydrogène pour le transformer en hélium par réaction nucléaire. L'hydrogène s'est progressivement raréfié, et l'hélium s'est mis alors à brûler pour se transformer, à son tour, en carbone et en oxygène principalement. Le gonflement de la pellicule extérieure a fait de cette étoile une super-géante rouge si énorme que, située à la place de notre Soleil, elle aurait touché la Terre.

La combustion de l'hélium a progressivement échauffé l'étoile, qui a viré au bleu. Puis la supergéante s'est contractée et a brûlé successivement le carbone et fabriqué d'au-

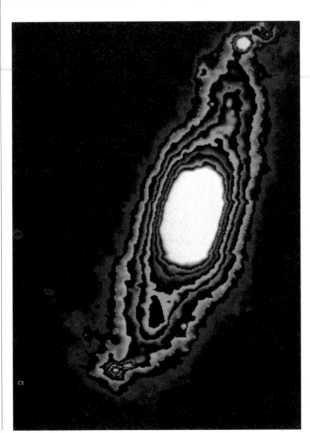

Cette photo prise par caméra infrarouge montre la galaxie spirale M66, avec (en haut à droite) la tache blanche de Supernova 1989 B, de type I, résultant d'un flux de gaz d'une étoile sur une naine blanche. L'augmentation de la masse provoque l'explosion de la naine blanche.

La Supernova 1987 A est le corps brillant en bas à droite ; en haut à gauche se situe la nébuleuse Tarentula, immense nuage de poussières et de gaz.

tres éléments par réaction en chaîne.

Une semaine avant sa mort, son noyau s'était ainsi transformé en une boule de fer grosse comme Mars, entourée de couches d'éléments partiellement consumés.

Puis survinrent le cataclysme et la fin des réactions en chaîne, le fer étant impropre à la fusion nucléaire. Le noyau de l'étoile s'effondrait en produisant d'énormes bouffées de particules subatomiques – les neutrinos –, qui fragmentèrent l'étoile, convertissant ses couches supérieures en nuages de gaz et libérant particules et radiations.

Scoop !

La manifestation de cet événement a mis 170 000 ans à nous parvenir. Le 23 février 1987, les détecteurs de neutrinos de l'Ohio et du Japon enregistraient le premier indice du décès de Sanduleak -69° 202. À l'apogée de sa luminosité, en mai 1987, la supernova 1987 A brillait 250 millions de fois plus que le Soleil.

En 1990, on découvrit dans notre Galaxie les traces d'une supernova qui aurait explosé au cours du XXe siècle. Le brouillard et la poussière interstellaire nous auraient masqué l'événement.

COLLISION DE GALAXIES
Les ordinateurs à la rescousse

Les astronomes jouent désormais au Créateur en simulant des collisions de galaxies sur l'écran de leur ordinateur. Ces simulations sont à l'image des situations réelles. Tout au long de son existence, qui s'étend sur des milliards d'années, chaque galaxie risque d'entrer en collision avec l'une de ses voisines.

Les galaxies se déforment sous l'effet de leurs forces d'attraction gravitationnelle réciproques. En cas de collision, leurs étoiles – très éloignées les unes des autres – s'interpénètrent, comme des essaims de moucherons, sans se heurter. En revanche, l'énergie produite par la collision des nuages de gaz interstellaire des galaxies dégage lumière, chaleur et ondes radio.

Des galaxies en forme de ballon de rugby

Ces collisions seraient à l'origine des galaxies elliptiques, aux structures très différentes de galaxies spirales comme la nôtre. De forme sphérique ou aplaties comme un ballon de rugby, elles sont presque dépourvues des matériaux nécessaires à la formation d'étoiles. Leur centre contient souvent de puissantes sources de lumière et d'ondes radio.

Dans les simulations effectuées par les chercheurs américains Joshua E. Barnes et Lars Hernquist, des galaxies spirales se sont rapprochées jusqu'à se rejoindre pour fusionner en une galaxie elliptique. L'impact de la collision a comprimé d'énormes quantités de gaz au centre de la nouvelle galaxie, créant un trou noir qui a absorbé les gaz. Échauffée par sa chute, la matière stellaire a produit des radiations avant de s'évanouir dans le trou noir.

Les simulations sur ordinateur des professeurs Barnes et Hernquist, de l'université de Princeton, montrent la collision de deux galaxies spirales de masse égale. Leur rapprochement (en bas) pousse la plupart des gaz (colorés en bleu et blanc) au centre de chaque galaxie. Lorsque les galaxies fusionnent (au milieu), les gaz se concentrent en un seul centre. Finalement (en haut), les étoiles (colorées en rouge) de la nouvelle galaxie forment une ellipse.

Barnes et Hernquist avaient apparemment créé une galaxie elliptique sur leur écran. D'autres simulations ont donné des images de galaxies réelles, mais d'apparence inhabituelle ; ce qui laisserait penser que certains corps observés par télescope seraient en fait des vestiges de collisions cosmiques.

ÉTINCELANT CIMETIÈRE D'ÉTOILES

Situés aux confins de l'Univers, les quasars se caractérisent par une débauche d'énergie fantastique. Plus lumineux que sa galaxie hôte, le quasar brille d'un éclat constant – les supernovae brillent davantage, mais quelques secondes seulement. Ces sources d'énergie cosmique sont si éloignées qu'elles ressemblent à des étoiles, comme leur nom, d'ailleurs, le suggère : quasar étant l'abréviation de *quasi stellar object*.

Toujours plus loin

L'analyse de la lumière des quasars démontre que certains d'entre eux s'éloignent de nous à une vitesse proche de celle de la lumière. L'allure de cette retraite fulgurante serait proportionnelle à la distance – c'est vrai, du moins, pour les galaxies. En se fondant sur cette hypothèse, la lumière du quasar le plus lointain mettrait quatorze milliards d'années à nous parvenir, soit environ trois fois l'âge de la Terre, et aurait quitté le quasar tandis que l'Univers n'aurait alors compté que quelques milliards d'années.

Paradoxalement, la cause invisible de ce déversement d'énergie serait le trou noir situé au cœur du quasar. Le trou noir est un « puits » dont l'énergie ne peut s'évader. Il est d'une densité telle qu'aucune forme d'énergie n'échappe à l'intensité de son champ d'attraction. Certains trous noirs seraient les résidus d'étoiles massives ayant explosé au terme de leur existence.

La matière incandescente qui constitue le quasar orbite autour du trou noir et forme un tourbillon dans lequel s'évanouissent étoiles, gaz et poussières de notre Univers.

Agonie d'une étoile

Nous pouvons suivre la disparition de la matière jusqu'au plus petit détail. Les impulsions lumineuses de certains quasars correspondraient aux cris d'agonie d'une étoile engloutie par le quasar : avant de disparaître dans le trou noir, l'étoile absorbe de la chaleur et dégage des radiations.

VISION DE L'INFINI
Les galaxies-télescopes

En 1979, des astronomes de Hawaii virent « double ». Dans la constellation de la Grande Ourse, ils distinguèrent deux quasars situés à des centaines de milliers d'années-lumière de notre Galaxie, mais distants l'un de l'autre de 1/600 de degré, conjonction qui ne pouvait être due au hasard. L'analyse de leur lumière révéla une étrange ressemblance entre les deux quasars.

Les astronomes n'avaient, en fait, pas repéré de jumeaux célestes : ils voyaient tout simplement deux fois le même quasar. Un corps massif devait donc s'interposer entre la Terre et le quasar, dont la lumière – déformée par le champ gravitationnel de ce corps – se dédoublait.

Une étude plus approfondie effectuée par la suite révéla que ce miroir gravitationnel naturel était en fait une galaxie massive qui était restée totalement inconnue jusqu'alors.

Découverts par la suite, d'autres miroirs gravitationnels – parfois invisibles en raison de leur éloignement – ont été en fait identifiés comme galaxies ou amas galactiques.

Les effets visuels de ces miroirs varient en fonction de l'intensité de leur gravité et de leur position par rapport au quasar. Par exemple, un quasar de la constellation du Lion nous apparaît comme un anneau.

Sur plusieurs images, d'autres quasars apparaissent, plus ou moins agrandis ou lumineux sous l'effet du miroir gravitationnel agissant comme un « télescope » cosmique.

Sous l'influence gravitationnelle d'un amas galactique, le quasar apparaît comme un arc lumineux (en bas) et non comme un point.

Le premier quasar double découvert porte le numéro 0957+561 (en bas à l'extrême gauche). Le champ gravitationnel d'une galaxie (point orange) dédouble sa luminosité. De la Terre (à l'extrême droite), nous voyons un quasar double (sur le panneau vert).

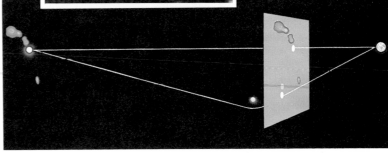

CORDES DE L'ESPACE

Dernier cheval de bataille des astrophysiciens, les cordes spatiales – dont l'existence reste à prouver – se seraient formées pendant la première fraction d'une seconde du Big Bang à l'origine de l'Univers.

Pour les physiciens modernes, loin d'être vide, l'espace actuel bouillonne d'énergie et de particules accédant à une vie brève avant de disparaître. À l'aurore du Big Bang, le cosmos était peut-être le théâtre d'un déploiement d'énergie encore plus intense, soumis à des pressions et à des températures colossales. Témoignages miniatures de l'espace originel, ces cordes hypothétiques survivraient dans le calme relatif de l'Univers actuel.

Une corde cosmique serait illimitée. Elle s'étendrait à l'infini au-delà de l'univers observable – ou constituerait une boucle d'une circonférence équivalant à des années-lumière.

Fins, mais lourds

L'épaisseur de chaque corde correspondrait à cinq fois celle du diamètre d'un atome. Sa masse serait colossale – 1 000 milliards de tonnes/mm. Une corde d'une longueur égale au diamètre de la Terre en aurait deux fois la masse.

Les scientifiques comparent les cordes cosmiques à des élastiques soumis à d'énormes tensions, perdant leur énergie en vibrant et en se tordant dans l'espace. Elles onduleraient et se recouperaient parfois pour former des boucles qui se rompraient alors.

Des radiotélescopes ont détecté au centre de notre Galaxie des sources d'ondes radio filiformes éventuellement émises par les gaz chauds entourant les cordes cosmiques. Cela prouverait que ces cordes n'existent pas que dans l'imagination des théoriciens.

LA FIN DE TOUTES CHOSES

Quel est le destin de l'Univers ?

La science moderne ne peut prévoir avec certitude le destin de l'Univers, dont l'expansion constitue le plus grand point d'interrogation. Les amas galactiques de l'Univers continueront-ils à s'éloigner les uns des autres ou se regrouperont-ils sous la force de leur gravité mutuelle ?

Matière invisible

Pour le savoir, il suffirait de connaître la quantité de matière présente dans l'Univers. La matière observable – étoiles, gaz, poussière, etc. – représente le centième de la matière nécessaire pour stopper le processus d'expansion en cours depuis la création de l'Univers par le Big Bang, il y a quinze milliards d'années.

Mais le mouvement de certaines galaxies démontre l'existence de forces gravitationnelles dues à de la matière invisible. Cette « matière noire », qui se manifeste aussi bien à l'intérieur d'une même galaxie qu'entre plusieurs d'entre elles, pourrait bien constituer la plus grande partie de la matière de l'Univers. Mais la combinaison de ces substances invisibles, des étoiles et d'autres matières visibles, ne représente qu'un

La colossale force gravitationnelle d'un trou noir attire la matière d'une étoile proche (en bleu). Avant d'être engloutie, la matière émet des radiations (en rouge).

dixième de la masse nécessaire pour inverser la tendance.

Les astrophysiciens prévoient donc la poursuite de l'expansion de l'Univers. Dans un avenir très éloigné – quelque cent milliards d'années – les étoiles disparaîtront après avoir brûlé leur carburant. Les galaxies disparaîtront à leur tour. Même dans l'immensité de l'espace, les étoiles se rapprochent suffisamment pour subir mutuellement leur champ gravitationnel et, sur une échelle de temps assez étendue, au moins 90 % des étoiles mortes qui se croiseront seront éjectées dans l'espace intergalactique. Les autres rejoindront les centres galactiques pour y former d'énormes trous noirs.

Les amas galactiques continueront à s'éloigner les uns des autres et commenceront à se désintégrer. Les trous noirs – résidus de galaxies – et les étoiles mortes égarées dans l'espace intergalactique fusionneront en spirales, produisant des trous noirs encore plus grands. On a calculé que ce processus devait s'étendre sur environ une dizaine de millions de milliards d'années.

Océan de particules

Au-delà de cet horizon se profile la mort de la matière. Les physiciens, pour la plupart, sont d'avis que la matière se désintégrera en océan de particules et de radiations plus faibles. Même un corps de la grandeur d'une étoile s'évanouira de cette façon – dans un nombre d'années équivalant au chiffre 1 suivi de 32 zéros.

Les trous noirs finiront, eux aussi, à l'échelle du temps cosmique, par s'« évaporer » lentement sous la forme de radiations. La désintégration du trou noir issu de celle d'un amas galactique représente un nombre d'années qui compterait 117 zéros.

Dans cet avenir si lointain discerné par les physiciens, l'Univers serait une masse terne de particules subatomiques, baignant dans un océan de radiations proches du zéro absolu : – 273 °C.

LE SAVIEZ-VOUS ?

Près de 9 000 étoiles sont visibles à l'œil nu. De n'importe quel point du globe, seule la moitié du ciel est observable ; la brume réduisant la visibilité, un amateur averti n'apercevra pas plus de 3 000 étoiles même par temps dégagé.

LE GRAND ATTRACTEUR

En 1986, un groupe international d'astronomes annonçait la découverte du plus grand corps jamais repéré par les hommes mais dont l'identité demeurait inconnue.

Ce corps mystérieux est situé au-delà de la constellation de la Croix du Sud. Sa masse équivaut à celle de dizaines de milliers de galaxies. Bien qu'invisible, il se manifeste par son attraction sur des galaxies situées à 200 millions d'années-lumière de la Terre, qui s'écartent les unes des autres à la vitesse de 4 500 km/s dans le processus d'expansion de l'Univers. Un autre mouvement de 700 km/s double le premier en direction du corps invisible.

Le Grand attracteur serait à environ 500 millions d'années-lumière de la Terre. Il s'agirait d'un gigantesque amas galactique d'une étendue de 300 millions al, trop pâle pour être visible.

CHAPITRE TROIS

La Terre en Mouvement

Nous vivons au rythme apparemment immuable des saisons, et le sol que nous foulons nous semble inébranlable. Pourtant, nous savons que, sous l'effet de la chaleur interne de la Terre, les plaques tectoniques de la surface terrestre se déplacent constamment – il y a cinq cents millions d'années, la plaque antarctique actuelle était située à l'équateur *(page 70)*. L'homme est aussi responsable de changements structurels à l'échelle planétaire, puisque la pollution risque d'entraîner un réchauffement dramatique et irréversible de l'atmosphère *(page 69)*. Rien n'est immuable sur la Terre : l'air, les sols, les mers ne cessent de changer. Les êtres vivants s'adaptent de leur mieux à cette évolution.

PHÉNOMÈNES ATMOSPHÉRIQUES

Glaces ou fournaises : les extrêmes de nos climats

S'il nous arrive de nous plaindre du mauvais temps, reconnaissons que nous vivons pour la plupart sous des climats parfaitement supportables. Il n'empêche que, dans certaines régions du monde, la vie est quasiment impossible.

Les terres arctiques comptent parmi les plus inhospitalières de notre planète. Dans les régions polaires d'Alaska, du Canada, de Scandinavie et de l'ex-URSS, la température – inférieure à 0 °C neuf mois par an – descend parfois à – 57 °C et dépasse rarement 7 °C en été. Il est facile de comprendre pourquoi ces régions sont si peu habitées.

L'homme évite aussi bien les rigueurs polaires de l'Arctique que les chaleurs torrides du Sahara, où la température au sol peut monter jusqu'à 84 °C.

En Afrique, dans certaines régions du Tchad et de la Libye, il arrive qu'il ne pleuve pas du tout plusieurs années de suite et que l'air y soit si sec que l'homme a du mal à respirer.

Le désert chilien de l'Atacama, la zone la plus sèche de la Terre, est totalement inhabité. Les courants

Le soleil se lève sur le Sahara, où la pluviosité annuelle n'atteint que 150-180 mm en moyenne. Constitué de roche érodée ou de pierres, le plus grand désert du monde ne contient que 20 % de sable.

froids de l'océan et le relief côtier barrent la route aux nuages et, dans certains endroits, il ne pleut jamais. Il n'y fait pourtant pas particulièrement chaud, puisque les températures estivales sont en moyenne de 19 °C.

En revanche, le nord du continent latino-américain compte une population plus nombreuse dans les grandes forêts tropicales du Brésil. La pluviosité annuelle est de 3,50 m et la température – constante tout au long de l'année – de 27 °C en moyenne.

Terre interdite

L'Antarctique est le continent le plus froid et le plus venteux de la planète. Personne ne s'y hasarde à l'exception de quelques chercheurs intrépides qui, depuis 1819, ont révélé en une cinquantaine d'expéditions les secrets de la dernière terre sauvage du globe. La température tombe parfois à – 89 °C et ne dépasse 0 °C que vingt jours par an. Les vents constants accentuent encore les rigueurs du climat : le blizzard balaie la terre Adélie à 70 km/h des mois durant.

L'ensoleillement annuel de l'Antarctique correspond pratiquement à celui de l'équateur. Mais les rayons du soleil, obliques près des pôles, réchauffent à peine ce continent glacé.

TORNADES ET TOURBILLONS

Des forces énormes concentrées dans le temps et l'espace

Les tornades déracinent les arbres et font dérailler les trains ; elles renversent même des immeubles : en avril 1980, une maison du Missouri a été entraînée à 19 km de ses fondations.

Les tornades exercent leurs ravages sur des espaces restreints, puisque leur zone de destruction excède rarement 100 m de large. Il arrive qu'une tornade démolisse une maison mais épargne celle d'en face.

Évaluée à 400 km/h, la vitesse exacte du vent au centre d'une tornade est difficile à mesurer puisque les instruments ne résistent jamais à sa violence. De courte durée, ce phénomène s'épuise au bout d'une heure ou deux.

Les tornades les plus dévastatrices se manifestent dans le Midwest des États-Unis. « Tornado Alley », une zone qui traverse le Texas septentrional, l'Oklahoma, le Kansas et le Nebraska, en essuie trois cents par an en moyenne, surtout au printemps et au début de l'été, mais il peut arriver que ce chiffre s'élève à un millier.

Une tornade naît de la rencontre de l'air froid des hautes couches de l'atmo-

Une tornade a déraciné un gros arbre, mais a épargné la maison voisine.

Coiffée de l'entonnoir caractérisque, la colonne d'une tornade est visible de loin. Des colonnes secondaires s'en détachent parfois.

sphère et de l'air chaud et humide dérivant en sens inverse. Au contact de l'air froid, l'eau contenue dans l'air chaud ascendant se condense en pluie et dégage de la chaleur. L'air chaud, sec maintenant, est alors brutalement aspiré en spirale vers le haut. La masse d'air froid du sommet retombe au centre de la tempête, s'y réchauffe puis remonte, donnant ainsi un nouvel élan aux courants ascendants. Le tourbillon d'air se resserre graduellement en entonnoir et la vitesse de rotation augmente avec le rétrécissement du diamètre. Les différences de pression – cette dernière est très basse au centre et très élevée à l'extérieur – expliquent qu'un bâtiment puisse littéralement exploser au passage d'une tornade.

Les tornades expliqueraient aussi ces « pluies » de poissons, grenouilles ou autres bestioles tombées du ciel. C'est en tout cas la raison retenue au déluge de petites grenouilles roses qui s'abattit en 1987 sur le village de Cerney Wick en Angleterre.

LE SAVIEZ-VOUS ?

Le 29 mai 1986, une tornade aspira douze écoliers dans l'ouest de la Chine et les déposa indemnes sur des dunes de sable 20 km plus loin.

✳ ✳ ✳

Les tornades tournent généralement dans le sens des aiguilles d'une montre dans l'hémisphère Sud, et dans le sens inverse dans l'hémisphère Nord.

✳ ✳ ✳

La tornade qui s'abattit sur la ville de Sweetwater (Texas) en avril 1986 déporta une voiture et en fracassa la vitre arrière. Le policier qui aidait le conducteur à quitter son véhicule avisa un chaton tout trempé que la tempête avait jeté sur la banquette arrière. L'animal retrouva son maître peu après.

✳ ✳ ✳

Chaque année, 708 tornades en moyenne s'abattent sur les États-Unis. En avril 1974, 148 tornades ravagèrent 13 États en vingt-quatre heures et causèrent la mort de 315 personnes.

SCÉNARIO CATASTROPHE

Une avalanche de neige, de glace et de pierres peut ensevelir un village sans prévenir

Le 31 mai 1970, une énorme plaque de roche et de glace, pesant plusieurs millions de tonnes et large de 800 m, se détacha du pic nord du Huascarán, point culminant des Andes péruviennes, à 6 768 m d'altitude. Elle dévala une paroi à pic de 1 000 m de haut, puis se brisa sur le flanc de la montagne et s'engouffra

Dans les Alpes, une explosion provoquée déclenche une petite avalanche qui diminue le risque d'une avalanche majeure.

dans la vallée, à 480 km/h, projetant des roches erratiques et des blocs de glace gros comme des maisons. Cette avalanche raya de la carte la ville de Yungay et ensevelit onze villages de la région avant de s'immobiliser. La catastrophe aurait causé la mort de 18 000 personnes au moins. Certains ont même avancé le chiffre de 25 000 victimes.

Cette avalanche – la plus meurtrière de mémoire d'homme – avait été provoquée par un tremblement de terre.

Mais un infime déséquilibre de la neige, de la glace ou de la roche peut aussi déclencher une avalanche. Le déplacement d'un seul cristal suffit à provoquer le glissement d'une plaque de neige qui se déplace comme sur un coussin d'air, puis se rassemble en une gigantesque boule de millions de tonnes dévalant la pente à une vitesse de 400 km/h. (En revanche, les cris ne déclencheraient pas d'avalanches.)

L'avalanche « en plaque » provient du glissement d'une couche de neige ; plus celle-ci est épaisse au sommet, plus la dévastation est importante.

Forêts abattues, déraillements de trains, maisons arrachées témoignent de l'étonnante puissance des avalanches. Leur volume n'est cependant pas toujours la cause directe de ces destructions. Le souffle qui précède l'avalanche peut tout anéantir sur son passage.

En France, les avalanches les plus meurtrières furent celles de Saint-Gervais en 1892, de Val-d'Isère et du Plateau d'Assy en 1970. Elles firent respectivement 200, 42 et 79 morts.

S'il est pratiquement impossible de prédire les avalanches, on peut tout au moins connaître leurs « couloirs » favoris et tenter de les prévenir en posant des barrières métalliques qui retiennent la neige et empêchent les glissements. Aux endroits moins accessibles, l'usage d'explosifs permet de déclencher préventivement de petites avalanches.

LE SAVIEZ-VOUS ?

Les avalanches tuent dans le monde en moyenne 150 personnes par an, surtout des skieurs qui déclenchent eux-mêmes le glissement fatal.

En août 1820, une avalanche sur le mont Blanc ensevelit une cordée de neuf alpinistes dans une crevasse du glacier. Les gens du pays, qui connaissent la vitesse de déplacement du glacier, prédirent que les corps apparaîtraient quarante ans plus tard au pied de la montagne, dans la vallée de Chamonix, à 8 km environ de l'endroit où ils avaient trouvé la mort. Les victimes refirent surface en 1861 dans tout « l'éclat de leur jeunesse » au dire des témoins.

L'HISTOIRE DANS UNE CAROTTE

Une image du passé pris dans les glaces

Une mince carotte de glace de 2 083 m de long renferme l'histoire de l'atmosphère terrestre. Arrivés en Antarctique dès 1980, des savants russes ont mis cinq ans à forer la glace pour en extraire ce témoin détenteur de secrets datant de l'avant-dernière période glaciaire. Si la glace de l'Antarctique révèle le passé avec une telle netteté, c'est parce que chaque chute de neige entraîne avec elle d'infimes traces de poussière et de substances chimiques contenues dans l'atmosphère. Et la récente découverte d'air fossile a permis aux scientifiques de mesurer les proportions des différents gaz de l'atmosphère au cours du temps.

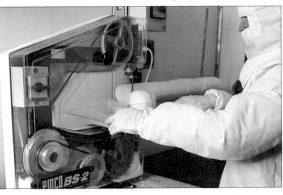

Les experts se basent sur ces données pour calculer les températures antérieures de la Terre et pour dater les périodes glaciaires avec précision : ils savent déjà que la plus récente n'a duré que quelques décennies.

L'affinement des techniques d'analyse permet aujourd'hui de détecter une seule particule de plomb (provenant

Deux experts retirent une carotte de glace (à droite) pour analyse puis, revêtus de combinaisons stériles, la découpent en laboratoire (ci-dessus).

par exemple d'un pot d'échappement) parmi un milliard de particules de glace, de reconnaître de la poussière du Sahara, de montrer la présence d'acide sulfurique dans les pluies acides dues à la pollution industrielle et celle de retombées de particules radioactives. La datation de la glace est aisée, puisque les chutes de neige annuelles forment des couches superposées distinctes.

Le tableau des causes et des répercussions de ces changements permettrait aux experts de prédire les conséquences de l'effet de serre et de le contenir ou de le contrôler. L'étude du passé de notre planète par l'examen de sa calotte polaire nous aidera peut-être à sauvegarder l'avenir de l'humanité.

DES RONDS MYSTÉRIEUX

Des soucoupes volantes se sont-elles posées sur la Terre ? On ne compte plus les drôles de machines volantes repérées de jour et les lueurs inexplicables zébrant notre ciel de nuit. Les gens convaincus que des extraterrestres nous rendent visite se fondent désormais sur des preuves incontournables à leurs yeux : de curieuses aires circulaires au sol tassé qu'on trouve au milieu des terres cultivées un peu partout dans le monde.

La découverte de ces cercles — qui seraient faits la nuit — coïncide souvent avec le signalement d'ovnis. Au dire des convaincus, des objets volants non identifiés imprimeraient ces cercles en atterrissant secrètement sur notre planète. Cette explication est-elle plus vraisemblable qu'une autre théorie qui a été avancée en Grande-Bretagne, selon

laquelle ils seraient dus au piétinement de hordes de hérissons ?

Pour les météorologues, les fameux cercles évoquent le passage de petites tornades au déplacement circulaire, avec une délimitation très nette entre la zone affectée et le reste du champ. Mais les tornades dévastent, alors que les cultures, bien que couchées, sont indemnes. En outre, les tornades se déplacent au sol, tandis que ces phénomènes ne laissent absolument aucune autre trace de leur passage.

Les experts de l'Organisation britannique de recherches sur les tornades et les tempêtes attribuent l'origine de ces phénomènes à des turbulences atmosphériques. Mais selon certains, ces fameux cercles ne seraient, pour la plupart, que l'œuvre de farceurs qui les tracent « à la main » en catimini.

LE SAVIEZ-VOUS ?

Le poids de la glace de l'Antarctique a provoqué l'affaissement de ce continent. Bentley Trench, point le plus bas, est situé à 2 538 m au-dessous du niveau de la mer. L'Antarctique est aussi le continent le plus élevé de la planète, puisque l'altitude moyenne de la glace est de 2 050 m au-dessus du niveau de la mer. Par contre, la calotte polaire recouvrant l'océan Arctique n'a que 2 ou 3 m d'épaisseur et sa température moyenne est de 15 °C supérieure à celle de l'Antarctique.

Deux plantes vasculaires seulement – une herbe et une plante de la famille des œillets – fleurissent en Antarctique.

QUEL TEMPS FERA-T-IL ?

Des météorologues à l'affût dans le monde entier

L'arc-en-ciel était présage de pluie pour les Grecs de l'Antiquité, et au XVIe siècle, on croyait encore à cet augure qui se vérifiait de temps à autre. Mais d'autres croyances tout aussi anciennes – étoiles filantes annonciatrices de vents violents, suivis de tempêtes si les ânes remuent les oreilles ; hululement nocturne du hibou prédisant le beau temps – paraissent aberrantes.

À l'heure actuelle, nos météorologues doivent tenir compte de toute une conjugaison d'éléments à l'échelle planétaire pour prévoir le temps avec une certaine précision : la météo à court terme (vingt-quatre heures) pour Sydney nécessite des informations détaillées en provenance de l'Antarctique, du Pacifique occidental et de l'Indonésie. Les prévisions à long terme (quatre jours) exigent de connaître les conditions atmosphériques sur tout le globe.

Les spécialistes tentent de suivre l'évolution du temps à l'échelle planétaire. L'Organisation météorologique mondiale leur vient en aide avec ses deux centres principaux, l'un à Washington (États-Unis), l'autre à Bracknell (Angleterre), qui réceptionnent près de 12 000 données à l'heure émanant de 7 000 stations réparties dans le monde entier, mais aussi de navires en mer, d'avions, de satellites et du millier de ballons lancés quotidiennement par les stations météo.

Ces données comportent des relevés de surface : pression atmosphérique, précipitations, vitesse et orientation des vents, température, et des relevés aériens pris aussi bien près du sol que dans la stratosphère, à 50 km d'altitude. Le traitement informatisé de quelque

Sur l'île canadienne d'Ellesmere, au nord-ouest du Groenland, des climatologues montent une installation destinée à mesurer la température, l'humidité et la vitesse du vent.

5 millions de données dresse ensuite le panorama mondial et tridimensionnel de l'évolution de la situation. Les ordinateurs ont divisé la surface de la Terre en zones de 150 km² et l'atmosphère en 350 000 cubes s'étageant sur 15 niveaux, du sol à la stratosphère. Le panorama de l'Amérique du Nord, de l'Europe et de l'Atlantique est quatre fois plus détaillé.

En utilisant des modèles mathématiques très sophistiqués, l'ordinateur prévoit l'évolution du temps pour les cent quarante heures qui suivent.

De nouveaux ordinateurs huit fois plus puissants que ceux utilisés actuellement sont à l'essai. Ceux-là découpent l'atmosphère en 19 niveaux et la surface de la Terre en zones trois fois plus petites que les zones actuelles.

Cette technologie de pointe devrait permettre aux météorologues d'interpréter des données encore plus détaillées. Mais certaines zones, comme l'océan Pacifique et les grands déserts, sont si dépeuplées que des données climatiques ne peuvent être collectées et transmises au jour le jour.

LE SAVIEZ-VOUS ?

La météorologie doit son nom à l'étude des météores. Au IVe siècle avant J.-C., le célèbre philosophe grec Aristote croyait que les météores résultaient d'une combinaison des quatre éléments, à savoir la terre, l'eau, l'air et le feu, et qu'ils influençaient le temps. Cette croyance survécut en Europe jusqu'à la fin du XVIIe siècle.

En 582 après J.-C., une « pluie de sang » s'abattit sur Paris. La population terrifiée y vit une manifestation de la colère divine et se repentit à grands cris de ses péchés. Mais un tel phénomène n'avait rien de surnaturel : le sirocco avait tout simplement franchi la Méditerranée, chargé de poussières rouges du Sahara qui avaient coloré la pluie tombée sur Paris.

LE CALME REDOUTABLE DE LA MER

Voir un trois-mâts encalminé, toutes voiles dehors, est un spectacle assez étrange. La voilure frémit à peine, la mâture gémit et l'allure du bateau est si réduite que le timonier a du mal à barrer. Tous les voiliers d'Europe ralliant les Antilles par l'Atlantique devaient affronter les « latitudes chevalines », zone de calmes tropicaux située au sud des quarantièmes rugissants et qui s'étend de l'archipel des Canaries aux côtes de la Floride, entre 30° et 35° de latitude nord.

Sur cette mer d'huile, les capitaines fulminaient contre les pertes de temps et d'argent et les équipages craignaient de manquer d'eau douce. Quelques marins devaient aussi penser aux chevaux qui ont donné leur nom à cette zone sinistre.

Les colons européens en partance pour le Nouveau Monde embarquaient un grand nombre de chevaux. Puis les navires s'immobilisaient, l'eau et les vivres venaient à manquer, et les animaux étaient jetés à la mer. On disait que les vaisseaux naviguant sous ces latitudes traversaient parfois des cimetières flottants de chevaux jetés par-dessus bord.

Aujourd'hui, on parle tout simplement de régions subtropicales de haute pression pour désigner cette zone et sa contrepartie dans l'hémisphère Sud.

UN VENT MAUVAIS

Vers la fin de l'hiver, le massif alpin suisse est le théâtre d'un brutal changement de climat. Cet étrange phénomène débute par l'apparition de colonnes de nuages en forme de disques, qui vont coiffer la crête des montagnes.

Brusquement, le ciel s'assombrit et la température monte, sous l'action d'un vent chaud et très sec qui dévale des sommets et fait fondre la neige des montagnes en quelques heures. Ce vent, que l'on appelle le fœhn, semble avoir aussi d'étranges répercussions sur l'homme.

Les autochtones exposés à de longues périodes de fœhn se plaignent en effet de migraines et de dépression nerveuse. On dit aussi que le fœhn déclencherait des crises cardiaques et pousserait au suicide, bien qu'on n'ait pu identifier les causes de tels troubles.

Un vent humide ascendant est à l'origine du fœhn. Parvenu à la crête des montagnes, il fraîchit, et son humidité se condense en nuages qui dégagent de la chaleur. Une fois devenu froid et très sec, le vent dévale l'autre flanc du relief montagneux où l'augmentation de la pression atmosphérique le comprime et le réchauffe. L'arrivée du fœhn dans la vallée entraîne un réchauffement brutal : la température peut aller jusqu'à 20 °C alors qu'il gelait quelques heures auparavant.

LE CHAUFFAGE EST MIS EN MARCHE

L'effet de serre est-il incontrôlable ?

A l'arrivée de l'hiver, les ours blancs désertent le Grand Nord canadien et franchissent la baie d'Hudson prise par les glaces pour descendre vers le sud. Or, en novembre 1988, l'eau de la baie n'avait pas encore gelé, et les ours durent attendre six semaines avant de poursuivre leur route jusqu'à leurs territoires d'hibernation. Preuve parmi bien d'autres de l'effet de serre – réchauffement général de l'atmosphère terrestre – dont nous subissons déjà les effets au dire de nombreux experts !

L'effet de serre est causé par l'augmentation des proportions de certains gaz dans l'atmosphère, notamment le méthane et les oxydes d'azote. Mais le grand responsable est le dioxyde de carbone (ou gaz carbonique) produit principalement par la combustion des matériaux fossiles – charbon, pétrole et gaz – et des forêts.

L'homme libère environ 400 milliards de tonnes de dioxyde de carbone par an. Il ne faut pas oublier que, si notre atmosphère en était totalement privée, la chaleur du soleil serait renvoyée dans l'espace et la Terre gèlerait. Mais la couche de dioxyde de carbone s'épaissit et retient trop de chaleur.

La température moyenne de notre planète aurait augmenté de 0,8 °C entre 1968 et 1989, variation jugée normale par plusieurs experts. Mais d'autres l'imputent à l'effet de serre et se fondent sur les données de leurs ordinateurs pour prédire une hausse additionnelle de 2 à 5 °C d'ici à 2050.

Une augmentation de cet ordre nous laisse le temps d'agir – par exemple de réduire notre consommation de combustibles fossiles – pour prévenir de trop grands changements dans le climat et la végétation. Il nous faut tenir compte de l'augmentation éventuelle de la pluviosité dans certaines régions, d'une recrudescence des tempêtes, comme de la désertification possible des prairies fertiles du Midwest américain et des steppes ukrainiennes.

Mais certains pessimistes prédisent un réchauffement global beaucoup plus rapide qui aurait des conséquences irréversibles d'ici à la fin du siècle. Les ordinateurs, disent-ils, n'ont pas été programmés en fonction des « mécanismes de rétroaction ». Autrement dit, le réchauffement d'une des parties du système climatique de la planète peut influer sur une autre très éloignée et accélérer aussi son réchauffement.

L'utilisation de combustibles fossiles ne serait pas seule responsable de l'augmentation de la quantité de dioxyde de carbone dans l'atmosphère. L'élévation de la température réchaufferait la toundra – gigantesque tourbière s'étendant du Canada à la Sibérie – qui dégagerait ainsi le dioxyde de carbone actuellement enseveli sous les glaces, intensifiant l'effet de serre.

Les conséquences de ce réchauffement sont très complexes et bien difficiles à prédire. Pour nombre de scientifiques, l'élévation de la température ferait fondre les glaciers et les calottes polaires, et le niveau des eaux augmenterait. La chaleur accroîtrait l'humidité de l'atmosphère. Les chutes de neige seraient alors plus abondantes sur les deux pôles, ce qui reconstituerait la calotte et équilibrerait la fonte.

Nul ne peut prédire avec exactitude l'importance de la montée des océans. Sera-t-elle de 150 à 300 mm d'ici à l'an 2030, comme on le prévoit aujourd'hui ? Dans ce cas, les villes côtières se trouveraient déjà toutes en péril.

N'oublions pas que les océans et les calottes polaires contiennent la moitié du dioxyde de carbone de la planète, et que leur réchauffement dégagerait davantage de gaz qui s'accumuleraient et hâteraient de plusieurs décennies l'éventualité d'une catastrophe.

LE SAVIEZ-VOUS ?

Le « southerly buster » est un vent froid qui souffle de la mer et balaie la côte méridionale de l'Australie, faisant chuter la température de 20 °C en l'espace de quelques minutes.

Les vitesses les plus élevées du vent ont été enregistrées au sommet du mont Washington dans le New Hampshire (États-Unis) avec des rafales de 370 km/h.

Une prévision terrifiante que l'on appela la « lettre de Tolède » circula dans toute l'Europe de l'Ouest en 1185. L'astronome espagnol Johannes avait prédit qu'un temps épouvantable sévirait au mois de septembre de l'année suivante, lorsque se réaliserait la conjonction de toutes les planètes connues. Des vents terribles détruiraient la plupart des bâtiments, la famine et d'autres désastres s'ensuivraient. Nombre de gens prirent leurs précautions, certains creusèrent même des abris, mais le cataclysme ne se produisit pas.

La glace qui recouvre 99 % des terres de l'Antarctique représente les neuf dixièmes de toute celle de notre planète.

MIRACLE DANS LE DÉSERT

La terre fleurit après des années de sécheresse

Le désert de l'Atacama au Chili est la région la plus aride de notre planète, puisque la pluviosité annuelle y est généralement nulle. Mais lorsque la pluie tombe après cinq ans d'attente ou plus, elle opère un véritable miracle.

« On se serait cru au paradis », nota une touriste après les pluies de 1988, décrivant « d'immenses étendues de magnifiques et délicates fleurs aux coloris étincelants, répandues comme si Dieu avait jeté des poignées de semences au vent ».

Un autre miracle du même genre se produisit l'année suivante en plein cœur de l'Australie, dans la région aride du lac Eyre, où les températures estivales peuvent atteindre 54 °C. Les pluies torrentielles d'avril et de mai remplirent le lac. Des fleurs apparemment surgies du néant recouvrirent bientôt le sinistre désert alentour de vives couleurs.

Ces fleurs naissent de millions de graines enfouies dans le sable depuis la dernière floraison du désert. La brièveté de leur cycle vital et la nature des

Malgré une pluviosité annuelle inférieure à 270 mm, le désert de Mojave, proche de Los Angeles, se couvre de fleurs.

semences expliquent la résistance de ces végétaux aux rigueurs de l'environnement. S'il faut des mois aux plantes de climats tempérés pour croître, fleurir et donner des graines, les « éphémères » du désert se contentent de quinze jours. Leurs graines sommeillent dans des coques très dures qui les protègent de la sécheresse pendant vingt-cinq ans. Elles ne germent que saturées d'eau, lors d'abondantes chutes de pluies, puis colorent le désert l'espace de quelques semaines.

Les semences de ces végétaux acclimatés à des régions d'une aridité exceptionnelle ne germent pas toutes en même temps. Certaines constituent une réserve pour l'avenir. Et presque toutes ces plantes « magiques » donnent des fleurs énormes et brillantes qui attirent un grand nombre d'insectes pollinisateurs. La brièveté de leur vie n'empêche pas leur fertilisation et l'apparition d'une autre génération.

CHANGEMENTS DE CLIMAT

Le cas de l'Antarctique

Géologues et archéologues le savent depuis longtemps : le désert gelé de l'Antarctique était jadis un paradis subtropical. En raison du mouvement incessant des plaques tectoniques, le continent le plus froid de la Terre dérive comme les autres masses continentales depuis six cents millions d'années.

L'Antarctique se trouvait à l'équateur il y a cinq cents millions d'années. Puis il dériva vers le sud et se recouvrit de végétation luxuriante cent cinquante millions d'années plus tard, comme en témoignent ses gisements de charbon. Poursuivant sa dérive, le continent se trouvait au pôle Sud il y a deux cent quatre-vingts millions d'années – avant de remettre le cap sur le nord. Il y a environ cent trente-cinq millions d'années, la douceur du climat faisait repartir la végétation dont se nourrissaient les dinosaures. Il y a soixante millions d'années, l'Antarctique se réinstallait au pôle Sud et vingt-cinq millions d'années plus tard s'ébauchait l'énorme calotte glaciaire qui atteint aujourd'hui 3 650 m d'épaisseur.

Jusqu'en 1982, on croyait que la glace inhospitalière de l'Antarctique s'épaississait de façon uniforme. Puis des savants américains trouvèrent des fossiles de marsupiaux datant de quarante ou quarante-cinq millions d'années. Outre qu'elle fait de l'Antarctique un berceau possible pour ces ancêtres des kangourous, cette découverte laisse supposer que l'Antarctique aurait bénéficié d'une température suffisamment clémente pour accueillir des animaux de pays chauds.

Vestiges inattendus

Découverts par la suite, des fossiles de dauphins, une mâchoire de crocodile, un squelette d'oiseau aptère (incapable de voler), du bois et des végétaux datant de deux à cinq millions d'années ont incité les experts à penser que les dimensions de la calotte glaciaire de l'Antarctique auraient énormément fluctué depuis sa dernière dérive au sud. La mer aurait pénétré à l'intérieur des terres, et la température de l'Antarctique aurait été de 10 à 20 °C plus élevée qu'aujourd'hui.

LA TERRE A TREMBLÉ

Des millions de séismes passent inaperçus chaque année

LE SAVIEZ-VOUS ?

Pendant le tremblement de terre de San Francisco en 1906, une vache tomba tête la première dans une faille qui venait de s'ouvrir et se referma aussitôt. Seule la queue de l'animal resta visible. En 1948 à Fukui, au Japon, une faille s'ouvrit et se referma sur une femme qui périt écrasée.

Les tremblements de terre évoquent de terrifiantes images de destructions, de morts innombrables et de milliers de sans-abri. Il est vrai qu'un séisme peut exercer de terribles ravages dans les zones fortement peuplées. Mais les sismologues enregistrent un million de tremblements de terre par an, dont la plupart sont si faibles qu'ils passent inaperçus. Leur magnitude est inférieure à 2 sur l'échelle de Richter, qui traduit l'intensité des séismes, ce qui ne représente guère plus, pour les plus petits, que l'effet d'une brique qu'on aurait laissé tomber par terre. En revanche, des tremblements de terre d'une puissance de 200 t de TNT se produisent environ tous les quinze jours, la plupart au fond des mers.

Cette activité provient du mouvement constant des plaques tectoniques de la croûte terrestre qui comprime et étire les roches en profondeur. Celles-ci finissent parfois par céder.

Un fort tremblement de terre dégage une énergie phénoménale. Le séisme qui frappa la ville chinoise de

Cette rue de la banlieue de Los Angeles témoigne des dégâts causés par l'un des 18 000 séismes de magnitude 3 ou plus, enregistrés depuis 1808 le long de la faille de San Andreas et de ses failles secondaires.

Tangshan en 1976 et causa la mort de 300 000 personnes était d'une magnitude de 8,3 sur l'échelle de Richter. Sa puissance égalait celle d'une bombe H de 100 mégatonnes. En d'autres termes, elle correspondait à cinq mille fois l'explosion de Hiroshima. Les séismes les plus importants enregistrés depuis l'invention des sismographes sont ceux de Quito (Équateur) en 1906 et de Honshu (Japon) en 1933. Leur magnitude de 8,9 sur l'échelle de Richter correspondait à l'explosion de près de 300 millions de tonnes de TNT.

Les experts écartent l'hypothèse de séismes encore plus puissants, puisque la roche ne résiste aux compressions et aux distensions imposées par les forces souterraines de l'écorce terrestre que jusqu'à un certain point – les tensions à l'origine d'une secousse tellurique de l'amplitude de 8,9 sur l'échelle de Richter brisent déjà les roches les plus dures.

IMAGES DU CENTRE DE LA TERRE
Océans et montagnes au cœur de notre planète

Les hommes de science ont long-temps cru que le centre de la Terre était une sphère lisse, constituée à l'extérieur de fer en fusion et à l'intérieur de fer solide, mais encore brûlant. Les techniques mises au point dans les années 1980 les ont aidés à réviser leur théorie. On sait aujourd'hui que le noyau terrestre comporte des « vallées » plus profondes que le Grand Canyon et des « sommets » plus élevés que le mont Everest. Ces « vallées » ne sont pas remplies d'air mais d'« océans » de roche en fusion.

Cette image la plus récente de l'intérieur de la Terre a été obtenue grâce à un procédé appelé tomographie sismique. Cette technique informatisée réalise des images tridimensionnelles de la Terre à partir de données fournies par un réseau de sismographes répartis sur le globe.

Les sismologues qui tentaient d'analyser le parcours des ondes sismiques au sein de notre planète attribuaient une structure homogène au manteau – cette couche de roche en fusion d'une épais-seur de 3 200 km qui s'étend sous la croûte terrestre – et au noyau de la Terre. Dans ces conditions, il aurait été possible de prédire le temps que mettrait une onde sismique pour atteindre un sismographe donné. Mais en réalité, les ondes arrivaient plus tôt ou plus tard que prévu.

Les sismologues savaient déjà que les ondes de pression ralentissent en traversant des matériaux plus denses ou plus chauds (comme ceux du noyau ter-restre) et accélèrent dans des matériaux moins denses ou plus froids (comme ceux du manteau). Mais ils ont décou-vert que leur vitesse variait dans des zones inattendues. Le noyau et le man-teau de la Terre étaient donc moins lis-ses ou de température moins uniforme que ne le croyaient les scientifiques.

C'est ainsi que, sous le golfe de l'Alaska, une « montagne » d'au moins 10 000 m s'élève à la surface du noyau et pénètre dans le manteau. Une « val-lée » tout aussi profonde creuse le noyau sous le Sud-Est asiatique. Le mouvement des masses de roche en fusion du manteau crée ces « monta-gnes » qui s'élèvent sous l'action de la chaleur du noyau et le déforment. Puis la roche fondue du manteau refroidit et s'effondre en « vallées » dans le noyau. Ce mouvement constant creuse des « océans » de roche liquide de moindre densité entre le noyau et le manteau.

Lorsque des roches en fusion de tem-pératures différentes se rencontrent, une « pluie » de particules de fer tombe dans le noyau.

LE SAVIEZ-VOUS ?

Les Algonquins, Indiens d'Amérique du Nord, croyaient que la Terre reposait sur le dos d'une gigantesque tortue qui la faisait trembler en marchant. Les Japonais de l'Antiquité avaient trouvé une autre explication aux séismes ; ils les imputaient à l'agitation d'une grande araignée souterraine, puis à celle d'un poisson-chat. Les Grecs les attribuaient à des géants qui se battaient sous terre.

VAGUES DESTRUCTRICES

Conséquence d'un tremblement de terre, le tsunami ou raz de marée est souvent déclenché par des perturbations du plan-cher océanique. En pleine mer, sur des fonds de 3 000 m, un tsunami peut ne s'élever que de 1 m en surface, sur un front de 950 km, et les bateaux le res-sentent à peine.

La présence d'esprit du commandant de La Plata sauva le navire d'un tsunami aux îles Vierges en 1867.

En revanche, le tsunami se propage à la vitesse de 800 km/h et c'est en atteig-nant les eaux côtières peu profondes qu'il devient vraiment destructeur. Le front de la vague ralentit considérable-ment, alors que l'arrière se déplace tou-jours à très grande vitesse. L'accumula-tion des eaux forme une vague énorme et très haute qui va se fracasser sur le rivage avec une force terrible.

L'une des vagues les plus hautes s'est brisée en 1737 sur le cap Lopatka, en Sibérie. Elle a laissé sa marque sur la falaise à 64 m au-dessus du niveau de la mer. Le tsunami qui s'abattit sur le Japon en 1896 avait 23 m de haut et noya 27 120 person-nes. En 1960, 10 000 person-nes au moins périrent à Agadir, au Maroc, sous l'action conjuguée d'un tremblement de terre, d'un raz de marée et d'un incendie. Les tsunamis du terri-ble séisme d'Alaska en 1964 – dont l'épicentre fut localisé à Prince William Sound – semèrent la mort et la désola-tion jusqu'à Crescent City (Californie) à 2 500 km de distance. Quant à l'explo-sion du volcan Krakatoa de 1883, elle provoqua un tsunami qui fit 36 000 victi-mes à Java et à Sumatra.

D'une force irrésistible

Le séisme qui se produisit au large du Chili en 1868 provoqua une succession de vagues monstrueuses qui allèrent se fracasser dans le port d'Arica, balayant un vapeur de la marine américaine sur 5 km de côte et l'emportant à 3 km à l'intérieur des terres. Son équipage se retrouva au pied d'une falaise où la vague démentielle avait laissé sa marque à 14 m de hauteur. Non loin de là gisait un trois-mâts britannique dont tous les membres de l'équipage avaient péri. La mer furieuse avait enroulé la chaîne d'an-cre autour de la coque du bateau.

LE SECRET DES FLOTS

Le relief invisible des fonds marins

Les deux tiers de la surface de la Terre se dérobent à notre vue puisqu'ils sont recouverts d'eau. Mais si nous drainions tous les océans et toutes les mers pour satisfaire notre curiosité, nous découvririons quelques paysages vaguement familiers. En effet, tout comme les cinq continents, les fonds sous-marins ont des

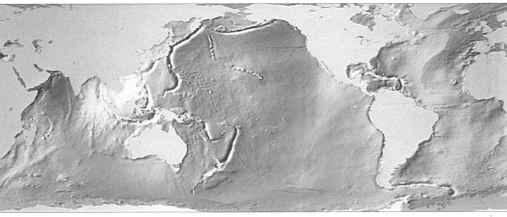

massifs montagneux, des volcans éteints et actifs, ainsi que des canyons, des plaines et des plateaux.

En revanche, un Atlantique asséché nous dévoilerait un paysage à la symétrie très différente des panoramas terrestres auxquels nous sommes accoutumés. Preuve en est la chaîne montagneuse immergée de la dorsale atlantique, qui court de l'Islande à l'Antarctique et dont la ligne faîtière plafonne à 3 000 m au-dessus du plancher océanique. Des chaînes plus petites courent parallèlement tout le long de ses flancs et d'importantes fractures la brisent transversalement tandis

Les taches bleu clair diffuses de cette carte océanique en relief représentent les montagnes sous-marines, les traits bleu sombre, les tranchées provoquées par le glissement d'une plaque tectonique sous une autre.

À l'ouest de l'Amérique centrale, une énorme fracture a décalé le segment nord de cette dorsale océanique (qui s'étend horizontalement au premier plan) par rapport au segment sud flanqué de montagnes.

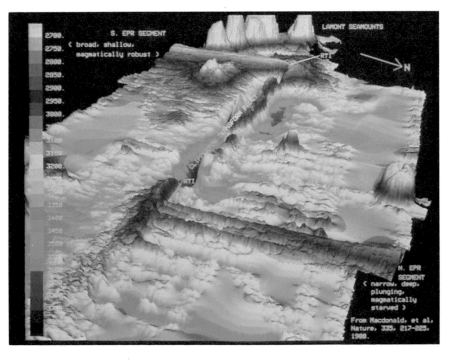

qu'une vallée large et profonde divise sa crête centrale.

Ce relief explique la formation des différents fonds océaniques. Si la théorie de la tectonique des plaques, née il y a une trentaine d'années, est bien fondée, la croûte de la Terre se composerait d'une série de plaques jointives qui dérivent lentement depuis des millions d'années. Celles-ci s'écartent peu à peu, se heurtent et s'effritent, modifiant ainsi la configuration des continents, créant de nouveaux fonds marins, faisant surgir des montagnes et des volcans, déclenchant même parfois de violents tremblements de terre.

L'écartement progressif des plaques tectoniques se traduit par la montée de la roche en fusion située sous la croûte terrestre. Puis cette roche refroidit et reconstitue les plaques en se solidifiant. Comme les autres dorsales qui courent sur plus de 60 000 km au fond de tous les océans du globe, la dorsale médio-atlantique est créée par ce phénomène.

Ces formations cataclysmiques ne perturbent pas l'ensemble des fonds marins. Ainsi, les « plaines abyssales » sont parmi les zones les plus plates de la Terre. Recouvertes de sédiments, ces vastes étendues s'étirent parfois sur 250 km au pied des dorsales océaniques.

DU NEUF AVEC DU VIEUX

La croûte terrestre se recycle en permanence dans les fonds océaniques

La formation des premières roches continentales remonte à trois ou quatre milliards d'années, c'est-à-dire environ l'âge de la Terre. En revanche, les roches les plus anciennes des fonds océaniques dateraient de cent quatre-vingt-dix millions d'années.

La théorie de l'expansion des fonds océaniques expliquerait cette différence d'âge. En effet, l'écartement des plaques de la croûte terrestre crée des dorsales océaniques. La roche en fusion sous la croûte atteint alors la surface, s'étale, puis refroidit et s'enfonce. Un nouveau fond marin se déploie alors.

Dans d'autres régions, le manteau de la Terre réabsorbe la roche. Ce mécanisme de subduction se produit, sur des millions d'années, à l'endroit où deux plaques glissent l'une sous l'autre. Les continents sont essentiellement formés de granites et de roches sédimentaires. Les plaques océaniques, elles, sont constituées de basaltes, roches beaucoup plus lourdes. Lorsqu'une telle plaque vient à heurter un continent, elle plonge sous ce continent, puis fond progressivement en descendant et est recyclée dans le manteau profond. Mais elle se reforme à l'autre extrémité, au niveau des dorsales.

Ce processus se produit généralement le long des côtes ou des îles et provoque de violents séismes et une activité volcanique. Il crée les fosses océaniques, comme celle du Japon.

Si la théorie de la dérive des continents est fondée, les roches proches des dorsales océaniques seraient récentes et leur âge augmenterait proportionnelle-

São Miguel est la plus grande île des Açores. La roche jeune de cet archipel confirme la théorie de l'expansion des fonds océaniques.

ment à leur distance des dorsales. La datation des îles de l'Atlantique vient confirmer cette théorie. Les Açores, situées à l'ouest de la dorsale médio-atlantique, ne remonteraient qu'à quinze millions d'années, alors que l'archipel du Cap-Vert serait âgé de cent cinquante millions d'années.

LE SAVIEZ-VOUS ?

La fosse des Mariannes, dans l'océan Pacifique, au sud-ouest de Guam, est la plus profonde de la planète : 11 022 m au-dessous du niveau de la mer.

L'OCÉAN EST UNE MINE D'OR

En 1921, l'Allemagne fut condamnée à payer aux Alliés 132 milliards de marks-or au titre des dommages de guerre. Le gouvernement allemand tenta désespérément de respecter l'échelonnement de ses paiements, mais l'inflation galopante qui en résulta plongea le pays dans le chaos économique le plus complet. Fritz Haber, un chimiste allemand lauréat du prix Nobel en 1918, eut alors une idée particulièrement originale : il entreprit de sauver son pays de la banqueroute en extrayant l'or contenu dans l'eau de mer.

La mer contient du sel (chlorure de sodium), bien sûr, mais aussi bon nombre de minéraux et de métaux. Depuis le milieu du XIXe siècle, les hommes de science savaient qu'elle renfermait également de l'or, mais ils en ignoraient la proportion exacte. On croit savoir aujourd'hui que cette richesse inexploitée représenterait environ 10 milliards de tonnes, disséminées dans le volume considérable des océans.

Concentration moyenne

La concentration moyenne d'or dans l'eau de mer est d'environ 0,004 mg/t. La plus forte concentration, d'après les recherches de Haber, devait être de 0,044 mg/t, et se trouvait dans l'Atlantique sud. Mais cette quantité était dérisoire en regard de la dette allemande et,

en 1926, Haber fut contraint de renoncer à son projet. Par la suite, seule la US Dow Cheminal Compagny a sérieusement tenté d'extraire l'or des mers. Puisque l'une de ses usines de Caroline du Nord tirait de l'Atlantique du brome (employé à la fabrication de teintures et de matériel photographique), les ingénieurs de la compagnie décidèrent de profiter de cette occasion pour évaluer l'or contenu dans l'eau de mer. Malheureusement, l'opération se révéla très rapidement décevante et absolument pas rentable : 15 t d'eau de mer ne donnèrent, en effet, que 0,09 mg d'or, soit la valeur d'un centième de cent américain de l'époque.

DU SEL À PROFUSION
La géologie et l'écologie de la mer Morte et du Grand Lac Salé

La mer Morte surprend toujours les vacanciers, qui ont du mal à nager sous l'eau, puisque son taux de salinité est de 25 à 30 % alors que celui des océans varie entre 4 et 6 %. Plonger dans le Grand Lac Salé de l'Utah (États-Unis) relève également de l'exploit, car ses eaux contiennent tout autant de sel.

Ces deux lacs salés ont une histoire très différente. Il y a vingt-six millions d'années, la Méditerranée recouvrait la Terre sainte lorsqu'un soulèvement des fonds marins creusa la spectaculaire tranchée de la mer Morte et du Jourdain. À 400 m au-dessous du niveau de la Méditerranée, c'est la nappe d'eau la plus basse de notre planète.

Le Grand Lac Salé est d'origine plus récente, puisqu'il est le vestige du lac glaciaire de Bonneville dont l'apparition remonte à une vingtaine de milliers d'années. À cause de l'évaporation des eaux, le lac a rétréci au vingtième de sa surface d'origine. Comme la mer Morte, le Grand Lac Salé n'a pas de débouché, mais des rivières l'alimentent, charriant des minéraux provenant des roches environnantes qui, après

La vaste plaine des salines de Bonneville délimite la superficie originelle du lac apparu à la fin de la dernière période glaciaire.

évaporation de l'eau, représentent 60 millions de tonnes de magnésium, de lithium, de bore et de potasse.

Les lacs salés nous semblent dénués de vie parce que les poissons les ont désertés, pourtant la mer Morte n'est pas totalement morte : certaines variétés d'algues et de bactéries se sont adaptées à cet environnement saturé en sel.

À l'époque biblique, le sel de la mer Morte constituait déjà un commerce des plus lucratifs.

Le Grand Lac Salé compte aussi des organismes unicellulaires : des algues colorent de rose le nord du lac, qui abrite également des formes de vie plus élaborées – artémias et mouches dont les larves se développent dans l'eau. Les mouettes se nourrissent d'artémias, et les œufs de ces crustacés sont vendus comme aliments pour poissons.

Il s'agit là d'un commerce minuscule comparé à celui des richesses minérales du Grand Lac Salé, notamment la potasse, utilisée comme engrais. Sur les rives de la mer Morte, tout aussi riche en potasse, les touristes peuvent s'enduire de boue noirâtre dans des stations ouvertes par les Israéliens.

LE SAVIEZ-VOUS ?

Le sel contenu dans les océans suffirait à couvrir tous les continents d'une couche de 150 m d'épaisseur.

✳ ✳ ✳

Les scientifiques ont découvert, dissous dans l'eau de mer, 70 des 92 éléments naturels et ils tentent maintenant de trouver les autres.

HISTOIRES D'EAU

Quelques vérités sur notre consommation

Les Européens consomment en moyenne 1 500 l d'eau par jour et par personne. Aux États-Unis, cette consommation s'élève à 4 000 l, tandis qu'elle n'est que de 40 l pour les pays peu développés. Trois pays en voie de développement sur cinq ne disposent pas d'eau potable. Au Ghana, une famille de quatre personnes n'utilise pas plus de 20 l d'eau en une journée.

Besoins ménagers

Se brosser les dents en laissant couler l'eau du robinet représente une consommation de 9 l. On utilise en moyenne 11 l en tirant une chasse d'eau, environ 60 l en prenant une douche et 250 l en prenant un bain. Un lave-vaisselle consomme 35 l, une vaisselle faite à la main 90 l et un lave-linge 120 l.

Mais ces chiffres sont insignifiants si on les compare à la consommation de l'industrie : le raffinage de 1 l d'essence nécessite par exemple 8 l d'eau, la fabrication de 1 kg d'acier environ 450 l et la transformation de 1 t de laine brute en tissu, 180 000 l ! Le coton exige 10 000 fois son poids d'eau.

L'agriculture aussi exige d'énormes quantités d'eau (pluies ou irrigation) pour la croissance des cultures comme pour l'épandage d'engrais et de pesticides. Par

À cause de la sécheresse de ces dernières années, les agriculteurs furent souvent contraints – quand ils le pouvaient – d'irriguer, pour sauver leurs récoltes et leurs pâturages.

exemple, pour 1 kg de cerises récolté, il aura fallu pas moins de 3 580 l d'eau, pour 1 kg de blé, 1 500 l, pour 1 kg de riz, 2 800 l.

Dans le monde occidental, les aliments consommés en un jour par une seule personne ont nécessité 19 800 l (sans compter les opérations de transformation, de nettoyage, de stockage, de transport ou de cuisson) : soit 900 l pour le petit déjeuner, 6 300 l pour le déjeuner et 12 600 l pour le dîner.

Les plaques d'acier rouge vif sont refroidies par vaporisation d'eau. Une aciérie utilise 4 500 l d'eau pour fabriquer 1 t d'acier.

LE SAVIEZ-VOUS ?

Les chutes les plus élevées du monde – 979 m – sont celles d'Angel au Venezuela, dont seuls les Indiens connaissaient l'existence jusqu'en 1910. Elles doivent leur nom au pilote américain Jimmy Angel qui, en 1937, survécut à un atterrissage forcé non loin de ces chutes, alors qu'il survolait les hauts plateaux pour tenter d'y trouver de l'or.

Toutes les matières vivantes contiennent de l'eau. L'eau est indispensable à la photosynthèse des végétaux. Les animaux en ont besoin pour digérer et déféquer. Chez les espèces plus évoluées, l'eau aide à la circulation sanguine. Une laitue contient 94 % d'eau, un être humain de 60 à 70 % et un sapin 55 %.

RIDEAU POUR LE NIAGARA

Des chutes apparemment inépuisables menacées d'autodestruction

Les chutes d'eau de notre planète œuvrent à leur propre destruction en érodant le sommet des falaises d'où elles tombent. Leur recul progressif vers l'amont se traduira finalement par leur disparition, et les cours d'eau qui les alimentent couleront alors paisiblement jusqu'à la mer. En quelques milliers d'années, les magnifiques chutes Victoria ont déjà reculé de 130 km en amont du fleuve Zambèze. Le Niagara, qui enjambe la frontière américano-canadienne, finira par rejoindre le lac Érié, dont il entraînera une partie des eaux.

Si les chutes ne résultent pas toutes de circonstances géologiques identiques, leur formation dépend souvent du changement du rythme d'érosion, qui intervient lorsqu'un cours d'eau quitte un lit de roche dure et résistante pour entrer dans une zone de roche tendre. Celle-ci se creuse en précipice d'où chutent les eaux.

Dans la plupart des formations géologiques, les couches inclinées de roche tendre s'étendent sous la roche dure du cours supérieur de la rivière. L'augmentation de la hauteur de la chute met à nu les couches tendres. La force des

L'eau des chutes du Niagara jaillissant des « zones de plongeon » creuse les couches tendres de grès et de schiste épargnant la couche supérieure de calcaire, plus dure, qui forme une « corniche ».

eaux creuse au pied des chutes des « zones de plongeon » où les turbulences et les rejaillissements d'eau érodent les roches sous-jacentes plus fragiles. La « corniche » de roche dure finit par céder et s'écrase dans la rivière plus bas.

Ce phénomène affecte les chutes du Niagara, où du calcaire dolomitique très dur recouvre de la molasse et du schiste plus tendre. En douze mille ans, les chutes ont reculé de 11 km, creusant une énorme gorge.

La chute du Fer-à-cheval vue du côté canadien constitue la principale attraction touristique du Niagara. La forme incurvée de la falaise n'est pas une caractéristique permanente. Au cours des millénaires, plusieurs systèmes d'érosion en ont modifié la configuration, parfois en forme de V étroit, à érosion plus rapide. Sur le territoire américain, le profil des chutes est plus rectiligne et d'une plus grande stabilité. Les experts consultés pour ralentir l'éro-

sion du Niagara – déjà freinée par le détournement des eaux alimentant des centrales hydroélectriques – prédisent que les célèbres chutes ne disparaîtront pas avant vingt-cinq mille ans. Vous avez donc tout le temps d'aller les admirer !

LA PUISSANCE DU « FLEUVE MER »

L'Amazone est un fleuve à part

Les explorateurs portugais qui s'aventurèrent pour la première fois sur l'Amazone au XVIᵉ siècle furent tellement frappés par son immensité qu'ils l'appelèrent *O Rio Mar* (le Fleuve Mer).

La gigantesque Amazone s'étend sur 300 km de large à son embouchure et, 1 600 km en amont, son lit principal a encore 11 km de large. Longue de plus de 6 500 km, elle est accessible aux transatlantiques sur plus de la moitié de son cours, et 22 500 km de ses affluents sont navigables pour les vapeurs.

Son fantastique débit à l'embouchure représente le cinquième de celui de tous les cours d'eau du monde réunis ; il équivaut, par exemple, à dix fois le débit du Mississippi. Le débit du Zaïre (ou Congo) – le deuxième du monde – ne représente même pas le quart de celui de l'Amazone, dont le

débit quotidien équivaut au débit annuel de la Tamise à Londres. La puissance de l'Amazone est telle qu'elle repousse à 160 km de son embouchure les eaux salées de l'Atlantique.

Fleuve limoneux

Dans sa course vers l'Atlantique, l'Amazone entraîne d'énormes quantités de sable et de limon, qu'elle roule dans son lit en immenses ondulations, telles des dunes. La majeure partie de ces alluvions se dépose en mai – au moment où le niveau des eaux est le plus élevé – dans les plaines inondées de la basse et de la moyenne Amazone. La superficie des terres ainsi recouvertes représente celle de la république d'Irlande. Le reste des alluvions se déverse dans l'océan. Un hydrologue allemand a calculé que le limon entraîné quotidiennement par l'Ama-

zone dans l'Atlantique remplirait 9 000 trains de marchandises, composés chacun de 30 wagons de 10 t.

L'Amazone brasse les eaux troubles de mille cent affluents. De l'ouest arrivent les eaux brunâtres charriant les minéraux des Andes ; du nord, les eaux colorées en rouge foncé par le pourrissement de la végétation des forêts tropicales humides, du sud les eaux translucides bleu-vert qui ont coulé sur les roches désagrégées des hauts plateaux du centre du Brésil.

Dix-sept des affluents de l'Amazone sont plus longs que le Rhin (dont le cours est de 1 320 km). Deux d'entre eux, le Negro et le Madeira, ont un débit équivalant à celui du Zaïre. Tous les affluents mis bout à bout représenteraient une longueur de 80 000 km, soit deux fois le tour de la Terre à la hauteur de l'équateur.

LA CHALEUR DE LA TERRE

L'énergie de notre sous-sol est exploitable

Nos réserves de charbon et de pétrole s'épuiseront tôt ou tard, alors que la chaleur dégagée au sein du manteau terrestre – la géothermie – constitue une source d'énergie pratiquement illimitée. La couche supérieure du manteau directement sous la croûte terrestre est constituée en partie de magma, ces roches en fusion qui forment la lave des volcans en éruption.

Dans de nombreuses régions volcaniques, la géothermie se manifeste en surface sous forme d'eau ou de vapeur chaude susceptible d'activer des turbines génératrices d'électricité. On peut citer à titre d'exemple la centrale géothermique inaugurée à Larderello (Italie) en 1904, qui produit assez d'électricité pour couvrir les besoins de la ville. À Los Alamos au Nouveau-Mexique, des experts tentent d'exploiter l'énergie cachée dans la roche sèche et brûlante de notre sous-sol.

Non loin de Los Alamos, dans le désert du Nouveau-Mexique, les experts ont foré des puits parallèles couplés appelés doublets, atteignant 4 400 m de profondeur, où la roche a une température de 327 °C. De l'eau sous forte pression a d'abord été injectée dans les puits pour fracturer la roche et créer un réseau artificiel de fissures souterraines joignant les deux puits. Circulant dans ce réseau, elle se réchauffe puis est pompée par le second puits. La mise au point de cette technologie des « roches sèches chaudes » pour le chauffage de l'eau permettrait de produire de l'électricité à très grande échelle sans risque pour l'environnement.

Non loin du cercle arctique, les agriculteurs islandais apprivoisent les geysers pour chauffer les serres où ils cultivent bananes et autres fruits tropicaux.

Eau ou vapeur pompée du puits de récupération

Projection d'eau froide au fond du puits d'injection

Fissuration artificielle des couches de granite brûlant pour le passage de l'eau d'un puits à l'autre

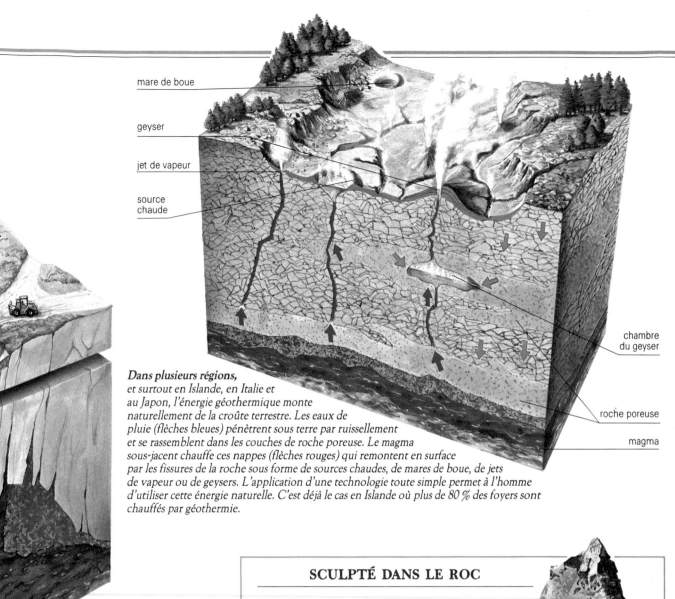

mare de boue

geyser

jet de vapeur

source
chaude

chambre
du geyser

roche poreuse

magma

Dans plusieurs régions,
et surtout en Islande, en Italie et
au Japon, l'énergie géothermique monte
naturellement de la croûte terrestre. Les eaux de
pluie (flèches bleues) pénètrent sous terre par ruissellement
et se rassemblent dans les couches de roche poreuse. Le magma
sous-jacent chauffe ces nappes (flèches rouges) qui remontent en surface
par les fissures de la roche sous forme de sources chaudes, de mares de boue, de jets
de vapeur ou de geysers. L'application d'une technologie toute simple permet à l'homme
d'utiliser cette énergie naturelle. C'est déjà le cas en Islande où plus de 80 % des foyers sont
chauffés par géothermie.

*Les insulaires de São Miguel, aux Açores,
cuisinent dans les trous du sol brûlant.
Des récipients métalliques hermétiques
protègent les aliments des vapeurs de
soufre.*

SCULPTÉ DANS LE ROC

L'activité volcanique a parfois des retombées bénéfiques pour l'homme. C'est
grâce à elle que les habitants de Cappadoce habitent des maisons fraîches.
D'anciennes éruptions volcaniques ont
recouvert cette contrée de couches de
poussière et de lave qui se sont solidi-
fiées en tuf, sorte de roche tendre.
Pluies, vents et sables ont graduellement
sculpté ce tuf en un paysage hérissé de
cônes rouge vif, fauves ou d'un blanc de
neige. Dès le IVe siècle de notre ère,
peut-être même avant, la population
creusa l'intérieur de ces cônes pour y
faire des habitations. Les premiers chrétiens ont transformé les plus grands
cônes en églises richement décorées.

*Pour les habitants de la région
volcanique de Cappadoce en
Turquie, les cônes
isolés sont
appelées les
cheminées de fées.*

TERRE VERDOYANTE

La végétation terrestre a attiré des colons venus des mers

Imaginez un paysage désolé enseveli sous les cendres d'innombrables éruptions volcaniques avec, ici et là, des mares de boue et d'eau sulfureuse ! Cette terre à l'atmosphère pratiquement dénuée d'oxygène – donc irrespirable – ne saurait abriter une vie comme la nôtre.

Tels étaient les continents il y a environ cinq cents millions d'années. En revanche, sous l'eau, la vie évoluait lentement depuis 2,5 milliards d'années, et les océans foisonnaient de vie végétale et animale. Les plantes se concentraient dans les eaux côtières peu profondes et dans les estuaires, où elles absorbaient l'énergie solaire. Exposées à l'atmosphère à marée basse, les algues s'habituaient à vivre hors de l'eau. Environ cent millions d'années plus tard apparurent des végétaux qui pouvaient survivre en milieu terrestre grâce à une tige aspirant l'eau du sol et à un épiderme cireux les empêchant de se dessécher. La colonisation des marécages côtiers par ces plantes de petite taille (moins de 55 mm),

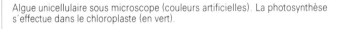
Algue unicellulaire sous microscope (couleurs artificielles). La photosynthèse s'effectue dans le chloroplaste (en vert).

souvent sans feuilles, marque le début du verdissement des continents.

Petit à petit, les végétaux modifièrent l'atmosphère en absorbant du dioxyde de carbone et en dégageant de l'oxygène. Cela permit aux créatures aquatiques de s'adapter au milieu terrestre, en particulier à l'air atmosphérique. Elles élurent domicile dans les marais côtiers. Parmi ces premiers coloni-

Il y a trois cents millions d'années, au carbonifère, des forêts prospéraient dans les marécages peuplés d'insectes ailés gigantesques, comme cette libellule de 60 cm d'envergure.

sateurs terrestres, on trouve entre autres les ancêtres des mille-pattes – dont une espèce atteignait 2 m de long – et des insectes aptères. À ces animaux herbivores succédèrent les premiers insectivores terrestres – sortes d'araignées, scorpions et scolopendres – qui dévoraient les herbivores. Une vie à la trame complexe et interdépendante s'ancrait sur terre.

Enracinement

Cinquante millions d'années plus tard – il y a donc trois cent cinquante millions d'années – toute une vie végétale recouvrait le sol de lichens, d'hépatiques et de fougères de formes primitives. La décomposition d'innombrables générations de plantes et d'animaux mêlée aux poussières de l'érosion vint enrichir le sol, où les végétaux purent s'enraciner plus profondément et se développer.

De grandes forêts de fougères de plus de 10 m de haut s'étendaient déjà à l'aube du carbonifère, il y a trois cents millions d'années. C'est à cette même époque qu'apparurent aussi de grands arbres de plus de 30 m, tels le lépidodendron ou les sigillaires.

LE SAVIEZ-VOUS ?

Le plus grand arbre vivant du monde serait aujourd'hui un séquoia de Californie septentrionale de 112 m – plus haut qu'un gratte-ciel de trente-cinq étages. Officiellement, c'est l'Australie qui détient le record du plus grand arbre du monde avec un eucalyptus qui atteignait 114 m.

LE SOUFFLE DE LA VIE

Tous les organismes vivants de la Terre doivent se nourrir et, à l'exception de certaines bactéries, il leur faut de l'oxygène pour convertir leur alimentation en énergie. Sans plantes, pas de nourriture et très peu d'oxygène respirable ! C'est la photosynthèse – procédé par lequel les végétaux fabriquent leur alimentation en utilisant la lumière du soleil – qui fournit ces éléments indispensables à la vie.

La chlorophylle – pigment vert des feuilles et des tiges – est le facteur clé de la photosynthèse. C'est elle qui capte l'énergie solaire pour transformer l'eau et le dioxyde de carbone de l'atmosphère en sucres nécessaires à la croissance des racines, des tiges, des feuilles et des semences. Suprême prévoyance de la nature : l'oxygène qu'exige la consommation de cette manne est produit au cours de la réaction chimique de transformation elle-même.

Les plantes jouent aussi un rôle vital dans le maintien de l'équilibre de notre écosystème en absorbant le dioxyde de carbone qui nous entoure. On sait que ce dernier – conjugué avec d'autres corps gazeux dans la haute atmosphère – produit un effet de serre en empêchant la chaleur solaire reflétée par la surface terrestre de s'échapper dans l'espace.

Aujourd'hui, la consommation accrue de combustibles fossiles – charbon, pétrole, gaz – et les incendies de forêts dégagent toujours plus de dioxyde de carbone dans l'atmosphère. Les arbres ne suffisent plus à l'absorption du dioxyde de carbone, puisque la destruction des forêts de notre planète se poursuit. La proportion croissante de gaz carbonique dans l'atmosphère risque de réchauffer la Terre et d'entraîner un désastre climatique et écologique. Sans doute, l'usage restreint de combustibles fossiles atténuerait-il l'effet de serre. De leur côté, quelques écologistes proposent la plantation d'une forêt aussi vaste que les États-Unis (9 372 614 km²). Parvenus à maturité, les arbres de cette forêt absorberaient une quantité de dioxyde de carbone égale à celle que dégagent les industries. Les végétaux, qui ont créé notre environnement, viendraient une fois de plus à la rescousse.

ARBRES BÂTISSEURS D'ÎLES

Les mangroves étendent leur habitat en gagnant sur la mer

Les mangroves sont des arbres tropicaux qui prolifèrent dans la vase des lagunes ou des estuaires sans se soucier du flux et du reflux des marées, qui feraient périr les jeunes plants d'autres espèces. Les mangroves, qui se subdivisent en plusieurs familles, ont un dénominateur commun : leur tolérance au sel.

Certaines variétés absorbent l'eau de mer, en extraient le sel par des glandes, puis l'éliminent par le feuillage. D'autres sont dotées de racines qui filtrent la plus grande partie du sel, tandis que le résidu est stocké dans les feuilles prêtes à tomber.

Les lagunes aux sables roulés par les vagues offrent peu de prise aux racines. Manquant de terre, les mangroves en fabriquent. La plupart des espèces développent une véritable forêt de longues racines aériennes. Le rôle de ces racines est d'étayer le tronc, qui est ainsi maintenu au-dessus du niveau de l'eau, sauf à marée haute. Cet enchevêtrement capte limon, débris flottants et feuilles tombées. Ces dépôts alimentent l'arbre en croissance, puis les jeunes plants. D'autres végétaux acclimatés au sel viennent ensuite coloniser ce nouvel habitat et consolident de leurs racines l'île en formation.

La vase de leur territoire étant pauvre en oxygène, les mangroves luttent victorieusement contre l'asphyxie en développant un autre réseau de racines pointées vers le ciel qui aspirent l'air comme des schnorchels, ces tubes utilisés par les sous-marins pour évacuer les gaz brûlés et aspirer de l'air.

Le jeune plant est aussi inventif que la plante mère. Les graines de la plupart des mangroves germent sur les arbres, projetant une tige de 30 cm déjà équipée de feuilles et de racines.

Fiché dans la vase

La tige du jeune plant tombé dans l'eau à marée basse se plante dans la vase et s'enracine sur-le-champ. Il arrive aussi qu'un jeune plant soit entraîné par la mer jusqu'à un banc de sable au sommet d'un récif corallien.

Dans de bonnes conditions, la mangrove colonisatrice et ses descendants retiendront suffisamment de débris entre leurs racines pour transformer ce banc de sable en îlot vaseux recouvert d'une dense végétation.

Les racines aériennes de soutien de cette mangrove de Thaïlande maintiennent le tronc hors de l'eau.

81

AGRIPPÉES À LA VIE
Le travail visible et invisible des racines

Les plantes dépendent de leurs racines pour leur ravitaillement en eau. Leurs besoins quotidiens atteignent de telles proportions – 2,5 l pour un simple épi de blé et 910 l pour un chêne adulte – que de nombreux végétaux ne cessent d'étendre leur système radiculaire pour rechercher l'humidité.

Les racines de certaines plantes croissent à une rapidité folle. Les scientifiques ont calculé qu'un plant de seigle de quatre mois en avait déployé 620 km, soit 5 km par jour. Mis bout à bout, les poils absorbants qui aident la racine à s'ancrer dans le sol et à en extraire l'humidité atteindraient une longueur de 10 600 km.

Racines à poigne

Les racines ravitaillent donc la plante en eau tout en la fixant au sol. Lorsque la couche de terre est minée, les racines souterraines ne suffisent pas toujours à ancrer les grands végétaux. Nombre d'arbres tropicaux ont un feuillage si épais et si lourd qu'ils développent des racines en arcs-boutants qui poussent directement sur le tronc, pour l'étayer.

En terrain humide et dans un habitat facilement inondé, certains arbres déploient des racines-échasses. Le pandanus ou « arbre impudique » déploie des racines qui partent du tronc en formant un angle. Leur enchevêtrement

évoque un wigwam rudimentaire. Ce support est si efficace que la base du tronc d'origine finit parfois même par se dessécher.

Le figuier banian d'Asie tropicale émet un si grand nombre de racines aériennes qu'il ressemble à un bosquet. En se déployant, les branches du banian développent à leur tour de fines racines verticales qui finissent aussi par pendre jusqu'au sol.

Une fois enracinées, elles grossissent de manière surprenante et servent de piliers à l'impressionnant dôme formé par les branchages de l'ar-

Les nombreuses racines de ce figuier banian vont se ficher dans le sol et devenir les piliers de l'arbre dont ils assurent la stabilité. Le dôme du banian est plus vaste que celui de tout autre arbre.

bre. Ces piliers émettent à leur tour des branches qui développent des racines pendant jusqu'au sol. Le banian peut ainsi devenir gigantesque : il existe, en Inde, près de Poona, un spécimen qui compte 320 piliers et sa circonférence est de 600 m ; 20 000 personnes peuvent s'abriter sous son dôme.

Attirées par l'humidité, ces racines souterraines ont envahi une caverne du parc national de Tunnel Creek (Australie).

LE SAVIEZ-VOUS ?

La circonférence du baobab africain atteint parfois 30 m. Un baobab du Zimbabwe oriental est si épais que son tronc évidé sert d'Abribus et peut accueillir 40 personnes.

Les palmes du raphia des forêts tropicales américaines et africaines peuvent atteindre une longueur de 22 m.

GRAINES DE SUCCÈS

Les plantes doivent lutter pour assurer leur descendance

Les végétaux des forêts tropicales se disputent l'espace vital avec acharnement. Pour les grands arbres, il faut aussi que leurs semences atteignent le sol sans être retenues au passage par les épaisses frondaisons.

Alexis cauliflora, un arbre des forêts humides d'Afrique de l'Ouest, y parvient, car ses fleurs et ses fruits apparaissent directement sur le tronc et non sur les branches ; une fois secs, les fruits éclatent et projettent leurs graines à 5 m de distance à travers les broussailles.

Tumultueuse expédition

Distance impressionnante, mais qui ne constitue guère le record de la dispersion des graines par éclatement des gousses ! Le fruit dur et ligneux de l'assacu d'Amérique centrale éclate avec fracas, projetant ses graines dans un rayon de 14 m. Dans l'ouest des États-

Munies d'aigrettes, les graines du pissenlit sont emportées au loin à la moindre brise.

Unis, le gui nain – un parasite des conifères – dissémine les siennes à une distance aussi grande. Les semences germent et s'implantent rapidement dans le conifère sur lequel elles ont atterri.

En expédiant si loin leurs graines pour leur donner les plus grandes chances de survie, ces angiospermes obéissent tout simplement aux lois de la nature. D'autres végétaux s'y prennent de façon moins spectaculaire, mais tout aussi efficace.

Les graines des orchidées sont si minuscules que le vent en emporte des millions ; plus lourdes, celles du pissenlit et du coton disposent d'ailettes ou d'aigrettes qui leur donnent une meilleure prise au vent.

Les herbes des déserts ou des grandes plaines se dessèchent en produisant leurs graines. Le vent les déracine alors, les entraîne et disperse leurs graines par la même occasion.

Transport gratuit

Dotées de crochets, de barbes, de poils ou de piquants, certaines graines s'accrochent aux animaux et aux oiseaux, qui les véhiculent plus loin. Les petites boules, par exemple, qui emmêlent les cheveux des enfants ne sont bien souvent que des graines en quête d'un nouvel habitat.

De nombreuses plantes utilisent une autre stratégie : elles attirent les animaux avec des fruits délectables dont les graines non digérées seront ensuite évacuées avec de l'engrais tout prêt.

Le transit intestinal va jusqu'à faciliter la germination des graines de plusieurs espèces. Il ramollit l'enveloppe des semences de goyavier, qui seront déposées à une distance respectable de l'arbre parent.

VA-T-IL DISPARAÎTRE COMME LE DODO ?

Le tambalacoque est natif de l'île Maurice. Cet arbre a prospéré dans le climat chaud et humide de cette île de l'océan Indien jusqu'au XVIIe siècle. Puis – mystère de la botanique – les graines des arbres existants parurent soudain perdre leur pouvoir germinatif.

Dans les années 1970, on ne comptait plus que treize spécimens de tambalacoque dans le monde entier.

L'écologiste américain Stanley Temple nota alors cette coïncidence : depuis l'extinction du dodo, résident le plus célèbre de l'île, les semences de tambalacoque n'avaient pas donné un seul plant. On sait que les marins et les premiers colons installés à l'île Maurice ont exterminé ce gros pigeon incapable de voler qu'ils chassaient pour se nourrir. Pouvait-on établir un lien entre ces deux phénomènes ?

Pour germer, de nombreuses graines doivent transiter par le système digestif d'un certain animal. Si tel était le cas pour le tambalacoque, l'extinction du dodo le condamnerait, à moins qu'un autre oiseau à gésier et intestins similaires puisse remplacer l'oiseau disparu. Temple tenta une expérience avec des dindons. Il les nourrit de graines de tambalacoque qu'il recueillit ensuite dans leurs fientes. Quelques semences avaient germé. Il n'est donc pas impossible que le tambalacoque survive à l'extinction du dodo.

L'extermination du dodo explique peut-être l'extinction dont est menacé le tambalacoque. Ses graines ne germeraient qu'après avoir transité dans le système digestif du dodo.

LE SAVIEZ-VOUS ?

Le coco de mer ou cocotier double des Seychelles produit la graine la plus lourde du monde végétal : son poids peut atteindre 27 kg.

FLEURS DE DESTRUCTION

L'explosion de la bombe atomique sur Hiroshima en août 1945 dévasta la région : arbres cassés ou brûlés et disparition de la végétation à plus de 8 km du centre de l'explosion. D'après les premiers constats, pas un brin d'herbe ne devait y pousser avant soixante-dix ans.

Mais quelques semaines plus tard, les ruines de la ville se couvraient d'un tapis de verdure et de fleurs sauvages. La chaleur de l'explosion avait fait germer des graines enfouies dans le sol.

Par ailleurs, les tomates et autres plantes qui poussaient difficilement à Hiroshima prospérèrent de façon inattendue ; les récoltes de blé et de soja furent d'une abondance inespérée, mais compréhensible puisque les flammes et les radiations avaient exterminé la nielle, maladie des épis, et les parasites.

En revanche, d'étranges mutations provoquées par les radiations touchèrent la végétation ; déformation des fleurs, blanchiment des feuilles et ralentissement de la croissance furent signalés un

L'explosion nucléaire d'Hiroshima a brûlé la végétation.

peu partout. Trois ou quatre ans plus tard, ces mutations avaient disparu, mais on est loin d'avoir percé le mystère des conséquences génétiques, à long terme, des radiations nucléaires.

Pour les chercheurs soviétiques qui étudient les répercussions de la catastrophe de Tchernobyl, survenue en 1986, sur les végétaux de la région, certaines croissances anormales ne seraient que temporaires. En revanche, la persistance de particules radioactives dans le sol va contaminer les générations futures de

plantes et d'animaux, tout comme ceux qui s'en nourrissent. Aussi est-il défendu aux habitants de la région de ramasser et de consommer les champignons des forêts. Quarante ans plus tôt, on ignorait que de tels interdits auraient également dû protéger les survivants de Hiroshima.

EN QUÊTE D'EAU DANS LE DÉSERT
Le cactus s'accommode fort bien de la sécheresse

Malgré son climat sec et brûlant, le désert de l'Arizona s'orne de cactus saguaros hauts de 18 m, et bien approvisionnés en eau. Comment le saguaro et les autres cactées survivent-ils dans cet environnement boudé par les pluies ?

La nature prévoyante a donné aux cactées les moyens de capter l'eau et de

Malgré leur taille impressionnante (18 m), des cactus saguaros ont été dérobés dans le désert de l'Arizona et ornent aujourd'hui des jardins de Californie.

la conserver en milieu désertique. Alors que les racines des autres plantes s'enfoncent profondément dans le sol pour trouver l'humidité, celles des cactus courent à fleur de terre et se ramifient pour absorber instantanément les eaux de pluie, la rosée ou la brume qui se déposent sur le sol. Les racines traçantes d'un saguaro rayonnent à 50 et même 100 m du tronc.

Les épines caractéristiques du cactus viennent aussi à la rescousse pour collecter l'eau. Pointées vers le bas chez de nombreuses espèces, elles font couler au sol les moindres gouttelettes de pluie ou de rosée matinale que les racines absorbent immédiatement.

Le cactus peut aussi retenir beaucoup d'eau. Contrairement à la plupart des végétaux, qui stockent l'eau dans leurs feuilles, le cactus, qui en est dépourvu, emmagasine toute son eau dans sa tige grasse dont l'enveloppe cireuse atténue l'évaporation. Par ailleurs, comme le cactus attend la fraîcheur de la nuit

pour respirer, il ne perd qu'un minimum d'eau par ses pores, qui se referment aux heures chaudes de la journée.

La structure cannelée de nombreuses espèces joue aussi un rôle dans le stockage de l'eau. Semblables à des soufflets d'accordéon, les cannelures permettent au cactus de se gonfler d'eau, ou de se dégonfler lorsqu'il puise dans ses réserves.

Armes de dissuasion

Véritables réservoirs d'eau du désert, les cactus attirent les animaux assoiffés. Les rongeurs surtout sont alléchés par la pulpe juteuse, mais ils sont vite découragés par les épines, qui constituent de redoutables armes de dissuasion. Quant aux petits cactus, ils protègent leurs fleurs savoureuses en ne les ouvrant qu'aux insectes pollinisateurs actifs aux heures les plus chaudes de la journée, tandis que les rongeurs se terrent dans la fraîcheur de l'ombre.

Lorsqu'elles ont rempli leur mission, les fleurs de la plupart des cactus se fanent le jour même. Le saguaro et certaines variétés particulièrement épineuses s'offrent le luxe de conserver leurs fleurs plus longtemps.

ASSOCIATION ET REPRODUCTION

Mariage réussi de deux végétaux

Le lichen semble former une plante unique, mais un examen au microscope révèle en fait deux formes de vie végétale : un champignon et une algue, si étroitement entrelacés qu'ils paraissent ne faire qu'un. C'est l'un des exemples les plus réussis d'association de plantes, de symbiose.

Le corps ou thalle du lichen se compose de millions de cellules d'algues « piégées » dans une trame de filaments fongiques. Ces cellules, ou gonidies, réagissent à la lumière et nourrissent le champignon en produisant des hydrates de carbone, principalement des glucides, par photosynthèse ; quant au champignon, il hydrate l'algue en absorbant la vapeur d'eau de l'atmosphère, tout en protégeant son associée d'une lumière trop vive. L'algue, séparée de son compagnon, diminue rapidement sa production d'hydrates de carbone.

Le lichen buissonnant cladonia *pousse sur les talus, les rochers et les sommets montagneux et il préfère les climats humides.*

Adaptation aux extrêmes

Associés, ces deux organismes affrontent mieux la vie que séparément. Les lichens survivent dans des climats rigoureux qu'aucune autre plante ne supporte. Ils choisissent leur habitat en fonction de leurs besoins en eau. Les lichens se divisent en trois groupes principaux : les lichens crustacés qui prédominent en zone aride, car ils sont adaptés à la sécheresse des déserts comme aux rigueurs des régions arctiques et antarctiques ; les lichens gélatineux qui prolifèrent dans les forêts humides ; et enfin les lichens fruticuleux qui préfèrent l'humidité caractéristique des littoraux et des montagnes tropicales.

En revanche, la plupart des lichens s'adaptent mal aux zones urbaines et industrielles, dont l'extrême sécheresse et la pollution nuisent au délicat mécanisme d'absorption de la vapeur d'eau et d'autres corps gazeux. Certaines variétés se sont néanmoins acclimatées : en Grande-Bretagne, le lichen *Lecanora conizaeoides* ne prospère que dans les villes.

Le champignon et l'algue du lichen entretiennent des liens si étroits qu'ils se reproduisent ensemble. Le lichen produit de petites boursouflures contenant les tissus des deux associés, qui se détachent de la plante mère et se développent graduellement. La symbiose du champignon et de l'algue est si totale, si parfaite, que le lichen peut vivre des centaines, voire des milliers d'années.

ÉCHANGE DE BONS PROCÉDÉS

La plupart des fleurs dotent leurs graines d'une réserve alimentaire qui aide les jeunes plants à se développer. Une espèce fait exception à cette règle : l'orchidée *Dactylorchis purpurella* dont les graines minuscules ne peuvent emmagasiner d'éléments nutritifs. La graine de cette fleur doit sa survie à un champignon particulier qui la nourrit et l'aide à germer.

Ce champignon, *Rhizoctonia*, s'introduit dans la graine et lui apporte des éléments nutritifs tirés du sol, jusqu'à l'apparition des premières feuilles qui vont permettre à la plante de se nourrir elle-même par photosynthèse. Puis les rôles s'inversent et ce sont les racines de l'orchidée qui nourrissent le champignon. Les deux plantes vivent alors dans une cohabitation apparemment bénéfique à l'une comme à l'autre.

En réalité, l'orchidée dévore le champignon en puisant ses éléments nutritifs et, dès que son feuillage est assez fourni, elle anéantit le compagnon qui lui a donné la vie.

GRAINES DE DUPES
Les supercheries du monde végétal

De nombreuses variétés de plantes font appel aux insectes pour leur pollinisation et leur reproduction. Certaines espèces ont des stratégies habiles pour inciter les insectes à venir recueillir leur pollen.

L'orchidée Ophrys du bassin méditerranéen a recours au mimétisme. Ses fleurs ressemblent aux mouches, aux guêpes ou aux abeilles femelles auxquelles elles ont emprunté la forme et la couleur des ailes, des yeux et des antennes. L'orchidée mouche va jusqu'à dégager la même odeur que celle d'une femelle prête à l'accouplement. Les mâles s'y laissent prendre et tentent de s'apparier aux fleurs. Le pollen s'agglutine alors sur les insectes, qui vont le déposer sur d'autres orchidées.

Douce surprise

La *Coryanthes speciosa*, une espèce d'orchidée d'Amérique centrale, drogue les abeilles qui la butinent en les intoxiquant avec un nectar irrésistible au parfum douceâtre. L'abeille engourdie glisse et tombe dans le fond visqueux de la fleur. Seule issue de secours : un mince tunnel tapissé de pollen, lequel se colle alors au corps mouillé de l'insecte. L'abeille libérée se dirige vers une autre orchidée et y dépose le pollen à son insu.

La Coryanthes speciosa, une orchidée, drogue les abeilles d'un nectar au parfum sucré. Tombés dans un puits de liquide, les insectes ne peuvent s'évader qu'en empruntant un tunnel tapissé de pollen.

La fleur de cette orchidée jaune ressemble à une abeille femelle. Séduit par son apparence, le mâle recueille le pollen en tentant de s'accoupler.

L'odeur intervient aussi dans la pollinisation du stapelia d'Afrique australe. Comme les bousiers, ces insectes coprophages, et les lucilies – couramment appelées mouches des cadavres – pondent leurs œufs dans des chairs en décomposition, le stapelia prend une odeur et une apparence de viande avariée si convaincante que les insectes y déposent leurs œufs et recueillent le pollen de la fleur qu'ils véhiculent sur un autre stapelia. En revanche, comme les œufs de ces insectes éclosent dans des pétales immangeables, les larves meurent inévitablement de faim.

Il arrive aussi qu'insecte et plante dépendent l'un de l'autre pour leur survie. Les fleurs crémeuses du yucca d'Amérique centrale dégagent un parfum nocturne qui attire le papillon tegeticula. De sa trompe incurvée, cet insecte recueille le pollen du yucca et le roule en boule pour en faciliter le transport. Puis le tegeticula se pose sur un autre yucca, pond ses œufs dans la fleur qu'il fertilise en y déposant la boule de pollen. Un cinquième des graines en croissance sert à alimenter les larves du papillon. Les chenilles une fois devenues adultes recommencent le cycle à la floraison suivante.

Plantes et insectes ne se multiplient qu'en s'entraidant ; la disparition des uns entraînerait celle des autres.

L'HORLOGE VERTE

Les plantes s'adaptent au rythme des heures et des saisons

De nombreuses plantes ont une « horloge biologique » qui règle leurs activités quotidiennes. C'est elle, par exemple, qui commande aux fleurs de s'ouvrir au moment où le plus grand nombre d'insectes pollinisateurs passent à l'action. C'est encore elle qui déclenche l'activité des enzymes pour la croissance, la production de nectar et le repos nocturne des plantes.

Les plantes sont de vrais « marqueurs » de l'heure et des saisons. Elles « calculent » les durées du jour et de la nuit pour fleurir au bon moment ; elles « mesurent » la température de l'air et l'humidité du sol, qui jouent un rôle essentiel dans la germination. S'il est vrai que température et pluviosité varient d'une année à l'autre, en revanche le nombre d'heures diurnes à une époque donnée est constant et donc d'une plus grande fiabilité.

Si la durée du jour stimule la floraison, des expériences tentées sur des végétaux à floraison annuelle unique ont révélé que l'éclairage nocturne de plantes sur le point de fleurir les perturbait plus que l'occultation de la lumière du jour.

Indices chimiques

Le phytochrome, une substance chimique réagissant à la lumière, est présent dans le feuillage de toutes les plantes et règle leur cycle biologique. C'est une protéine doublée d'un pigment bleuâtre. Chaque espèce interprète différemment les messages chimiques de son phytochrome, mais on a pu établir trois groupes principaux.

Les plantes « de jours courts », comme le chrysanthème ou le poinsettia, fleurissent dès que la nuit dépasse une certaine durée en automne ou en hiver. Certaines fleurs tropicales qui éclosent l'été ont été rattachées à cette catégorie. Les plantes « de jours longs » – œillets ou épinards – attendent le printemps et l'été pour fleurir. Dans ces deux catégories, la durée critique du jour ou de la nuit varie selon les espèces. Les plantes indifférentes à la durée du jour, comme le pissenlit et la tomate, fleurissent à maturité quel que soit le nombre d'heures diurnes.

Le bouton d'un achimène s'ouvre à réception du message transmis par son phytochrome. Cette plante aquatique de climat chaud, native du Mexique, de la Jamaïque et de l'Amérique centrale, appartient au groupe « de jours courts » : ses boutons éclosent dès que les jours se mettent à raccourcir.

LES COULEURS DES SAISONS

Le secret des splendeurs automnales

La chlorophylle assure l'absorption de l'énergie solaire par les plantes qui, par photosynthèse, transforment l'eau et le dioxyde de carbone en glucides indispensables à leur croissance. Essentielle à la vie végétale, la chlorophylle se forme presque instantanément chez les jeunes plants en contact avec la lumière. Mais puisque la chlorophylle est le pigment qui donne leur couleur verte aux végétaux, comment expliquer l'écarlate et l'or dont se parent les arbres à feuilles caduques en automne ?

Irrésistible vert

Les arbres ne fabriquent pas de pigments spécifiques pour l'automne. Au printemps et à l'été, leur feuillage présente déjà – masqués par la chlorophylle, plus abondante – des pigments orange, rouges, jaunes, pourpres, bleus et bruns.

Les baisses de température et le raccourcissement des jours signalent l'approche de l'automne aux arbres feuillus, qui se préparent alors à se dépouiller de leur feuillage en coupant l'alimentation de chaque feuille par un

LE SAVIEZ-VOUS ?

Certaines plantes ont adapté leur feuillage au nouvel environnement qui leur était imposé. Transplantés en Europe et en Amérique du Nord, les rhododendrons de Chine à feuillage persistant ont des feuilles caduques dans leur nouvel habitat.

bouchon gélatineux formé à la base du pédoncule ; par ailleurs, une partie des glucides (sucres) obtenus par photosynthèse, ne pouvant atteindre le reste de l'arbre, s'amasse dans les feuilles dont la chlorophylle se décompose. Le vert du feuillage pâlit et c'est alors qu'apparaissent l'orange et le rouge des caroténoïdes, le jaune de la xanthophylle, le pourpre et le bleu des anthocyanes.

La splendeur et la richesse de la palette automnale varient en fonction du climat et de la nature du sol. De plus, il ne faut pas oublier que les glucides sont transformés en pigments par

Les automnes spectaculaires de Caroline du Nord et d'autres régions d'Amérique attirent un grand nombre de touristes.

les feuilles mortes, et que plus il restera de glucides dans les feuilles, plus les coloris seront éclatants. Le feuillage des érables rouges, qui vire à l'écarlate, contient beaucoup de glucides.

Mais alors, qu'advient-il de la chlorophylle qui se décompose à l'automne ? Pour les chercheurs, les pigments verts se désagrégeraient en particules incolores, mais la plus grande partie disparaîtrait sans laisser de trace.

LE PORT DU VERT

Dans de vastes régions de l'hémisphère Nord, on peut voir des espèces très différentes comme les érables et les sapins pousser côte à côte. Ces différences s'accentuent à l'automne lorsque les érables perdent toutes leurs feuilles. Les conifères, eux, restent bien verts puisqu'ils perdent graduellement leurs aiguilles tout au long de l'année.

Chacun à leur façon, ces arbres résolvent le problème de la survie au changement saisonnier des températures et des précipitations.

Une énorme quantité d'eau s'évapore chaque jour des grandes feuilles caduques d'arbres comme l'érable, le hêtre ou le chêne. Mais l'hiver, les racines ne tirent pas assez d'eau des sols gelés pour compenser cette perte.

Fermeture annuelle

Les arbres feuillus réagissent à l'allongement des nuits d'automne, ou au début de la saison sèche sous les tropiques, en stoppant la plupart de leurs réactions biochimiques, d'où la chute des feuilles.

Celles-ci, en effet, ne meurent pas simplement de vieillesse.

De leur côté, les espèces à feuillage persistant conservent leurs feuilles l'hiver, car elles sont adaptées à une déperdition d'eau minime. Nos conifères familiers ont des petites feuilles épaisses en forme d'aiguilles ou d'écailles, dont la surface réduite prévient une évaporation excessive. Les diverses variétés de houx qui poussent sous toutes les latitudes ont de grandes feuilles persistantes à revêtement cireux qui bloque l'évaporation.

LES CAPRICES DE LA NATURE

Les pièges mortels des végétaux carnivores

Les végétaux fabriquent leur alimentation par photosynthèse, et les animaux se nourrissent de végétaux ou d'autres animaux, obéissant ainsi aux lois de la nature. Pourtant, plus de cinq cents espèces de plantes transgressent ces lois et sont carnivores. Comme elles poussent toutes dans des sols ou dans des eaux pauvres en azote, ce sont les animaux qui fournissent cet élément vital pour leur croissance.

Arbustes grimpants des régions chaudes de l'Ancien Monde, les népenthès se caractérisent par leur ascidies, feuilles en forme d'outre ou d'urne assez grandes pour piéger un rat. Ces plantes digèrent des petits mammifères et des reptiles, mais se nourrissent surtout d'insectes attirés par le parfum ou l'ersatz de nectar dégagé par les ascidies. Les victimes qui s'aventurent sur le col de l'urne, qu'elles prennent pour une fleur, glissent inévitablement jusqu'au fond, hérissé de piquants qui leur barrent la route. Le népenthès sécrète alors des sucs acides et des enzymes digestives qui désagrègent

Une des vessies de cette utriculaire a aspiré une daphnie (puce d'eau) qui mourra de faim ou d'asphyxie avant d'être digérée par la plante.

les corps des victimes. L'ascidie est surmontée d'un couvercle dont le rôle est double, puisqu'il sert à leurrer les insectes ailés et à protéger l'urne de la pluie. D'autres espèces, au contraire, profitant de la nature noient leurs proies dans l'eau de pluie au lieu de les achever avec des sucs acides.

Qui s'y frotte s'y pique

Les utriculaires, que l'on trouve un peu partout dans le monde sous diverses formes, sont équipées de pièges au mécanisme des plus complexes. Selon leur taille, ces plantes aquatiques se nourrissent de protozoaires unicellulaires ou de petits poissons qu'elles capturent à l'aide de feuilles sous-marines. Celles-ci portent de petites vessies munies de trappes ouvrant sur l'intérieur. L'animal qui se hasarde à frôler l'entrée hérissée de filaments déclenche immédiatement l'ouverture du piège. L'eau déferle alors dans la vessie et y entraîne le malheureux. Puis des glandes assèchent la vessie et le piège se referme sur l'animal.

Vue en coupe d'insectes piégés par une ascidie et noyés dans l'eau de pluie. La plante se nourrira de leur chair décomposée et en tirera l'azote qui lui est indispensable.

L'ARBRE BOA

L'étreinte mortelle du figuier étrangleur

Les figuiers étrangleurs sont des parasites d'un genre très particulier. Certaines espèces tropicales germent et grandissent comme des arbres ordinaires, mais démarrent dans la vie avec l'aide d'un arbre hôte dont elles finissent par se débarrasser pour vivre seules. Ces figuiers parasites accèdent à l'indépendance en étranglant à mort leur hôte infortuné.

Singes, oiseaux, écureuils et chauves-souris entament le processus en consommant le fruit du figuier étrangleur. Ils laissent alors tomber les graines sur les branches hautes d'autres arbres. Les palmiers aux épaisses frondaisons constituent des cibles particulièrement vulnérables, bien que le figuier étrangleur s'adapte à n'importe quelle espèce.

Les jeunes plants de l'étrangleur s'enracinent alors dans les détritus et l'humus amassés dans les fissures et les creux de l'écorce, puis ils développent d'autres racines qui s'implantent dans le tronc et dans les branches de l'arbre dont ils se nourrissent. En se multipliant, les racines s'entrelacent à la façon d'une vannerie dont elles enveloppent leur hôte. Une fois fermement ancrés, les jeunes plants développent des racines aériennes qui descendent jusqu'au sol et les rendent autonomes.

Le figuier redouble alors de vitalité, puisqu'il tire directement sa nourriture du sol, et son indépendance marque le début de la fin pour l'arbre hôte. De

nouvelles racines aériennes entourent celui-ci d'un enchevêtrement de troncs minuscules, qui grossissent et finissent par l'étrangler, parfois une centaine d'années plus tard. Le tronc de la victime cesse alors de se développer.

Après la mort et la décomposition de l'arbre originel, le robuste figuier étrangleur, parvenu à maturité, offre un curieux spectacle : ses myriades de

Ce figuier étrangleur s'est fermement implanté sur un mopane de la brousse namibienne. Le figuier parasite occupera la place du mopane après sa mort.

troncs encerclent le cylindre évidé qui marque l'emplacement de son hôte disparu. Grâce à leur départ en flèche, de nombreux figuiers étrangleurs deviennent de véritables géants.

LA MORT EN DEUX MOUVEMENTS

La dionée ne piège qu'à bon escient grâce à son système nerveux, qui lui donne le sens du « goût » et une mémoire rudimentaire. Native des terres marécageuses des Carolines, au sud-est des États-Unis, la dionée est une plante d'appartement qui doit sa popularité à son régime carnivore. Mais ceux qui la dorlotent méconnaissent parfois la complexité de ses pièges.

Toutes les feuilles de cette plante se composent de deux valves bordées d'épines et munies chacune de trois petits poils à l'intérieur. Si l'un d'eux entre en contact avec un objet, la dionée attend que le contact se renouvelle ou

qu'un autre poil soit touché, signe de la présence d'un être vivant.

Si aucun autre contact ne se produit dans les trente ou quarante secondes suivantes, la mémoire élémentaire de la plante lui fait « oublier » la première stimulation. Dans le cas contraire, les valves se rabattent et leurs épines s'entrecroisent en forme de cage. Comme la plante se nourrit généralement de mouches attirées par l'odeur de son nectar, les « barreaux » de la cage sont assez espacés pour laisser sortir un insecte de la taille d'une fourmi.

Des glandes spéciales procèdent à une autre vérification en « goûtant » l'in-

trus. Si le repas en vaut la peine, les valves se rabattent complètement, écrasent la proie, puis la dionée dégage des enzymes digestives. Si la capture n'est d'aucune valeur nutritionnelle — par exemple une feuille morte apportée par le vent —, les « mâchoires » se desserrent lentement et mettent près de vingt-quatre heures à s'ouvrir complètement.

Chaque piège meurt après avoir pris trois insectes de la taille d'une mouche. D'autre part, la dionée met dix jours à digérer complètement ses proies et y consacre une telle énergie qu'elle a tout intérêt à établir son menu avec soin et à ne pas sauter un vrai repas.

SUR LA PISTE DE LA FORTUNE

Le grand art de la chasse aux truffes

L'un des plus beaux joyaux de l'art culinaire est un petit champignon piqueté de verrues, qui se développe sous terre. Ce mets de choix, dont les gourmets de l'époque romaine appréciaient déjà l'arôme exquis et la délicate saveur, est la truffe noire du Périgord, que l'on trouve en minuscules lamelles dans les foies gras. Mais il existe une truffe blanche, qui est une variété encore plus rare.

Rares indices

La récolte des truffes relève du grand art. Ces champignons si prisés se développent en effet à quelques centimètres sous terre, généralement à proximité des racines d'un chêne. De rares indices signalent leur présence – une craquelure du sol, s'il s'agit d'une grosse truffe, ou un nuage de mouches truffières. Ces insectes pondent leurs œufs au-dessus des champignons et contribuent à leur propagation en dispersant leurs spores.

Mais le caveur a des aides précieux : il se fie à l'odorat de truies ou de chiens spécialement dressés. Terroir de la truffe blanche, le Piémont est fier de ses

En Périgord, une truie fouille la terre de son groin, à la recherche de truffes.

excellents chiens truffiers. En Russie, ce sont les chèvres et les oursons qui ont la tâche de chercher les truffes.

La truffe pousse hélas très lentement : il lui faut environ sept ans pour parvenir à maturité et il vaut mieux la récolter dans les jours qui suivent pour en apprécier tout le parfum. Les amateurs préfèrent la consommer fraîche, car la truffe surgelée ou conservée dans l'huile perd une grande partie de sa saveur. Sa rareté explique son prix exorbitant.

DES CHAMPIGNONS POUR NOËL

Qui songerait à établir un lien entre un champignon hallucinogène et notre père Noël ? Et pourtant, les recherches entreprises sur les origines de la barbe blanche et du traîneau tiré par des rennes viennent étayer cette hypothèse.

Le culte de saint Nicolas, le patron des écoliers, évoque Noël depuis fort longtemps, surtout aux Pays-Bas. Et les Hollandais partis coloniser l'Amérique au XVIIe siècle n'ont pas failli aux traditions. Mais le saint Nicolas du bon vieux temps ne se déplaçait pas avec son attelage de rennes, pas plus qu'il n'empruntait les cheminées pour distribuer les étrennes, avant que l'écrivain Clement Moore n'eût décrit ce système de distribution dans un poème intitulé *la Visite de saint Nicolas* publié à New York en 1823. D'où tirait-il son inspiration ? La présence des rennes constitue un premier indice.

Les Koriaks, Kamtchadales et Tchouktches, peuplades du nord-est de la Sibérie, vénèrent « l'esprit du grand renne ». La seule personne qui puisse, selon eux, communiquer avec cet esprit est le chaman, le sorcier de la tribu. Pour ce faire le chaman absorbe de l'amanite tue-mouches ; ce champignon le fait entrer en transe, il s'envole alors vers l'esprit qui lui remet des « dons » : chants, danses et contes inédits pour la tribu. Or, c'est en s'envolant par le trou de cheminée de sa hutte que le chaman rejoint les esprits.

Certains parallèles avec la légende de saint Nicolas laissent perplexe. Comment et pourquoi Clement Moore a-t-il évoqué dans son poème les rites mystérieux de peuplades sibériennes ? Il est vrai que l'auteur était professeur de langues orientales et que ces rites étaient connus des érudits occidentaux depuis près d'un siècle. Moore aurait-il exploité ses connaissances pour relever d'une pointe de magie la légende de saint Nicolas ?

MONSTRUEUSE BEAUTÉ

La fleur superbe à l'odeur répugnante

Dans la jungle de l'île indonésienne de Sumatra, on voit parfois les fleurs rougeâtres de *Rafflesia arnoldi* se déployer au-dessus des enchevêtrements de lianes et de racines. Cette fleur magnifique, qui mesure plus de 1 m de diamètre et pèse jusqu'à 7 kg, exhale une odeur de viande pourrie.

Contrairement aux plantes qui se servent de cette odeur pour attirer les insectes pollinisateurs, le rafflesia n'a pas de tige ou de feuillage vert. Comme d'autres variétés plus petites de la même famille, le rafflesia s'apparente davantage à un champignon qu'à une plante. Il ne parasiterait que deux espèces de vigne sauvage.

Le rafflesia est une des plantes les plus rares de notre planète. C'est aussi l'une des plus méconnues. On ignore même le mode exact de dissémination de ses graines. Écureuils et musaraignes mangeraient le fruit du rafflesia et déposeraient ses graines au pied d'une vigne sauvage pendant qu'ils en grignotent l'écorce et les racines. Sangliers, daims et éléphants qui piétinent la fleur dissémineraient aussi les semences collées à leurs pattes.

En germant, les graines déploient des filaments. Ceux-ci envahissent la vigne hôte et produisent des boutons compacts qui font éclater l'écorce au bout de dix-huit mois. De gigantesques fleurs charnues à cinq pétales apparaissent neuf mois plus tard.

Les fleurs du rafflesia durent sept jours, juste le temps nécessaire à leur pollinisation.

SQUATTERS ET RAVISSEURS

Les champignons attaquent animaux et plantes dont ils sc nourrissent

Les champignons, incapables d'assimiler l'énergie des rayons solaires pour fabriquer les hydrates de carbone dont ils ont besoin, absorbent directement ceux des animaux ou des autres plantes. Ils dénichent de quoi se nourrir sur un organisme, mort ou vivant.

Le champignon se nourrit en déployant un réseau de filaments, le mycélium, à travers le support sur lequel il pousse. Les enzymes qu'il sécrète vont digérer les aliments captés par les filaments, dont les parois absorbent directement la nourriture.

Les plus macabres de tous se servent de leur mycélium pour capturer et tuer leurs proies. Les victimes sont généralement des anguillules – vers pas plus gros qu'une tête d'épingle. Les pièges du mycélium sont des filets, des protubérances visqueuses et même des nœuds qui se resserrent autour de l'anguillule et l'étranglent.

D'autres champignons envahissent et dévorent des animaux vivants : punaises des bois, chenilles et charançons. Certaines variétés vont jusqu'à forer les carapaces des insectes. D'autres encore sécrètent une substance visqueuse et se collent aux chenilles et autres larves avant de s'y infiltrer. Installés dans les chairs tendres de leur proie, les filaments du champignon prolifèrent alors dans les tissus musculaires et s'en nourrissent jusqu'à la mort de l'animal.

L'homme se préoccupe davantage des champignons qui infestent les végétaux. Tous les ans et dans le monde entier, les champignons ravagent des cultures, causant d'énormes dégâts. En Europe et en Amérique du Nord, des millions d'ormes sont morts d'une maladie lente, dite hollandaise, dont le responsable est un champignon identifié aux Pays-Bas en 1921. La maladie qui dévasta les cultures de pommes de terre en Irlande entre 1846 et 1848, entraînant une terrible famine, était aussi due à un champignon.

Tous les champignons ne sont pas aussi destructeurs. De nombreuses espèces se nourrissent de matière organique morte et enrichissent le sol, jouant ainsi un rôle vital dans le maintien de l'écosystème de notre planète.

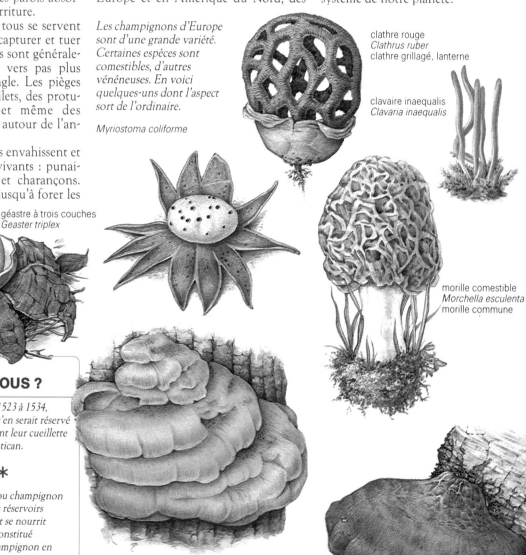

Les champignons d'Europe sont d'une grande variété. Certaines espèces sont comestibles, d'autres vénéneuses. En voici quelques-uns dont l'aspect sort de l'ordinaire.

Myriostoma coliforme

clathre rouge
Clathrus ruber
clathre grillagé, lanterne

clavaire inaequalis
Clavaria inaequalis

géastre à trois couches
Geaster triplex

morille comestible
Morchella esculenta
morille commune

polypore soufré
Polyporus sulfureus
mort-des-cerisiers

polypore du bouleau
Piptoporus betulinus

LE SAVIEZ-VOUS ?

Clément VII, pape de 1523 à 1534, adorait les champignons et s'en serait réservé l'usage exclusif en interdisant leur cueillette dans l'État du Vatican.

L'Amorphotheca resinae ou champignon du pétrole vit dans les réservoirs des avions à réaction et se nourrit de leur carburant constitué d'hydrocarbures. Le champignon en tire du carbone qu'il convertit alors lui-même en hydrates de carbone grâce à la présence d'un peu d'eau dans les réservoirs.

CHAPITRE QUATRE

LES MERVEILLES DE LA VIE ANIMALE

Saviez-vous que le pinson-pic des îles Galápagos extirpe les vers nichés sous l'écorce des arbres à l'aide d'une épine de cactus qu'il tient dans son bec *(page 112)* ? Si les animaux capables de manier des outils sont très rares, par contre tous – des bactéries microscopiques aux grands cétacés – se sont adaptés à leur environnement d'une façon ou d'une autre. Approfondissons nos connaissances sur l'alimentation des animaux, leurs amours et leurs migrations, et nous découvrirons un monde étonnamment complexe. Ses habitants dépendent étroitement les uns des autres, sont doués d'une endurance prodigieuse et d'un sens de la communication extraordinairement développé, mais encore mal connu.

LA CHUTE DES GÉANTS

Les volcans ont-ils exterminé les dinosaures ?

Il y a quelque 65 millions d'années, tous les dinosaures périrent pratiquement à la même époque et d'autres espèces subirent le même sort. Les raisons de ces extinctions déconcertantes sont loin d'être éclaircies. Un changement climatique radical en a-t-il été la cause ? Les dinosaures herbivores se sont-ils empoisonnés avec les fleurs d'espèces nouvelles, privant ainsi de nourriture les dinosaures carnivores, qui seraient alors morts de faim à leur tour ?

Les géologues qui, au début des années 1980, découvrirent la présence d'une très forte concentration d'iridium déposée dans la roche 65 millions d'années plus tôt détenaient enfin, pensaient-ils, l'explication de cette catastrophe d'envergure planétaire. L'iridium étant un métal beaucoup plus rare sur terre que sur les météorites, les scientifiques en déduisirent qu'une comète ou une météorite géante avait heurté la Terre de plein fouet et provoqué le cataclysme responsable de l'extinction des dinosaures.

Les dinosaures se battaient entre eux mais n'avaient pas d'autres ennemis. Les scientifiques (en haut à droite) qui ont découvert les fossiles de ces animaux gigantesques ignorent toujours les causes exactes de leur extinction.

Si le principe de cette collision ne fait guère de doute, peut-on pour autant lui attribuer la disparition des dinosaures ? Nombre de scientifiques trouvent cette explication simpliste et préfèrent croire que l'impact aurait déclenché des éruptions volcaniques d'une puissance beaucoup plus destructrice.

Leur raisonnement est le suivant : la rupture de l'écorce terrestre sous le choc de l'impact aurait mis le feu aux poudres. Entrés en activité les uns après les autres, les volcans auraient vomi de gigantesques torrents de lave et projeté dans les airs d'énormes nuages de cendres qui auraient stagné dans l'atmosphère et caché le Soleil. Privées de lumière, les plantes auraient disparu les premières, suivies de peu par les animaux herbivores, puis par les carnivores qui les chassaient.

MONSTRES BARIOLÉS

On a pris l'habitude de représenter les dinosaures sous les traits d'horribles monstres aux ternes couleurs grisâtres, verdâtres ou brunâtres. Or, certains paléontologues essaient aujourd'hui de corriger cette image en attribuant aux bêtes de la préhistoire la palette de couleurs vives, les taches et les rayures audacieuses auxquelles nos mammifères et nos oiseaux nous ont accoutumés.

Nul ne sait vraiment de quelle couleur étaient les dinosaures, puisqu'on n'a évidemment aucune trace de leur peau. Mais toutes les hypothèses sont permises : rien n'interdit de penser, par exemple, que les dinosaures carnivores se dérobaient à la vue de leurs proies par un camouflage.

Cet étalage de couleurs vives aurait-il joué un rôle quelconque dans les joutes amoureuses des dinosaures ? La tête de l'hadrosaure, par exemple, s'ornait de crêtes et de bosses, autant de protubérances étranges qui servaient peut-être à stimuler l'intérêt de la femelle convoitée en virant au rouge, au bleu, à l'orange ou au vert à la saison des amours !

PETITS ET GRANDS
Colosses ou lilliputiens, les dinosaures étaient de toutes tailles

Les dinosaures n'étaient pas tous des géants, loin de là. Le plus petit dont on ait découvert le fossile était le compsognathe (ou « jolie mâchoire ») qui ne dépassait pas 60 cm et pesait 3 kg environ. Ce drôle de bipède à long cou et à longue queue se nourrissait d'insectes et de lézards.

Le modeste lésothosaure ne mesurait, lui, que 90 cm. Cet herbivore à pattes et queue fines était armé de dents plates et foliées, surmontées d'un « bec ».

À l'inverse, le plus grand squelette complet conservé dans un musée est celui d'un brachiosaure : il mesure 22,20 m de long et 14 m de haut. Certains sujets devaient atteindre 20 m de haut, et peser jusqu'à 80 t, soit plus de treize fois le poids d'un éléphant mâle d'Afrique, animal terrestre le plus lourd à l'heure actuelle !

Mais il existait des géants encore plus impressionnants chez les sauropodes, comme le célèbre diplodocus. Ce quadrupède végétarien au cou très long et mobile mais à toute petite tête se déplaçait lentement mais sûrement sur ses pattes en « piliers », grosses comme des troncs d'arbres.

La découverte impressionnante d'une omoplate de diplodocus mesurant 2,50 m a permis aux scientifiques d'évaluer à 33 m la longueur totale de ce géant.

Mais la découverte d'ossements au Colorado laisse imaginer un monstre encore plus grand : le supersaure, ou géant des géants, aurait regardé le diplodocus de très haut.

Pas plus gros qu'un chapon, ce compsognathe (ou « jolie mâchoire »), le plus petit des dinosaures, vivait il y a 140 millions d'années.

EMPREINTES DU PASSÉ
Les dinosaures ont laissé des traces de leur passage

La tempête s'attardait encore à l'horizon, tandis qu'un troupeau d'apatosaures suivait la rive d'un lac du Colorado. Le plus fort de ces dinosaures herbivores à long cou avait pris la tête du troupeau, qui s'efforçait d'entourer les plus jeunes pour les protéger. Au fil de leur randonnée, les apatosaures piétinaient les palourdes d'eau douce, laissant une traînée d'empreintes profondes dans la vase.

Ces animaux impressionnants ont péri les uns après les autres jusqu'à extinction de l'espèce. Mais la superposition de couches de vase a préservé leurs empreintes. Découverts au XXe siècle, ces vestiges ont aidé les paléontologues à reconstituer, 100 millions d'années plus tard, l'épopée de ce troupeau d'apatosaures.

Si les ossements permettent aux scientifiques de reconstituer la taille et l'apparence des dinosaures, les empreintes sont indispensables à la compréhension de leur comportement.

Vivaient-ils isolés ou en troupeau ? Se préoccupaient-ils de leurs petits ?

En examinant les empreintes fossilisées d'un animal, un expert peut déterminer s'il marchait ou s'il courait.

Étaient-ils lents ou rapides ? Jusqu'où les entraînait la course à la survie où se mesuraient proies et chasseurs ? Les empreintes nous livrent ces précieux renseignements.

Véritables clichés surgis du passé, elles ressuscitent parfois de dramatiques affrontements. C'est ainsi qu'au Texas on a pu reconstituer les derniers instants d'un sauropode herbivore assailli par une horde de dinosaures carnivores. Les profondes empreintes laissées par la victime traquée se doublent de celles, plus légères, des chasseurs aux pattes munies de trois doigts. Au Queensland (en Australie), un troupeau d'hypsilophodontides a laissé un enchevêtrement d'empreintes qui traduit ses tentatives désespérées d'échapper à des théropodes carnivores.

Les dinosaures devaient être de grands voyageurs. En témoignent les innombrables pistes découvertes dans certaines régions. Au Colorado et au Nouveau-Mexique, les dinosaures ont laissé tellement d'empreintes sur le versant oriental des montagnes Rocheuses que la région a été surnommée l'« autoroute des dinosaures ». Pour le géologue Martin Lockley, ces pistes seraient les vestiges de gigantesques migrations annuelles.

La reconstitution de la vie des dinosaures relèvera toujours de l'imagination. Mais les empreintes qu'ils nous ont léguées nous permettent de mieux capter la réalité de leur monde.

À LA RENCONTRE D'UN FOSSILE VIVANT

Et si d'aventure quelques dinosaures avaient survécu dans un petit coin de terre ou de mer oublié des hommes ? Pour ceux qui se sont posé la question, l'histoire du cœlacanthe *(Latimeria chalumnæ)* est riche d'enseignement.

Les scientifiques ont longtemps pensé que le cœlacanthe, qui pullulait dans les océans à l'époque des dinosaures, appartenait à une espèce éteinte depuis près de 80 millions d'années. En décembre 1938 pourtant, un pêcheur captura par hasard dans le canal du Mozambique un étrange poisson bleu acier. Pour le personnel du musée local, ce poisson aux nageoires charnues, dont la forte denture révélait un régime prédateur, n'était autre qu'un cœlacanthe.

Aujourd'hui, ce véritable fossile vivant dont la taille avoisine 2 m subsisterait uniquement aux alentours des îles

Après la découverte du cœlacanthe, que l'on croyait disparu depuis des millions d'années, les scientifiques se sont demandé si la mer recelait d'autres formes de vie préhistorique.

Comores (situées au nord de Madagascar), entre 200 et 1 000 m de profondeur, et il se fait encore plus rare depuis son identification. Décimé par les pêcheurs, il est aussi victime de l'intérêt manifesté par les collectionneurs et les instituts scientifiques. L'interdiction qui frappe le négoce de cette espèce si rare n'a pas réussi à dissuader tous les braconniers.

LE BAL DES DINOSAURES
Sang froid ou sang chaud ?

Les dinosaures doivent surtout leur célébrité à leur extinction. Ces erreurs de la nature, avait-on coutume de dire, n'étaient que d'énormes reptiles léthargiques ovipares trop maladroits et trop lents pour survivre dans un monde en pleine évolution.

Or, les dinosaures n'étaient ni stupides ni patauds si l'on en croit les chercheurs. Nombre d'entre eux étaient dynamiques, forts et rapides. Les dinosaures carnivores – comme le déinonychus – s'organisaient en bandes pour traquer des dinosaures herbivores plus gros qu'eux. Le tricératops chargeait plus vite que le rhinocéros. Et les hypsilophodons herbivores se déplaçaient en troupeaux qui s'égaillaient sous l'attaque des prédateurs.

Certaines espèces étaient aussi agiles que rapides. Le déinonychus bipède pouvait ainsi frapper ses victimes d'une de ses pattes armées d'une griffe de 12 cm. Sa longue queue, servant alors de béquille, lui permettait de ne pas perdre l'équilibre.

Évoquant l'entrain et l'adresse de ces créatures primitives, un homme de science n'a pas hésité à parler de « dinosaures dansants ». Or, leur déploiement d'activité comporte toujours un mystère. En effet, on pensait que les dinosaures, comme tous nos reptiles, étaient des animaux à sang froid, incapables de générer de la chaleur comme le font naturellement les mammifères. S'ils avaient dépendu du soleil pour se réchauffer, les dinosaures n'auraient été actifs que durant de brèves périodes, s'arrêtant pour « recharger leurs batteries ». On ne saurait donc écarter l'hypothèse de dinosaures à sang chaud (ou endothermes), capables, comme les oiseaux et mammifères actuels, de produire beaucoup de chaleur corporelle par l'intensité de leur métabolisme.

Par contre, la nature avait effectivement doté les dinosaures de tout petits cerveaux. Celui du stégosaure, créature monumentale de 15 t, n'était pas plus gros qu'une noix ! Le tricératops, dont le crâne mesurait 1,80 m, avait un cerveau de la taille de celui d'un petit chat.

Mais les dinosaures ne semblent guère avoir pâti de ce manque de matière grise puisqu'ils se sont répandus aux quatre coins du monde 150 millions d'années durant, alors que la présence de l'*Homo sapiens* – autrement dit l'homme – ne remonte qu'à 35 000 ans.

Un troupeau de tricératops entoure ses petits pour les protéger de deux tyrannosaures. Efficaces pour lutter contre les prédateurs, les trois cornes des tricératops leur servaient aussi à défendre leur territoire.

VIVRE ENSEMBLE

La tendresse des bêtes sauvages

Un faucon plane au-dessus d'un nid d'alouette. La mère s'empresse alors de quitter ses oisillons et s'éloigne du nid en battant le sol d'une aile comme si elle était blessée. L'alouette détourne ainsi l'attention du prédateur et protège ses petits en affrontant elle-même le danger.

On comprend aisément que la mère obéisse à son instinct en sacrifiant sa vie à sa progéniture. Mais, chez de nombreuses espèces d'oiseaux et de mammifères, qui vivent en société, tous les membres du groupe sont également prêts à donner leur vie pour protéger les petits. Peut-on parler d'altruisme pour expliquer leur comportement ?

Les renardes de l'espèce commune se regroupent entre sœurs dans la même tanière. Une seule met bas ; les autres élèvent alors ses petits, les lèchent et les surveillent, empêchant les renardeaux de déserter la tanière ou ses abords immédiats. Chez certains geais, une demi-douzaine de frères et sœurs aînés sont chargés d'éduquer les nouveau-nés, de les nourrir et d'en éloigner les prédateurs. Le suricate (petite mangouste d'Afrique australe qui vit en colonies) collabore à l'éducation de tous les petits du groupe et leur apprend à se nourrir. L'élevage des jeunes a également un caractère collectif chez les mangoustes, les chiens sauvages d'Afrique et les chacals. Chez les éléphants, les femelles adultes et adolescentes

Groupés en tribus, les suricates s'entraident pour survivre. Les femelles allaitent indifférement tous les petits du groupe.

s'occupent des éléphanteaux qui ne sont pas les leurs. Un éléphanteau non sevré tète parfois une autre mère que la sienne.

Ces animaux se sacrifient au bien de l'espèce, dont la survie compte davantage que celle de l'individu : telle était la théorie, teintée d'un sentimentalisme aujourd'hui démodé, avancée hier par bon nombre de zoologistes. Pour les biologistes modernes, ces bêtes qui nous semblent bien altruistes protègent instinctivement tous les petits pour sauvegarder et transmettre une partie de leur propre matériel génétique. Les animaux sans progéniture justifient ainsi leur sacrifice.

CHASSEURS DE MIEL

Deux gourmands complices

Deux animaux d'Afrique tropicale ayant apparemment fort peu de points communs forment pourtant une belle paire d'associés. L'indicateur, petit oiseau pisciforme, et le ratel, mammifère omnivore qui rappelle le blaireau, ont trouvé une méthode infaillible pour satisfaire leur gourmandise.

Passé maître dans l'art de découvrir les essaims d'abeilles sauvages, l'indicateur est cependant incapable d'ouvrir un nid et comme il craint aussi les piqûres de ces insectes, il fait appel au ratel. Protégé par une peau dure et une fourrure épaisse, l'intrépide complice

ouvre l'essaim en s'aidant de ses puissantes griffes.

Le dépisteur sait que les abeilles font la sieste aux heures fraîches de la journée et s'empresse d'en profiter. Sitôt l'essaim repéré, l'indicateur attire l'attention du ratel par un cri particulier, puis le guide jusqu'au lieu du méfait en voletant et en sifflant.

L'oiseau assiste au pillage du ratel, qui se gorge de miel, puis prend sa place une fois le nid dévasté, et se délecte à son tour de larves, de cire et de miel.

Mais le ratel n'est pas l'associé exclusif de l'oiseau gourmand. L'indicateur offre ses services à tout amateur susceptible de lui ouvrir un essaim. Il y a bien

longtemps que l'homme l'a compris : il se laisse lui aussi guider par le cri distinctif de cet oiseau.

Les indicateurs vivent également en association avec d'autres oiseaux, dont ils parasitent le nid.

Le ratel paresseux (à droite) compte sur l'indicateur (à gauche) pour le conduire jusqu'à un essaim.

LE PAPILLON ET LA FOURMI
La fin tragique d'une belle association

En 1979, la Grande-Bretagne déplora l'extinction de l'argus bleu à bandes brunes, ou azuré d'Arion. Les experts britanniques décidèrent alors de franchir la Manche pour étudier l'étrange mode de vie de ce lépidoptère. Ils savaient déjà que le grand bleu se terre à l'état de chenille dans un nid de fourmis rouges qui le confondent avec leurs larves.

L'azuré d'Arion ou *Maculinea arion* pond ses œufs dans le thym sauvage. Les chenilles fraîchement écloses s'en nourrissent pendant trois semaines avant de tomber par terre pour attendre le passage de fourmis rouges.

Au contact des antennes d'une fourmi, la chenille sécrète un liquide douceâtre et des phéromones, substances chimiques ayant la même odeur que celles de la fourmi. La fourmi se hâte alors d'amener la chenille au nid. Cette dernière y séjourne une dizaine de mois et se gave des larves de ses hôtes. Puis, au mois de mai ou de juin, la chenille devient un papillon aux couleurs chatoyantes.

Les experts inspectèrent les sites jadis fréquentés par l'azuré d'Arion. Plus de la moitié avaient été labourés ou bâtis, mais les autres paraissaient inchangés. Le thym y poussait en abondance et les fourmis rouges y pullulaient. L'extinction du papillon demeurait inexpliquée.

L'entomologiste Jeremy Thomas résolut l'énigme en découvrant que ce papillon dépendait pour sa survie d'une seule espèce de fourmi, dite *Myrmica sabuleti,* qui avait disparu des sites inspectés.

Myrmica sabuleti aime beaucoup la chaleur. Elle a donc pour habitude de construire sa fourmilière dans l'herbe rase des coteaux expo-

La survie de l'argus bleu dépend d'une seule espèce de fourmi, comme celle-ci (à gauche), qui porte une jeune chenille.

sés au sud, évitant les hautes herbes où elle périrait. Du bétail paissait autrefois sur les sites inspectés, et les lapins y étaient nombreux. Mais la myxomatose a exercé ses ravages et le bétail s'est fait rare. L'herbe, non broutée, a grandi. Des espèces de fourmis résistantes au froid ont survécu. Mais elles n'étaient d'aucune utilité à l'argus bleu.

SAUVETEURS DES GRANDS FONDS
Des patrouilles de dauphins sauvent des vies humaines

En janvier 1989, trois jeunes gens de Nouvelle-Galles du Sud (Australie), Adam Maguire, Jason Moloney et Bradley Thompson, s'étaient donné rendez-vous sur la plage pour se livrer aux joies du surf. Une troupe de dauphins apparut bientôt et les accompagna dans leurs jeux en chevauchant les vagues.

Mais, après une heure d'ébats, les dauphins commencèrent à tourner dans l'eau, sifflant et jetant des cris perçants. Adam eut alors juste le temps d'apercevoir l'aileron d'un requin. Il était trop tard pour regagner la rive.

Le squale vorace passa aussitôt à l'attaque, déchiquetant la planche du jeune homme. Puis il mordit le ventre et les flancs d'Adam. Blessé et choqué, Adam se crut perdu. Mais déjà les dauphins venaient à la rescousse : ils entrèrent dans la danse et cernèrent le requin pour le chasser en l'éperonnant de leurs becs.

Ce fait divers émouvant n'est pas un cas isolé. Les dauphins ont, en effet, sauvé de la mort d'autres personnes attaquées par des requins. Il est arrivé également qu'ils repêchent des marins tombés à la mer et qu'ils les conduisent jusqu'au rivage.

On se souvient encore de cette nageuse qui, en 1945, fut entraînée par un violent courant le long d'une côte de Floride. Tout en luttant pour maintenir sa tête hors de l'eau, elle ressentit soudain une forte poussée qui l'aida à regagner la plage à plat ventre. En se retournant pour remercier son sauveteur, elle ne vit qu'un dauphin qui jouait dans les vagues. Plus récemment, en 1983, un pilote d'hélicoptère hollandais s'écrasa dans la mer de Java. Un dauphin l'escorta durant les neuf jours qu'il passa à bord de son radeau pneumatique, et le guida jusqu'à la côte.

L'homme aurait-il des affinités privilégiées avec ces créatures affectueuses douées d'une certaine intelligence ? On serait tenté de le croire à la lecture de tels épisodes. Mais le dauphin irait-il jusqu'à risquer sa vie pour sauver un être humain ?

Purement instinctif

« Absolument pas », répond Margaret Klinowska. Ce professeur de l'université de Cambridge estime que les dauphins obéissent à un réflexe d'autodéfense en attaquant des requins. La présence d'êtres humains ne serait que pure coïncidence. Par ailleurs, le petit dauphin, qui naît sous l'eau, est aussitôt remonté par sa mère à la surface pour qu'il puisse respirer. Les dauphins céderaient donc à l'instinct de survie de l'espèce en repêchant des gens et en guidant des embarcations à la dérive. Le dauphin qui accompagna le pilote réfugié sur son canot pneumatique l'avait peut-être confondu avec un petit en difficulté !

LE SAVIEZ-VOUS ?

Un dauphin de Nouvelle-Zélande nommé Pelorus Jack a tenu le rôle d'escorteur de 1888 à 1912 : pendant vingt-quatre ans, le cétacé accompagnait jusqu'au port les navires engagés dans le Pelorus Sound, chenal étroit et long d'une dizaine de kilomètres. Les marins imaginaient que ce dauphin voulait assurer la sécurité des vaisseaux jusqu'à leur mouillage dans le port.

CHAMPIONS OLYMPIQUES

Les records dc la gent ailée

Les naturalistes ne cessent de découvrir de nouveaux records de vitesse, de lenteur, d'endurance et d'altitude chez les animaux, dont les exploits pourraient rendre jaloux nos meilleurs sportifs. En équipant d'une balise un faucon pèlerin, on s'est aperçu que cet oiseau, dont l'allure normale est de 80 km/h, fondait sur ses proies (canards, pigeons, etc.) à 350 km/h et guillotinait littéralement sa victime d'un coup d'ergot assené en plein ciel. Il bat ainsi le record de vitesse des oiseaux attribué jusque-là au martinet à gorge blanche du Nord-Est asiatique et du Japon, dont la vitesse de pointe est de 170 km/h. Un autre rapace, la buse, effectue régulièrement des piqués à près de 120 km/h.

Le record de lenteur revient à la petite bécasse d'Amérique, dont le mâle séduit la femelle au crépuscule en survolant son territoire boisé à 8 km/h. Après avoir décrit très lente-

Le faucon pèlerin fond sur sa proie à 350 km/h.

ment quelques cercles en gazouillant pour attirer l'attention de sa compagne, il amorce un piqué en zigzag, ses ailes sifflant au vent. Cette exhibition semble causer une forte impression sur la femelle restée au sol.

Fort peu d'oiseaux peuvent faire du sur-place. C'est le cas des martins-pêcheurs et des souï-mangas. Les buses, quant à elles, en donnent l'illusion, car elles volent contre le vent. Mais le champion du vol stationnaire, de la marche arrière et de la tête en bas est sans conteste le colibri, qui détient le

record du battement d'ailes : 78 par seconde. Cet oiseau du continent américain réalise cet exploit par rotation complète de ses ailes à ossature courte et rigide, reliées aux épaules par des articulations très souples. En vol sur place, le colibri a le corps presque à la verticale. Il peut ainsi aspirer le nectar des fleurs.

Certaines espèces se caractérisent par la lenteur de leurs battements d'ailes – 1 par seconde chez certains vautours. Quant à l'albatros, il exploite le vent en se laissant porter parfois plusieurs jours d'affilée au-dessus des vagues sans un frémissement d'ailes. Ce grand oiseau marin, qui vit en haute mer mais s'aventure sur la terre ferme pour nicher dans des endroits isolés, détient aussi le record d'envergure : ses ailes se déploient sur plus de 3,50 m.

Un vautour de Ruppel a battu le record d'altitude en heurtant un avion à 11 200 m au-dessus d'Abidjan.

LE SAVIEZ-VOUS ?

Le basilic, lézard d'Amérique tropicale, échappe au danger qui le guette près d'un lac ou d'une rivière en courant littéralement sur l'eau à 12 km/h. Il se dresse pour cela sur ses pattes postérieures, dont les doigts bien écartés l'empêchent de couler. On a vu un basilic traverser ainsi un lac de 400 m de large. Cet iguanidé sait aussi nager et plonger pour échapper à ses prédateurs.

Les insectes volent beaucoup moins vite que les oiseaux. Les plus rapides – taon, œstre du daim, sphinx... – atteignent seulement 40 km/h. La libellule d'Australie a une vitesse de pointe de 58 km/h.

Toujours plus haut

Si certains oiseaux volent très vite, d'autres montent très haut. La plupart, il est vrai, se déplacent généralement à moins de 150 m au-dessus du sol, atteignant parfois 1 500 m d'altitude lors de leur migration. Mais des montagnards ont trouvé des canards pilet à 5 000 m sur le glacier de Khumbu, au Népal. D'autres ont vu des oies survoler l'Himalaya à 9 000 m, performance modeste comparée à celle du vautour de Ruppel qui, le 29 novembre 1973, remporta de haute lutte le record d'altitude en heurtant à 11 200 m un avion qui survolait l'Afrique de l'Ouest !

LES CONQUÉRANTS DU CIEL
Des mammifères planeurs

Les chauves-souris sont les seuls mammifères qui volent en battant des ailes. Mais d'autres se déplacent aussi dans les airs en planant : il s'agit des phalangers, des écureuils volants et des galéopithèques.

Ces trois animaux, qui peuplent les arbres, se déplacent d'un tronc à l'autre ou rallient les branches basses et le sol en empruntant la voie aérienne. Avant de prendre leur élan, ces petits mammifères étirent tous leurs membres et raidissent ainsi deux fines membranes latérales reliant le cou aux quatre pattes, qui se déploient pour former un parachute. Leur vol accompli, ils

Grâce à son patagium, ce petit phalanger volant plane d'un arbre à l'autre dans les forêts australiennes.

replient leurs membranes pour les protéger d'éventuelles déchirures. Sans aucun lien de parenté, ces mammifères planeurs ont ainsi mis au point, chacun de leur côté, le même mode de déplacement pour échapper aux prédateurs et trouver leur nourriture.

Tout comme les kangourous et les koalas, les phalangers volants (ou planeurs) des forêts australiennes sont des marsupiaux qui transportent leurs petits dans leur poche ventrale. Les vingt-deux espèces existantes ont une queue dont la longueur égale celle de leur corps (de 13 à 48 cm). Les plus grands peuvent exécuter des vols planés de plus de 100 m.

On connaît trente-cinq espèces d'écureuils volants. Ces petits animaux, souvent nocturnes, ont aussi une queue de longueur égale à celle de leur corps (de 7 à 60 cm) et hantent surtout les forêts tropicales d'Asie ; mais la Finlande et l'ex-URSS en abritent une espèce, l'Amérique du Nord et l'Amérique centrale deux autres. Végétariens, ils complètent leur régime avec des insectes. Les plus robustes volent sur plus d'une centaine de mètres.

Mais le record du vol plané – plus de 135 m – revient incontestablement au galéopithèque. Ce petit champion, un mammifère de 36 à 42 cm de long muni d'une queue de 18 à 28 cm, vole à l'aide de son patagium. Quand l'animal est au repos, suspendu à une branche, la tête dressée, il paraît être enveloppé dans une couverture.

Les galéopithèques sont nocturnes. Ils se nourrissent de feuilles, de fleurs et de fruits. Les deux espèces connues de galéopithèques vivent dans les forêts tropicales, les plantations de caoutchouc et les cocoteraies des Philippines et du Sud-Est asiatique.

CHAMPIONS AQUATIQUES

Le poisson-voilier (de la famille des istiophoridés), reconnaissable à son rostre, est un des poissons les plus véloces des océans. Plus rapide que le guépard lancé en pleine course, il atteint très vite la vitesse de 110 km/h et la conserve sur 100 m en aplatissant son grand aileron dorsal pour offrir moins de résistance à l'eau. Faut-il rappeler que nos meilleurs champions de natation n'atteignent que 8 km/h ?

Le mammifère marin le plus rapide est le dauphin, qui se déplace jusqu'à 63 km/h sans déployer de gros efforts musculaires. Sa peau soyeuse et huileuse expliquerait cette belle performance. Spongieuse, elle absorbe les tourbillons et permet à l'animal de nager en écoulement laminaire.

Alors que l'homme a du mal à dépasser 100 m en apnée, le manchot empereur, dont le corps en forme de torpille est fait pour fendre l'eau, plonge à plus de 260 m et séjourne près de vingt minutes sous l'eau !

Mais son exploit paraît insignifiant comparé à la performance du cachalot, détenteur du record mondial, 2 250 m, homologué grâce à une balise posée sur l'animal. Ce plongeon représente près de sept fois la hauteur de la tour Eiffel ou un peu moins de la moitié de celle du mont Blanc. L'homme équipé de bouteilles d'oxygène et d'un scaphandre pressurisé ne descend qu'à 686 m de profondeur. En outre, la période d'immersion maximale du cachalot est supérieure à une heure.

Ces bébés poissons-voiliers atteignent 3,40 m de long à l'âge adulte et nagent à plus de 100 km/h.

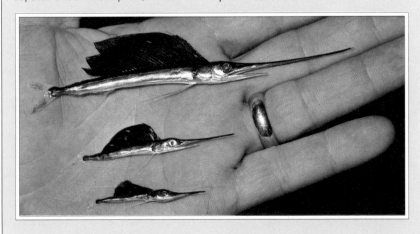

LE SAVIEZ-VOUS ?

Les écureuils sautent de hauteurs prodigieuses sans se blesser. On a vu l'un d'eux atterrir indemne au sol après une chute de 180 m. Les longs poils de ses pattes et de sa queue avaient, en se déployant, freiné sa chute.

COMME DES POISSONS HORS DE L'EAU

Certains poissons s'enfuient à tire-d'aile

Les eaux équatoriales, tropicales et subtropicales de notre planète abritent une quarantaine d'espèces de poissons volants de 10 à 45 cm de long. Ces poissons doivent leur qualificatif à leurs nageoires pectorales et pelviennes très développées, qu'ils battent comme des ailes pour échapper aux barracudas et autres gros prédateurs.

Nageoires plaquées le long du corps, le poisson volant fusiforme nage d'abord sous l'eau pour atteindre la vitesse de 50 km/h. Il décolle alors à un angle de 15°, battant l'eau de sa nageoire caudale et déployant ses nageoires pectorales dans toute leur ampleur pour donner prise au vent. Durant cette phase, seule la nageoire caudale est encore immergée. Quand le poisson a atteint une vitesse suffisante, il allonge ses nageoires ventrales. La queue quitte l'eau. Le poisson est alors complètement hors de l'eau. Il met habituellement de quatre à dix secondes pour couvrir une distance de 45 m, mais certaines espèces parcourent jus-

qu'à 90 m en une dizaine de secondes à plus de 1,50 m au-dessus des vagues.

Le poisson volant se livre parfois à une succession de vols en s'aidant de sa nageoire caudale pour se repropulser dans les airs. Il se déplace aussi plus loin et plus haut en volant contre le vent. Certains ont atterri sur un pont de navire situé à 11 m au-dessus de l'eau !

Cousine éloignée de la carpe et de l'anguille électrique, la hachette volante

La hachette volante marbrée des cours d'eau sud-américains vole vraiment, grâce au battement de ses grandes nageoires pectorales.

(ou poisson-hache) prend son vol au-dessus des cours d'eau d'Amérique latine. Ce poisson, de 7 cm de long, est le champion des poissons volants. De sa puissante musculature ventrale, il actionne de longues nageoires pectorales, qui battent si rapidement qu'elles émettent un bourdonnement. C'est pour échapper à ses prédateurs que la hachette volante s'élève jusqu'à 3 m au-dessus de l'eau. Ses sauts sont courts : pas plus de 1,50 m, alors qu'une distance de 12 m lui est nécessaire pour décoller.

L'énorme raie manta peut elle aussi sortir de l'eau. Il a même été observé que ce poisson pouvait mettre bas durant ces sorties ; ses bruyantes rentrées dans l'eau sont inoubliables.

PLUS FORT QUE L'HOMME

Le guépard des savanes d'Afrique australe est l'animal le plus rapide sur terre. Il se lance à la poursuite de ses proies à 100 km/h – soit deux fois et demie plus rapidement qu'un champion du 100 m. En revanche, il ne peut soutenir cette allure qu'une quinzaine de secondes et abandonne la chasse s'il doit poursuivre l'objet de sa convoitise au-delà de 400 m.

De son côté, l'escargot parcourt une cinquantaine de mètres à l'heure. Mais le mammifère qui détient le record de lenteur est le paresseux à trois doigts, appelé aï par les indigènes. On le trouve dans les régions tropicales d'Amérique latine. Il grimpe aux arbres à raison de 4 m/min, et cela seulement deux heures et demie par jour, car il dort le reste du temps, suspendu à une branche de son arbre préféré : l'ymba-huba. Encore plus lent au sol, le paresseux s'y traîne à l'allure de 2 m/min, soit 120 m/h.

Les chiens de prairie à queue noire des États-Unis forment, avec des millions d'individus, les plus grandes colonies du monde ; quant aux rats-taupes, ce sont les plus grands bâtisseurs de terriers. Ces rongeurs sévissent en Russie méridionale, aux Balkans et en Afrique du Nord. Une colonie de quatre-vingts rats-taupes suffit à créer un réseau souterrain de 4 km.

Le paresseux à trois doigts est le mammifère le plus lent du monde. Il grimpe de 1 m en quinze secondes.

LE SAVIEZ-VOUS ?

L'ours polaire est un animal aussi agile que véloce. Plus rapide que le renne, il se déplace à 40 km/h sur de courtes distances, exécute des sauts en longueur de 3,70 m et des sauts en hauteur de 2 m.

✳ ✳ ✳

Les insectes battent des ailes à un rythme étonnant. La palme revient à Forcipomyia – petit moucheron – avec 62 670 battements à la minute, tandis que le machaon, magnifique papillon d'Europe – le plus lent dans ce domaine –, parvient néanmoins à 300 battements à la minute.

INFATIGABLES GLOBE-TROTTERS

Le sens de l'orientation des oiseaux migrateurs

L'automne arrivé, le colibri à gorge rubis, venu se reproduire dans le sud du Canada, s'envole pour aller passer l'hiver en Amérique centrale. Une véritable épopée pour ce minuscule oiseau-mouche de 3 g, qui doit s'alourdir d'une provision substantielle de nectar pour franchir plus de 3 000 km, dont un vol sans escale de 700 à 800 km au-dessus du golfe du Mexique !

Et pourtant le colibri n'est pas le seul à réaliser un tel exploit. Le champion des migrateurs est la sterne arctique. Elle voyage deux fois par an d'un pôle à l'autre et franchit, aller et retour, plus de 32 000 km ! D'innombrables oiseaux sillonnent ainsi le globe de leurs migrations annuelles. Comment parviennent-ils à se repérer sur des distances aussi énormes ?

En 1897, cette division de cavalerie de l'armée française, en manœuvre dans l'Aisne, utilisait des pigeons voyageurs.

Les oiseaux migrateurs suivent évidemment le relief géographique : cours des rivières, chaînes de montagne, littoraux. Mais les biologistes savent qu'ils utilisent également d'autres méthodes d'orientation.

Les oiseaux déterminent aussi leur position par rapport au Soleil et aux étoiles, car ils sont équipés d'une « boussole » activée par une horloge biologique interne réglée sur la perception physiologique, et non seulement sur la vision du jour et de la nuit. Cette horloge est si extraordinairement programmée que, dans de nombreux cas, ils commencent leur voyage et arrivent à destination à peu près le même jour, chaque année, quel que soit le temps.

Attraction magnétique

Leur « boussole » sensible aux variations du champ magnétique terrestre serait logée entre la boîte crânienne et le cerveau de l'oiseau. En bougeant la tête dans le champ magnétique immobile de la Terre, l'oiseau produit des courants électriques induits qui alertent son système nerveux. Le cerveau les interprète comme un plan de vol.

Les oiseaux migrateurs tiennent aussi compte des variations de la pression atmosphérique, de la pesanteur terrestre et du mouvement des vagues : autant d'indications précieuses qui les guident jusqu'au terme de leur voyage. Enfin, certains oiseaux de mer à l'odorat et au goût particulièrement bien développés iraient jusqu'à flairer l'eau et à la goûter pour se repérer.

LE SAVIEZ-VOUS ?

Armés de jumelles ou d'un télescope, les ornithologues n'hésitent pas à guetter toute la nuit le passage d'oiseaux migrateurs devant la Lune. Mais cette méthode du bon vieux temps est largement dépassée : les radars actuels sont si sensibles qu'ils parviennent à identifier les espèces. Certains détectent même les pulsations cardiaques des oiseaux.

DES AUTOROUTES EN PLEIN CIEL
Les itinéraires des oiseaux migrateurs

Dans l'hémisphère Nord, les oiseaux migrateurs font la navette entre leurs territoires de couvaison du nord et leurs sites d'hivernage du sud. Au cours de leur périple, certaines espèces n'hésitent pas à suivre des routes obliques ou latérales, quand elles ne tournent pas momentanément le dos à leur destination. La plupart se déploient sur un « front » très étendu, mais d'autres suivent un itinéraire bien précis.

Généralement très larges, mais parfois limités à 10 m dans les étroits cols montagneux, les grands axes aériens suivent le relief. Le plus précis et le mieux étudié de ces itinéraires est celui des oiseaux sauvages qui délaissent l'Amérique du Nord à l'automne pour rallier les côtes septentrionales de l'Amérique latine.

En Europe occidentale, la plupart des espèces suivent un axe de migration nord-est - sud-ouest qui les mène en Afrique en passant par le Maroc. Quelques autres, dont le pouillot siffleur et le coucou gris, traversent l'Italie et la Tunisie, tandis que la fauvette babillarde, la pie-grièche écorcheur et le loriot émigrent vers le sud-est, survolent la Méditerranée orientale, puis infléchissent leur vol vers le sud pour remonter la vallée du Nil.

Il est également prouvé que les routes de migration peuvent être différentes au printemps et à l'automne, l'oiseau effectuant ainsi une « migration en boucle ». C'est le cas, par exemple, des gobe-mouches, de l'hirondelle de cheminée et de l'hirondelle de rivage. À

Axe central		Grand axe de l'Atlantique	
Grand axe du Mississippi		Grand axe du Pacifique	

Canards, oies (comme ces bernaches du Canada) et cygnes d'Amérique du Nord empruntent quatre grands axes (à droite) pour rallier l'Amérique latine.

l'automne, ces deux dernières traversent la Méditerranée à la hauteur de Gibraltar, tandis qu'au printemps elles tendent à passer beaucoup plus à l'est.

La cigogne blanche, un des plus grands migrateurs européens, gagne l'Afrique en empruntant deux voies : l'une passe par Gibraltar, l'autre par le Bosphore. Les oiseaux de l'ouest de l'Europe empruntent la première, et ceux du centre et de l'est prennent l'autre. Dans les deux cas, le trajet atteint 12 000 km !

LA VESTALE AILÉE DU SOLEIL

La sterne arctique (*Sterna paradisaea*) effectue la plus spectaculaire des migrations. Facilement identifiable grâce à son bec tout rouge, cet oiseau fin et gracieux dont la taille n'excède pas 35 cm délaisse ses territoires de couvaison d'Europe et d'Asie septentrionales, du Groenland, d'Alaska ou bien encore du nord du Canada, pour aller passer l'été en Antarctique, à l'autre bout du monde.

La sterne arctique parcourt 32 000 km par an en reliant les deux pôles.

La sterne arctique n'emprunte pas l'itinéraire le plus direct : elle suit souvent les côtes. Toujours en quête de vents porteurs, il lui arrive de parcourir 32 000 km par an. Cet oiseau est le plus grand bénéficiaire de la lumière du soleil, puisqu'il se reproduit l'été au pôle Nord avant de retrouver les journées estivales tout aussi interminables du pôle Sud.

Des ornithologues qui avaient bagué une sterne arctique peu après sa naissance l'ont suivie tout au long de sa vie.

Ils se sont rendu compte qu'en vingt-six ans cet oiseau avait parcouru près d'un million de kilomètres.

LE SAVIEZ-VOUS ?

Avant le vol migratoire, les oiseaux se suralimentent. La quantité de graisse qu'ils mettent en réserve est proportionnelle au nombre d'heures pendant lesquelles ils auront à voler. Le poids de l'oiseau peut doubler. Ainsi un phragmite des joncs verra son poids passer de 11 g à 22 g.

ULTIME RETOUR
L'interminable voyage de l'anguille européenne

Le périple de l'anguille européenne est l'un des plus impressionnants du monde animal. En mars et en avril, les adultes pondent leurs œufs dans les eaux chaudes et profondes de la mer des Sargasses. Les œufs qui échappent à tous les prédateurs éclosent en larves transparentes, de 7 mm de long, en forme de feuille de saule, appelées leptocéphales.

Pendant deux ou trois ans, les larves dérivent au gré des courants sur près de 5 000 km pour atteindre le littoral européen. Elles ont bien grandi puisque leur taille atteint alors 90 mm. Mais, à l'approche des côtes, elles se transforment en civelles transparentes.

Les civelles, qui se pigmentent peu à peu, modifient leur comportement au contact des eaux saumâtres des estuaires : au lieu de se laisser dériver, elles remontent en masse les cours d'eau d'une nage vigoureuse, serpentent entre les galets et les rochers pour résister aux courants, ou s'enfoncent dans le sable pour échapper à la force

Dans les estuaires européens, les larves deviennent des civelles (ci-dessous) puis se dotent de fines branchies et se recouvrent d'une peau épaisse (ci-dessous à droite) qui leur permet de migrer sur terre ferme.

LE SAVIEZ-VOUS ?

Les anguilles qui ont l'odorat et le sens du goût très développés parviennent à détecter la présence d'une pincée de substances chimiques diluée dans 12 000 m³ d'eau.

✳ ✳ ✳

L'anguille migrant de nuit sur terre ferme serpente dans les herbes recouvertes de rosée sans risquer l'asphyxie, car elle ferme ses étroites branchies et capte 60 % de ses besoins en oxygène par les pores de sa peau visqueuse.

destructrice de la marée descendante.

Les anguilles, traquées par les pêcheurs, cherchent un habitat temporaire : poches basses des rivières, estuaires ou eaux côtières. Certaines vont s'établir en amont des cours d'eau, d'autres n'hésitent pas à onduler sur la terre ferme, à glisser dans l'herbe mouillée, pour trouver un fossé, un étang ou un lac. Actives la nuit, elles passent leur journée cachées dans le sable, la vase ou le creux d'un rocher. Et puis, un jour, généralement à la

fin de l'été, l'instinct les pousse à rallier à nouveau le littoral. Elles ont alors de sept à vingt ans. Elles cessent de s'alimenter, leur appareil digestif s'atrophie et cède la place à leurs organes sexuels en plein développement.

Se guidant sur les variations de salinité et de température des eaux qu'elles traversent, les anguilles affrontent alors le long voyage du retour qui les ramènera à la mer des Sargasses. Après avoir atteint leur but, elles s'accouplent, puis meurent d'épuisement. On n'a jamais vu d'anguille adulte retourner dans les rivières d'Europe.

L'anguille européenne partage ses territoires de reproduction avec sa cousine, l'anguille américaine, qui se contente de fréquenter les rivières du littoral oriental de l'Amérique du Nord. Son excursion de 1 500 km semble bien modeste, comparée à l'odyssée de l'anguille européenne !

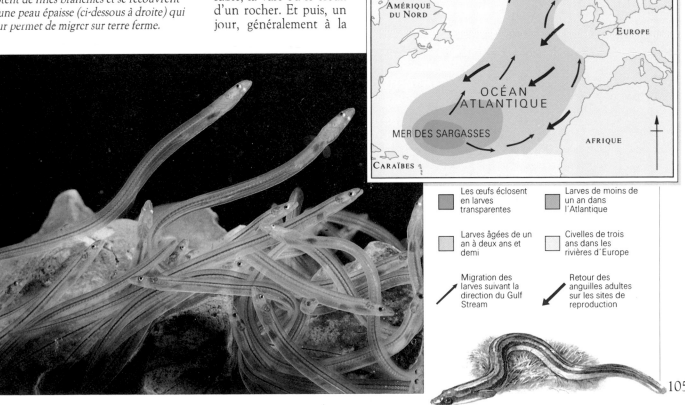

Les œufs éclosent en larves transparentes

Larves de moins de un an dans l'Atlantique

Larves âgées de un an à deux ans et demi

Civelles de trois ans dans les rivières d'Europe

Migration des larves suivant la direction du Gulf Stream

Retour des anguilles adultes sur les sites de reproduction

UN MONDE LUXURIANT

La faune des forêts tropicales

La faune et la flore des forêts tropicales sont d'une variété exceptionnelle. Sur une superficie comparable à celle du bois de Boulogne, on compte jusqu'à 750 essences d'arbres et 1 500 espèces de plantes. On y trouve aussi 125 espèces de mammifères, 400 d'oiseaux et 100 de reptiles, sans compter les insectes qui sont aussi d'une étonnante variété : un seul arbre peut en héberger 800 espèces. La présentation de quelques habitants de la forêt amazonienne donne une petite idée de cette diversité.

La forêt tropicale abrite une vie complexe qui s'épanouit malgré la pauvreté et l'aridité des sols, car les éléments nutritifs y sont continuellement recyclés. Du sol recouvert de feuilles mortes au dôme des arbres festonnés de lianes, la forêt s'étage en habitats bien distincts. Perchés à 30 ou 40 m du sol, les locataires des hautes branches ont peu de contacts avec leurs voisins du dessous privés de soleil, mais tous contribuent au maintien de l'écosystème. La destruction de cet équilibre entraînerait la dégradation de la forêt et vouerait à l'extinction nombre de plantes et d'animaux.

Les singes hurleurs *poussent des cris stridents qui portent à plus de 1 500 m. On les entend le matin quand ils s'appellent ou quand deux troupes se rencontrent.*

Le tamandua *introduit sa langue, longue et gluante, dans les tunnels tortueux des fourmilières pour en capturer les hôtes.*

Le jaguar, *seul gros félidé d'Amérique du Sud, capture sa proie en se laissant tomber de la branche d'un arbre. Il se nourrit aussi de poissons qu'il attire à la surface en battant l'eau de sa queue.*

Les coatis, *se déplaçant en groupes d'une quarantaine d'individus, dressent en l'air leur queue annelée pour ne pas se perdre de vue.*

La lachesis, *serpent venimeux également appelé souroucoucou ou « maître de la brousse », peut atteindre 3 m de long.*

La harpie féroce attaque les habitants des branches hautes : singes, paresseux et gros oiseaux.

Le toucan se sert de son bec vivement coloré pour cueillir des fruits, mais aussi pour effrayer les oiseaux prédateurs.

Les pécaris à lèvres blanches déterrent racines, jeunes pousses, champignons et carcasses de petits animaux.

Réputés pour leur appétit carnassier, les piranhas sont en fait pour la plupart d'inoffensifs végétariens. Certaines espèces attendent tranquillement la chute des fruits mûrs dont elles se nourrissent.

Les nototrèmes femelles portent leurs œufs, puis leurs têtards, dans une poche dorsale.

Le dendrobate doré est une grenouille venimeuse. Son poison est utilisé par les Indiens qui en enduisent leurs flèches.

À CHACUN SES MŒURS

Les parades nuptiales des animaux

Chez nos amies les bêtes, mâles et femelles font preuve de beaucoup d'imagination pour exprimer leurs intentions amoureuses. Les girafes se courtisent en se frottant mutuellement le museau ; nombre de lézards arquent la tête et le dos à plusieurs reprises ; certains poissons, comme les épinoches, se parent de couleurs vives ; et les lucioles femelles attirent les mâles en brillant avec intensité.

Les oiseaux de paradis d'Australie, de Nouvelle-Guinée et des îles avoisinantes arborent des parures flamboyantes pour se trouver une compagne et décourager leurs rivaux. Les mâles de la plupart des quarante-deux espèces dressent leurs magnifiques plumes irisées aux reflets de soie ou de velours, qui vibrent au rythme de leurs spectaculaires danses amoureuses.

Cet oiseau de paradis se pavane la tête en bas pour séduire la femelle qu'il convoite avec son magnifique plumage.

Le chant de la séduction

Les jeux de l'amour ne se limitent pas à des exhibitions. Jardins, champs et bois retentissent du chant des oiseaux mâles qui revendiquent aussi bien un territoire que la conquête d'une femelle. Certaines espèces interprètent même des duos : le dialogue des pies-grièches africaines est si réussi qu'on croirait entendre le chant d'un seul oiseau. C'est ce cri caractéristique qui leur a valu le surnom local de bou-bou.

D'autres animaux se font musiciens pour s'attirer les faveurs de l'autre sexe. La sauterelle émet les stridulations qui nous sont si familières en frottant les tubercules pointus situés sur la face interne de son fémur postérieur contre la nervure radiale de l'un de ses ély-tres. Et la courtilière, ou taupe-grillon, creuse une sorte d'amplificateur, si efficace que l'oreille humaine peut capter cette « musique » à 600 m de distance.

Les ptilonorhynchidés – dont on compte quinze espèces – sont les amoureux les plus extraordinaires de la gent ailée. Les mâles de ces passereaux d'Australie et de Nouvelle-Guinée, qui mesurent de 18 à 30 cm, édifient en effet des tonnelles, également appelées berceaux ou enclos, où ils cherchent à attirer les femelles pour la parade nuptiale. Si certaines constructions sont d'une architecture simple, d'autres sont plus complexes : tours de rameaux étayées par un arbuste ou mini-maisons surmontées de toits de chaume. Des tapis de feuilles recouvrent le sol de ces tonnelles qui peuvent atteindre 2,70 m de haut.

Puis les mâles enjolivent leurs édifices de mousse, de fleurs, de fruits, de coquilles d'escargots, de scarabées, et même d'objets empruntés à l'homme : boutons, morceaux de verre, allumettes, etc. Certaines espèces vont jusqu'à peindre les parois de leurs nids d'amour. Baies, charbon de bois, herbes et autres pigments naturels sont allongés de salive, puis appliqués au « pinceau », en l'occurrence un bout d'écorce ou un rouleau de feuilles tenu dans le bec.

Après quoi, ces architectes appelés oiseaux jardiniers, ou oiseaux à berceaux, se reposent, car ce sont uniquement les femelles qui construisent les nids, couvent les œufs et nourrissent les oisillons.

Des lucioles illuminent une caverne du lac Te Anau de Nouvelle-Zélande (île du Sud).

LES PLUS GRANDES VILLES SOUTERRAINES DU MONDE

Beaucoup d'animaux vivent en familles, en couples ou même solitaires, mais d'autres préfèrent se grouper en colonies.

Natifs de l'ouest des États-Unis et du Mexique septentrional, les chiens de prairie — rongeurs trapus qui doivent leur nom à leur cri, qui rappelle l'aboiement d'un chiot — vivent dans de gigantesques terriers sans commune mesure avec ceux des marmottes.

Preuve en est la « ville » découverte en 1901 ! Longue de 380 km et large de 160 km, elle devait abriter une population de 400 millions d'individus.

Les chiens de prairie sont des animaux nuisibles pour l'homme : ils dévorent les herbages réservés au bétail, ravagent les cultures et constituent même un danger pour les chevaux qui trébuchent dans leurs terriers. On utilise donc du poison pour limiter leurs dégâts. Aujourd'hui, les villes de ces rongeurs ne dépassent pas 20 000 m² et n'abritent qu'un millier d'habitants.

Les chiens de prairie s'organisent en sociétés aux structures complexes. Les grandes villes, divisées en quartiers, se composent de territoires familiaux, chacun disposant de ressources alimentaires propres. Chaque territoire familial appartient à un mâle arrivé à maturité sexuelle. Il y vit avec son « harem », comprenant jusqu'à quatre femelles, et les petits âgés de moins de deux ans. Ces territoires familiaux sont appelés « associations ».

MAÎTRE CHEZ SOI

Architecte, bûcheron et ingénieur, le castor façonne son environnement

L e castor est l'ingénieur le plus accompli de tous les mammifères à l'exception de l'homme. Ce rongeur vit soit dans un terrier creusé dans la berge d'un cours d'eau, soit dans une hutte à demi submergée construite au milieu d'un lac. Aucun lac en vue ? Il s'empresse alors d'ériger un barrage sur un cours d'eau avec des arbres ou des branches maintenues en place par des cailloux, puis recouvertes de boue. Mais le castor est parfaitement capable de construire aussi un barrage constitué uniquement de boue.

De ses puissantes incisives en ciseaux, le castor adulte abat un arbre de 12 cm de diamètre en moins d'une demi-heure. Puis il le débite en tronçons de 60 à 90 cm de long.

Le castor se réfugie dans l'eau pour échapper aux prédateurs. À l'approche du danger, il plonge et frappe l'eau de sa queue pour alerter sa famille. Construit avec des bouts de bois et des cailloux enrobés de bouc, le logis du castor s'arrondit en un dôme émergé. L'intérieur de l'édifice peut atteindre une hauteur de 1,80 m.

Les étangs et les lacs créés par les castors se remplissent graduellement de limon qui provoque la montée du niveau des eaux. Les petits ingénieurs doivent alors consolider leurs barrages.

Certaines de leurs constructions ont un millier d'années et courent sur 1 km, comme celle de la rivière Jefferson dans l'État de Montana.

Ces barrages servent aussi de garde-manger au plus froid de l'hiver. Friands de jeunes pousses d'érable, de tremble, de bouleau, de saule…, les castors en stockent une provision dans la vase, dont la température conserve aux aliments leur valeur nutritive. Bien approvisionnés, les castors sont à l'abri des prédateurs puisqu'ils n'ont plus à s'aventurer sur la terre ferme.

Les castors vivent en colonies et travaillent ensemble. Un lac ou un étang compte en moyenne quatre huttes, dont chacune abrite une ou plusieurs familles. La famille se compose du père et de la mère, unis pour la vie, qui élèvent leur dernière portée et celle de la saison précédente.

La famille de castors se blottit au chaud toute l'année dans une hutte isolée dont l'entrée immergée la protège des prédateurs.

LE SAVIEZ-VOUS ?

Les incisives du castor sont si coupantes qu'on en faisait des lames de couteaux. Les castors étaient chassés pour leur fourrure, leur viande et leurs glandes génitales utilisées dans la composition de certains parfums. Disparu de nombreuses régions, le castor européen a été réintroduit dans des parcs nationaux et dans des réserves. Actuellement, les castors reconquièrent les bassins fluviaux de France, à partir du Rhône.

✳ ✳ ✳

En 1899, un barrage de castors constitué uniquement de morceaux de charbon fut découvert au Dakota du Nord (É.-U.)

UNE SOCIÉTÉ HIÉRARCHISÉE
Les termites luttent efficacement contre le soleil et l'eau

Les termites vivent en sociétés complexes divisées en castes. Tandis que la reine, énorme masse blanchâtre, passe son temps à pondre, les ouvriers s'occupent des œufs et assurent le ravitaillement collectif. Les soldats, eux, défendent la colonie.

La plupart des termites se cachent sous terre ou dans du bois mort pour protéger leur peau des ardeurs du soleil. Certaines espèces cultivent des champignons, qui produisent de la chaleur et servent de mets de choix au couple royal et aux jeunes.

Le climat de la savane africaine, où le thermomètre monte parfois à 50 °C, incite certaines espèces à ériger des tours creuses de 8 m de haut qui protègent les larves des grosses chaleurs diurnes et de la fraîcheur nocturne, tout en maintenant un taux d'humidité élevé.

Ce sont les termites ouvriers qui érigent ces édifices impressionnants avec de la terre cimentée de salive, qui durcit au soleil. Les espèces des forêts tropicales africaines vont jusqu'à couronner leurs œuvres de toitures de végétaux mâchés au préalable, qui abritent le couvain des grosses pluies.

Cette tour (ci-dessus) a été édifiée à Turkana (Kenya) par des termites qui cultivent leurs propres champignons. La reine pond ses œufs dans la cellule royale alors que les ouvriers garnissent les magasins et s'occupent des larves (ci-dessous).

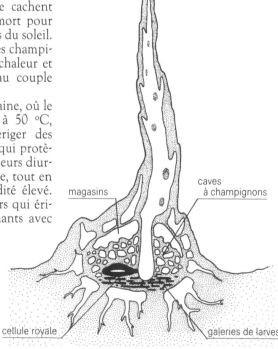

magasins

caves à champignons

cellule royale

galeries de larves

Instinct et apprentissage

L'araignée tisse une toile très sophistiquée avec du fil de soie aussi résistant que le Nylon le plus élastique. Belle prouesse d'ingéniosité réalisée sans apprentissage ! Car c'est uniquement l'instinct héréditaire qui régit son comportement.

Petits poucets

Animaux dominés par l'instinct, les invertébrés peuvent néanmoins acquérir un savoir-faire étonnant. Les guêpes fouisseuses d'Europe centrale et méridionale retrouvent leurs œufs pondus dans le sol en repérant les cailloux et les rameaux qui entourent leur site de ponte.

Chez les vertébrés, l'instinct joue également un rôle. L'oiseau n'a nul besoin d'acquérir de connaissances pour bâtir son nid ou voler. En revanche, les vertébrés non seulement apprennent plus facilement, mais bénéficient aussi de l'encadrement parental et de l'enseignement administré par les adultes de leur espèce. Les oisillons doivent suivre les leçons de leurs parents pour chanter selon les règles de l'art.

C'est en forgeant...

L'apprentissage revêt une importance primordiale pour les jeunes prédateurs qui doivent savoir se mettre à l'affût, s'approcher d'une proie, la saisir et la tuer pour ne pas mourir de faim. La tigresse rapporte des proies jeunes ou blessées à sa progéniture, qui prend ainsi ses premières leçons tout en jouant. Jusqu'à l'âge de dix-huit mois, les petits tigres suivent les chasses de leur mère et perfectionnent leur technique. Ils doivent ensuite se débrouiller tout seuls. Le jeune guépard profite de la même initiation.

LE SAVIEZ-VOUS ?

Un chercheur suédois a découvert que la perdrix grise femelle en quête de conjoint cherche surtout un bon papa pour sa future couvée. Ce chercheur a tenté une expérience en plaçant ses perdrix dans deux volières, l'une fermée au monde extérieur, l'autre ouverte. Les femelles, qui devaient choisir entre les deux groupes, accordèrent leurs faveurs aux mâles de la volière ouverte. Plus vifs que leurs congénères enfermés, ils protégeraient mieux les couvées.

AMOUR MATERNEL

Comment les animaux protègent leurs petits des prédateurs

Le cygne attaque à coups d'aile quiconque s'est hasardé trop près de ses petits, et sa force est telle qu'il est parfaitement capable de casser le bras d'un homme.

Les animaux qui protègent leurs petits ne sont pas toujours partisans de la manière forte. Les pluviers et plusieurs autres oiseaux préfèrent la ruse : l'un des parents feint une blessure et fuit au sol en traînant l'aile comme si elle était cassée. Ou alors, il imite l'allure d'un petit rongeur pour écarter de sa couvée renards, hermines et autres prédateurs. Certains oiseaux choisissent plutôt de fuir avec leurs petits. Le râle transporte les siens l'un après l'autre dans son bec, tandis que la bécasse les tient entre ses pattes.

Le crocodile porte aussi ses petits. Comme la femelle pond ses œufs sur la berge, les jeunes attirent de nombreux

Ce crocodile du Nil porte son nouveau-né entre les dents pour le mettre à l'abri.

prédateurs – souvent des marabouts et des calaos. Avec une tendre délicatesse, la mère se hâte de caler ses petits entre ses énormes dents, puis déménage sa progéniture dans des eaux plus sûres. Peu de reptiles font montre d'une telle sollicitude.

Les poissons laissent leurs descendants se débrouiller, à l'exception des cichlidés, qui pratiquent l'incubation buccale : selon l'espèce, le mâle ou la femelle porte les œufs dans sa gueule. Les petits éclosent à l'abri des prédateurs, des champignons et des bactéries, puis quittent la niche parentale, prêts à la rejoindre au moindre danger.

Certains insectes font aussi de bons parents. La forficule (communément appelée perce-oreille) veille sur ses œufs jusqu'à l'éclosion. Chez les abeilles, les guêpes, les fourmis et les termites, des ouvriers stériles se chargent des œufs pondus par la reine et des larves et les élèvent jusqu'à l'âge adulte.

DRÔLE DE SAC DE COUCHAGE

Dépourvus de paupières, les poissons ne sont pas pour autant insomniaques. Ils font la sieste ou piquent un somme enterrés dans le sable. D'autres se cachent dans une fissure ou dans un enchevêtrement d'algues pour s'abriter des maraudeurs nocturnes. Quant au petit poisson-clown des récifs coralliens tropicaux, il se réfugie dans les tentacules venimeuses des anémones de mer.

Elles ne le blessent pas, car il est enduit d'un mucus protecteur.

Mais c'est le perroquet de mer qui a le sommeil le plus excentrique : il passe la nuit dans un « sac de couchage ».

Souvent bariolé de couleurs vives, le perroquet de mer hante les récifs coralliens de toutes les mers chaudes, se nourrissant de petits animaux et d'algues. Avant de s'endormir dans les coraux, il passe une bonne demi-heure à se confectionner un cocon constitué de sécrétions de matière visqueuse. Il lui faut tout autant de temps au réveil pour se libérer de son enveloppe.

Ce cocon empêche probablement que l'odeur des perroquets de mer ne parvienne jusqu'aux narines de leurs prédateurs, notamment des murènes. Mais son rôle précis est encore inconnu.

Ce perroquet de mer dort dans son cocon protecteur.

LE SAVIEZ-VOUS ?

La salamandre noire des régions alpines a la gestation la plus longue du monde animal : 38 mois à 1 400 m d'altitude, mais cette période se limite à 25 mois à plus basse altitude. En revanche, l'opossum de Virginie met bas au bout de 8 jours. L'éléphant est le mammifère à la gestation la plus longue : de 609 jours (soit une vingtaine de mois) à 760 jours – c'est-à-dire plus de deux fois et demie la grossesse de la femme.

✻ ✻ ✻

Quelques oiseaux et insectes mâles offrent une dot alimentaire à leurs compagnes. L'araignée Pisaura mirabilis apporte à sa belle le cadavre d'un gros insecte enveloppé dans de la soie pour gagner ses faveurs.

TECHNIQUES DE CHASSE
Des animaux qui utilisent des outils

Ceux d'entre nous qui tiennent à prouver la supériorité de l'intelligence humaine proclament bien haut que nous sommes les seuls animaux capables de manier des outils. Ils oublient que plusieurs oiseaux et plusieurs mammifères savent se servir d'outils rudimentaires.

Pas plus gros qu'un poulet, le percnoptère d'Égypte au plumage brun et blanc est un oiseau tout ébouriffé. Natif de quelques régions d'Europe, d'Asie et d'Afrique, ce drôle d'oiseau, moins spectaculaire que d'autres espèces de la même famille, a mis au point une ruse ingénieuse pour déguster le contenu d'un œuf. Si l'œuf est assez petit, il le prend dans son bec et le brise en le laissant tomber sur une pierre qui, pour l'occasion, lui sert d'enclume. Mais si l'œuf est plus gros, il s'arme d'un caillou, pesant en moyenne 500 g, se dresse au-dessus de l'œuf convoité et laisse tomber sa pierre sur l'épaisse coquille jusqu'à ce qu'elle se brise. Seuls quelques groupes isolés appliquent cette technique, qui ne relèverait pas de l'instinct, mais bien d'un phénomène d'imitation acquis.

Le pinson-pic des Galápagos *(Cactospiza pallida)* se montre encore plus ingénieux. Aussi petit qu'un moineau, cet oiseau ne vit que dans quelques îles de cet archipel situé à un millier de kilomètres de la côte

Ce pinson-pic des Galápagos explore l'écorce d'un arbre avec un rameau pour débusquer de la nourriture.

Baguette plantée dans un nid d'insectes, ce jeune chimpanzé attend patiemment sa fournée vivante.

équatorienne. Tout comme le pivert de nos bois, cet oiseau rare se nourrit de larves et d'insectes dénichés dans l'écorce des arbres. Pour parvenir à ses fins, il n'hésite pas à s'armer d'une épine de cactus ou d'un rameau effeuillé au préalable.

Le petit artisan réserve de multiples usages à cet outil de fortune qu'il tient dans son bec. Soit il excite l'insecte pour le tirer de son trou, soit il empale la proie paresseuse, soit il aiguillonne une victime particulièrement remuante ou récalcitrante. L'oiseau, qui prend alors son outil dans l'une de ses pattes, gobe aussitôt l'insecte tiré de sa cachette.

Gratte-dos et cannes à pêche

Quelques mammifères se servent aussi d'outils : on a vu des chevaux et des éléphants se gratter le dos avec une baguette. Le chimpanzé sonde les termitières avec une petite branche en guise de canne à pêche, qu'il remonte couverte d'insectes dont il se régalera d'un coup de langue. Il récolte le miel sauvage de la même façon. Comme le pinson-pic des Galápagos, le chimpanzé ébarbe sa « gaule » : certains animaux ne se contentent donc pas d'utiliser des outils, mais les fabriquent eux-mêmes en fonction de leurs besoins.

Garde-Manger en Plein Air

L'étal sanglant de la pie-grièche

Un ravissant petit oiseau au plumage marron et gris scrute le sol du haut d'un genêt. Il avise un oiseau plus petit que lui, fond aussitôt sur sa proie, la tue d'un violent coup de bec, l'enserre de ses griffes aiguisées et s'envole sur un épineux où il arrime fermement sa victime, en l'empalant sur une branche.

Ce prédateur est une pie-grièche écorcheur mâle, variété de la famille des laniidés qui comprend soixante-douze espèces dont les trois quarts vivent en

Cette pie-grièche écorcheur mâle enserre sa proie de ses pattes puissantes aux griffes acérées.

Afrique. Le type d'habitat préféré de ces petits oiseaux est un terrain dégagé pourvu de divers postes d'observation, comme des haies et des buissons.

De 15 à 38 cm selon l'espèce, ce féroce prédateur chasse toutes sortes de proies. La grande pie-grièche s'attaque aux souris et autres petits mammifères, aux lézards, aux grenouilles et aux petits oiseaux. La pie-grièche de taille plus réduite vise insectes, vers et oisillons. Ce Nemrod implacable guette ses proies du haut d'un poste d'observation, mais chasse aussi en vol plané ou fond sur les insectes égarés dans les airs.

En règle générale, les pies-grièches de l'hémisphère Nord consomment la majeure partie de leurs proies – sauf quand elles en abandonnent la totalité à leurs petits –, puis stockent le reste au garde-manger, autrement dit des branches d'arbres ou des fils de fer barbelé. Cette habitude qui évoque les quartiers de viande suspendus à des crocs de boucher leur a valu le surnom d'oiseau-

La pie-grièche arrime ses victimes à un épineux ou à un fil de fer barbelé. Ici, un gros lézard.

boucher. La pie-grièche s'est aussi vu décerner l'épithète peu flatteuse d'« oiseau-meurtrier ». Les insultes volent bas pour la pie-grièche qui se fait même traiter d'« assassin aux neuf victimes » dans certains pays, référence à une vieille superstition selon laquelle cet oiseau tue neuf proies avant de commencer à se nourrir.

C'est surtout à la saison de la reproduction que la pie-grièche garnit son garde-manger, car il lui faut un bon stock pour nourrir sa nichée.

TOUT VENTRE DEHORS

Les étoiles de mer, ou astérides, se caractérisent par un mode d'alimentation exceptionnel dans le règne animal : elles retournent leur sac digestif, l'appliquent sur leur proie et entament leur digestion à l'extérieur de leur organisme. Certaines espèces parviennent à forcer les valves des moules, des palourdes, des huîtres et des coquilles Saint-Jacques.

C'est grâce aux substances chimiques libérées par les mollusques que l'étoile de mer localise sa future victime.

Dès qu'elle l'a trouvée, elle l'étreint de ses bras munis de petites ventouses – les ambulacres.

Désormais fermement accrochée à sa proie, l'étoile de mer s'arrime au fond par l'extrémité de ses bras, puis passe à la manœuvre suivante : elle rétracte sa série de ventouses pour exercer une traction régulière qui contraindra le mollusque à s'ouvrir. L'étoile de mer doit s'armer de patience, car la victime lutte de toutes ses forces avant de céder.

L'étoile de mer exhibe alors son sac digestif, le positionne dans le mollusque et digère lentement sa victime en libérant les enzymes sécrétées par son intestin.

La digestion achevée, les filaments du tissu stomacal acheminent la nourriture dans le reste du corps de l'astéride.

Cette étoile de mer place son estomac dans la coquille de la moule qu'elle vient de forcer et libère des enzymes digestives sur la chair tendre de sa proie.

RÉGIME D'ATHLÈTE
Le minuscule colibri est un bourreau de travail

Ce colibri s'apprête à déguster le nectar d'une fleur d'hibiscus d'une langue gourmande. Parfois plus long que le corps, cet organe aspirateur s'enroule sur lui-même.

Le colibri vit au rythme effréné de ses battements d'ailes : jusqu'à 90 par seconde pour le colibri à huppe d'or d'Amérique du Sud. C'est l'animal à sang chaud qui brûle proportionnellement le plus d'énergie par rapport à son poids.

Les oiseaux-mouches comptent 342 espèces uniquement dans le Nouveau Monde, caractérisées par l'exiguïté de leur taille (6 à 13 cm). Un handicap pour ces tout petits animaux à sang chaud, puisqu'ils doivent générer assez de chaleur avec un corps de faible volume pour compenser celle qu'ils perdent en volant à la verticale. Un métabolisme très actif, une température très élevée, un rythme cardiaque de 500 pulsations par minute au repos mais qui peut s'élever à un millier en période d'activité exigent donc une alimentation substantielle.

Au menu du régime énergétique de l'oiseau-mouche, qui absorbe chaque jour plus de la moitié de son propre poids, figurent quelques insectes bien sûr, mais surtout le nectar des fleurs, très riche en calories. Un homme dépensant une énergie comparable à celle du colibri devrait consommer quotidiennement pas moins de 60 kg de pain et 170 kg de pommes de terre à l'eau pour faire un plein équivalent !

En saison fraîche, le colibri parvient à faire des économies d'énergie en somnolant plusieurs heures d'affilée. Sa température baisse alors de façon impressionnante et s'ajuste à celle de l'air ambiant. À 15 °C, l'oiseau assoupi consomme le cinquième de l'énergie qu'il déploie en pleine activité.

LE SAVIEZ-VOUS ?

Lorsque le vampire s'est repu de sang, il doit en digérer et en déféquer une partie avant de reprendre son vol.

✳ ✳ ✳

Le calypte d'Hélène est le plus petit des colibris du monde. Il ne mesure que 5,70 cm de long et pèse moins de 2 g. C'est le plus petit animal à sang chaud de toute la création.

DE VRAIS VAMPIRES
Des chauves-souris hématophages

Le vampire d'Amérique centrale et du Sud est le seul mammifère qui se nourrisse exclusivement de sang. Le nom de vampire prête à confusion, car ce sanguinaire ne suce pas sa victime après lui avoir troué la peau avec des crocs dignes de Dracula. Bien au contraire ! De ses incisives, la petite chauve-souris fait une entaille indolore d'un diamètre équivalant à celui d'une paille dans l'épiderme. Après quoi, elle peut laper impunément le sang fluide qui sourd de la blessure de sa victime, puisque sa salive contient une substance anticoagulante.

Contrairement à la légende et aux films d'épouvante qui lui ont été consacrés, le vampire s'attaque rarement à l'homme. Certains vampires, appartenant à deux des trois espèces connues, se repaîtraient du sang des oiseaux. On connaît mieux les habitudes du vampire commun, qui s'abreuvait jadis du sang des grandes bêtes sauvages. Mais les animaux domestiques importés depuis quatre cents ans par les colons européens les ont progressivement remplacées, et le vampire commun reporte désormais son attention sur le bétail, les chevaux, les ânes et les porcs.

Le vampire vole très près du sol pour trouver sa proie, qu'il localise à l'odorat, à la vue et à l'écho. Il se pose près de l'animal endormi, puis lui bondit dessus en s'arc-boutant sur l'extrémité osseuse de ses ailes.

Le vampire ne soutire que peu de sang à ses victimes. En revanche, il peut transmettre la rage et plusieurs autres affections.

TUEURS DES BAS-FONDS
La redoutable technique de l'orque

L'orque, ou épaulard, est une formidable machine à tuer qui traque indifféremment le petit saumon et le plus grand animal de la création : la baleine bleue. Pingouins, manchots, calmars, pieuvres, tortues, dauphins et marsouins, phoques, otaries, poissons d'espèces différentes, allant du hareng au requin : tout est bon pour cet animal doté d'un prodigieux appétit. Une grande orque engouffre un marsouin ou un phoque sans aucun problème. On a découvert dans l'estomac de l'une d'elles les restes de quatorze phoques et de treize marsouins, dans celui d'une autre ceux d'une trentaine de phoques.

Mesurant un peu moins de 10 m de long et pesant de 7 à 10 t, le plus grand des delphinidés est armé d'une quarantaine, voire d'une cinquantaine de dents coniques de 5 cm de diamètre. Présente dans tous les océans, l'orque est un chasseur efficace et coopératif vivant au sein d'une bande forte de dix à quinze individus.

Au dire des scientifiques, les membres d'une bande sont tous apparentés et restent unis jusqu'à la mort. Il arrive qu'un groupe en rejoigne d'autres à

condition d'appartenir à la même communauté. Les orques communiquent entre elles par des sifflements, des claquements de langue et des appels modulés, qui constituent aussi bien un « dialecte » spécifique à la bande qu'un « sonar » naturel, qui aide l'animal à repérer sa proie ct à éviter les écucils et les obstacles. La bande se déplace en rangs ou se déploie sur un seul front.

Pour repérer sa proie, l'orque se dresse à la verticale, tête hors de l'eau pour scruter la surface. Un banc de sau-

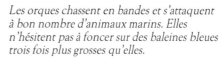

Les orques chassent en bandes et s'attaquent à bon nombre d'animaux marins. Elles n'hésitent pas à foncer sur des baleines bleues trois fois plus grosses qu'elles.

mons est en vue. Avec une intelligence méthodique, la bande rassemble les poissons, les accule impitoyablement dans une baie et poste des sentinelles chargées de couper toute retraite. Les orques qui ont jeté leur dévolu sur une baleine la harcèlent et l'assiègent de toutes parts, avant de l'asphyxier en se lançant sur ses évents. Elles dévorent petit à petit cette proie monumentale en en déchirant de grands lambeaux de chair. Elles auraient un faible pour la langue de baleine bleue.

Cet ingénieux animal se sert d'une autre technique pour capturer des proies hors de l'eau. Dès qu'elle a localisé des pingouins ou des phoques vautrés sur la glace, l'orque plonge au fond, puis remonte comme une fusée juste au-dessous des animaux. La glace, épaisse de 1 m, se brise sous le choc, et les victimes basculent dans l'eau. L'orque repère aussi les sites où se reproduisent les phoques. Elle s'approche de la rive, croise et recroise dans les hauts-fonds. Les phoques affolés s'aventurent dans les brisants pour échapper à leur implacable bourreau, qui n'a plus qu'à les croquer.

Rusées, les orques ont des techniques de chasse variées. Ci-dessous, des orques essaient d'affoler un groupe de morses pour les attirer dans l'eau, où la mort les guette.

ATTAQUE ET DÉFENSE

Chasseurs et chassés : un équilibre précaire

On serait tenté de comparer l'évolution à une perpétuelle course aux armements. Les prédateurs qui ont, pour une espèce donnée, survécu à une période pendant laquelle la nourriture était difficile à trouver ont pu le faire parce qu'ils étaient soit les plus forts, soit les plus rapides, soit encore les plus rusés. La sélection naturelle s'est donc traduite, d'une part, par l'efficacité accrue des prédateurs et, d'autre part, par le perfectionnement des moyens défensifs de leurs proies : redoublement de force ou de vitesse, développement de la vue ou de l'odorat, protection par le venin ou le camouflage.

Si les phases évolutives s'entrecoupent de périodes – plus ou moins longues – de stabilité relative entre les chasseurs et leurs proies, la lutte pour la vie se poursuit néanmoins au même rythme : le lion traque toujours le zèbre ou l'antilope des savanes africaines, requins et dauphins happent les mêmes poissons volants des océans, et les chauves-souris attrapent toujours les papillons nocturnes.

Il est rare qu'un des deux camps s'assure un avantage décisif. Les populations de prédateurs et de proies s'équilibrent dans un même environnement, pour autant que ce dernier ne subisse pas de modification et

que de nouvelles espèces n'y soient pas introduites. Il arrive parfois qu'une sécheresse temporaire entraîne un déséquilibre momentané, mais le retour des pluies rétablit rapidement la situation.

L'exemple du lion et du springbok est révélateur. Redoutable chasseur, le lion bénéficie de la coopération de ses femelles camouflées par leur pelage fauve, qui rabattent patiemment le gibier, puis lancent vigoureusement l'assaut final.

De son côté, le springbok a su développer des moyens de défense appropriés pour se mesurer à son adversaire. Très vive et très agile, cette antilope des savanes d'Afrique australe échappe aux prédateurs en se livrant à une succession de bonds de plus de 1 m de hauteur, qui est un signal pour les autres membres du troupeau. Cette tactique présente de plus l'avantage de dérouter l'adversaire. Le combat du lion et du springbok serait donc moins inégal qu'il n'y paraît au premier abord.

Le lion, lui-même, rate parfois sa proie et doit se rabattre sur des éléments plus vulnérables du troupeau – des animaux blessés ou des jeunes. Ainsi, dans un écosystème stable et face au plus efficace des chasseurs, le gibier est pourvu de moyens suffisants pour que soit maintenu le statu quo.

ÉPERONS MORTELS

On pense souvent que le venin est l'apanage des serpents, des scorpions et autres créatures à sang froid. Et pourtant, il fait partie de la panoplie de quelques rares mammifères, à commencer par l'ornithorynque d'Australie. Si sa morsure est inoffensive, les coups de patte qu'il assène à ses prédateurs sont en revanche des plus venimeux.

Seul le mâle adulte possède ce curieux moyen de défense. Le venin, produit par des glandes nichées dans les cuisses de l'animal, s'écoule dans les éperons creux et cornés situés à l'arrière des pattes postérieures. Un coup d'éperon suffit à tuer un chien et inflige à l'homme d'insupportables douleurs.

Bec de canard, corps de taupe et queue de castor : l'ornithorynque passait déjà pour une créature si singulière que la découverte de ses éperons venimeux ne suscita guère l'étonnement des zoologistes. Les savants européens qui, à la fin du XVIIIe siècle, étudièrent la première dépouille qui leur avait été envoyée crurent à la mystification d'un plaisantin.

Le mâle du fourmilier marsupial d'Australie et de Nouvelle-Guinée est aussi armé d'éperons sur ses pattes arrière. Il est par contre dépourvu de glandes à venin, car les prédateurs à qui étaient destinés ces coups d'éperon ont probablement disparu depuis fort longtemps. Il n'est toutefois pas totalement désarmé : des piquants aussi redoutables que ceux d'un porc-épic assurent la protection de cet amateur de termites.

Les seuls autres mammifères venimeux sont des insectivores qui mordent leurs proies et les terrassent en leur injectant une salive toxique. La morsure de certaines espèces de musaraignes est redoutable. Ainsi, des solénodons (ou solénodontes), grandes musaraignes très rares qui ne subsistent qu'à Cuba et en Haïti, appliquent cette technique sur les vers et les insectes dont ils se nourrissent. La grande musaraigne d'Amérique à queue courte s'en prend même à des grenouilles apparemment trop grosses pour elle.

LENTEMENT MAIS SÛREMENT
Les talents cachés du caméléon

Les petits lézards comptent sur leur rapidité et sur leur agilité à la fois pour attaquer et se défendre. Le caméléon, en revanche, reste immobile sur sa branche, guettant ses proies de ses gros yeux squameux aux mouvements indépendants. Toute la rapidité et la dextérité du caméléon tiennent dans sa langue protractile démesurée et gluante qui va cueillir les insectes.

Personne n'ignore que le caméléon change de couleur pour mieux se fondre dans son environnement. Mais cette faculté est moins surprenante lorsqu'on sait que d'autres facteurs entrent en ligne de compte : en effet, les couleurs de sa peau varient en fonction des différences de lumière et se modifient également pour manifester son hostilité à l'égard de rivaux gênants. Certaines espèces sont dépourvues de pigments rouges, d'autres incapables de virer au vert. Les changements de luminosité et de température, sans oublier les variations hormonales, déclencheraient donc chez l'animal des impulsions nerveuses qui, à leur tour, modifieraient la concentration des pigments présents dans les cellules de la peau.

Quelles qu'en soient les raisons, un caméléon perché sur une branche peut se rendre presque totalement invisible.

Il avance si lentement sur sa proie qu'il semble immobile. Il se déplace millimètre par millimètre en se cramponnant aux branches de ses pattes à cinq doigts – trois doigts pointés en avant et deux en arrière pour consolider sa prise – et en s'aidant de sa queue préhensile qui le maintient en équilibre.

Changements de couleur et immobilisme ne sont pas les seuls atouts du caméléon, qui sait aussi changer de forme. Il est en effet capable de s'aplatir comme une crêpe pour prendre l'apparence d'une grande feuille.

Tactique défensive

Confronté à ses prédateurs, le caméléon abandonne l'art du camouflage et adopte une toute autre tactique. Il gonfle jusqu'à devenir énorme, prend des formes effrayantes, siffle comme un serpent et ouvre largement sa gueule, dévoilant un palais aux couleurs éclatantes. Il dédaigne cependant cette tactique pour échapper aux serpents qui partagent son habitat forestier, se contentant alors de se laisser tomber sur une autre branche ou sur le sol.

VENIN D'OCCASION
Certains mollusques marins empruntent leur armement

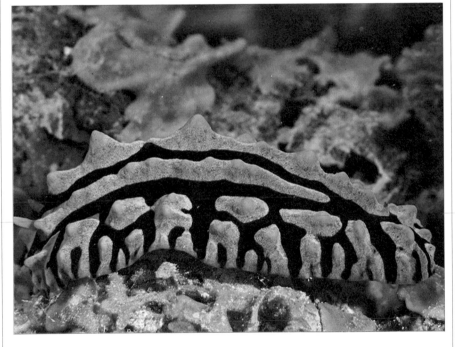

Les limaces de mer ont un point commun avec les limaces de nos jardins : elles sont dépourvues de coquille. Parée de magnifiques coloris, la *Phyllidia varicosa*, petite créature carnivore au corps mou et ondulant, compte parmi les plus belles espèces de limaces de mer des hauts-fonds marins. Son corps peut prendre une teinte orange, jaune pâle, rouge vif, violette, vert foncé et bleu intense ou bien se parer de motifs. Chaque espèce a ses motifs propres. Par ailleurs, certaines ont le dos orné de bizarres protubérances, ramifiées ou bien en forme de pétales. On pense qu'elles serviraient d'appareil respiratoire.

Les taches lumineuses de cette Phyllidia varicosa *sont autant de glandes à venin.*

Les limaces de mer s'exhibent en toute quiétude, car elles se savent protégées par de puissants venins. Certaines d'entre elles ne se donnent même pas la peine de les élaborer, préférant les produits tout préparés qu'elles trouvent sur les anémones de mer et les méduses dont elles se nourrissent. Au lieu d'être digérées puis évacuées, les cellules à venin des victimes sont acheminées intactes par voie digestive jusqu'à des sacs situés dans la peau des limaces de mer, qui disposent ainsi de puissantes armes de dissuasion.

LE SAVIEZ-VOUS ?

La zorille qui abonde en Afrique centrale et australe a une façon toute personnelle de se débarrasser de ses ennemis. Acculé ou attaqué, cet animal proche de la belette, au pelage rayé noir et blanc, présente son derrière frétillant à son adversaire et l'asperge du contenu nauséabond de ses glandes anales. La zorille détient incontestablement le record de la puanteur animale faussement attribué au putois. Délestée de ses glandes anales, la zorille se révélerait un charmant animal familier.

LES BÊTES ONT LEUR FRANC-PARLER

Le décodage de la communication animale

Sur une plage de l'océan Indien, un crabe mâle, posté à l'entrée de son trou creusé dans la vase, lève ses grosses pinces rehaussées de couleurs vives et les agite soudainement. Il s'agit d'un crabe appelant qui tente d'attirer une femelle. Lorsqu'une éventuelle intéressée s'approche de lui, le mâle agite alors tout son corps frénétiquement. Il voit enfin ses efforts couronnés de succès : la femelle le rejoint, puis le suit dans son trou.

Les animaux qui nous entourent ne cessent d'échanger des signaux par l'intermédiaire de sons, d'odeurs ou d'indications visuelles. Le nombre et la nature de ces échanges varient d'une espèce à l'autre. La première préoccupation de ceux qui ne vivent pas en sociétés est de signaler leur intention de trouver un compagnon. La vrillette (ou anobie) en mal de partenaire frappe de la tête le sommet des galeries qu'elle creuse dans nos bois de charpente. Cet insecte produit alors un son qui rappelle le tic-tac d'une grande horloge et qui lui vaut son nom.

Les couleurs brillantes et les dessins qui apparaissent sur la peau de deux seiches qui s'accouplent sont une forme de communication silencieuse. Chaque changement de couleur a un sens spécifique.

Les animaux groupés en sociétés ont besoin d'un « langage » plus élaboré, car la vie communautaire s'accompagne inévitablement de querelles (problèmes de statuts et de prédominance) qui doivent être réglées pour que se maintienne la cohésion du groupe. Le groupe doit aussi agir à l'unisson pour chasser, se déplacer ou affronter l'ennemi. Les attitudes et les cris des bandes de singes, les hurlements des meutes de loups ont fait l'objet d'études approfondies, qui ont permis de mettre en évidence des points intéressants. On sait, par exemple, que le singe vert des savanes africaines signale l'approche d'un danger de quatre façons différentes et distingue ainsi l'apparition d'un léopard, d'un gros serpent, d'un oiseau de proie ou d'un primate. On essaie aussi de trouver une interprétation au chant des baleines et au langage des dauphins, qui émettent deux types de sons : des sifflements d'une durée d'une demi-seconde (audibles par l'homme), et des claquements brefs lancés par dizaines en une seconde, qui sont des ultrasons.

Aujourd'hui, les zoologistes s'intéressent de près à un autre système de signalisation sous-marine, celui des céphalopodes, qui communiquent entre eux en changeant de couleur très rapidement. Ces mollusques carnassiers ne chercheraient pas seulement à se camoufler, mais exprimeraient toute une gamme d'émotions : agressivité, disposition à l'accouplement et alerte face au danger.

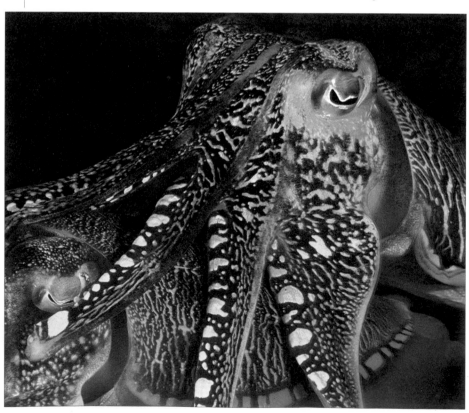

LE SAVIEZ-VOUS ?

La fauvette des roseaux (rousserolle) est une imitatrice hors pair. Ce petit passereau migrateur fait la navette entre l'Europe et l'Afrique et emprunte, sur son passage, au répertoire international. En analysant le chant d'une seule fauvette des roseaux, les scientifiques ont identifié les mélodies caractéristiques d'une centaine d'espèces européennes et de tout autant d'espèces africaines.

Le bourdonnement du moustique femelle en vol est destiné à attirer le mâle. Les antennes de ce dernier fonctionnent comme un poste de radio réglé sur les hautes fréquences du bourdonnement de la femelle.

À CHAQUE SAISON SA CHANSON

La musique sous-marine des baleines à bosse

Les baleines blanches ont été surnommées les canaris de mer à cause de leur chant mélodieux. Mais la baleine à bosse, encore appelée jubarte ou mégaptère, est la prima donna des baleines. Elle possède un chant modulé magnifique, rythmé de soupirs et de lamentations, immortalisé d'ailleurs par nombre d'enregistrements sous-marins. Un expert qui écoute l'un de ces extraordinaires témoignages peut donner non seulement l'année du récital de cette cantatrice, mais aussi le lieu du concert, qu'il s'agisse des sites de reproduction au large de Hawaï, dans le Pacifique, ou de ceux des Bermudes, dans l'Atlantique.

Après avoir passé l'été et l'automne dans l'océan Arctique, où elles se gorgent de nourriture, les jubartes vont se reproduire l'hiver dans les mers chaudes des tropiques. C'est là qu'elles donnent leurs récitals. Comme ce sont toujours les jeunes mâles qui ouvrent la marche de ces migrations annuelles, les solistes seraient, au dire des experts, des mâles en quête d'une compagne.

Les jubartes chantent aussi pour se maintenir à distance les unes des autres, mais il arrive qu'un exécutant se taise à

LE SAVIEZ-VOUS ?

Le chant de la jubarte, qui dépasse 100 dB et est d'une intensité comparable à celle du marteau pneumatique, produit des vibrations insupportables aux nageurs se trouvant à proximité. L'animal le plus bruyant de la création est la baleine bleue, dont le sifflement atteint 188 dB.

✳ ✳ ✳

L'orque vit en bande de dix à quinze individus, qui communiquent avec des cris spécifiques au groupe. Contrairement au chant de la jubarte, ces cris n'évoluent pas au fil du temps, mais varient légèrement d'une bande à l'autre. En comparant les cris de deux bandes différentes, les spécialistes parviennent à déterminer le degré de parenté qui existe entre elles.

LE LANGAGE COMPLEXE DES POULES

Des poules gloussent et caquettent tout en grattant tranquillement la terre de la basse-cour lorsque le coq, avisant un renard qui rampe dans leur direction, lance aussitôt l'alarme. Les poules se hâtent de rentrer au poulailler. Attiré par le vacarme, le paysan intervient, et l'intrus bat en retraite.

Un faucon survole-t-il la basse-cour ? L'une des volailles se hâte aussitôt de déclencher l'alerte « aérienne » en exécutant un cri retentissant qui n'a rien à voir avec l'alarme terrestre. Les poules disposent donc d'un certain vocabulaire pour signaler non seulement la présence d'une menace, mais aussi sa provenance.

À chacun sa place

C'est avec des moyens de communication fort différents que les poules font respecter l'ordre hiérarchique qui régit les structures sociales d'une basse-cour. Tout en haut de la pyramide se trouve le volatile dominant, qui accède le premier au grain ou à la pâtée et qui soumet à son autorité des subalternes, dominant à leur tour d'autres membres du groupe ; et ainsi de suite jusqu'au bas de la pyramide. C'est avec force coups de bec que le chef maintient son autorité implacable au sein de la basse-cour. Il se donne le droit de châtier impunément qui bon lui semble à n'importe quel moment. Ses subalternes corrigent alors leurs inférieurs, qui à leur tour administrent des coups de bec à ceux de l'échelon du dessous. Certains spécialistes du comportement animal estiment que l'environnement artificiel et le manque d'espace des basses-cours seraient à l'origine de cette structure sociale.

Cependant, ce type de hiérarchie se retrouve chez nombre d'animaux sauvages. Peut-être inefficace sur des poules qui seraient lâchées dans la nature, ce système maintient la paix et la stabilité sociale dans une basse-cour de taille moyenne... au prix de quelques plumes de temps en temps.

Mais la technique du coup de bec ne fonctionne que si les poules se connaissent et se reconnaissent. Les élevages modernes en batterie, qui comptent des dizaines de milliers de gallinacés, rendent toute identification impossible. Il faut alors encager les volatiles individuellement ou par petits groupes pour éviter des bagarres qui aboutiraient à un terrible carnage – chacun voulant asseoir son autorité.

---

l'approche d'une mère accompagnée de son baleineau et leur offre son « escorte ». L'analyse de la composition de ces chants révèle une succession de thèmes constitués chacun d'un « phrasé » répétitif de notes identiques. Le répertoire des baleines de l'Atlantique est plus riche que celui de leurs congénères du Pacifique. La « composition » peut durer une demi-heure, et son auteur, inlassable, est parfaitement capable de l'interpréter une bonne partie de la journée.

Le plus curieux réside dans le fait que ces compositions évoluent avec le temps. Au début de la saison des amours, les chants ressemblent à ceux de la saison précédente, puis changent au fil des mois. Certains thèmes subissent des modifications, baissent d'un ou de plusieurs tons, s'abrègent, s'allongent ou disparaissent, mais s'interprètent toujours dans le même ordre, comme si les chanteurs se pliaient à certaines règles ne pouvant être transgressées. Le répertoire des jubartes se renouvelle complètement tous les huit ans. Les jubartes qui fréquentent la même zone de reproduction – le Paci-

fique nord en compte trois distinctes – interprètent toujours la version la plus récente, sans qu'on sache comment elles se communiquent entre elles les derniers arrangements. Le mâle dominant lancerait-il une mode que les autres s'empresseraient de suivre ? Ou le chant des jubartes évolue-t-il peut-être tout simplement comme une langue vivante ?

L'étude du chant des jubartes en était à son premier stade lorsqu'on découvrit en 1979 que des baleines repérées au large de Hawaï chantaient la même mélodie que celles des côtes californiennes. Les retrouvailles annuelles de ces deux populations distinctes dans les eaux nourricières de l'Arctique expliquent partiellement cette troublante similitude relevée chez des baleines qui partent ensuite se reproduire l'hiver à plus de 5 000 km de là.

Encore est-il bien difficile de comprendre comment ces animaux peuvent se relayer d'un bout à l'autre de l'océan Pacifique la dernière version de leur chant, car la « voix » de la jubarte ne porte guère au-delà d'une trentaine de kilomètres.

BAVARDAGE DE CHIMPANZÉS

Les singes parlent avec les mains

Les singes utilisent, en plus de leurs cris, leur corps et leur visage pour communiquer avec leurs congénères. Lorsqu'il est effrayé, un singe crie en fronçant les sourcils. Au contraire, s'il veut prendre une attitude agressive, il écarquille les yeux et serre les lèvres.

Les naturalistes avaient toujours été assurés que seul l'homme était doué de parole. Mais dans les années 1960, quelques chercheurs résolus se sont mis en tête d'enseigner l'anglais à des chimpanzés et à d'autres espèces de singes.

Ils commencèrent par essayer littéralement de les faire parler. Aucun chimpanzé ne parvint à emmagasiner un vocabulaire de plus de quatre mots. Les singes avaient d'ailleurs toutes les peines du monde à articuler. Leurs cordes vocales, très différentes des nôtres, ne leur permettent pas d'émettre des sons nuancés.

Trixie et Allen Gardner, un couple de chercheurs de l'université du Nevada, décidèrent alors d'employer un langage gestuel. Ils utilisèrent le langage officiel des sourds-muets. Après quatre ans d'efforts acharnés, leur premier chimpanzé, une femelle appelée Washoe, utilisait correctement

Les Gardner ont appris à leurs chimpanzés une centaine de signes traduisant des noms de choses ou d'animaux et des verbes.

Se servant du langage des sourds-muets, Trixie Gardner demande à Washoe :
« Qu'est-ce que c'est ? »
« Sucette », lui répond le chimpanzé.

132 signes pour exprimer ses volontés et ses besoins.

Non seulement Washoe comprenait les mots traduits en signes, allait chercher par exemple la pomme demandée sans se tromper de fruit, mais elle associait aussi des mots, « donner pomme » ou « vite, S V P » pour obtenir ce qu'elle attendait. Se croyant à l'abri des regards indiscrets, elle n'hésitait pas à « parler » toute seule et à ébaucher le signe « tranquille » pour traverser furti-

vement la cour et se rendre aux endroits qui lui étaient interdits. Washoe apprit enfin à jurer en utilisant le signe « sale » pour tout ce qui lui déplaisait.

Les Gardner poursuivirent leurs expériences avec un petit groupe de bébés chimpanzés confrontés constamment à des hommes et à des femmes qui communiquaient par signes entre eux. Les chimpanzés prirent bientôt l'habitude d'échanger des signes et en inventèrent d'autres qu'ils associèrent au vocabulaire appris. C'est ainsi qu'ils décrivaient un cygne en combinant « eau et oiseau ».

D'autres chercheurs ont enseigné aux singes à communiquer au moyen d'objets en plastique disposés sur une planche. Les élèves avaient déjà appris que ces objets traduisaient une chose, une action, une couleur ou un concept. Au dire des « éducateurs », les singes préfèrent utiliser les symboles dans un certain ordre, ce qui tendrait à prouver que les singes pourraient élaborer une grammaire primitive.

Les singes utilisent-ils le langage au sens humain du terme ? Des chercheurs sceptiques font observer que les singes ne font qu'imiter leurs éducateurs et qu'ils ne sont pas capables de faire des phrases de plus de trois mots. Les Gardner, en revanche, sont certains que leurs chimpanzés parlent vraiment avec les mains.

écouter   balle   brosse à dents   oiseau   manger   boire

UNE BONNE RAISON DE CHANTER

La signification des cris et des chants d'oiseaux

Les oiseaux s'expriment par des chants d'une étonnante diversité : la fauvette égrène une mélodie délicate alors que la grue pousse des cris rauques.

Pour communiquer, les oiseaux ne se contentent pas de chanter, mais lancent aussi des appels d'une note ou deux, pas davantage, pour se faire reconnaître ou pour donner l'alarme. Leur chant, en revanche, constitue une séquence structurée de plusieurs notes. Les mâles s'en servent pour courtiser les femelles et revendiquer leur territoire.

Les membres de chaque espèce s'identifient par un chant distinctif ; il s'avère des plus utiles pour les oiseaux en habitat forestier, qui ont du mal à se voir. Le mâle et la femelle de certaines espèces des forêts très denses chantent à l'unisson pour défendre leur territoire contre d'autres couples de congénères. Le duo des psophodes d'Australie est d'une telle perfection que l'oreille humaine croit entendre le chant d'un seul oiseau. Leur cri ressemble au claquement d'un fouet, ce qui leur a valu le surnom d'oiseaux-cochers.

Le mâle cherche à proclamer sa présence aux femelles célibataires et aux rivaux qui risqueraient d'envahir son territoire.

La grive et les oiseaux chantant bien en vue du haut de leur perchoir se livrent une concurrence franche et sans détour pour la conquête d'une femelle.

LE SAVIEZ-VOUS ?

La hyène tachetée, qui trouble la quiétude de la nuit africaine par ses éclats de rire, donne le frisson à ceux qu'elle a tirés de leur sommeil. En réalité, elle se contente, en toute innocence, de garder le contact avec les autres membres de son clan. Elle émet toutes sortes d'appels d'une voix variant légèrement d'un animal à l'autre et peut ainsi identifier, grâce à son appel, chaque membre de son clan. Son cri, qui ressemble tellement à un rire humain, serait en fait un signe d'excitation.

LE RONRON DU CHAT

Nos compagnons les chats sont de grands bavards. Pour s'exprimer, ils possèdent toute une gamme de miaulements, dont ils modulent la tonalité et l'intensité : miaulements nocturnes d'appel amoureux, cris de colère, brefs miaulements d'impatience, etc. Mais le plus étonnant est sans doute le ronron du chat, car personne ne sait vraiment comment se produit ce bourdonnement. Ses cordes vocales lui permettent de miauler ou de feuler, mais ce ne sont pas elles que le chat utilise pour exprimer son contentement.

Néanmoins, on sait que les cordes vocales du chat se doublent de deux plissements vestibulaires, ou fausses cordes vocales. Ce seraient celles-ci qui, au dire de certains experts, se mettraient à vibrer au rythme de la respiration de l'animal. On sent effectivement vibrer la gorge du chat qui ronronne.

D'autres spécialistes proposent une explication différente. Le bien-être ressenti par l'animal se traduirait par un accroissement des turbulences sanguines, qui se feraient plus sensibles au passage du flux sanguin dans une très grosse veine de la poitrine. Sous les contractions musculaires, les vibrations émises seraient amplifiées par le diaphragme, puis remonteraient par la trachée et résonneraient dans les sinus du chat. Pour les chatons nouveau-nés, à l'ouïe peu développée, la perception des vibrations du corps maternel a certainement plus d'importance que le bourdonnement du ronron.

Le chat domestique n'est pas seul à ronronner ; de nombreux petits félidés sauvages – lynx et ocelots – expriment leur bien-être de la même façon. En revanche, les lions, les tigres et les autres grands félins en sont incapables.

Le plus doué est le premier à se trouver une compagne. Mais les espèces qui chantent sous les frondaisons bénéficient d'autres avantages. Il semblerait en effet que l'étendue du territoire du mâle soit proportionnelle à la richesse de son répertoire. Les rivaux, induits en erreur par la diversité du chant, croient avoir affaire non pas à un seul mais à plusieurs oiseaux.

Couples et membres de la même volée se lancent de brefs appels d'une seule note pour signaler l'approche d'un oiseau prédateur ou d'un autre danger, ou tout simplement pour garder le contact en vol.

Les petits oiseaux d'espèces différentes qui se nourrissent ensemble lancent souvent le même cri d'alarme, qui sera compris de tous. Dans nos régions, moineaux, merles, mésanges et pinsons s'avertissent mutuellement du danger qui les menace par deux cris bien distincts : l'un annonce l'approche d'une menace aérienne (épervier ou faucon) ; l'autre une menace terrestre (chat ou chasseur de même acabit).

De bruyants voisins

Les membres des espèces qui nichent en communauté doivent reconnaître la « voix » de chaque individu dans la cacophonie des pépiements. Avant de rejoindre son nid et pour éviter de se voir chassé comme un vulgaire intrus, le fou (grand oiseau marin blanc) se signale à son compagnon resté au nid.

La nécessité d'une carte de visite sonore se fait encore plus impérieuse pour le manchot empereur mâle qui, en sortant de l'eau, doit retrouver sa femelle perdue dans la foule de ses congénères. Celle-ci lui confie l'œuf qu'elle vient de pondre. C'est lui qui le couvera, dans un repli de peau situé sous l'abdomen.

Le mâle de la grande rousserolle effarvatte, espèce que l'on trouve en France en été, tient ses rivaux à distance avec des notes brèves et sèches. Il charme la femelle avec un arrangement plus mélodieux.

LE VENTRILOQUE DES HERBES

Le grillon concertiste trompe son monde

Grillons et sauterelles manquent rarement l'occasion d'offrir un concert interminable au randonneur estival. Durant la journée, c'est la sauterelle qui s'en donne à cœur joie, avant de céder la place, à la tombée de la nuit, au grillon. Mais celui-ci dupe ses auditeurs en jouant au ventriloque dès qu'il perçoit l'approche d'un danger. Il possède en effet la capacité de modifier le timbre de ses stridulations, qui nous paraissent provenir d'un tout autre endroit que celui où il se trouve.

Seuls les grillons mâles sont dotés d'organes stridulants. Ils les utilisent lorsqu'ils rivalisent entre eux ou tentent de gagner les faveurs des femelles. Chez les sauterelles, en revanche, les femelles de nombreuses espèces répondent à l'appel des mâles.

Les petits musiciens pratiquent deux méthodes, consistant l'une et l'autre à frotter ensemble certaines parties de leur corps. La sauterelle révicorne, à antennes courtes, se contente de racler les veines de ses ailes antérieures, ou élytres, contre la rangée de « pincettes » qui frange l'intérieur de ses pattes arrière. Une technique rudimentaire dont se sert aussi son cousin le criquet migrateur.

Le grillon dispose d'une rangée de dentelures, qui court sur chacune de ses élytres et dont il se sert comme d'un archet en faisant glisser une aile sur le tranchant de l'autre. Ces frottements produisent des vibrations de haute fréquence et un son d'une grande pureté.

Le grillon dispose aussi d'un amplificateur fourni par la partie lisse de ses ailes membranées qu'il redresse pour striduler, l'espace entre le corps et les « instruments » constituant la caisse de résonance. L'insecte nous dupe sur son emplacement en modifiant tout simplement la position de ses ailes, et par là même le volume de sa caisse de résonance.

L'avant des ailes antérieures du grillon constitue le plectre, ou archet, de l'insecte, qui en joue sur la veine dentelée courant sous l'autre aile.

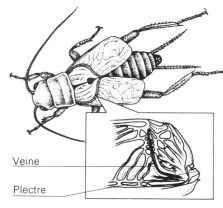

Veine

Plectre

Les membranes des pattes antérieures de cette sauterelle lui servent à entendre.

Membrane auditive

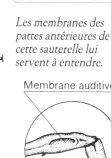

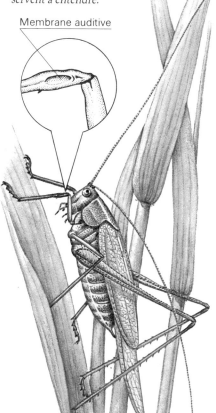

UN BEL ORGANE !

Lorsque nous parlons, nous émettons des sons provenant des vibrations des cordes vocales de notre larynx, sons modifiés ensuite par la position de notre langue et de notre bouche. Situé à la hauteur de la pomme d'Adam, le larynx, qui nous sert de caisse de résonance, est à la jonction de la gorge et de la trachée.

Chez les oiseaux, par contre, la caisse de résonance se loge à l'endroit où la trachée se divise en bronches ouvrant sur les poumons. Cet organe, la syrinx (qui a emprunté son nom à la flûte de Pan), est muni de fines membranes élastiques vibrant au passage de l'air. Les muscles qui modifient la tension de ces membranes règlent par là même la nature et le timbre du chant de l'oiseau. La structure de la syrinx varie énormément d'une espèce à l'autre. Le vautour aura d'Amérique et ses cousins en sont dépourvus : ils ne peuvent émettre que des grognements et des chuintements. Le cygne muet, lui, fait entendre un bruit musical en battant des ailes.

Ce sont les oiseaux chanteurs qui possèdent la syrinx la plus complexe, puisqu'elle compte jusqu'à six paires de muscles minuscules. En général, plus un oiseau est petit, plus sa voix est aiguë et perçante. En France, ce sont le roitelet triple-bandeau et le roitelet huppé qui détiennent le record. À l'opposé, le chant du butor est l'un des plus graves que l'on connaisse chez les oiseaux de notre pays.

AU-DELÀ DE LA PERCEPTION HUMAINE

Les organes sensoriels des animaux sont très différents des nôtres

Par une belle journée d'été, une abeille s'approche d'une fleur apparemment toute jaune. Pour se poser, elle emprunte les pistes d'atterrissage balisées, marques éclatantes sur les pétales. Un peu plus loin, une couleuvre vise une musaraigne ou quelque autre petit mammifère caché dans la végétation. Dans une maison du voisinage, une portée de souriceaux appellent leur mère, qui les a délaissés quelques instants. Les petits ont froid et traduisent leur détresse par une cacophonie d'ultrasons, qui échappent à l'oreille humaine mais font revenir la mère précipitamment. Le poisson rouge, qui tourne dans son bocal, voit le faisceau lumineux de la télécommande pointé sur le poste de télévision. Dehors, une phalène s'arrête en plein vol et se laisse tomber comme une pierre pour éviter une chauve-souris.

L'homme n'est pas équipé pour capter les stimulis qui ont déclenché toutes ces réactions. Nombre d'insectes voient les ultraviolets, invisibles à nos yeux. L'abeille, par exemple, se guide jusqu'au nectar de la fleur grâce à des ultraviolets émis par la plante. Certains poissons créent même des champs électriques qui les aident à repérer les obstacles. De son côté, le serpent à sonnettes capte les radiations infrarouges, qui signalent la chaleur dégagée par sa proie. Ce reptile fait partie des trigoncéphales, caractérisés par un organe sensoriel supplémentaire, situé entre les yeux et les narines, qui repère l'émission de chaleur de leurs futures victimes.

Le sens qui joue le rôle le plus important dans la vie de l'animal est généralement le plus perfectionné ; ainsi la plupart des oiseaux trouvent leur nourriture grâce à leur vue excellente. En revanche, leur goût et leur odorat sont très peu développés : un pigeon a seulement 50 à 60 cellules gustatives sur la langue alors qu'un lapin en possède 17 000.

La souris et la phalène perçoivent les ultrasons et peuvent ainsi échapper à la chauve-souris qui, elle, repère ses proies à l'écho de ses propres couinements. C'est aussi le cas du chien dressé au sifflet. L'éléphant se situe à l'autre extrémité du registre sonore, puisqu'il entend et émet des infrasons, que l'oreille humaine n'est pas capable de saisir, et s'en sert pour communiquer avec les siens. Les organes sensoriels extrêmement développés de certains animaux leur révèlent le monde sous un aspect qui nous est étranger.

HISTOIRES D'YEUX

De quelques cellules à des milliers de cristallins

La saltique saute avec précision sur l'insecte convoité. La libellule se retourne en plein vol pour gober son moucheron. L'aigle repère sa proie à haute altitude. Ces trois animaux, très différents les uns des autres, jouissent d'une vue excellente. Leurs yeux sont adaptés à leurs conditions de vie (mode de déplacement, reconnaissance du milieu, quête de la nourriture).

Ce sont les êtres unicellulaires qui détiennent le record de la vue la plus sommaire. Parmi ces créatures, quelques-unes sont tout juste dotées d'un « trou » qui leur permet d'évaluer la direction de la lumière.

Certaines espèces de vers peuvent voir des images, car leurs yeux – simples orbites dépourvues de cristallin – sont doublés de pigments sensibles à la lumière.

Les insectes ont une vision du monde plus complexe. Ceux dont les yeux sont simples ne possèdent qu'une vision limitée souvent à l'évaluation de la lumière, mais, en revanche, ceux qui ont des yeux composés voient des images. Les yeux composés sont constitués de facettes (encore appelées ommatidies) hexagonales munies chacune d'un cristallin, dont les cellules, placées à l'arrière, focalisent la lumière. Avec ses 30 000 cristallins, la libellule doit obtenir une image similaire à celle d'une photo floue.

Le crabe a, lui aussi, des yeux composés qui sont également pédonculés, c'est-à-dire reliés au corps de l'animal par une petite tige ; ils se rétractent à l'approche d'un danger. L'araignée, quant à elle, possède jusqu'à huit yeux aux pouvoirs de résolution variés.

De ses deux yeux principaux, dotés chacun d'un cristallin unique, la saltique a une vision du monde qui s'apparente à la nôtre, qui est cependant six fois plus précise. Nombre d'oiseaux, en revanche, ont une vue bien plus perçante que la nôtre, à commencer par les rapaces. Leur capacité à distinguer des objets dans le lointain serait deux, voire trois fois supérieure à la nôtre.

LE SAVIEZ-VOUS ?

Quelques oiseaux nocturnes se déplacent dans l'obscurité en se repérant à l'écho de leurs cris, renvoyé par les obstacles, mais leur équipement est loin de rivaliser avec celui de la chauve-souris, émettrice d'ultrasons. Oiseau d'Amérique latine, le guacharo produit des cliquetis à basse fréquence, perçus par l'homme mais qui ne sont pas renvoyés par les petits objets. Il vit et niche dans des cavernes et se repère dans son habitat obscur grâce à l'écho. Il se nourrit de fruits, qu'il va cueillir la nuit en se fiant en revanche à sa vue et à son odorat.

LA VISION DES COULEURS EST VITALE POUR LES OISEAUX

L'hiver venu, les oiseaux parviennent difficilement à se nourrir dans les campagnes froides et silencieuses. Les gelées recouvrent et durcissent le sol, empêchant les grives mauvis d'atteindre leurs proies. À l'automne, en revanche, elles n'ont aucun mal à trouver de la nourriture. Elles patrouillent le long des haies et repèrent infailliblement dans le fouillis de végétation les baies d'aubépine.

Les animaux les plus sensibles aux couleurs sont les oiseaux. Leurs yeux, tout comme les nôtres, comportent des pigments sensibles à la lumière qui réagissent chacun à une gamme de couleurs légèrement différente. Après avoir analysé la réaction de chaque pigment et marié les informations reçues, le cerveau traduit alors en couleurs l'objet regardé. Les oiseaux, dont les yeux comptent cinq pigments – nous n'en avons que trois –, distinguent de subtiles différences qui nous échappent complètement. Leur « sens des couleurs » les aide à trouver et à identifier leur nourriture, mais aussi, chez certaines espèces comme celle des paradisiers, à accorder une attention toute particulière au chatoiement des parades nuptiales de leurs congénères.

Chasseurs nocturnes

Tous les animaux ne voient pas le monde en Technicolor, loin de là. Certains, comme les oiseaux nocturnes, n'en ont d'ailleurs pas besoin, pas plus que les chats, qui, de toute façon, préfèrent chasser de nuit. S'ils ont du mal à distinguer les couleurs, ces félins savent tirer le meilleur parti d'un faible éclairage pour repérer le plus infime mouvement.

Les chats ont de grands yeux dotés d'un nombre substantiel de bâtonnets rétiniens, éléments des cellules visuelles qui jouent un rôle important dans la vision nocturne ; ils peuvent aussi dilater leurs pupilles pour y laisser pénétrer le maximum de lumière.

Les yeux des chats présentent, en outre, une autre caractéristique très importante pour voir de nuit : le tapis. C'est une couche de cellules qui réfléchit la lumière ayant pénétré dans l'œil.

Par exemple, les bâtonnets n'absorbent pas l'intégralité de la lumière des phares braqués sur les yeux d'un chat. Une partie est réfléchie par la zone rétinienne du tapis, et c'est elle qui fait briller ses yeux la nuit.

Mais même le chat ne peut chasser dans le noir absolu. Néanmoins, cet animal peut aussi compter sur son ouïe, son odorat et une belle paire de moustaches hypersensibles.

FAUSSE PISTE

Les produits chimiques perturbent les insectes nuisibles

La mite mâle se sert de ses antennes pour capter l'odeur d'une femelle. Guidé par les effluves de cette dernière, le mâle vole jusqu'à leur source pour tenter d'obtenir les faveurs de sa belle. Mais un environnement saturé d'odeurs innombrables provenant de toutes parts plongera le mâle dans la confusion la plus totale.

Chez nombre d'insectes, mâles et femelles doivent ainsi émettre des phéromones pour s'accoupler. La femelle libère une dose infime de ces substances, mais suffisante pour susciter l'intérêt du mâle, qui en identifiera l'odeur.

Les scientifiques, à qui l'on doit les phéromones de synthèse, ont aujourd'hui trouvé le moyen de bouleverser le cours de la nature.

En voici un exemple ! Les plantations de coton sont ravagées par des charançons appelés anthonomes, qui ne sont autres que les larves du papillon gris-brun à ailes frangées. Le printemps venu, les papillons adultes sortent de leur cocon et les mâles s'accouplent aux femelles, qui les ont attirés avec des phéromones. Puis les femelles pondent leurs œufs dans les boutons et dans les capsules des cotonniers. Dès l'éclosion, les charançons ravagent les plantations en rongeant les capsules des plants.

Au lieu de se débarrasser des charançons à coups d'insecticide, des cultivateurs américains ont adopté une autre tactique : celle d'empêcher l'accouplement des papillons. Juste avant que les adultes ne sortent de leur cocon hivernal, les cultivateurs parsèment leurs plantations de fibres de plastique imprégnées de phéromones artificielles.

Quêtes stériles

La propagation des émanations de phéromones désoriente les mâles, désormais incapables de trouver des femelles dans cette profusion de stimulants sexuels. Les cultivateurs ont gagné la bataille en débarrassant leurs plantations de coton d'une nouvelle génération d'anthonomes.

LE SAVIEZ-VOUS ?

Le paon de nuit mâle et quelques autres papillons, représentants de la famille des saturnidés, auraient l'odorat le plus subtil du monde animal. Ils s'en servent exclusivement pour repérer les phéromones des femelles, qu'ils sont capables de détecter jusqu'à 500 m de distance. Les grandes antennes plumeuses qui surmontent la tête des mâles comportent chacune près de 40 000 cellules réceptrices sensibles aux émanations sexuelles.

MÉTHODE DE CHASSE MILLÉNAIRE

Testée et vérifiée : l'efficacité des organes sensoriels du crocodile

Le crocodile met tous ses sens à contribution pour repérer ses proies. Il jouit d'un bon sens de l'odorat sur terre ferme et sa vue est excellente. De plus, ses yeux, à fleur de tête, lui permettent de voir tout en se dissimulant dans l'eau. Nombre d'espèces chassent au crépuscule ou la nuit. Leurs pupilles, qui brillent comme celles des chats, s'élargissent pour absorber davantage de lumière.

En revanche, la vue du crocodile s'adapte mal aux séjours sous l'eau. Comme il devient presbyte en immersion complète, il se guiderait au son pour détecter sa proie. Le crocodile est parmi les reptiles celui qui a les oreilles les plus perfectionnées. Elles sont dotées de rabats externes qui se ferment pour les protéger de l'eau.

Le crocodile n'a guère évolué depuis 200 millions d'années et chasse toujours de la même façon, guidé par des sens qui ont eu le temps de faire leurs preuves. Il est vrai que son environnement regorge de proies : oiseaux et mammifères vont toujours s'abreuver dans des rivières, qui sont par ailleurs poissonneuses à souhait.

ÉQUIPEMENT STÉRÉO

La panoplie du hibou, promu meilleur chasseur nocturne

Un chat-huant quitte son perchoir pour fondre sur sa proie. Les plumes qui entourent ses yeux et canalisent les sons vers les oreilles lui ont permis de localiser sa future victime.

L es ronds de plumes qui encerclent les yeux du hibou ne l'aident pas, contrairement à ce qu'on pourrait croire, à mieux voir, mais à mieux entendre. Ces cercles ou disques faciaux sont constitués de plumes étroitement serrées les unes contre les autres. Leur fonction consiste à conduire les sons à haute fréquence – le couinement d'une petite souris, par exemple – jusqu'aux oreilles du hibou, situées en retrait des disques faciaux. À peu de chose près, ces rangées de plumes jouent le rôle de pavillons, tout comme les oreilles externes des lapins, des chats et d'autres mammifères.

Les énormes yeux du hibou s'avèrent particulièrement efficaces dans ses chasses nocturnes. Mais, bien que sa vision soit excellente, elle se révèle insuffisante pour percer les zones d'obscurité totale qui s'étendent sous les arbres. C'est son ouïe, d'une finesse extraordinaire, qui l'aide alors à se guider.

Le hibou localise le lieu d'émission d'un son de la même manière que l'homme : le son qui vient de la droite arrive d'abord dans l'oreille droite, puis dans la gauche. Le cerveau analyse cette subtile différence de temps d'arrivée, et reconstitue le parcours du son.

Enfin, le hibou est doté d'un plumage lisse et soyeux qui lui permet de fondre silencieusement sur sa proie. La petite souris qui détale dans le sous-bois n'a guère de chance de lui échapper.

LE SAVIEZ-VOUS ?

Comme la plupart des animaux des régions arides, le rat-kangourou du désert, qui vit en Amérique du Nord, a une ouïe très développée. Ses énormes tympans lui permettent même de capter les bruissements de l'air déplacé par le piqué d'un hibou.

PHARES INCORPORÉS

Les poissons des grands fonds allument leurs feux pour attirer leurs proies

A u fond des océans, à 3 000 m de profondeur, la température ne dépasse guère 0 °C et la pression y est si forte qu'elle réduirait en bouillie le corps d'un être humain. La vie s'y manifeste pourtant, sous la forme de poissons aux allures grotesques, possédant d'énormes mâchoires armées de dents d'une dimension impressionnante, qui chassent dans la nuit perpétuelle des grands fonds des créatures souvent aussi grosses qu'eux.

Parmi ces poissons, certains nous sont familiers comme la baudroie (ou lotte), dont l'une des caractéristiques est le filament pêcheur dorsal, qui se balance juste au-dessus de ses mâchoires béantes. Ce long filament est appelé illicium, et son extrémité, le leurre.

Coûteux éclairage

Comme les rayons du soleil ne pénètrent jamais au-delà de 1 000 m de profondeur, le leurre n'est efficace que sous un éclairage, obtenu grâce aux bactéries lumineuses que la baudroie loge et nourrit en échange de leurs services. Il s'agit en fait d'enzymes chimiques luminescentes (ou luciférines, nom dérivé de Lucifer, ou portelumière). Le leurre scintille donc dans l'obscurité et attire les poissons. Quand l'un d'eux s'approche, la baudroie n'a plus qu'à ouvrir les mâchoires pour engloutir sa victime.

Ces mystérieux organes, dont la lumière perce la nuit des grands fonds, peuvent se trouver sur diverses parties du corps des poissons, selon les espèces. *Linophryne arborifer* possède deux organes lumineux. Le premier, le leurre, émet une lumière vert-jaune ou bleuâtre en une succession d'éclairs. Le second se trouve sur les barbillons mobiles situés sous le menton du poisson. La lumière est fabriquée de façon chimique par de minuscules lentilles. Tout comme le filament pêcheur, elle attire les proies crédules et les condamne sans rémission.

Ce poisson lumineux a un atout supplémentaire : l'ossature mobile de ses mâchoires monumentales lui permet d'avaler d'énormes proies.

PAR L'ODEUR ALLÉCHÉ

Le requin a les moyens de compenser sa myopie

Harpon en main, un adepte de la chasse sous-marine nage dans les eaux transparentes de la mer des Caraïbes et avise un gros poisson-papillon surgi d'un récif corallien. Le chasseur vise, lance son harpon et en transperce l'animal dont le sang se met à couler. Alors qu'il tente de ramener le poisson, un requin des récifs, brusquement apparu sur les lieux, arrache ce dernier du harpon, déchire sa proie, l'avale et disparaît. Mais le nuage de sang a attiré d'autres requins, qui tournent sur les lieux du carnage. Le chasseur terrorisé a, quant à lui, rejoint son bateau à grands coups de palmes, soulagé d'avoir échappé au sort du poisson-papillon.

Si tous les requins n'ont pas d'aussi déplorables manières que leur congénère des récifs, ils disposent tous, en revanche, d'une véritable panoplie de sens pour repérer leur nourriture. Ceux qui chassent en plein océan sont dotés d'une excellente vue, qui fait défaut aux prédateurs croisant dans les eaux troubles des hauts-fonds. Mais tous les requins ont l'ouïe très développée qui leur permet d'entendre les battements cardiaques d'un autre poisson. L'ouïe du requin se double d'organes latéraux, véritables récepteurs qui courent sur ses flancs et captent les vibrations provoquées par le déplacement d'autres créatures sous-marines.

Analyses sanguines

Si les requins sont dotés d'une ouïe très fine, c'est pourtant leur odorat qui est le plus développé. L'examen anatomique de leur cerveau révèle en effet un lobe olfactif qui occupe deux fois plus de place que le reste. Rien d'étonnant donc si les requins détectent les plus infimes traces de sang. Certaines expériences ont révélé qu'un requin était capable de percevoir du sang à raison de 1 ml délayé dans 1 000 l d'eau. Les espèces de poissons se déplaçant en bancs sont particulièrement vulnérables aux attaques des requins. Un poisson blessé avertit ses congénères du danger qui les menace en dégageant une substance chimique spécifique. Il s'agit d'une arme à double tranchant, car bien des requins identifient ce signal et s'en servent pour repérer le blessé. Mais en donnant l'alarme, ce dernier, qui sera pour les requins une proie idéale, aura probablement sauvé les autres poissons du banc.

Les requins sont encore pourvus d'une autre faculté qui les rend sensibles aux courants électriques les plus ténus ainsi qu'aux champs magnétiques. Les squales sont en effet équipés de cellules réceptrices logées à fleur de tête qui réagissent même aux champs très faibles créés par les mouvements musculaires d'un poisson. Ce « sixième sens » des requins les aide à naviguer mais aussi à localiser leurs proies.

Sensible à l'électricité produite par le déplacement d'un poisson, le requin compte aussi sur son oreille particulièrement exercée et sur son odorat extrêmement fin pour repérer sa proie.

LE SAVIEZ-VOUS ?

L'araignée ressent les vibrations de l'air grâce aux petits poils qui lui couvrent les pattes. D'autres organes sensibles aux vibrations se logent dans de minuscules fentes réparties sur tout le corps de certaines espèces. Les tisseuses de toiles sont alertées d'une capture par les poils des articulations de leurs pattes.

Grâce à des narines logées à l'extrémité du bec, le kiwi, oiseau de Nouvelle-Zélande, est pourvu d'un odorat exceptionnellement développé, dont il se sert pour creuser des trous dans le sol, puis pour flairer les vers de terre.

Naissances Prématurées

Tous les marsupiaux n'ont pas de poche !

Les premiers explorateurs qui s'aventurèrent en Amérique et en Australie y découvrirent de curieux mammifères, dont les femelles abritaient et allaitaient leurs petits dans une poche ventrale. Cette particularité incita les zoologues du XIIᵉ siècle à classer ces mammifères sous le nom de marsupiaux, dérivé du mot latin *marsupium*, bourse.

Il subsiste à ce jour 270 espèces de marsupiaux, dont les deux tiers se trouvent en Australasie ; les autres se répartissent en Amérique latine, à l'exception de deux espèces natives d'Amérique du Nord. On le sait aujourd'hui : les femelles de plusieurs espèces sont dépourvues de la poche profonde, ouvrant à l'extérieur, qui caractérise le kangourou. Seules les espèces sauteuses et grimpeuses en sont munies. Chez le bandicoot, le wombat et autres marsupiaux vivant dans des terriers, l'ouverture de cette poche abdominale est inversée pour lui éviter les souillures de la terre. La poche s'ouvre donc vers l'arrière. La souris marsupiale doit se contenter de deux étroits rabats de peau. Quant au myrmécobie, qui se nourrit de termites, il est totalement dépourvu de poche.

Ce n'est pas la poche qui définit un marsupial, mais l'immaturité de ses petits à la naissance. Chez les mammifères, le fœtus a tout le temps de se former et de se développer dans la matrice, car le placenta permet les échanges entre le petit et la mère, dont le sang véhicule les éléments nutritifs indispensables à la croissance du futur nouveau-né.

Comme les marsupiaux sont dépourvus de placenta, leurs petits passent très peu de temps dans l'utérus. Les nouveau-nés ne sont que des fœtus munis de membres rudimentaires, à la peau nue, aux oreilles et aux yeux fermés. Une femelle kangourou d'une trentaine de kilos met bas un petit de 1 cm, et une douzaine d'opossums nouveau-nés tiendraient dans une petite cuiller.

N'allez pas croire que le marsupial nouveau-né soit totalement réduit à l'impuissance ! Ses pattes antérieures sont assez développées pour l'aider à s'extirper du vagin de sa mère, s'agripper à son pelage, puis grimper jusqu'à la tétine de la poche et s'y accrocher. Celle-ci gonfle jusqu'à remplir la bouche du nouveau-né pour l'empêcher de retomber. Très faible dans les premiers temps, le petit n'a pas besoin de téter. Le lait sort naturellement de la mamelle de sa mère. Après avoir ainsi passé les premières semaines de son existence – plusieurs mois chez les grandes espèces –, le petit a suffisamment grandi pour s'aventurer à l'extérieur. Mais le jeune kangourou retrouve la poche maternelle pour se nourrir et y dormir. Quant au jeune opossum, devenu trop gros pour la poche de sa mère, il n'hésite pas à lui sauter sur le dos pour se mettre en sécurité.

Le rejeton de ce grand kangourou gris quitte la poche maternelle pour la première fois à l'âge de dix mois, mais il y retourne durant les six mois suivants pour téter, dormir et s'abriter du danger.

APPÉTIT INSATIABLE
La souris à miel a besoin de fleurs tous les jours

Bruyères et buissons du Sud-Ouest australien abritent la souris à miel, le plus petit et le plus étrange des marsupiaux. En dépit de son nom, cet animal, qui ressemble à une musaraigne, ne dévalise pas les ruches et ne se nourrit même pas de miel. En revanche, il s'affaire comme une abeille autour des fleurs dont il aspire, grâce à son museau tubulaire, les grains de pollen, le sirop de nectar et les insectes qui s'y trouvent englués. Puis, de sa grande langue munie d'une sorte de brosse à son extrémité, il nettoie la fleur des derniers résidus de nectar et de pollen dissimulés dans le froncement des pétales.

La souris à miel ne mesure qu'une quinzaine de centimètres et son poids est inférieur à 15 g. Sa queue – plus longue que son corps – enroulée aux branchages, cet animal s'alimente souvent tête en bas afin de mieux fouiller le cœur même de la fleur. Les origines de ce marsupial si différent des autres ont toujours intrigué les naturalistes. On sait que, pour se nourrir tout au long de l'année, la souris à miel ne peut subsister que dans un environnement spécifique composé de taillis et de buissons en perpétuelle floraison.

Aujourd'hui, cet habitat se fait rare en Australie, ce qui était loin d'être le cas dans le climat très différent qui y régnait il y a 20 millions d'années. Était-ce l'époque où les ancêtres de la souris à miel se sont mis à suivre une évolution différente de celle des autres marsupiaux ? Cette question reste sans réponse, car les plus anciens fossiles de souris à miel ne remontent qu'à 35 000 ans. Jusqu'ici, on n'a retrouvé aucune trace antérieure de cet animal.

Certains experts ne cachent pas leur pessimisme. À leur avis, si l'on ne met pas un terme à l'extension de l'agriculture dans le territoire australien, cette espèce, déjà rare, figurera bientôt sur la liste des nombreux animaux en voie de disparition.

ILS RETROUVENT LEURS RACINES DANS LES ARBRES

L'étude des fossiles révèle que le kangourou descend d'animaux arboricoles semblables aux opossums d'aujourd'hui, et qui ont mis des millions d'années à descendre de leurs arbres pour s'installer sur le sol. La fine queue préhensile de ses ancêtres est devenue un membre énorme et musculeux qui sert de balancier à l'animal sauteur. En revanche, un petit groupe de kangourous a remonté le cours du temps et s'est réinstallé dans les arbres.

Marche !

Les marsupiaux comptent sept espèces de kangourous arboricoles, qui vivent dans les forêts de Nouvelle-Guinée et du Queensland septentrional. Le dendrolague de Lumholtz en est un exemple typique. De la taille d'un labrador, cet animal brun rougeâtre se distingue par une longue queue touffue. Dans les arbres, il donne l'impression de marcher en avançant indépendamment chacune de ses pattes, faculté dont sont dépourvus les autres kangourous. Il a des pattes arrière plus courtes et des pattes avant plus longues que ses cousins cantonnés au sol. Par ailleurs, les extrémités de ses membres postérieurs, munies de coussinets antidérapants, et ses pattes antérieures, armées de griffes, favorisent ses déplacements dans les arbres.

Festin nocturne

Le dendrolague dort le jour au sommet d'un arbre. La nuit, il va se nourrir de feuillage et de fruits, se risquant à descendre pour aller s'abreuver ou changer de domicile. Au sol, sous le coup d'une frayeur, il détale comme un écureuil en direction de l'arbre le plus proche. Et si un serpent le dérange alors qu'il est perché sur une branche, il peut sauter d'une hauteur de 15 m pour déguerpir ensuite dans les taillis.

Aucune espèce de ces kangourous arboricoles à l'évolution rétrograde n'est munie de la petite queue préhensile qui caractérisait ses lointains ancêtres, si semblables aux opossums actuels. La queue des kangourous arboricoles, plus fine que celle des autres kangourous, est quand même très puissante. Elle leur sert de balancier sur les branches et de gouvernail lorsqu'ils sautent d'un arbre à l'autre.

DES ANIMAUX ADAPTÉS AUX CIRCONSTANCES
Les marsupiaux d'Amérique

Les cinquante dernières années ont vu l'opossum commun de Virginie se répandre jusqu'en Nouvelle-Angleterre et même rallier le nord de la région des Grands Lacs. Une autre population, introduite en Californie dans les années 1930, a progressé sur la côte ouest et a atteint le Canada. La civilisation industrielle explique en partie la propagation de l'opossum de Virginie qui, la nuit venue, déserte son habitat forestier pour aller fouiller les poubelles et les décharges publiques des grandes banlieues.

Le Nouveau Monde compte plus de 70 espèces d'opossums. Parmi les nombreuses espèces qui peuplent les forêts d'Amazonie, certaines sont carnivores, d'autres exclusivement végétariennes, mais la plupart sont omnivores.

Certaines espèces ne vivent pas en habitat forestier, comme le yapok, qui peuple l'Amérique du Mexique à l'Argentine. Doté de pattes arrière palmées, le yapok est un excellent nageur qui n'hésite pas à plonger pour attraper poissons, grenouilles, coquillages et insectes aquatiques. La poche de la femelle est étanche : un muscle en contrôle l'ouverture et, sous l'eau, elle se referme et se colle à la peau huileuse et poilue de l'animal.

Le monito del monte, *Dromiciops australis*, dit faux opossum austral, vit dans la fraîcheur des forêts montagneuses et des bosquets de bambous du sud-est du Chili. Il se nourrit surtout de feuilles de bambou. Contrairement à l'opossum de Virginie, qui porte ses petits sur le dos dès qu'ils ont grandi, la femelle monito va déposer les siens dans un nid-crèche de mousse recouvert d'une litière de feuilles de bambou. Cette particularité a valu au monito del monte d'être classé dans la catégorie des « opossums de garderie ».

Comparés aux grandes espèces de marsupiaux, les opossums sont des géniteurs prodigues. La femelle de l'opossum de Virginie donne naissance à des portées d'une cinquantaine de petits. Mais comme elle n'a que 13 mamelles, beaucoup meurent de faim, dès les premiers jours.

NÉCESSITÉ FAIT LOI

Des animaux d'espèces différentes suivent une même évolution,
dictée par un mode de vie identique

Il y a deux ou trois millions d'années, le nord et le sud de l'Amérique n'étaient pas encore reliés par l'isthme de Panamá. Et pourtant, les deux continents comptaient, parmi leur faune, de grands mammifères aux allures de panthère qui, bien que n'ayant aucun ancêtre commun, se ressemblaient beaucoup. Le smilodon, qui peuplait le Nord, était un mammifère placentaire plus proche de nous – par son mode de reproduction – que du thylacosmilus, son équivalent marsupial d'Amérique latine.

Cette coïncidence historique constitue un exemple frappant de « convergence ». En d'autres termes, l'évolution par sélection naturelle de certaines espèces très différentes au départ, mais vivant dans des habitats similaires, s'est finalement traduite par la ressemblance de ces espèces.

De nombreux exemples illustrent ce phénomène d'évolution convergente entre marsupiaux et mammifères placentaires. C'est ainsi que les forêts d'Asie et d'Amérique abritent des écureuils volants, tandis que celles de l'Est australien sont peuplées de petits opossums qui planent d'arbre en arbre en étirant leurs membranes. Quant aux marsupiaux d'Australie appelés numbats ou myrmécobies, ils se gavent de termites qu'ils attrapent avec leur longue langue gluante tout comme les fourmiliers des régions tropicales de l'Amérique. En Asie, en Europe, en Afrique et en Amérique, de petits car-

La taupe marsupiale d'Australie (ci-dessus) et la taupe européenne (à droite), qui n'ont aucun lien de parenté, ont suivi la même évolution pour s'alimenter sous terre.

nivores – belettes et chats sauvages – se nourrissent de rats, de souris et autres petites proies. Les chats marsupiaux existent aussi. Également appelé chat-tigre, le quoll hante les régions boisées du Sud et de l'Est australiens, où il chasse de nuit.

Ce sont surtout les taupes d'Afrique et d'Eurasie – comme la taupe européenne – et les taupes marsupiales du Sud-Ouest australien qui présentent les convergences les plus extraordinaires. Pratiquement aveugles et dépourvus de lobes auriculaires, ces deux groupes ont aussi les mêmes narines fendues, le corps trapu et des ongles aux pattes avant dont ils se servent pour pelleter la terre. Par contre, la taupe européenne est noire ou brun foncé comme le sol fertile des prairies, tandis que la taupe marsupiale se fond dans le désert et la brousse avec son pelage jaune pâle ou doré.

Contrairement à la taupe européenne, qui patrouille dans des terriers permanents, la taupe marsupiale s'adapte au terrain mouvant de son habitat en « nageant » sous le sable. Tout en se déplaçant, elle grignote vers et insectes enfouis, remontant occasionnellement à la surface pour respirer et se reposer.

Cette évolution qui tend à rapprocher des animaux différents vivant dans des niches écologiques semblables est parfois freinée par l'anatomie de chacune des espèces. C'est ainsi que la faune australienne comporte des bêtes qui ne ressemblent absolument pas à leurs homologues placentaires du reste du monde. Aucun marsupial n'est pourvu des sabots qui caractérisent le cheval, l'antilope, le cerf et autres grands coursiers herbivores. En revanche, les grands marsupiaux herbivores peuvent se déplacer très habilement en se servant de deux pattes au lieu de quatre pour sauter.

LE SAVIEZ-VOUS ?

La femelle du kangourou roux qui perd son bébé peut donner naissance à un autre sans s'accoupler à nouveau. Tout en ne portant qu'un seul petit dans sa poche, la mère abrite parfois un second ovule fécondé dont le développement se limite à quelques cellules. Le petit, en tétant sa mère, stimule des hormones qui stoppent la croissance de cet ovule. Mais cette stimulation cesse si le bébé meurt. Le second embryon reprend alors son développement et vient prendre place dans la poche maternelle. Ce phénomène peut aussi intervenir lorsque le premier-né a suffisamment grandi pour quitter la poche.

QUELLES SONT LEURS CHANCES ?

Survie ou extinction des espèces : l'homme en est responsable

En moins de quatre cents ans, l'homme a fait disparaître une cinquantaine de mammifères et plus d'une centaine d'oiseaux. Aujourd'hui, 4 500 espèces seraient menacées d'extinction. Parmi elles, 555 mammifères et 1 073 oiseaux, ce qui représente le huitième de la totalité des espèces connues et répertoriées.

La chasse était jadis la principale cause d'extinction. On chassait pour se nourrir, pour se vêtir de peaux et de fourrures, pour s'orner de plumes – mais aussi simplement pour se distraire.

Aujourd'hui, en revanche, c'est surtout la disparition de leur habitat qui risque de provoquer l'extinction des espèces. Un jour viendra où nombre d'animaux ne survivront que dans des jardins zoologiques ou dans des réserves.

Néanmoins, certaines espèces menacées ont été déjà sauvées de l'extinction, à commencer par la fauvette des Seychelles (appelée aussi le merle des îles) qui était devenue l'un des oiseaux les plus rares de la planète à la fin des années 1960. Il n'en subsistait qu'une trentaine de représentants sur les îles Cousin dans l'océan Indien. Des écologistes eurent alors l'idée d'abattre une bonne partie des cocotiers plantés par les colons et qui avaient envahi la brousse, habitat naturel de cette espèce. À la fin des années 1980, grâce à cette mesure, les îles Cousin comptaient une population de plus de 400 oiseaux. Poursuivant leur action, les écologistes introduisirent avec un égal succès la fauvette des Seychelles dans l'île Aride, non loin de là.

L'exemple de ce petit oiseau au plumage brun constitue, hélas ! une exception, car d'autres espèces menacées d'extinction ne bénéficient pas d'une telle dévotion. Il faut aussi se rendre à l'évidence : les écologistes disposent de moyens

Le rhinocéros noir est menacé d'extinction parce que ses cornes réduites en poudre entrent dans la composition de certains médicaments orientaux. Une corne de rhinocéros noir se vend 4 400 dollars le kilo en Corée du Sud.

limités face aux énormes intérêts économiques en jeu, sans commune mesure avec l'abattage de quelques cocotiers. On sait bien que le rhinocéros noir d'Afrique est chassé pour ses cornes, dont on tire des manches de poignard, et qui, réduites en poudre, entrent dans la préparation de médicaments orientaux. La vente à prix d'or de leurs cornes risque de sceller le destin des rhinocéros, dont le nombre a chuté en vingt ans de 65 000 à moins de 3 000. Ils ont déjà complètement disparu dans certaines régions. Les gardes-chasse de Namibie en sont aujourd'hui réduits à amputer les rhinocéros de leurs cornes pour les sauver des contrebandiers.

LE SAVIEZ-VOUS ?

Pas plus grand que la dernière phalange de votre petit doigt, le poisson-chiot du Trou du Diable est le poisson dont l'habitat est le plus restreint : une étroite poche d'eau d'une vingtaine de mètres de long, située dans le désert du Nevada. Le poisson-chiot doit sa survie à une intervention de la Cour suprême des États-Unis, qui mit un terme à des opérations de pompage menaçant d'abaisser le niveau de la nappe phréatique et de dénuder les roches où il se nourrit.

UN IRRÉDUCTIBLE

Peu prolifique de nature, le koala donne naissance qu'à un seul petit tous les deux ans. Il est d'une constitution fragile qui le prédispose aux maladies. Difficile quant à son alimentation, il ne se nourrit que de certaines espèces de feuilles d'eucalyptus et a besoin d'en consommer 1,5 kg par jour. Enfin, l'homme ne cesse d'empiéter sur son habitat. Malgré tous ces handicaps, le koala survit quand même.

Les premiers colons européens arrivés en Australie en 1788 virent très peu de koalas, car les aborigènes les chassaient en grand nombre pour se nourrir. En revanche, les immigrés dédaignèrent la chair de cet animal qui put ainsi se reproduire en toute quiétude sur le littoral oriental.

Le koala n'avait bénéficié que d'un bref sursis, car sa fourrure douce et soyeuse attira bientôt les convoitises.

Au début du siècle, des centaines de milliers de koalas étaient massacrés chaque année. En 1924, deux millions de peaux de koalas étaient expédiées en Europe et en Amérique. C'est à cette époque que fut adopté un programme de préservation de l'espèce.

Désormais protégé, le koala paraissait promis à un avenir sans nuages. Mais la chlamydiose s'en mêla au début des années 1980. Cette maladie transmise par voie sexuelle, qui entraîne la stérilité, se mit à frapper des populations de koalas. La propagation de l'infection inquiéta les scientifiques qui allèrent jusqu'à prédire l'extinction de l'espèce.

Ces craintes étaient sans fondement, car la plupart des koalas sont parvenus à se reproduire en dépit de cette infection. Jeunes et vieux sont capables de surmonter la chlamydiose.

BAIN DE BOUE

La vie dans l'un des habitats les plus hostiles de la Terre

Le lac Natron en Tanzanie septentrionale n'a rien d'un lac ordinaire. Ses eaux s'évaporent si vite sous le brûlant soleil de l'Afrique que les pluies ne suffisent pas à les renouveler. Le Natron est également alimenté par plusieurs affluents, mais ceux-ci contiennent du carbonate de soude. Ce lac n'est en fait qu'un enfer d'eau et de boue brûlantes aussi corrosives que nauséabondes.

Cet environnement hostile ne rebute pas les 500 000 couples de flamants roses qui s'y reproduisent. Leurs nids – monticules de boue durcie par le soleil – se dressent comme autant de minivolcans dans ce paysage lunaire et stérile.

Seuls habitants

Trois millions de flamants – soit la moitié de la population mondiale de ces échassiers – peuplent les rives du Natron et d'autres lacs similaires de la vallée du Rift dans l'Est africain. Les flamants parviennent à s'y nourrir en égouttant les aliments qu'ils tirent de ces ondes amères et saumâtres. Ailleurs, aux Antilles et en Camargue notamment, les flamants partagent leur environnement avec d'autres oiseaux aquatiques. Mais ils sont bien les seuls à être parvenus à s'acclimater à la forte concentration de soude du Natron.

Deux espèces se reproduisent sur les rives de ce lac de Tanzanie : le petit flamant, consommateur d'une variété d'algues qui se développe dans ces eaux amères, et le grand flamant, friand d'artémias – petites crevettes qui se nourrissent également de ces algues. De son bec crochu et recourbé vers le bas, le flamant peut pêcher à la traîne sans s'abreuver. Celui du petit flamant est même hérissé de courts poils qui font office de passoire. Ces deux espèces se servent aussi de leur langue pour pomper et recracher tout liquide indésirable. La toxicité des eaux alcalines les contraint d'ailleurs à aller s'abreuver aux sources d'eau douce des environs.

Le lac Nakuru rassemble les plus grandes populations de flamants roses. Situé dans un environnement moins hostile à 240 km au nord du Natron, ce lac, dont la teneur en soude est par ailleurs beaucoup plus faible, accueille pélicans, marabouts et autres grands oiseaux. C'est aussi sur ses rives que nombre de flamants sacrifient à des rituels compliqués pour trouver l'âme sœur. Puis ils vont s'accoupler et bâtir leur nid dans la solitude du Natron, bien loin du chacal prêt à croquer leurs œufs ou du marabout qui n'hésiterait pas à tuer leurs oisillons d'un coup de bec.

CANARDS HYBRIDES

Le colvert menace d'éclipser son terne cousin

Quelque part dans la région des Grands Lacs d'Amérique du Nord, un canard mâle au chatoyant plumage ondule du col et parade devant une cane. Les deux oiseaux finissent par se rejoindre pour aller barboter et se nourrir un peu plus loin. On est au début de l'hiver ; on peut parier que ce couple élèvera une belle nichée au printemps prochain.

La situation n'a rien d'anormal, si ce n'est que ces oiseaux sont d'espèces différentes : le mâle est un colvert et la femelle une cane noire d'Amérique.

Colverts et canards noirs sont de taille identique. En revanche, la somptueuse apparence du colvert fait défaut au canard noir mâle, qui doit lui envier son col vert, son dos rouille et son poitrail blanc. Les femelles présentent moins de différences : la robe de la cane noire ressemble à celle de la femelle colvert, mais en plus foncé.

Rien d'étonnant donc si le nombre de colverts a considérablement augmenté au cours de ces dernières années dans l'est des États-Unis, habitat traditionnel du canard noir. Mais l'hybridation de ces deux espèces se traduit par la diminution des canards noirs. En revanche et contrairement à la plupart des hybrides, les canetons issus de ces accouplements ne sont pas frappés de stérilité. Ils s'intègrent facilement aux colverts pur sang.

C'est à l'isolement de son habitat humide et boisé que le canard noir doit une évolution distincte de celle du colvert. Mais la propagation de ce dernier risque aujourd'hui de réabsorber une espèce qui a tendance à se faire de plus en plus rare.

LE SAVIEZ-VOUS ?

Au large des îles Galápagos, les profondeurs de l'océan dissimulent l'habitat le plus extraordinaire de la planète. C'est là que des bactéries se multiplient dans les eaux chaudes vomies par des volcans sous-marins. Ces bactéries sont si nombreuses qu'elles alimentent toute une communauté d'étranges créatures, parmi lesquelles des vers de 3 m de long.

LE POISSON DES GLACES FABRIQUE SON ANTIGEL

Un terrible blizzard sévit sur l'Antarctique. Sous les glaces, un poisson se meut avec lenteur, en longeant le fond. Dépourvu d'écailles, ce poisson des glaces a le museau en bec de canard et d'étranges ouïes blanches.

La vie dans les eaux de l'Antarctique exige d'exceptionnelles facultés d'adaptation. Sur les quelque 20 000 espèces de poissons que compte notre planète, seules 120 peuvent survivre dans un tel environnement. Les 17 espèces de poissons des glaces connues ont de 45 à 60 cm de long, vivent dans les fonds marins et se nourrissent de crustacés et de menu fretin.

Le poisson des glaces est unique en son genre. Il est, en effet, le seul vertébré à être dépourvu d'hémoglobine (pigment transporteur d'oxygène qui donne sa couleur rouge au sang). Ses tissus ont une extraordinaire capacité d'absorption de l'oxygène, mais il n'en a que très peu dans le sang. Dépourvu de globules rouges, le sang de cet animal, très fluide, circule aisément dans tout l'organisme. Son cœur et des vaisseaux sanguins relativement développés lui assurent une bonne circulation même s'il déploie moins d'énergie qu'un poisson à sang rouge.

Au dire des scientifiques, les poissons de l'Antarctique et plus particulièrement le poisson des glaces se prémuniraient aussi du froid en produisant un antigel naturel. Des glycopeptides, substances chimiques qui circulent dans le sang, préviendraient la formation de cristaux de glace dans les fluides de leur organisme.

SURPOPULATION DANS LA TOUNDRA

Les lemmings se livrent-ils vraiment au suicide collectif ?

Prompts à tirer une leçon de morale du comportement des animaux, les moralistes ont souvent perpétué des mythes qui donnent une image déformée de la nature. Au Moyen Âge déjà, les bestiaires réunissaient toutes sortes de fables allégoriques fortement teintées d'idéologie chrétienne. Le conte de la mère pélican qui nourrit ses petits de sa propre chair rappelle incontestablement le sacrifice du Christ à l'humanité. Et pourtant, aucun pélican n'a fait preuve d'un tel acte d'héroïsme.

Aujourd'hui, certains de nos moralistes ne manquent pas d'établir un parallèle entre les problèmes de surpopulation de l'espèce humaine et la légende des lemmings qui sacrifieraient leur vie à la préservation de l'espèce en se jetant à la mer du haut des falaises.

Tous les quatre ans environ, les lemmings, comme d'autres petits rongeurs de la toundra arctique, sont effectivement victimes d'une terrible explosion démographique. Les conséquences à très long terme de cette surpopulation affectent particulièrement les lemmings de Norvège, qui sont à l'origine de cette légende.

Quête de nourriture

Les lemmings exercent de véritables ravages dans la toundra. Ils y creusent des terriers et des tunnels et en broutent la végétation jusqu'à la racine. Deux fois par an, au printemps et à l'automne, ils sont donc obligés d'aller quêter leur nourriture dans d'autres régions, migrant en solitaire ou par petits groupes.

Tous les trois ou quatre ans, par contre, ils se lancent dans des migrations collectives de grande envergure. Ces extraordinaires déplacements de populations entières seraient-ils déclenchés par la famine ou par le stress du surpeuplement ? Le mystère demeure.

Il arrive que les lemmings en quête d'un nouvel habitat traversent des fjords et des lacs. Mais ils ne se jettent pas dans les flots en se précipitant du haut des falaises. Il n'en demeure pas moins que nombre d'entre eux périssent noyés en tentant de traverser des rivières ou des bras de mer trop larges pour ces petits rongeurs qui sont de bons nageurs, mais s'épuisent au-delà de vingt-cinq minutes de nage.

LE SAVIEZ-VOUS ?

Le thylacine, ou loup de Tasmanie, a-t-il oui ou non disparu ? Nul ne le sait, car le dernier spécimen connu est mort à Hobart (capitale de la Tasmanie) en 1936. Il se pourrait qu'il survive dans les régions les plus reculées de l'île, où sa présence serait signalée de temps à autre.

SAUVÉ DE JUSTESSE

Disparu de la faune, l'oryx d'Arabie bénéficie d'une nouvelle chance

Pendant plusieurs siècles, l'oryx – parfois surnommé l'antilope à sabres à cause de ses longues cornes incurvées – fut le trophée le plus prisé des chasseurs de la péninsule Arabique. La mise à mort de cette antilope robuste, très rapide et difficile à dépister dans des étendues désertiques parcourues à cheval, constituait une belle prouesse pour le chasseur armé d'un fusil primitif qui ne l'aidait guère.

L'oryx fait preuve d'une endurance remarquable – il franchit de vastes étendues pour trouver de nouveaux pâturages –, mais ce n'est pas un coursier rapide. Les nouvelles générations de chasseurs armées de carabines automatiques et montées à bord de véhicules tout-terrain ou même d'avions de tourisme ne lui laissèrent pas l'ombre d'une chance. Traqués à outrance dans leur habitat naturel, les derniers oryx sauvages furent abattus en 1972.

Certains écologistes prévoyants qui s'étaient préparés à cette éventualité avaient heureusement pris les devants. Au début des années 1960, ils avaient lancé l'opération Oryx, élevant en captivité aux États-Unis un troupeau d'animaux importés de la péninsule Arabique. Ce troupeau comptait déjà plus d'une centaine de têtes en 1975. De leur côté, jardins zoologiques et collectionneurs privés du Moyen-Orient élevaient tout autant d'animaux en captivité.

En 1980, le zoo de San Diego envoya à deux reprises cinq oryx à l'État d'Oman. Ces animaux passèrent deux ans en captivité. Là, ils s'acclimatèrent et réapprirent la vie en troupeau.

Une histoire qui finit bien

Ces mesures ont porté leurs fruits, car les oryx se sont si bien adaptés à leur liberté retrouvée qu'ils continuent à se reproduire. De son côté, la Jordanie élève un troupeau en captivité, dont la descendance est aujourd'hui assurée et qui devrait être lâché sous peu. L'Arabie Saoudite a également entrepris un programme de réintroduction de l'espèce en 1989. Les descendants de ceux qui chassaient l'oryx d'Arabie se portent aujourd'hui garants de son avenir.

DANS LA CHALEUR DU JOUR

Comment se rafraîchir et se désaltérer dans le désert

Sous le brûlant soleil de l'après-midi, le Sahara paraît frappé d'immobilité. Seul l'air vibre et miroite dans le lointain. Un lézard trouble un instant cette quiétude en surgissant d'un épineux pour s'élancer sur un insecte étourdi. La caravane de nomades qui se profile à l'horizon se meut, elle, avec une lenteur extrême.

Si les déserts paraissent dénués de vie pendant la journée, c'est parce que la faune se protège de la chaleur dans des terriers et ne sort qu'à la fraîcheur de la nuit. Certains animaux peuvent même rester sous terre plusieurs mois d'affilée sans eau ni nourriture jusqu'à l'arrivée des pluies. C'est le cas du pélobate d'Amérique du Nord, qui se creuse une cavité et va jusqu'à en isoler l'intérieur avec ses propres mucosités pour limiter l'évaporation. Après quoi, ce crapaud se pelotonne dans son trou et y sommeille tout l'été. Si les animaux amphibiens sont les seuls à rester engourdis durant d'aussi longues périodes, certains petits mammifères du désert – le kangourou-rat des zones arides d'Amérique du Nord et la gerboise du Sahara notamment – peuvent ralentir leur métabolisme pendant plusieurs jours.

Comment la faune des zones arides parvient-elle à s'abreuver et à faire provision d'eau ? Moyens et méthodes varient. Le kangourou-rat et la gerbille, comme d'autres animaux granivores,

économisent les liquides en urinant très peu. Le chameau métabolise ses réserves de graisse. Il est vrai que ce « vaisseau du désert » bénéficie d'un autre avantage appréciable dont son chamelier est totalement privé : il n'a pas besoin de transpirer pour se rafraîchir, puisque son épaisse toison le protège du soleil. Sa température s'élève de quelques degrés aux heures chaudes de la journée, mais redescend la nuit.

Le chameau a le dos recouvert d'une épaisse toison. Par contre, son ventre presque nu lui permet d'évacuer une partie de sa chaleur.

Les oiseaux, eux, n'ont aucune difficulté à se déplacer pour s'abreuver. Mais comment font-ils en période de couvaison pour donner à boire à leurs oisillons ? Le ganga, qui niche dans les régions les plus arides d'Afrique du Nord, a résolu le problème. Le mâle peut parcourir 80 km pour rallier une oasis. Sur place, il se désaltère puis s'imprègne d'eau en se roulant dedans. Il est muni d'un plumage ventral dont la face interne, très absorbante, minimise l'évaporation. Puis il retourne au nid et laisse ses petits s'abreuver à son plumage.

LES ANIMAUX ET L'HOMME
Un rôle thérapeutique

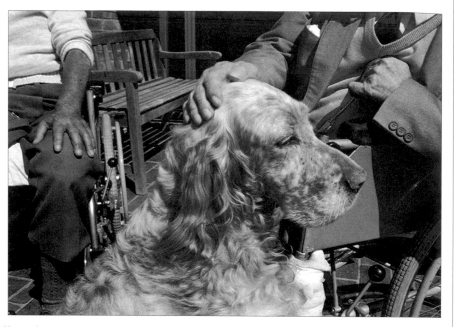

Dans un hôpital britannique, ce chien apprécie les caresses et les mots tendres d'un patient en salle de gériatrie. L'expérience a prouvé que la compagnie des animaux pouvait prolonger la vie de l'homme.

Source de détente, d'amusement et de plaisir, la présence au foyer d'un animal de compagnie joue aussi un rôle considérable sur notre santé et notre bien-être. De nombreuses expériences le prouvent, comme cette étude réalisée aux États-Unis en 1978 et consacrée à l'influence des facteurs sociologiques et psychologiques sur la survie de patients hospitalisés pour des troubles cardiaques. Compte tenu du sexe, de la race, de l'âge, du niveau de vie et de l'isolement social des patients ayant fait l'objet de cette étude, la possession d'un animal familier constituait le facteur le plus significatif de survie. Les statistiques de cette étude le prouvent sans l'ombre d'un doute : 28 % des patients qui ne possédaient pas d'animal avaient succombé moins d'une année plus tard contre 6 % seulement de ceux qui en avaient un chez eux.

La profession médicale apprécie à sa juste valeur le caractère thérapeutique d'une présence animale, et cela depuis bien longtemps déjà. Les bêtes rompent la solitude des esseulés, redonnent confiance aux insécurisés et procurent une occupation gratifiante aux inactifs. En Angleterre, dès le XVIIIe siècle, un hospice pour handicapés mentaux – le York Retreat – confiait à ses pensionnaires de petits animaux, lapins, poules, etc. Les patients de cette institution révolutionnaire pour l'époque étaient tout fiers d'assumer la responsabilité de ces petites créatures.

Aujourd'hui, les médecins intègrent souvent des animaux à la thérapie des handicapés physiques et mentaux – surtout s'il s'agit d'enfants – mais aussi au traitement des personnes âgées et des patients d'établissements psychiatriques. Par ailleurs, depuis 1983, une organisation caritative britannique organise des visites de chiens dans les hôpitaux. Près de 4 500 personnes se rendent avec leur chien dans des

hôpitaux qui incitent leurs patients à jouer et à se lier d'amitié avec les animaux. Ces visites canines se révèlent particulièrement bénéfiques pour les patients introvertis et atteints de phobies, comme pour les toxicomanes en cure de désintoxication.

La Grande-Bretagne, les États-Unis et plusieurs autres pays ont intégré l'équitation au traitement des jeunes handicapés. Installé sur un poney, l'enfant se sent soudain à égalité avec autrui. Il découvre alors un monde passionnant qui lui échappe lorsqu'il est dans son fauteuil. Avec un peu de pratique, la maîtrise d'un cheval ou d'un poney l'aide aussi à mieux contrôler son corps.

Cette thérapie est aussi bénéfique aux jeunes handicapés mentaux, car le contact physique d'un animal et l'établissement d'une certaine communication les rendent souvent plus sociables et plus responsables. Quant aux âmes qui souffrent de solitude, elles découvrent une nouvelle raison de vivre.

LE SAVIEZ-VOUS ?

« Il pleut des chats et des chiens », disent souvent les Britanniques lorsqu'ils sont pris sous une averse. Cette curieuse expression remonte peut-être à l'époque où les torrents d'eau de pluie dévalaient les rues étroites des villes dépourvues d'égouts et entraînaient sur leur passage les dépouilles de chiens abandonnés et de chats errants.

En 1970, le rédacteur en chef du magazine satirique britannique Punch rédigea un chèque à l'ordre de l'écrivain A. P. Herbert sur le flanc d'une vache. La banque dut honorer ce curieux document. En Grande-Bretagne, en effet, un chèque peut être rédigé sur n'importe quoi et doit être accepté par tout établissement bancaire pour peu que sa rédaction soit orthodoxe.

UN OISEAU MOINS LIBRE QU'ON NE CROIT

Dédaignant la dinde, originaire d'Amérique et introduite en Europe dès le XVIe siècle, la plupart des Anglais lui préféraient l'oie rôtie pour les grandes occasions ; plat qui était tout juste bon pour les pauvres, estimaient les grands de l'époque car, à la table des rois et des nobles, c'est le cygne rôti qui était servi.

Les cygnes, que seuls le roi et les grands propriétaires terriens avaient le droit de posséder, portaient sur le bec la marque de leur propriétaire, et leurs ailes étaient rognées. Les cygnes ne pouvaient être domestiqués comme des volailles de basse-cour : ils nageaient où bon leur semblait et s'accouplaient sur les rives des mêmes cours d'eau sans se préoccuper du nom de leurs maîtres. Le Gardien des cygnes royaux et ses assistants devaient donc se déployer dans tout le pays pour établir les droits de propriété des nouvelles nichées.

Pour se déplacer et se reproduire, les cygnes ont besoin de beaucoup d'espace et d'une nappe d'eau. Ce sont des oiseaux agressifs, bien plus difficiles à mater que des oies ou des dindons. Voilà pourquoi l'élevage des cygnes connut un déclin graduel à partir du XVIIIe siècle.

Aujourd'hui, les seuls propriétaires de cygnes outre-Manche sont la reine d'Angleterre et deux corporations de la Cité de Londres, les teinturiers et les marchands de vins, auxquels appartiendraient les cygnes de la Tamise. Le recensement annuel des jeunes cygnes s'effectue au mois de juillet. Les oiseaux sont rabattus, leurs ailes rognées et leur bec marqué d'une entaille pour la corporation des marchands de vins et de deux pour celle des teinturiers. Les cygnes royaux s'en sortent indemnes.

SYSTÈMES NATURELS D'ALARME
Des animaux « sismologues » à la rescousse de l'homme

« Les chevaux étaient très agités dans leurs boxes. Ils se cabraient et tentaient de casser les licols qui les rattachaient à leurs mangeoires ; ceux qui étaient sur les routes se sont arrêtés net dans leur course et se sont ébroués d'une drôle de façon. Les chats étaient terrifiés. Ils essayaient de se cacher et avaient le poil tout hérissé. » C'est en ces termes qu'un survivant a décrit les minutes précédant le grand tremblement de terre qui ravagea Naples en 1805.

On attribue souvent des pouvoirs surnaturels aux animaux qui font tout simplement usage de leurs sens. Il est tout à fait possible que les chevaux soient capables de percevoir les grondements sourds qui sont des signes avant-coureurs d'un tremblement de terre, que l'homme, lui, ne détecte pas. Quant aux chats, ils seraient sensibles non seulement aux vibrations souterraines, mais aussi aux variations du champ magnétique terrestre et des charges qui précèdent un séisme.

Toutes les zones victimes de fréquentes secousses telluriques – qu'il s'agisse de l'Italie, de la Chine ou du Pérou – fourmillent de témoignages démontrant la faculté des animaux à pressentir l'imminence d'un tremblement de terre : les chiens hurlent de concert, les ânes braient, les animaux de ferme tentent de s'échapper de leur enclos, les rats grimpent à l'assaut des fils télégraphiques et même les vers de terre émergent du sol en masse. En Chine et au Japon, les faisans sont depuis bien longtemps considérés comme des détecteurs fiables pour mesurer l'activité sismique.

Nombre d'experts réservent un accueil sceptique aux histoires d'animaux qui se comportent anormalement quelques minutes, voire quelques heures avant une catastrophe. Si l'on s'appuyait sur ces prétendus systèmes d'alarme pour prédire un tremblement de terre, soulignent-ils, les fausses alertes seraient nombreuses.

On sait en effet que les animaux s'agitent souvent sans aucune raison apparente. Mais certains scientifiques, surtout en Chine où les séismes font de nombreuses victimes, espèrent que l'étude approfondie du comportement des animaux aboutira à un système d'alarme infaillible.

Les expériences tentées jusqu'ici ne sont guère probantes, pour la simple raison que beaucoup des tremblements de terre ne sont pas précédés de secousses de moindre importance. Cependant en ayant pu donner l'alerte cinq heures et demie avant le séisme qui frappa la Mandchourie en 1975 et en persuadant les habitants de quitter leurs habitations, les autorités chinoises ont sauvé d'innombrables vies.

Les meilleurs résultats obtenus en laboratoire portent non pas sur les animaux cités dans tous les récits qui circulent après un séisme, mais bien sur des poissons-chats qui réagiraient à l'augmentation d'électricité statique. Les experts japonais qui, en 1978, ont observé des poissons-chats en aquarium pendant sept mois ont détecté un comportement anormal avant 85 % des secousses telluriques perceptibles à des êtres humains.

LE SAVIEZ-VOUS ?

Des animaux ont été les auxiliaires de la marine américaine pendant la guerre du Viêt-nam. Des orques avaient été dressées à récupérer les torpilles au fond de l'océan. Par ailleurs, des dauphins postés dans la baie de Cam Ranh devaient en barrer l'accès aux saboteurs. Intelligents, les dauphins s'avérèrent d'excellents gardes sous-marins.

✳ ✳ ✳

L'empereur mongol Kubilay Khan, qui régna sur la Chine au XIIIe siècle, possédait 5 000 mâtins dressés aux combats de chiens.

✳ ✳ ✳

En 1519, le conquérant espagnol Hernán Cortes découvrit à Mexico un jardin zoologique si vaste qu'il fallait 300 gardiens pour s'en occuper.

✳ ✳ ✳

Les Égyptiens de l'Antiquité vénéraient les chats comme des dieux et en possédaient un grand nombre. En 1888, 300 000 chats momifiés ont été découverts dans une nécropole égyptienne. Les momies furent réduites en poudre, puis expédiées en guise d'engrais à des agriculteurs d'Angleterre. On leur en envoya un total de 19 t !

✳ ✳ ✳

Dès son introduction en Australie, le figuier de Barbarie se mit à envahir de vastes régions, les rendant inaccessibles aux hommes et aux troupeaux de moutons. Mais la nature, prévoyante, avait un antidote : le Cactoblastis cactorum, ou papillon des cactus. En Argentine, où ce papillon fut introduit en 1925, ses chenilles maîtrisèrent le figuier de Barbarie en dévorant littéralement l'intrus.

PUSTULEUX INTRUS

Les « crapauds-sucre » sont des hôtes bien envahissants

L'introduction, en 1935, d'une centaine de crapauds géants ou agua *(Bufo marinus)* dans l'État du Queensland, en Australie, rendit leur optimisme aux paysans. Ces imposants amphibiens – deux fois plus grands que les crapauds communs – allaient certainement les débarrasser des coléoptères dont les larves ruinaient les récoltes de canne à sucre. Les paysans n'ignoraient pas que l'introduction de cet insectivore, natif d'Amérique latine, avait sauvé les plantations de canne à sucre de Porto Rico.

Les crapauds importés donnèrent naissance à environ 62 000 têtards qui, après leur métamorphose, furent lâchés dans les plantations. Les invités ne furent hélas ! pas à la hauteur de la tâche qui les attendait. Comme le Queensland pullule d'insectes de toutes sortes, les crapauds délaissèrent les coléoptères qu'ils avaient mission de détruire. Ils désertèrent bientôt les plantations et se multiplièrent dans leur nouvel habitat, où leurs prédateurs habituels brillaient par leur absence. La propagation des crapauds-sucre, comme les

appellent les Australiens, a pris des proportions alarmantes. Mais, jusqu'ici, ce fléau d'un nouveau genre ne semble pas trop perturber l'écologie du pays.

Ce crapaud est bien armé contre les prédateurs. Il se défend de toute attaque intempestive par un jet de gouttelettes de poison aveuglant, sécrété par des glandes logées à hauteur des épaules, qui pourrait anéantir certains crocodiles,

Bien que les crapauds géants n'aient pas débarrassé les plantations de canne à sucre australiennes du fléau des coléoptères, ils ont été adoptés par la population.

koalas et serpents. Bien que ses chairs empoisonnées aient causé la mort de plusieurs personnes, le crapaud géant est un animal familier pour nombre d'habitants de la région.

MORTELS IMMIGRANTS

Le gardien de phare Lyall avait dérangé un petit oiseau. Il observa sa fuite dans les rochers. Incapable de voler, l'oiseau courait comme une souris.

Depuis sa prise de fonctions dans le détroit de Cook, qui sépare les îles du Nord et du Sud de la Nouvelle-Zélande, Lyall avait vu d'autres roitelets... ou troglodytes mignons de Stephens Island. Mais c'était la dernière fois que quiconque en verrait un vivant.

Excès de zèle

Tibbles, le chat de Lyall, surveillait aussi le roitelet. Il en avait déjà attrapé plusieurs, dont il avait triomphalement rapporté les dépouilles au phare. En quelques mois, le chat en tua une quinzaine, les exterminant jusqu'au dernier. Cela se

passait en 1894. Durant cette brève période, le troglodyte mignon de Stephens Island avait été découvert, puis exterminé par un chat.

Réduit à l'impuissance

L'introduction d'animaux domestiques sur une île se traduit souvent par le ravage de sa faune, désarmée face à des chats et autres prédateurs qui lui sont inconnus. C'est le cas d'espèces isolées comme celle du roitelet de Stephens Island qui, au fil des millénaires, a perdu la faculté de prendre son vol. Les chats immigrants y trouvent leur compte.

Ce sont surtout les oiseaux de Nouvelle-Zélande et de ses îles, dépourvues de mammifères terrestres avant l'arrivée de l'homme, qui sont victimes de ces

désastres écologiques. Tout récemment, des ornithologues néo-zélandais ont réalisé la portée catastrophique des ravages causés par un animal domestique en maraude. En l'occurrence, la victime n'était autre que le kiwi, emblème national de la Nouvelle-Zélande.

La forêt de Waitangi, dans l'île du Nord, compte une population de kiwis bruns évaluée entre 800 et 1 000. Les écologistes équipèrent 24 de ces oiseaux aptères d'émetteurs radio pour pouvoir les repérer et les étudier. Au cours de l'automne 1987, un berger allemand en tua 13 à lui tout seul en l'espace de six semaines. Au dire des chercheurs, ce chien aurait causé la mort d'un demi-millier d'oiseaux avant d'être abattu.

CHAPITRE CINQ

L'Esprit
et
le Corps

En 1628, le médecin anglais William Harvey démontrait le mécanisme de la circulation sanguine, définissant le cœur comme une pompe musculaire. Sa formidable découverte allait à l'encontre d'une croyance, deux fois millénaire, qui voyait dans cet organe le siège de l'âme *(page 156).* Il fallut attendre la fin du XVIIIᵉ siècle pour que les physiologistes commencent à comprendre l'importance du cerveau. Aujourd'hui, les connaissances acquises sur le corps humain et son fonctionnement sont immenses. Il n'en demeure pas moins que certaines des capacités de cette parfaite mécanique s'expliquent encore mal. Et quelques-unes de ses déconcertantes faiblesses continuent à défier la médecine moderne.

DES MÉDECINS EN PREMIÈRE LIGNE

La lutte contre la fièvre jaune

La fièvre jaune fut autrefois l'une des maladies les plus redoutées en Occident, provoquant, à égalité avec la variole et la peste, les épidémies les plus meurtrières. Elle se caractérise par d'effroyables symptômes : vomissements sanglants noirâtres, forte jaunisse, fièvre élevée, douleurs intenses. Lorsque le major Walter Reed, du service de santé de l'armée américaine, débarqua à Cuba le 25 juin 1900 afin d'étudier l'épidémie de fièvre jaune qui y sévissait, il possédait fort heureusement un précieux indice.

Un médecin local, Carlos Finlay, avait, lors d'une précédente épidémie, émis l'hypothèse selon laquelle la femelle du *Stegomyia fasciata*, une espèce de moustique, était responsable de la transmission de la maladie. L'encombrant nom latin fut bientôt remplacé par le diminutif familier de « steg ». (Depuis, l'espèce en question a été rebaptisée *Aedes aegypti*.)

Sus à l'ennemi !

À l'issue de leur victoire lors de la guerre hispano-américaine de 1898, les États-Unis s'étaient assuré le contrôle militaire de Cuba. La fièvre jaune demeurait toutefois un obstacle majeur à l'empire que les Américains rêvaient de bâtir dans les Caraïbes. Ils décidèrent donc de lancer une campagne radicale contre la maladie sous l'autorité de Reed. Des médecins et des militaires allèrent jusqu'à se porter volontaires pour dormir dans des lits couverts de déjections laissées par des victimes de la fièvre jaune. Cette première expérience permit de prouver qu'un milieu même très infecté ne peut être vecteur de cette maladie.

Au cours d'une autre expérience visant à démontrer l'hypothèse de Finlay, une maison fut séparée en deux. Dans l'une des deux parties, on laissa pénétrer des « stegs », alors que l'autre leur fut interdite par de nombreuses moustiquaires. Seuls les soldats logés dans la première partie attrapèrent la fièvre jaune, ce qui confirma que ce moustique était responsable de la propagation de la maladie.

Le coût en vies et en souffrances humaines fut lourd : à la suite de ces expériences, deux collègues du major Reed furent contaminés, et un autre mourut. Plusieurs volontaires y laissèrent également la vie.

William Gorgas, officier responsable de l'hygiène à La Havane et collègue de Reed, se servit des découvertes de celui-ci lors de la campagne d'extermination du moustique qu'il mit en place. Sachant que les larves du moustique éclosent en eau stagnante, il donna l'ordre de vider toutes les cuves et citernes ou de les recouvrir de pétrole afin d'empêcher la ponte des œufs. Tous les cas de fièvre jaune devaient être signalés. Les maisons furent désinfectées par fumigation et les chambres des malades pourvues de moustiquaires. D'où un résultat spectaculaire : en un an, La Havane fut débarrassée de la maladie.

La fièvre jaune est due à un virus introduit dans le sang par la piqûre de la femelle d'un moustique, l'Aedes aegypti.

Croyant que la fièvre jaune est contagieuse, ces voyageurs s'écartent précipitamment d'une victime durant l'épidémie de 1888 en Floride.

LE SAVIEZ-VOUS ?

Le terme malaria vient de l'italien mal aria*, « mauvais air ». Jusqu'au début du XXᵉ siècle, on pensait en effet que la malaria (aujourd'hui appelée paludisme) était provoquée par les effluves des marécages. Nous savons aujourd'hui que cette maladie est, tout comme la fièvre jaune, transmise par la piqûre d'un moustique.*

UNE SIMPLE ÉRAFLURE
L'éradication de la variole

Dès l'an 1000 avant J.-C., les Chinois connaissaient non seulement la variole, mais un moyen de combattre cette maladie mortelle, en plaçant des croûtes infectées au fond du nez des sujets sains. Cette pratique, ancêtre de la vaccination, consistait, en fait, à provoquer une réaction minime, puis l'immunisation. D'autres formes d'inoculation, considérées comme des remèdes de bonne femme, étaient pratiquées depuis des siècles en Arabie, en Afrique du Nord, en Perse, en Inde et en Turquie. Mais l'idée n'avait toujours pas été introduite en Europe. Elle le fut au début du XVIIIe siècle, grâce à la ténacité d'une femme.

C'est en Turquie, où son mari fut ambassadeur de Grande-Bretagne de 1716 à 1718, que lady Mary Wortley Montagu assista à plusieurs inoculations. En 1717, elle nota dans le détail comment les femmes turques inoculaient chaque année des milliers d'enfants à l'aide d'aiguilles. Les enfants développaient alors de légers symptômes de variole, mais ils se rétablissaient vite et étaient dès lors immunisés à vie contre la maladie. Le compte rendu qu'elle fit de la « greffe » (comme elle appelait cette méthode) fut confirmé par plusieurs médecins européens, parmi lesquels Charles Maitland, chirurgien d'ambassade à Istanbul. Au cours de la même année, il assista à l'inoculation du fils de lady Montagu – l'un des premiers Européens auxquels cette méthode fut appliquée.

À son retour en Angleterre, lady Montagu, elle-même gravement atteinte par la variole, fut défigurée. Cela ne fit que l'inciter davantage à populariser le « vaccin » en Angleterre. En 1721, sa fille fut inoculée à Londres par Maitland. Ce fut la première inoculation pratiquée en Europe.

Grâce aux relations que lady Montagu avait à la cour, les membres de la famille royale eurent bientôt vent de ce moyen de prévenir la variole et firent inoculer leurs propres enfants. Malgré l'approbation royale, le corps médical restait sur la défensive ; pour lui, cette technique efficace, qui n'avait pas été découverte par l'un de ses membres, demeurait un remède de bonne femme.

Cependant, l'inoculation seule ne pouvait pas toujours venir à bout de la variole, notamment parce qu'une fois transmise l'infection devenait souvent aiguë, voire mortelle ; et les sujets inoculés pouvaient être contagieux. Il fallut toute la finesse d'observation d'un médecin de campagne anglais, Edward Jenner, pour mettre au point définitivement le vaccin antivariolique.

Jenner avait appris par des fermiers du voisinage que les filles de ferme n'attrapaient jamais la variole. Au contact des vaches, elles développaient en revanche une forme bénigne de la maladie, appelée « vaccine ». En 1796, Jenner préleva le germe de la vaccine sur des lésions qu'une trayeuse portait aux doigts et l'inocula à James Phipps, un garçon âgé de huit ans. Celui-ci eut une légère fièvre. Jenner lui inocula alors la variole, mais la maladie ne se déclara pas.

Grâce à cette expérience, Jenner était parvenu à démontrer que l'inoculation de la forme bénigne du virus, qui donne la vaccine, pouvait immuniser totalement contre la variole. Jenner continua de préconiser la transmission de la vaccine – ou vaccination, nom qui fut alors donné à sa méthode. C'est grâce aux grandes campagnes de vaccination menées au cours des deux siècles suivants que l'Organisation mondiale de la santé a pu annoncer officiellement en 1979 l'éradication définitive de la variole.

ROSS ET SON MICROSCOPE ROUILLÉ

Lorsqu'on pense à un pionnier de la médecine, on imagine un homme penché sur un microscope et qui, grâce à son inébranlable détermination, finit par découvrir le moyen de guérir une maladie mortelle. Ronald Ross, qui mit au jour en 1898 la cause du paludisme – à l'époque appelé malaria –, peut être ainsi considéré.

Ross, né aux Indes en 1857, travailla en étroite collaboration avec sir Patrick Manson, le « père de la médecine tropicale », qui l'encouragea à étudier les relations éventuelles entre les moustiques et le paludisme.

Ross travailla durant quatre années dans plusieurs laboratoires à travers les Indes. Jour après jour, au cours de ce qu'il décrivit comme un « bras de fer avec la nature », Ross disséqua toutes les variétés de moustiques qu'il put trouver. Dans l'un des hôpitaux où il était en

Pour avoir décrit le cycle de vie du parasite responsable du paludisme (ou malaria), Ronald Ross fut anobli et reçut le prix Nobel en 1902.

poste, il fut contraint d'utiliser un microscope pourvu de lentilles fendues et de vis rouillées par la transpiration qui gouttait continuellement de son front. Ross avait en effet renoncé à utiliser le ventilateur fixé au plafond de peur que ses spécimens ne s'envolent.

Finalement, sa ténacité s'avéra payante : Ross découvrit le moustique responsable. Il localisa le parasite du paludisme dans les intestins d'un moustique du groupe des anophèles, ainsi que, à un stade différent de développement, dans les glandes salivaires de l'insecte. On crut que sa découverte allait mener à l'éradication du paludisme sous les tropiques, soit en exterminant le moustique, soit en protégeant les gens. Mais cet objectif devait s'avérer plus difficile à atteindre. Ross reçut néanmoins de multiples récompenses pour sa découverte. Un institut et un hôpital de médecine tropicale portent aujourd'hui son nom.

RIRE OU S'ENDORMIR

Au début du XIXᵉ siècle, époque où l'on n'utilisait encore aucun anesthésique, on disait qu'un chirurgien devait posséder « un cœur de lion et une main de dame », le premier afin de s'endurcir aux cris des patients, la seconde pour travailler à la fois avec célérité et dextérité. Un chirurgien habile pouvait pratiquer une amputation en moins de trois minutes. Or,

Cet appareil anesthésique, basé sur le prototype du dentiste bostonien William Morton, fonctionnait à partir d'éponges imbibées d'éther.

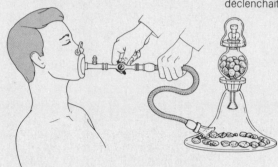

nous savons aujourd'hui qu'une telle précipitation aurait pu être évitée, car un excellent anesthésique, le protoxyde d'azote, était en fait déjà employé... mais pour faire rire les gens.

C'est au chimiste anglais Joseph Priestley que l'on doit la première préparation de protoxyde d'azote, en 1772. Dès 1800, Humphrey Davy, l'inventeur de la lampe de mineur, suggéra que ce gaz pouvait s'utiliser comme anesthésique en chirurgie. Mais cette propriété demeura longtemps ignorée, au profit d'une autre, plus évidente : ce gaz déclenchait l'hilarité chez celui qui l'inhalait. Ainsi le « gaz hilarant » devint-il un divertissement populaire dans les soirées et un artifice couramment employé par les forains.

La suggestion de Davy ne suscita que très peu de recherches, jusqu'au jour où, en 1844, le jeune dentiste bostonien Horace Wells identifia les propriétés anesthésiques du pro-

toxyde d'azote. Au cours d'une démonstration publique des effets du gaz, il remarqua que l'un de ses récipients avait, en tombant, profondément entaillé la jambe d'un assistant sans que celui-ci manifestât la moindre douleur. Après avoir expérimenté le protoxyde d'azote sur ses patients, Wells chercha à faire connaître sa découverte en pratiquant une extraction dentaire en public. Mais l'expérience ne se déroula nullement comme il l'avait escompté. Le cobaye hurla de douleur ; Wells fut hué et passa pour un imposteur.

En 1846, un autre dentiste bostonien, William Morton, pratiqua, lui, une extraction indolore, grâce à un anesthésique liquide : l'éther. L'année suivante, l'obstétricien anglais James Young Simpson commença à endormir ses patientes au chloroforme. Il semblait que le protoxyde d'azote fût condamné à l'oubli. Mais, avec le temps, l'éther et le chloroforme furent considérés comme trop dangereux. Aujourd'hui, le protoxyde d'azote est l'anesthésique gazeux le plus sûr et le plus employé.

UNE DÉCOUVERTE DUE AU HASARD
Röntgen fut le premier homme à voir à travers sa femme

Wilhelm Conrad Röntgen était non seulement physicien, mais aussi photographe amateur, et c'est surtout à ce hobby qu'il dut de découvrir, en 1896, le secret des rayons X.

Professeur de physique à l'université de Würzburg, en Allemagne, Röntgen travaillait dans son laboratoire lorsqu'il fit – par hasard – sa découverte. Il se livrait à une expérience consistant à faire passer un flux électrique dans une éprouvette remplie de gaz lorsqu'il remarqua une étrange lueur provenant d'un coin de son laboratoire où il avait laissé un petit écran recouvert de platinocyanure de baryum. Plaçant une main entre l'éprouvette et l'écran, il vit, à sa grande surprise, les contours des os de sa main apparaître sur l'écran. Le photographe amateur qu'il était eut aussitôt l'idée de remplacer l'écran par une plaque photographique. Utilisant la main gauche de sa femme, Röntgen fit ainsi la première radiographie.

Au début, Röntgen, qui ignorait tout de ces rayons capables de traverser l'organisme, les baptisa simplement « rayons X ». Nous savons aujourd'hui

que les rayons X sont des rayons invisibles de même nature que les rayons de la chaleur, de la lumière ou les ondes radio. Röntgen l'ignorait, mais il reconnut leur intérêt pour photographier l'intérieur du corps et publia un article intitulé « Un rayon d'un genre nouveau » dans la revue *Transactions of the Würzburg Physical-Medical Society.* Les rayons X furent bientôt employés à Vienne à des fins diagnostiques. Baptisés rayons de Röntgen, ils valurent à leur découvreur le premier prix Nobel de physique, en 1901.

Wilhelm Röntgen constata les propriétés des rayons X dans l'obscurité de son laboratoire.

DES ARMES EFFICACES CONTRE LA MALADIE

Les travaux du chimiste Paul Ehrlich

Au XIXe siècle, la plupart des médecins continuaient d'appliquer les doctrines médicales de la Grèce et de la Rome antiques, pour lesquelles les maladies n'étaient que des ruptures d'harmonie entre les forces naturelles du corps.

Au cours des siècles, quelques rares penseurs indépendants avaient remis en question cette orthodoxie. L'un des plus remarquables, le médecin et alchimiste Paracelse, fut, au XVIe siècle, le premier à considérer les maladies comme de véritables entités ayant leurs caractéristiques propres, indépendamment de la personne atteinte.

En 1875, lorsque le chimiste allemand Paul Ehrlich commença ses travaux de recherche, pratiquement tous les remèdes prescrits par les médecins s'avéraient soit totalement inefficaces, soit franchement dangereux. Le rêve d'Ehrlich était de découvrir la « balle magique », selon son expression imagée pour décrire une drogue capable de combattre telle ou telle maladie sans pour autant entraver le fonctionnement normal du corps.

À l'âge de huit ans, Ehrlich, déjà passionné de chimie, avait imaginé la formule d'une pastille contre la toux, qui fut fabriquée et vendue par les pharmaciens locaux. À la faculté de médecine, il s'intéressa aux nouveaux colorants synthétiques fabriqués par l'industrie chimique allemande, puis réfléchit au moyen de les employer pour colorer des cellules vivantes, ce qui faciliterait leur étude au microscope. Au cours des recherches qu'il entreprit dans le cadre de sa thèse, Ehrlich découvrit que chaque colorant ne se fixait que sur certains types de cellules. Il en déduisit l'existence d'agents chimiques à même

de combattre efficacement une infection bactérienne sans atteindre les cellules voisines encore saines.

Ehrlich commença sa carrière à l'époque de la découverte des microorganismes responsables des maladies. Ses techniques de coloration furent d'un secours inestimable pour l'identification au microscope des bactéries et des protozoaires. Il joua également un rôle primordial dans le domaine de l'immunologie en préconisant notamment l'utilisation du sang de chevaux vivants dans la préparation du sérum antidiphtérique.

Au tout début du siècle, Ehrlich eut la conviction que certains dérivés de l'arsenic pouvaient faire office de « balles magiques » capables de guérir des maladies spécifiques. Avec une équipe de chimistes, il commença à produire des centaines de composés contenant de l'arsenic. Chacun d'entre eux était systématiquement testé sur des lapins et des souris atteints de maladies incurables telles que la maladie du sommeil ou la syphilis. Il fallait un homme de la trempe d'Ehrlich pour se lancer dans une telle entreprise ; mais il avait pour devise « Geduld,

Les visiteurs du laboratoire de Paul Ehrlich s'étonnaient souvent de la simplicité de l'équipement utilisé par le père de la chimiothérapie.

Geschick, Geld und Glück » (« Patience, habileté, argent et chance »), et de tout cela il avait à revendre.

En 1907, l'équipe d'Ehrlich avait testé plus de 600 composés, et seul le quatre cent dix-huitième avait montré une relative efficacité dans le traitement de la maladie du sommeil. La « balle magique » 606 avait, comme toutes les autres, été rejetée du fait de son inefficacité, mais elle n'avait pas encore été expérimentée sur la syphilis. Ce ne fut qu'en 1909, lorsque l'assistant japonais Sahachiro Hata revérifia toutes les substances, que les mérites de la 606 furent constatés. Ehrlich continua à tester le composé, qu'il baptisa Salvarsan, sur des malades atteints de lésions syphilitiques des cordes vocales. En l'espace de quelques jours, les patients recommencèrent à parler. Ehrlich avait enfin découvert sa « balle magique » et jeté les bases de la chimiothérapie moderne.

TROU DE MÉMOIRE

On peut oublier les événements récents et se souvenir du passé lointain

Au cours du dîner, un soir de l'an 48 avant J.-C., l'empereur romain Claude s'inquiéta de l'absence de sa femme, Messaline, et demanda pourquoi elle ne partageait pas son repas comme d'habitude. Mais Messaline était morte une heure auparavant, exécutée pour adultère sur ordre de Claude lui-même. Il n'en savait déjà plus rien. L'empereur était un ivrogne notoire, et l'alcool l'avait rendu incapable de se souvenir des événements les plus récents.

Une perte de mémoire aussi extrême est très rare. Cependant, nombreux sont les alcooliques et les personnes atteintes de désordres cérébraux ou de sénilité qui souffrent d'amnésie partielle. Mais il est aussi tout à fait normal d'oublier des choses récentes.

Une nécessaire continuité

Il semble que nous nous souvenions du passé à deux niveaux très différents. Après tout, Claude n'avait pas oublié qu'il avait une femme, ni qu'elle se nommait Messaline et dînait habituellement en sa compagnie. L'abus de vin avait uniquement affecté sa mémoire à court terme, cette part de mémorisation qui, selon les neurophysiologistes, assure minute par minute la continuité de notre vie.

Notre mémoire à court terme nous permet de nous souvenir des dernières minutes d'une conversation, de la casserole que nous avons mise sur le feu... du numéro de téléphone que nous venons de rechercher. Chez les individus sains, les chocs affectifs, les événements importants et le savoir vont se loger dans la mémoire à long terme. Malheureusement, nous ne pouvons exercer qu'un contrôle conscient limité sur notre cerveau dans la sélection des informations à transférer.

Le mécanisme qui permet de transférer le contenu de la mémoire à court terme vers la mémoire permanente est encore mal connu, de même que notre faculté à nous remémorer des souvenirs enfouis dans le passé. La plupart des spécialistes s'accordent à reconnaître que la mémoire à long terme ne peut se

Sur une place de Budapest, en 1938, une jeune femme retira tout à coup ses vêtements et se mit à vouloir régler la circulation. Quelques heures plus tard, il ne lui restait aucun souvenir de sa conduite extravagante.

concevoir comme une entité d'un seul tenant. Les facultés intellectuelles et les souvenirs des événements sont en effet stockés très différemment. Force est de constater que de nombreux amnésiques ayant oublié jusqu'à leur nom conservent la faculté de parler.

Les amnésies résultent souvent d'un traumatisme. On peut citer le cas d'une femme qui, après une grave blessure à la tête, se souvenait parfaitement de son enfance, mais avait complètement oublié l'homme qu'elle avait épousé et les enfants qu'elle avait mis au monde. Nos souvenirs les plus anciens sont souvent les plus tenaces, et plus ils sont anciens moins ils sont susceptibles d'être altérés par une blessure, une maladie ou l'abus prolongé d'alcool.

> ### LE SAVIEZ-VOUS ?
>
> *Ce sont les expériences agréables, les sujets qui nous intéressent et les choses dont nous avons une raison spéciale de nous souvenir que nous oublions le moins. À noter que nous nous souvenons particulièrement bien des pensées qui nous traversent l'esprit avant de nous endormir – un truc à ne pas oublier !*

L'ART D'OUBLIER

Où étiez-vous au moment de l'assassinat du président Kennedy ?

De très sérieuses recherches universitaires ont démontré que la plupart des gens assez âgés pour être sensibilisés à l'assassinat du président américain John Fitzgerald Kennedy (le 22 novembre 1963) se souviennent précisément de ce qu'ils faisaient et du lieu où ils se trouvaient en apprenant la mort tragique du président.

Nous nous souvenons, en effet, beaucoup mieux des événements surprenants et tragiques que des autres. Il existe une limite à notre capacité de mémorisation. Nous oublions constamment certaines des informations que nous enregistrons ; il s'agit là d'un processus tout à fait normal.

Les choses que nous oublions le plus facilement sont les noms (d'objets et de personnes), les chiffres, les dates, les informations apprises par « bourrage de crâne » ainsi que ce que nous ne comprenons pas. Il nous est également difficile de nous souvenir de quoi que ce soit quand nous sommes mal à l'aise, frustrés, malades ou très fatigués.

Si nous nous souvenions de tout en permanence, la vie deviendrait intolérable. Avec l'âge, nous nous délestons de plus en plus de nos souvenirs pour ne garder que les plus significatifs dans l'espace mental disponible.

LE « DÉJÀ VU »

Lorsque nous croyons revivre une scène du passé

« L'idée que j'avais déjà vu ce lieu auparavant m'obsédait et m'embarrassait... Il me semblait retrouver ici la belle ordonnance de la cuisine de ma grand-mère... » Ce témoignage du romancier américain Nathaniel Hawthorne (1804-1864) date des années 1850, à la suite de sa visite des cuisines du château de Stanton Harcourt, près d'Oxford.

Hawthorne s'était-il effectivement rendu dans ce lieu au cours d'une hypothétique vie antérieure ? Avait-il été l'objet d'une sorte de prémonition ? Quoi qu'il en soit, ce genre de troublante expérience est loin d'être isolé. En effet, selon une étude réalisée en 1967, environ une personne sur trois a au moins une fois été l'objet de ce qu'on appelle l'impression de déjà vu, à savoir le sentiment de revivre une scène précise du passé.

Rencontre du présent et du passé

Quelle est la cause de cette impression de déjà vu ? Le philosophe grec Platon y voyait le signe de l'existence de vies antérieures, preuve de la réincarnation. Si la science moderne est loin d'avoir résolu ce mystère, elle avance néanmoins quelques théories plus rationnelles. Selon l'une d'elles, il s'agit d'un retour de souvenirs oubliés, ce qui fut probablement le cas pour l'écrivain Hawthorne dans l'expérience qu'il décrit. Jeune homme, il avait lu une description précise de l'agencement des cuisines de Stanton Harcourt. Mais voilà qui n'explique pas l'impression de savoir parfois à l'avance ce qui va être dit au cours d'une conversation des plus ordinaires.

La meilleure explication de ce phénomène tient à l'activité électrique du cerveau. Il se peut que l'impression de déjà vu soit en fait causée par une sorte de court-circuit survenant entre notre perception physique de ce qui passe et notre perception mentale du même événement.

Il semble aussi que certains des signaux envoyés au cerveau par nos différents sens – vue, odorat, ouïe, etc. – accusent un déphasage. Notre cerveau met constamment en parallèle, pour les comparer, les expériences présentes et les expériences similaires du passé, et, en cas de déphasage entre le cerveau et les sens, nous percevons le présent comme le souvenir d'un événement passé.

Au cours de la visite d'un château, l'auteur américain Nathaniel Hawthorne reconnut parfaitement ce lieu, qu'il visitait pourtant pour la première fois. Peut-être en avait-il lu une description, qu'il avait ensuite oubliée.

UNE AVALANCHE DE SOUVENIRS

La croyance selon laquelle un homme sur le point de se noyer revoit sa vie défiler en un instant est conforme à la réalité. Telle est la conclusion du neurochirurgien canadien Wilder Penfield. Ce phénomène ne se produit d'ailleurs pas uniquement en cas de noyade, mais également, au dire de personnes sauvées in extremis, lorsqu'on croit sa mort imminente.

L'une des singularités de cette expérience est que, dans ces ultimes moments de conscience, non seulement on revoit bien sa vie défiler, mais à rebours ; visages, lieux et événements oubliés reviennent à la mémoire avec la plus grande netteté. Penfield a expliqué que le cerveau emmagasine normalement tous les souvenirs sans distinction et que seul un événement déclenchant, telle une sensation de mort, est susceptible de les faire surgir.

Une autre théorie veut que, les lobes temporaux étant particulièrement vulnérables aux interruptions d'alimentation en oxygène, celles-ci aient des effets dévastateurs sur le système de signaux électriques émis par le cerveau. Les victimes de suffocation restent conscientes assez longtemps pour ressentir l'effet de cette privation d'oxygène, dont la particularité est de faire « remonter » en bloc tous les souvenirs stockés dans la mémoire.

SOUVENIRS, SOUVENIRS...
En quel endroit du cerveau nos souvenirs résident-ils ?

Les opérations du cerveau se pratiquent souvent sous anesthésie locale, ce qui suffit en effet à annihiler la douleur causée par l'incision initiale (le cerveau étant dépourvu de terminaisons nerveuses, les incisions suivantes sont indolores). C'est à cette pratique que le chirurgien montréalais Wilder Penfield doit d'avoir découvert, dans les années 1930, le siège des souvenirs dans le cerveau.

Un jour, Penfield bavardait avec une patiente qu'il était en train d'opérer d'une tumeur au cerveau. À l'aide d'une électrode, il stimulait les zones de la motricité et du langage, de façon à éviter celles-ci lors de l'ablation de la tumeur. Soudain, sa patiente se mit à raconter qu'elle regardait dans sa cour où elle voyait l'un de ses enfants, qu'elle entendait les bruits familiers de son quartier. Elle identifia la scène comme un événement de son passé et, tant que Penfield maintint l'électrode au même endroit, la patiente continua de la revivre.

Penfield comprit qu'il venait de faire une découverte capitale. Jusqu'à ce jour, personne n'avait en effet imaginé que les souvenirs puissent être emmagasinés physiquement dans le cerveau. Depuis le XVIIᵉ siècle, les scientifiques avaient toujours considéré la mémoire comme une fonction purement intellectuelle, et l'esprit et le cerveau comme des entités absolument distinctes. Il semblait à présent que la mémoire fût emmagasinée de façon permanente dans les cellules du cerveau. Penfield avait fait surgir celle-ci de l'hippocampe, partie protubérante du lobe temporal située au-dessous de la tempe.

Penfield réitéra l'expérience sur d'autres patients. Lorsqu'il arrêtait le courant dans l'électrode, le souvenir s'interrompait. Lorsqu'il le rétablissait, le patient reprenait son récit.

La plupart des cobayes insistèrent sur l'intensité de l'expérience. Il ne s'agissait pas d'une simple remémoration : ils avaient eu le sentiment de revivre un événement de leur vie.

Tout d'abord, la théorie de Penfield ne suscita que mépris. Mais, dans les années 1950, des chirurgiens tentèrent l'ablation des deux lobes temporaux sur des patients pour les guérir de l'épilep-

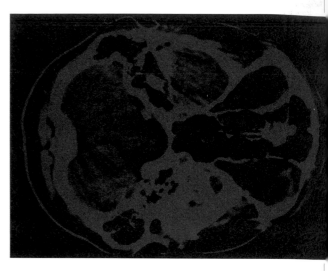

Les lobes temporaux, ces parties claires en forme de coin situées en haut et en bas de cette scanographie du cerveau, jouent un rôle capital dans la remémoration des événements.

sie. Ils y réussirent, mais en les privant de leur faculté de se souvenir de quoi que ce fût pendant plus de cinq minutes. Cette malheureuse expérience ainsi que la démonstration des effets des traumatismes crâniens sur la mémoire achevèrent de convaincre le monde médical du bien-fondé de la théorie de Penfield.

LES PERFORMANCES DE LA MÉMOIRE
Nul ne peut acquérir volontairement une mémoire photographique

Le neurologue russe Aleksandr Louria demanda un jour à Solomon Veniaminoff, un journaliste venu le consulter dans les années 1920, de répéter une longue liste de mots qu'il lui avait lue auparavant. Les mots en question n'avaient pas de relation particulière : ils ne formaient pas une phrase et avaient été alignés au hasard. Il n'y avait donc pas de raison logique de s'en souvenir.

Le journaliste marqua une pause et finit par répondre : « Oui, oui... c'était une liste que vous m'avez lue... un jour que nous étions dans votre appartement... Vous étiez assis à la table, et moi, dans le rocking-chair... Vous portiez un costume gris... » Après quoi, Veniaminoff débita la longue liste de mots sans queue ni tête exactement dans l'ordre où il l'avait entendue. Une performance d'autant plus extraordinaire que cette liste ne lui avait été lue qu'une fois, seize ans auparavant !

Une mémoire photographique – ou eidétique (du grec *eidos,* « forme ») – de ce type est excessivement rare. Si elle n'est pas innée, il est malheureusement impossible de l'acquérir volontairement. Certes, il existe toutefois des méthodes facilitant la mémorisation, mais celles-ci reposent sur des procédés mnémotechniques tels que des vers rimés ou de simples phrases permettant de garder en mémoire des informations plutôt rébarbatives.

La petite phrase bien connue des écoliers « Mais où est donc Ornicar ? »

permet, par exemple, de mémoriser facilement la liste des conjonctions de coordination : mais, ou, et, donc, or, ni, car. Autres exemples : « Les *si* n'aiment pas les *ré* » aide les élèves à se mettre dans la tête l'une des règles de base de la concordance des temps, à savoir que la conjonction « si » n'est jamais suivie du conditionnel, mais de l'imparfait ; « Le chapeau de la cime est tombé dans l'abîme » permet de se rappeler la façon dont il convient d'accentuer les mots cime et abîme.

De même, nous nous souvenons plus facilement des choses auxquelles nous avons pensé juste avant de nous endormir. Mais, contrairement à une idée fort répandue, l'acquisition de connaissances est impossible durant le sommeil.

EXPLORATIONS DE L'ŒIL

De nouvelles connaissances sur le mécanisme de la vue

Si les scientifiques entrevoient aujourd'hui la nature des particules subatomiques et observent le monde des quasars et des pulsars à travers les galaxies, ils ne savent pourtant pratiquement rien de la perception du monde extérieur telle que nous la transmettent les organes de la vue.

Toutefois, les physiologistes commencent à comprendre comment l'œil et le cerveau travaillent de concert pour produire une vision sans faille du monde extérieur. Même lorsque nos yeux paraissent immobiles, ils ne restent jamais au repos pendant plus d'une fraction de seconde. Mais ils bougent tellement vite – jusqu'à cent fois par seconde – que nous n'avons pas conscience de leurs mouvements. Comment connaissons-nous donc ces mouvements, et à quoi servent-ils ?

Des spécialistes ont pu observer les moindres mouvements oculaires. En posant sur l'œil une lentille de contact à prisme et grâce à des rayons lumineux parallèles s'y réfléchissant, ils ont pu les enregistrer sur une bande passante. Cette expérience a permis de découvrir l'existence de trois types différents de mouvements oculaires involontaires : les tremblements irréguliers extrêmement rapides ; les cillements, qui surviennent au rythme d'un par seconde pour corriger l'alignement de l'œil quand celui-ci s'est trop éloigné de l'objet fixé, et les déviations lentes, irrégulières, qui se produisent entre les cillements. Tous ces mouvements sont automatiques et indépendants de ceux, volontaires, que nous faisons quand nous lisons, conduisons ou pratiquons un sport.

Une autre expérience a montré que sans ces infimes mouvements oculaires nous serions aveugles. Des chercheurs sont parvenus à immobiliser complètement un œil, stabilisant ainsi artificiellement les contours d'une image sur un petit nombre de cellules nerveuses rétiniennes : l'image s'effaça alors graduellement avant de disparaître. Les scientifiques en conclurent que les mouvements involontaires de l'œil sont nécessaires afin de permettre à la lumière d'atteindre les cellules rétiniennes. Dans le cas contraire, l'œil ne peut plus envoyer au cerveau le signal nerveux que celui-ci va traduire en sensations visuelles.

> ### LE SAVIEZ-VOUS ?
>
> *Le monde est littéralement à l'envers quand le cristallin de l'œil envoie une image sur la rétine. C'est à son plus jeune âge que l'enfant réalise qu'il va voir le monde à l'envers ; dès ce moment, son cerveau rétablit automatiquement l'image à l'endroit.*

LE LASER : UN NOUVEAU SCALPEL

Dans la chirurgie des yeux, on compte sur les possibilités du laser pour remplacer, d'une part, les interventions traditionnelles, d'autre part, les lunettes et les lentilles de contact. Le laser est déjà employé pour les « recollements » de rétine, mais certains chirurgiens expérimentent actuellement le laser excimer pour modifier la forme de la cornée.

Ce laser tire son nom des *excited dimers*, présents dans le mélange gazeux utilisé pour produire le rayon ultraviolet du laser. L'excimer peut enlever de très fines couches de peau, et sa précision est telle qu'il est capable de ciseler un motif dans une mèche de cheveux. La longueur d'onde du rayon lumineux détermine le lieu où son énergie sera absorbée et, par conséquent, les tissus qui seront touchés.

Après que le laser a traversé la couche extrême de la cornée, la lésion se révèle très petite et très propre, si bien que les problèmes de cicatrisation sont réduits au minimum.

Un rayon laser traverse l'œil, du cristallin (à droite) à l'endroit endommagé de la rétine (à gauche).

Mais que ressent-on lors d'une intervention au laser ? Il existe un procédé, toujours au stade expérimental, rapide et indolore, où le patient reste éveillé. Dans un premier temps, une anesthésie locale est pratiquée, ce qui permet de rétracter la pupille. Après quoi, l'équipement est fixé sur l'œil par aspiration, afin de l'immobiliser pendant l'opération.

Dans la majorité des cas, l'exposition au laser dure moins de douze secondes. L'intervention dure moins d'une demi-heure, et l'hospitalisation n'est pas nécessaire. Dès le lendemain, toute gêne a disparu et la vision est normale.

Bien que cette technique soit encore considérée comme expérimentale, elle est déjà utilisée en Allemagne, où elle est malheureusement très coûteuse. Mais, à l'avenir, elle pourrait changer la vie de millions de gens. Selon les ophtalmologistes, elle permettra en effet de corriger 90 % des cas de myopie.

LA « FALAISE OPTIQUE »

Comment les bébés perçoivent le monde qui les entoure

Eleanor Gibson, chercheuse à l'université Cornell (État de New York), pique-niquait avec son bébé aux abords du Grand Canyon, au Colorado. Tandis qu'elle surveillait l'enfant, qui progressait à quatre pattes, une idée effroyable lui traversa l'esprit : et si le bébé s'approchait trop près du bord ? Un tout jeune enfant a-t-il la perception du vide ?

Les inquiétudes que Mme Gibson avait éprouvées lui donnèrent une idée. Elle voulut mettre au point une expérience permettant de déterminer si les jeunes bébés perçoivent ou non la profondeur. Aussi décida-t-elle de créer un Grand Canyon miniature et sans danger.

Cette célèbre expérience est connue sous le nom de « falaise optique ». Une planche étroite fut placée au centre d'une épaisse plaque de verre, elle-même disposée à 30 cm du sol. À droite de la planche, un morceau de tissu à petits carreaux fut fixé contre la face inférieure de la plaque de verre, donnant à ce côté l'aspect d'une surface solide. À gauche de la planche, un tissu identique fut étendu à même le sol,

sous la plaque de verre, créant ainsi l'illusion d'un dénivelé de falaise. On posa un bébé sur la planche : allait-il passer du côté de la falaise optique ?

Lors des expériences, chaque mère devait encourager son enfant à venir la rejoindre en passant sur la « falaise optique ». Sur trente-six bébés âgés de six à quatorze mois, tous, sauf trois, s'y refusèrent : le côté gauche était donc clairement perçu comme dangereux.

Répétée un grand nombre de fois, cette expérience permit de prouver que les bébés (ainsi que les jeunes animaux) distinguent le vide dès qu'ils commencent à se déplacer, et qu'ils se servent de leurs yeux pour percevoir le danger d'une dénivellation abrupte et l'éviter.

Note : Eleanor Gibson a réalisé cette expérience en tant que scientifique et en laboratoire. Nous recommandons donc aux parents de ne pas essayer de reproduire l'expérience chez eux ; pas plus à l'intérieur qu'à l'extérieur.

L'expérience dite de la « falaise optique », montra que les jeunes enfants perçoivent la profondeur dès qu'ils commencent à se déplacer.

MESSAGE REÇU !

Bâtonnets et cônes

Sensibles à la lumière, les cellules sensorielles de la vue produisent des réactions chimiques en chaîne. Les bâtonnets et les cônes, les deux principaux types de récepteur visuel rétinien, sont au nombre de 125 millions pour chaque œil.

Les bâtonnets permettent à l'œil de s'adapter à l'obscurité. Leur sensibilité est telle que, dans l'obscurité, on estime qu'ils permettraient à l'œil de distinguer la flamme d'une bougie à 8 km.

Moins sensibles que les bâtonnets, les cônes nous permettent de voir à la lumière du jour, ou en lumière artificielle. Ils filtrent également la couleur.

Ces deux types de cellules contiennent des substances sensibles à la lumière appelées pigments. Ceux-ci changent rapidement lorsqu'ils sont atteints par les rayons lumineux, déclenchant l'envoi de signaux au cerveau, qui les décode et les traduit en

images. Normalement, les bâtonnets et les cônes s'adaptent instantanément à tout changement d'intensité lumineuse. Toutefois, en cas de passage brutal de l'obscurité au plein soleil, ils mettent un certain temps à s'adapter.

La contribution des cônes à la vision des couleurs n'est pas encore complètement expliquée. Les bâtonnets ne comportent qu'un type de pigment, incapable de discerner la couleur. Mais les cônes en possèdent trois, et chaque cône est sensible à une seule couleur primaire. L'effet est comparable à ce que l'on voit lorsque l'on examine à la loupe une image télévisée : on distingue sur l'écran des petits points rouges, jaunes et bleus. Ainsi les cônes décomposent-ils les différentes teintes en ces trois couleurs. C'est le cerveau qui, après avoir interprété ces sensations, restitue toute la palette des couleurs du monde qui nous entoure.

LE SAVIEZ-VOUS ?

Les personnes atteintes de myopie voient troubles les objets éloignés, mais parfaitement de près. En revanche, les hypermétropes, ou presbytes, distinguent mal les objets rapprochés mais voient très bien de loin.

* * *

L'achromatopsie, ou impossibilité de distinguer les couleurs, habituellement héréditaire, affecte environ 8 % des hommes – pour une raison inconnue, cette anomalie ne touche que 1 % des femmes. L'œil est alors privé d'au moins l'un des trois types de pigment des cônes.

* * *

L'héméralopie, ou altération de la vision lorsque la lumière est faible, peut résulter d'une carence en vitamine A, laquelle contribue à la formation de la substance chimique photosensible nécessaire aux bâtonnets et aux cônes rétiniens. L'apparition de cette carence diminue la sensibilité des récepteurs, provoquant un affaiblissement de la vision en éclairage peu intense. La croyance populaire selon laquelle il faut manger des carottes pour mieux voir la nuit n'est donc pas si éloignée de la vérité scientifique : le carotène est, en effet, la principale source de vitamine A. Le carotène fut isolé chimiquement pour la première fois en 1831.

VOIR DE NOUVEAU

Qu'éprouve un aveugle qui recouvre la vue ?

À cinquante et un ans, c'était un travailleur manuel actif et indépendant ; chaque jour, il maniait ses outils avec dextérité et intelligence, et pourtant il ne les avait jamais vus. Cet homme, qui préférait être cité sous ses initiales – S. B. – dans l'étude qui lui fut consacrée, était non-voyant depuis l'âge de neuf mois. Mais sa vie changea radicalement lorsque, à la fin des années 1950, il fut opéré des deux yeux et recouvra la vue.

S. B. aperçut tout d'abord le visage, flou, du chirurgien, mais il ne le reconnut pas comme tel. Même lorsque sa vue commença à s'améliorer, les expressions physionomiques restèrent dépourvues de sens pour lui. Il identifiait d'ailleurs les gens qu'il connaissait

LA CORRECTION CHIRURGICALE DE LA MYOPIE

L'idée de corriger par la chirurgie les anomalies de la vision a été lancée au début du siècle, et c'est dans une revue médicale américaine que parut, en 1953, le premier compte rendu d'une correction chirurgicale de myopie.

En 1970, le chirurgien soviétique Svyatoslav Fyodorov mit au point un procédé chirurgical de dix minutes corrigeant la distorsion de la cornée responsable de la myopie. Par de petites incisions radiales, à sa surface, à l'aide d'une pointe en diamant, la cornée est aplatie, ce qui permet alors à l'œil d'accommoder correctement. Les ordinateurs évaluent dans un premier temps

les caractéristiques de la cornée du patient : épaisseur, courbure, rigidité, etc. Ces mesures permettent aux chirurgiens de déterminer le nombre et la profondeur des incisions.

À la fin des années 1980, plus de 25 000 Soviétiques avaient bénéficié de ce traitement. Le taux de succès est élevé – 85 % des patients n'ont plus jamais besoin de lunettes – mais certains d'entre eux ont fait état de difficultés à voir avec netteté des objets rapprochés et d'éblouissements.

De même, et en dépit de l'exactitude des ordinateurs, le traitement n'est pas dépourvu de risques.

non pas à leur visage, mais à leur voix.

L'histoire de S. B. illustre les problèmes rencontrés par ceux qui doivent apprendre à se servir de leurs yeux après des années de cécité. Leur grande difficulté : ne percevoir les objets qu'en fonction d'un son, déjà familier, ou de leur forme et de leur texture. Par exemple, S. B. identifiait immédiatement les voitures au bruit de leur moteur. Mais il n'identifia pas la Lune quand il la vit pour la première fois.

Les personnes qui recouvrent la vue éprouvent également de la difficulté à apprécier les distances, et particulièrement les dénivelés. De sa fenêtre du troisième étage, S. B. était tout à fait persuadé de pouvoir atteindre le sol en se suspendant au rebord.

S. B. avait été un aveugle heureux, se contentant des informations fournies par ses quatre autres sens. Alors qu'il s'habituait peu à peu à la vision, il découvrait un monde déprimant. Tout ce qu'il voyait lui apparaissait morne et triste. Au point qu'on eut le sentiment que cet homme avait perdu plus qu'il n'avait gagné en recouvrant la vue. S. B. était un homme découragé lorsqu'il mourut, moins de deux ans après son opération réussie.

LE SAVIEZ-VOUS ?

Une image secondaire est l'« empreinte » sombre qui demeure sur la rétine lorsque l'on a fixé une source de lumière, comme une ampoule électrique ou le flash d'un appareil photo. L'intensité de la lumière « décolore » momentanément les pigments photosensibles de la rétine, et une image irréelle semble alors flotter dans l'espace.

Elle s'atténue peu à peu, mais peut réapparaître si l'on cligne des yeux ou si l'on fixe un autre support.

La faculté d'observation se développe durant les cinq premières années de la vie. Toutefois, la plupart des développements oculaires importants se produisent durant les six ou huit premiers mois. Des études ont établi que la vision se développait plus rapidement chez les filles, mais que, dès l'âge de huit mois, les garçons avaient rattrapé leur retard.

Il existe dans chaque œil un « point aveugle » : c'est l'endroit de la rétine d'où part le nerf optique vers le cerveau. Dépourvu en effet de bâtonnets et de cônes, ce point n'enregistre pas la lumière.

Pour découvrir votre point aveugle, tenez ce livre d'un bras face à vos yeux et masquez l'un d'eux.

Fixez l'étoile au bas de cette page et approchez lentement le livre de vos yeux. À un moment donné, le cercle (à droite de l'étoile) disparaîtra.

SENS ET SENSIBILITÉ

L'oreille humaine n'a qu'une perception limitée

La sensibilité de l'appareil auditif humain est impressionnante. Pour être audible, un son n'a besoin de faire vibrer le tympan que de 0,000 000 01 mm. Notre oreille perçoit une grande variété de sons, de la respiration d'un bébé à l'explosion produite par un avion franchissant le mur du son. Mais, par comparaison avec certains de nos amis animaux, nous faisons figure de demi-sourds.

Le son est une vibration de l'air et se propage sous forme d'ondes successives. La fréquence de ces ondes – le nombre d'ondes par seconde – détermine la hauteur du son, à savoir son caractère strident ou grave.

L'oreille humaine ne capte pas toute la gamme des vibrations sonores, mais seulement les sons allant de 20 à 20 000 vibrations par seconde. Comparé au *do* le plus aigu d'un piano, qui est de 4 096 vibrations par seconde, un son de 20 000 pulsations par seconde n'est perçu que comme un léger sifflement. Les chiens, en revanche, entendent des sifflets à ultrasons de 35 000 vibrations par seconde, inaudibles pour les humains. L'ouïe des chauves-souris est encore plus sensible : elle réagit à des fréquences dépassant 75 000 vibrations par seconde.

Aucun animal terrestre ne peut toutefois rivaliser avec le dauphin. Communiquant entre eux au moyen d'un langage complexe, fait de claquements et de sifflements, les dauphins perçoivent une gamme de sons allant de 20 à 150 000 vibrations par seconde. Il est toutefois inutile de demander à un dauphin de vous « prêter une oreille attentive ». C'est, en effet, par la mâchoire et la gorge que les dauphins captent les sons de haute fréquence, leurs oreilles étant atrophiées.

COMPLÈTEMENT HORS D'ATTEINTE

L'isolation sensorielle

Ces dernières années, l'isolation sensorielle a fait fureur, notamment aux États-Unis. Enfermé dans un caisson obscur et insonorisé flottant dans une eau salée, on peut se relaxer et oublier le stress de la vie quotidienne. Privé des informations transmises par les sens, on ressent alors une tranquillité et une paix intérieure profondes. Cependant, on n'est pas totalement coupé du monde extérieur, puisque, à l'intérieur du caisson, on peut écouter de la musique ou regarder des vidéos. Car, comme l'on démontré au cours d'une expérience tentée dans les années 1950 des psychologues de Montréal, l'isolation sensorielle totale produit, elle, des effets indésirables.

Pour cette expérience, chacun des volontaires, revêtu d'un habit matelassé, les yeux et les oreilles bouchés, était allongé dans un caisson flottant parfaitement insonorisé et maintenu à température du corps. Ils n'entendaient même pas le bruit de leur propre respiration, et leurs mouvements étaient amortis. On les informa qu'ils pouvaient prolonger l'expérience aussi longtemps qu'ils le souhaitaient. Seul un bouton d'alarme les reliait aux psychologues, qui les surveillaient de l'extérieur.

L'isolation sensorielle totale s'avéra désastreuse pour la relaxation. La plupart des volontaires tirèrent le signal d'alarme au bout de quelques heures, et rien ne put les convaincre de retourner dans le caisson, où ils avaient été l'objet d'effrayantes hallucinations. Un seul parvint à résister une journée, mais il en resta ébranlé quelque temps.

L'isolation sensorielle provoque donc des crises d'angoisse sans que l'on en connaisse la raison. Il a été suggéré que le cerveau, croyant le corps endormi, se mettait à rêver. Mais, comme le corps est éveillé, ces rêves sont perçus comme des hallucinations.

Même s'il est avide de tranquillité, l'homme est un animal social, qui a besoin d'un environnement stimulant. L'isolation sensorielle totale est la voie la plus sûre vers la folie.

Au cours d'une expérience d'isolation sensorielle, une personne porte des manchons et un bandeau sur les yeux.

LE SAVIEZ-VOUS ?

Les récepteurs du toucher sont inégalement répartis sur l'ensemble du corps, mais se concentrent aux endroits où ils sont le plus nécessaires. Ils ne sont espacés que de 2,5 mm au bout des doigts, mais de 63 mm sur le dos. La langue est tout particulièrement sensible : ses récepteurs sont cent fois plus proches les uns les autres que ceux du dos. C'est la raison pour laquelle une infime égratignure sur la langue fait souvent l'effet d'une coupure.

DÉLICIEUSES ODEURS

Le nez, notre organe le plus sensible

Non seulement notre odorat est remarquablement développé, mais le simple souvenir de l'herbe fraîchement tondue, des aiguilles de pin, du camembert ou du caoutchouc brûlé nous restitue comme une sensation de leur odeur.

C'est dans la partie supérieure du nez que se trouvent les deux amas de récepteurs constituant le siège de l'odorat. Il s'agit de millions de cellules qui forment un tapis de vibrisses. Ces cellules velues, appelées cils, se révèlent étonnamment sensibles. La moindre molécule d'une quelconque substance suffit à les exciter pour qu'aussitôt elles envoient un message au cerveau.

Il existe au moins quatorze catégories de cellules réceptrices des odeurs, chacune réagissant à un certain type d'entre elles. Ce dispositif permet au cerveau non seulement de savoir qu'un élément odorant vient d'atteindre le nerf olfactif, mais aussi de l'identifier. Les odeurs les plus familières sont, en fait, des mélanges complexes.

Certains parfums agréables sont composés de substances qui, prises une à une, dégagent une odeur tout à fait repoussante. La civette, par exemple, sécrétion des glandes anales d'une espèce de chat sauvage, sent très mauvais ; elle entre cependant dans la composition des plus luxueux parfums.

L'homme peut distinguer plus de 10 000 odeurs complexes – 17 000 odeurs ont été recensées jusqu'à présent. Mais force est de constater que nous mettons fort peu cette faculté à profit. Les odeurs jouent, sans qu'on le sache, un rôle important dans les rapports humains. Des expériences ont ainsi montré que, dès le sixième jour, un bébé est capable de reconnaître sa mère à son odeur.

LE SAVIEZ-VOUS ?

L'être humain peut détecter, à 3° près, la provenance d'un son. La chouette, dont l'une des oreilles est placée plus en avant que l'autre, détecte la provenance des sons encore plus précisément, c'est-à-dire à 1° près.

FENÊTRES DE L'ÂME

La liste de nos sens est-elle close ?

Nos sens, qu'on appelait autrefois les fenêtres de l'âme, sont au nombre de nos attributs les plus précieux.

Mais combien en possédons-nous au juste ? Au IVᵉ siècle avant J.-C., le philosophe grec Aristote en dénombrait cinq – la vue, l'ouïe, l'odorat, le goût et le toucher –, et depuis cette époque nul n'est jamais revenu sur cette liste. Toutefois, les neurologues ont récemment découvert toute une gamme de sens supplémentaires.

Douleur et pression

Tous nos sens dépendent de récepteurs sensoriels, terminaisons nerveuses qui envoient des messages électrochimiques au cerveau. Chaque récepteur sensoriel réagit à un stimulus extérieur bien défini : les récepteurs rétiniens, à la lumière ; les récepteurs olfactifs, aux odeurs ; etc.

Répartis dans tout le corps, sous la peau, dans les articulations, et même dans le système digestif, nombre de récepteurs sensoriels ont été reconnus. Certains réagissent à la chaleur, d'autres au froid, d'autres encore à la douleur ou à la pression. Chacune de ces fonctions pourrait, en effet, être qualifiée de sens. Et il est même des scientifiques pour considérer la faim et la soif comme des sens distincts.

Si nous ·parlons de notre « sens de l'équilibre », l'expression se justifie tout à fait. Ce sens siège dans l'oreille interne, et l'équilibre peut être, à juste titre, considéré comme l'une de ses fonctions majeures. On y trouve tout un réseau de minuscules cavités et de canaux emplis de liquide et tapissés de cils ultrasensibles. À peine bougeons-nous la tête que ces cils envoient un message au cerveau, l'informant ainsi continuellement de nos moindres mouvements.

Mais la liste de nos sens s'arrête-t-elle là ? Pas pour les parapsychologues, qui considèrent souvent la perception extrasensorielle comme un sens. Certains soi-disant extralucides ont, par exemple, la faculté de « voir » des objets à travers une enveloppe fermée. D'autres, les médiums, affirment pouvoir « lire » dans l'avenir. En dépit des recherches scientifiques actuelles, nul n'a pu prouver la présence, dans le corps, de récepteurs correspondant à tous ces modes de perception.

Que les parapsychologues aient raison ou pas, il est désormais impossible de qualifier ces mystérieuses facultés de sixième sens. Aujourd'hui, il faudrait plutôt parler du quatorzième, ou même du quinzième !

Une représentation caricaturale des cinq sens, peinte en 1823 par Louis Léopold Boilly.

LE SYSTÈME NERVEUX CENTRAL

Le rôle de la moelle épinière

La communication neurologique entre le cerveau et le reste du corps est assurée par la moelle épinière, cordon de tissu nerveux de l'épaisseur du petit doigt qui court à l'intérieur de la colonne vertébrale sur une longueur de 45 cm. Des cellules nerveuses appelées neurones moteurs transmettent les influx du cerveau à la moelle épinière, qui les relaie vers les différentes parties du corps. Les neurones sensoriels, eux, assurent la transmission vers le cerveau des informations provenant des organes et des tissus, toujours via la moelle épinière.

Mais la moelle épinière agit aussi indépendamment du cerveau, produisant et contrôlant les mouvements automatiques, ou réflexes spinaux, qu'un danger immédiat va déclencher. On parle alors d'arc réflexe.

Si, par exemple, nous saisissons une assiette brûlante, des neurones sensoriels émettent un signal de danger capté par la moelle épinière, qui, par l'intermédiaire d'un nerf moteur, commande alors aux muscles impliqués de lâcher immédiatement l'objet. Cet « aller et retour » est si rapide que nous lâchons souvent l'assiette avant même que le cerveau ait eu le temps de recevoir le premier message signalant sa chaleur.

C'est ce genre de réaction défensive que le médecin teste quand il fait tressaillir la jambe d'un patient en lui tapant sur le genou avec son marteau à réflexes. Et ce réflexe-là, qui trouve son origine dans la moelle épinière, indique la souplesse des tendons et, surtout, une bonne conduction nerveuse. En frappant le genou, le médecin sollicite le tendon rotulien, qui s'étire au maximum. La contraction des muscles des jambes permet aux tendons de se relâcher.

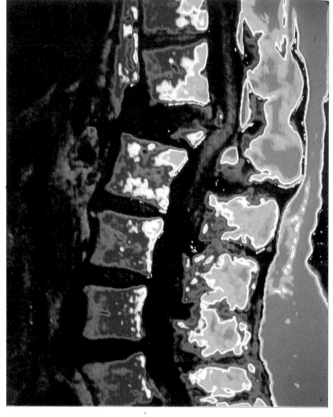

Les trente-trois vertèbres de la colonne vertébrale (qui apparaissent en partie sur ce cliché sous forme de carrés) protègent un ruban de tissu nerveux, la moelle épinière, qui assure un rôle de transmission dans le système nerveux. La fracture d'une vertèbre (ici sous le deuxième carré en partant du haut) peut endommager la moelle épinière.

La moelle épinière assure aussi le fonctionnement inconscient du corps (clignement des yeux, vidage de la vessie, action des muscles sur le squelette). Libérant le cerveau, la moelle épinière permet à celui-ci de se consacrer à des opérations plus complexes.

Cette coupe de la moelle épinière – grossie vingt fois – montre, à la périphérie, une substance blanche composée d'une masse de fibres nerveuses et une zone centrale composée de neurones (ici en jaune).

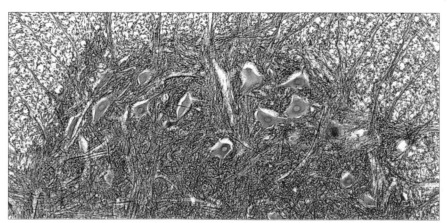

LE SAVIEZ-VOUS ?

Le cerveau humain pèse 1,4 kg environ. Il présente une consistance molle. C'est à sa surface que sont stockées la plupart des informations. Quatre lobes le couvrent comme un casque : le frontal, le temporal, le pariétal et les occipitaux. Il n'y a rien de plus, sur sa surface extérieure, que le cervelet, de la taille d'une pêche, à l'arrière, et le tronc cérébral, qui relie le cerveau à la moelle épinière.

« J'AI LA MÉMOIRE QUI FLANCHE... »

En 1986, un chirurgien de Chicago, qui recousait le ventre d'un patient après une opération de la vésicule biliaire, s'interrompit pour demander : « Au fait, je l'ai enlevée, cette vésicule, ou pas ? » L'infirmière qui l'assistait le rassura sur ce point et lui conseilla de poursuivre la suture. Il se remit donc à l'ouvrage, mais ne cessa de reposer la même question. L'infirmière eut la présence d'esprit de le rassurer jusqu'au terme de l'intervention.

Le chirurgien décida de consulter un neurologue, qui diagnostiqua une forme extrêmement rare de perte de la mémoire immédiate appelée amnésie passagère totale. Passagère, parce qu'elle ne dure pas plus de quelques heures ou quelques jours ; totale, parce que le sujet devient incapable de se souvenir de ce qu'il voit, lit, entend, goûte ou sent.

Aucune des autres fonctions cérébrales chez ce chirurgien n'était altérée. Il resta en observation une journée et on lui fit des examens du cerveau au scanner. Dans l'intervalle, il avait recouvré complètement la mémoire, hormis un « trou » de quarante-huit heures. Deux jours plus tard, le chirurgien était de retour en salle d'opération.

L'amnésie passagère totale est due à un dysfonctionnement du système d'activation réticulaire, réseau de cellules participant au processus de mémorisation et de remémoration des souvenirs. La fatigue physique ou nerveuse, l'immersion en eau froide, l'exposition brutale à la chaleur ou au froid, ou même l'activité sexuelle, peuvent en quelque sorte faire « disjoncter » le système. Quant à savoir comment cette rupture se produit, cela reste un mystère.

TUTEUR POUR NERF ENDOMMAGÉ
La première greffe de nerf sciatique

En 1988, une équipe chirurgicale canadienne pratiqua une greffe considérée jusque-là comme relevant de la science-fiction : la transplantation sur un jeune Américain de neuf ans d'un nerf sciatique (notre nerf le plus long, qui va du bas du dos au pied, en se divisant en deux derrière le genou).

Matthew avait été victime d'un accident de canotage au cours duquel le nerf sciatique de sa jambe gauche avait été sectionné sur 23 cm. Dans ce genre de cas, les chirurgiens essaient habituellement de greffer du tissu nerveux prélevé sur le patient lui-même. Mais, comme il leur en fallait ici une trop grande quantité pour procéder au « raccord », ils estimèrent que Matthew en resterait gravement diminué. D'où cette alternative : ou greffer un nerf prélevé sur un donneur, ou amputer Matthew d'une jambe.

Les greffes nerveuses sont extrêmement difficiles à réaliser. Chaque nerf se termine par des centaines de fibres minuscules rassemblées dans des poches appelées faisceaux. Le nerf greffé doit comporter le même nombre de faisceaux que le nerf sectionné, des faisceaux qu'il faut apparier un à un. Ce travail de « couture » tient de la haute précision. Autre difficulté : le greffon risque toujours d'être rejeté par le système immunitaire du receveur.

Non seulement l'équipe canadienne réussit l'intervention, mais elle démontra que les greffes nerveuses stimulent, en fait, la reconstitution du tissu nerveux originel. Le greffon fit, en quelque sorte, office de tuteur, le long duquel le nerf sectionné de Matthew put « repousser ». Grâce à un médicament testé sur des singes ayant subi des greffes nerveuses et administré à Matthew, le tissu étranger ne fut pas rejeté. Un an après l'intervention, Matthew avait totalement récupéré son nerf sciatique.

Nos nerfs contiennent des centaines de fibres nerveuses enfermées dans des poches appelées faisceaux. Pour réparer un nerf, les faisceaux doivent être reliés un à un. Chaque fibre nerveuse est pourvue d'une gaine nutritive appelée gaine de myéline.

LE SAVIEZ-VOUS ?

Durant la décennie qui suivit la Seconde Guerre mondiale, le Dr Walter Freeman pratiqua plus de 3 500 lobotomies (intervention très controversée, qui consiste à sectionner les lobes frontaux du cerveau afin de « calmer » certains grands malades mentaux). Freeman détient un terrible record : il a lobotomisé 25 femmes en une journée. Il se plaisait à dire que cette opération transformait « schizophrènes, homosexuels et autres gauchistes » en « citoyens américains modèles »...

Le cerveau est l'organe qui travaille le plus. Bien qu'il ne représente que 2 % du poids du corps, il consomme 20 % de son énergie.

La greffe comme traitement des maladies du cerveau est une réalité. Au Mexique, en Suède et aux États-Unis, on prélève des échantillons tissulaires sur les glandes surrénales ou sur la membrane fœtale. Ces tissus sont greffés pour améliorer la mémoire des patients souffrant de la maladie de Parkinson.

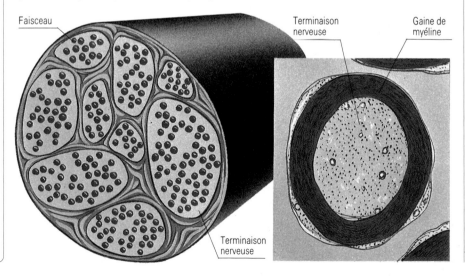

Faisceau — Terminaison nerveuse — Gaine de myéline — Terminaison nerveuse

DES GÉNIES PAS COMME LES AUTRES
Les stupéfiantes performances des « idiots savants »

Qui sont ces génies capables de calculer en un instant le jour de la semaine correspondant à une date remontant à plus de quarante mille ans, tout en étant incapables d'additionner 2 et 2 ? Ou d'interpréter une sonate au piano après une seule écoute tout en étant mentalement retardés à bien des égards ? Ces prodiges souffrent de ce qu'on appelle le « syndrome de l'idiot savant », un état mental que les scientifiques commencent seulement à mieux comprendre. Il suscite d'ailleurs la curiosité des psychiatres depuis sa première description détaillée, en 1887, par le Dr J. Langdon Down (un médecin connu surtout pour ses travaux sur le mongolisme).

Un siècle plus tard, nous connaissons beaucoup mieux ces génies attardés : les « idiots savants » possèdent une forme de mémoire aussi sophistiquée qu'efficace, qui leur permet de visualiser à vie des peintures, des listes de dates ou de mémoriser un air de musique. De telles facultés sont innées, ou acquises après un traumatisme crânien ou une maladie du système nerveux central. Quant à cet état mental, il peut être causé par une anomalie génétique, une période d'isolation sensorielle ou une lésion touchant certaines zones et structures du cerveau.

On rencontre six fois plus d'« idiots savants » chez les hommes que chez les

Dans le film Rain Man *(1988), Dustin Hoffman joue le rôle d'un autiste qui stupéfie son frère (Tom Cruise), en accomplissant les calculs les plus compliqués.*

femmes. Leurs facultés apparaissent et disparaissent aussi soudainement. L'autisme, trouble psychique qui fait de l'individu un être introverti, a été rapproché du « syndrome de l'idiot savant ». Un enfant autiste sur dix, en moyenne, fait montre en effet de ce type de facultés prodigieuses.

L'une des premières descriptions de la « calculatrice humaine » fut rédigée en 1789 par le Dr Benjamin Rush. Il fallait à l'un de ses patients, un handicapé mental analphabète, seulement 90 secondes pour calculer, par exemple, qu'un homme ayant vécu 70 ans, 17 jours et 12 heures avait vécu 2 210 500 800 secondes, le tout sans oublier les années bissextiles !

Un stupéfiant répertoire

Un autre « idiot savant » devint un pianiste célèbre dans les années 1860. Blind Tom possédait un vocabulaire d'à peine cent mots, mais il était capable de jouer cinq mille pièces pour piano à la perfection.

En 1964, des jumeaux américains, Charles et George, stupéfiaient les neuropsychiatres par leurs prodigieux calculs de dates. Ils étaient capables de fournir une réponse quasi immédiate lorsqu'on leur demandait, par exemple, quelles étaient les années où le 21 avril était tombé un dimanche (1963, 1957, 1946, et ainsi de suite en remontant jusqu'à 1700). Le neurologue et écrivain britannique Oliver Sacks, alors qu'il observait l'une de leurs démonstrations, renversa accidentellement une boîte d'allumettes devant eux. Les jumeaux s'écrièrent alors à l'unisson : « 111 ! » Après les avoir ramassées, Sacks confirma qu'exactement 111 allumettes étaient tombées de la boîte. Lorsqu'il demanda aux jumeaux comment ils faisaient pour compter si vite, ils répondirent : « Nous n'avons pas compté... Nous avons vu 111. »

UN TROP-PLEIN D'ÉNERGIE

À vingt-quatre ans, John était un garçon intelligent, doté d'une forte personnalité. Un seul problème : toutes les deux ou trois secondes, il était pris de contractions musculaires spasmodiques ; autrement dit, de tics. Parfois, ces spasmes l'aidaient, lorsqu'il jouait de la batterie par exemple, mais le plus souvent, c'était un lourd handicap. Hormis les périodes de sommeil, il n'était délivré de ces tics que lorsqu'il se déplaçait d'une façon rythmée, par exemple lorsqu'il se livrait à certains travaux professionnels où lorsqu'il s'adonnait à la natation.

Alors que la plupart des troubles nerveux se traduisent par la perte d'une fonction (parole, mémoire, langage...) ou de l'identité, il en existe au moins un qui est dû à un trop-plein d'énergie cérébrale. John souffrait du syndrome de La Tourette, qui se manifeste chez les personnes par ailleurs tout à fait normales sous forme de spasmes, de crispations, de grognements, de grimaces et, souvent, de véritables crises nerveuses.

Cette pathologie fut décrite, en 1885, par le neurologue et dramaturge français Gilles de La Tourette. Des neurologues constatèrent par la suite que les victimes du syndrome de La Tourette souffrent d'un excès de dopamine dans le cerveau. Grâce à un traitement destiné à diminuer le taux de ce neurotransmetteur, John put enfin mener une vie normale.

MEMBRE FANTÔME

La plupart des amputés d'un bras ou d'une jambe disent ressentir encore la présence de ce membre. Certains expliquent même que leur membre manquant continue de les faire souffrir des années après l'amputation. Pour eux, cette sensation n'est pas une « vue de l'esprit ».

De nombreux neurologues considèrent que le traumatisme suivant la perte d'un membre peut affecter la zone correspondante du cortex cérébral. La sensation d'avoir encore un membre qui a été amputé peut également résulter d'un trouble des terminaisons nerveuses de la moelle épinière.

De nombreux exemples de cas semblables ont été répertoriés au cours du siècle dernier. Nous devons la description de l'un d'eux, exceptionnel par sa durée, au neurologue George Riddock. C'est à l'âge de quatorze ans qu'un homme avait été amputé de la jambe droite, sous le genou. Examiné par Riddock trente-quatre ans plus tard, il conservait toujours la sensation de sa présence. L'homme prétendait même remuer le pied et les orteils. Quand il portait sa prothèse, il était capable de « sentir » s'il marchait sur un bouton ou sur une allumette.

Des sensations persistantes

La « présence » du membre amputé semblait si naturelle à cet homme que, lorsqu'il se levait d'une chaise, il prenait soin de le faire du « bon pied ». Pris de démangeaisons, il éprouvait souvent l'envie de se gratter. Le membre était remarquablement sensible aux variations météorologiques. Avant la pluie, par exemple, il avait l'impression que ses orteils baignaient dans l'eau. Par grand vent, il les sentait s'écarter les uns des autres. Ces sensations étaient si précises qu'il s'était forgé dans son quartier la réputation de pouvoir prédire le temps.

Ces membres « fantômes » donnent la sensation de traverser la matière. Un patient amputé du bras gauche avait coutume de s'amuser à diriger son moignon vers sa poitrine ; il sentait alors son bras tout entier lui traverser le corps. Dans les cas d'amputations accidentelles, la sensation de la présence du membre amputé persiste toute la vie. Un soldat dont le bras avait été emporté par l'explosion d'une bombe qu'il tenait à la main expliquait que pour lui sa main agrippait toujours la bombe et qu'il ne pouvait pas la desserrer. De nombreux amputés de la main affirment qu'il sentent encore la pression des bagues trop serrées qu'ils portaient avant l'opération.

LES PETITS PRODIGES DU DESSIN

Le sens artistique des enfants autistes

En 1974, les dessins que Nadia, six ans, exécutait d'un seul jet au stylo à bille suscitèrent à la fois l'émerveillement et l'incrédulité d'une équipe de spécialistes du développement infantile de l'université de Nottingham, en Angleterre. Bien que parlant à peine, complètement repliée sur elle-même et sujette à des crises de hurlements, Nadia possédait un don artistique extraordinaire.

Des psychiatres avaient tout d'abord observé chez elle un mélange d'apathie et de comportements obsessionnels. Mais cela changeait lorsqu'elle se mettait à dessiner. Alors soudain, elle s'animait. Maniant le stylo avec la dextérité d'un adulte et tenant la tête très près de sa feuille de papier, Nadia traçait ses traits rapidement, montrant un sens aigu de la perspective, de la profondeur et des contrastes. À sept ans, Nadia entra dans une école pour enfants autistes. Lentement elle apprit à parler, à lire et à nouer des relations avec les autres enfants, et petit à petit elle cessa de dessiner. D'autres cas de ce genre ont permis aux neurologues de conclure que les prodiges autistes perdent leur génie à mesure qu'ils s'intègrent à la société. Leurs dons naturels se transforment et s'appliquent dès lors à l'acquisition du langage.

Un architecte en herbe

Mais dans le cas de Stephen Wiltshire, lui aussi autiste, il en va tout autrement. Stephen, lui, exécute des dessins d'architecte avec un luxe de détails et à une vitesse surprenants. Sa mémoire est si vive qu'il est capable de reproduire avec précision n'importe quel dessin en ne l'ayant vu qu'une fois. En 1987, à l'âge de douze ans, il était, selon l'expression de l'éminent architecte et artiste sir Hugh Casson, « l'un des jeunes artistes les plus talentueux de Grande-Bretagne ».

Comme Nadia, Stephen apprend à parler dans une école spécialisée. Mais ses progrès n'ont nullement altéré son sens artistique. Au contraire, son génie semble s'accroître au même rythme que son ouverture au monde. Stephen se destine aujourd'hui au métier d'architecte. Une fondation, financée en partie par la vente de ses dessins, a été créée pour l'aider à mener à bien ce projet.

Le prodige autiste Stephen Wiltshire émerveille aussi bien les artistes que les médecins par la précision de ses dessins. Il dessina cet édifice à l'âge de onze ans.

153

UNE IMPULSION SOUDAINE
Le fonctionnement des neurones

La communication à l'intérieur du corps est assurée par 100 milliards de cellules nerveuses, ou neurones, la plupart constituant le cerveau. Les neurones véhiculent des messages électriques appelés influx nerveux à la vitesse de 100 m/s. C'est des neurones que dépend la rapidité de nos réactions.

Notre réseau d'information

Au microscope, les neurones ressemblent à une masse de filaments électriques. Chaque neurone se compose d'un corps cellulaire qui contient un noyau, d'un long filament appelé axone, qui véhicule les influx électriques vers les autres cellules, et de filaments ramifiés appelés dendrites, qui reçoivent les messages des autres neurones. Un seul neurone peut recevoir des messages de quantité de ses homologues. L'axone peut avoir de nombreuses ramifications, et les neurologues pensent qu'il existe au moins un type de neurone possédant jusqu'à 200 000 ramifications dendritiques, toutes reliées à un neurone différent. Certains axones sont entourés d'une gaine de myéline (substance lipidique), qui empêche la déperdition des

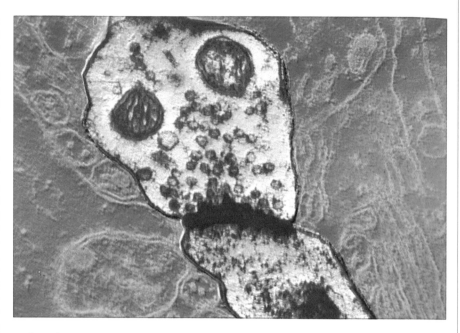

influx électriques au cours du transfert.

Les neurones sensoriels reçoivent des stimuli sous forme de signaux électriques provenant de nos organes sensoriels (le nez, les yeux, la peau...), et les véhiculent vers la moelle épinière et le cerveau. Les neurones moteurs transmettent, pour leur part, les instructions du cerveau et de la moelle épinière vers les muscles ou les glandes, également sous forme de signaux électriques. Ceux-ci nous permettent de réagir à n'importe quel stimulus, comme de retirer la main quand nous touchons quelque chose de très chaud ou de saliver quand nous sentons une bonne odeur de cuisine.

Ces messages électriques circulent à travers le corps sans même que les neurones se touchent. Arrivé à l'extrémité de l'axone, le message rencontre, en effet, un espace vide, ou synapse, qu'il doit franchir avant d'atteindre les dendrites du neurone suivant. C'est à cet endroit que les messages électriques se convertissent en signaux chimiques capables de franchir ce vide ; une fois

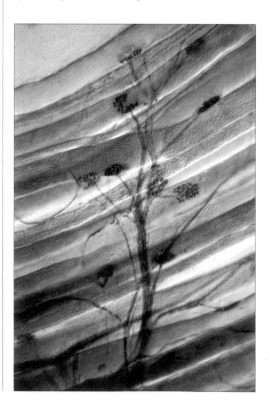

Les influx nerveux voyagent le long des centaines de branches du neurone moteur terminées par une grappe.

Pour franchir la synapse (bande rouge vif) et ainsi passer d'une cellule nerveuse à l'autre, le message électrique se convertit en substance chimique.

la synapse franchie, le signal chimique redevient message électrique. Les spécialistes estiment que la moindre pensée ou action nécessite des millions d'échanges nerveux.

Interruption sur le réseau

Ce système est aussi complexe que vital, et la moindre interruption peut avoir des conséquences dévastatrices. Exemple : la sclérose en plaques, une affection du système nerveux central, qui peut causer une paralysie généralisée. Cette maladie provoque l'inflammation des gaines de myéline – lesquelles fournissent d'importants éléments nutritifs aux neurones – et, par conséquent, l'interruption des influx nerveux. Elle affecte surtout la vision, les sensations et les mouvements.

Dans la maladie des neurones moteurs, ceux-ci, qui véhiculent les messages du cerveau vers les muscles, meurent. En l'absence d'instructions du cerveau, les muscles finissent par s'atrophier faute d'activité, au point que certains malades deviennent incapables de la moindre activité physique.

À ce jour, ces deux maladies sont incurables.

LECTURE D'UN CRÂNE

Vie et mort de la phrénologie

Pendant la première moitié du XIXᵉ siècle se répandit une pseudo-science, la phrénologie, lancée par le Dr Franz-Joseph Gall, selon laquelle l'étude des protubérances crâniennes révélait la personnalité et ses capacités. Charles Darwin et bien d'autres scientifiques renommés s'intéressèrent aux théories du médecin viennois. La manie gagna Edgar Poe ou Karl Marx. La reine Victoria elle-même alla jusqu'à faire examiner le crâne de ses enfants afin de s'assurer de leurs chances dans la vie.

Après avoir examiné des criminels, des fous et d'« honorables citoyens », le Dr Gall divisa le crâne humain en 37 régions, localisant certains traits de caractère tels que la fermeté, l'amour-propre et l'amour filial au sommet du crâne ; la timidité et la prudence prirent place quant à elles sur l'un des côtés du crâne. Selon sa théorie, les protubérances crâniennes signalaient les régions les plus développées du cerveau d'un individu. En fait, cette croyance selon laquelle il est possible de déterminer le caractère d'une personne d'après les contours de son crâne reposait sur une erreur anatomique fondamentale, qui ne fut dénoncée que bien plus tard.

Un système erroné

La grosse erreur du Dr Gall fut de croire que les contours du crâne reproduisaient ceux du cerveau et qu'ils révélaient les facultés mentales sous-jacentes. Or nous savons aujourd'hui que le cerveau et le crâne sont séparés par l'espace sous-arachnoïdien, qui, grâce au liquide céphalo-rachidien, protège le cerveau en cas de choc. Si les différentes régions du cerveau remplissent bel et bien des fonctions différentes, elles ne correspondent pas à la carte tracée par le Dr Gall.

C'est en 1828, l'année de la mort du Dr Gall, que le médecin français François Magendie (1783-1855) découvrit l'existence du liquide céphalo-rachidien. La théorie du Dr Gall n'en tomba pas pour autant en désuétude aussitôt. La mesure des protubérances crâniennes à l'aide d'un appareil électrique appelé « phrénomètre » perdura en effet jusqu'en 1907.

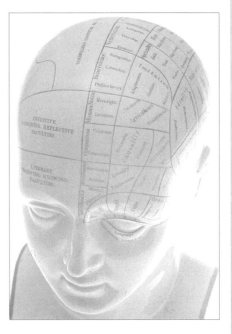

Le Dr F.-J. Gall, l'inventeur de la phrénologie, divisa le cerveau en 37 régions, suivant les contours du crâne. De chaque région dépendait un trait de caractère.

Cette illustration de 1886 montre un adepte de la phrénologie mesurant les protubérances crâniennes d'un jeune garçon.

LES RYTHMES DE L'ESPRIT
Enregistrer l'activité électrique du cerveau

Les développements spectaculaires de la scanographie du cerveau au cours de ces dernières années tendent à éclipser les mérites de l'électroencéphalographie. Pourtant, en dépistant certaines maladies du cerveau, l'EEG (électroencéphalogramme) fournit des informations indétectables même au scanner.

L'électroencéphalographie fut inventée en 1929 par Hans Berger, professeur de psychiatrie à l'université d'Iéna, en Allemagne. On savait depuis longtemps, grâce à des expériences pratiquées sur des animaux, que le cerveau générait des signaux électriques. Berger

Ces trois tracés recueillis par électroencéphalogramme montrent plusieurs rythmes d'activité électrique du cerveau, correspondant à différents états de conscience.

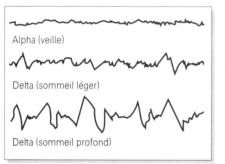

Alpha (veille)

Delta (sommeil léger)

Delta (sommeil profond)

avait découvert qu'à l'aide d'un galvanomètre, instrument servant à mesurer des courants électriques faibles, il était possible de capter ces signaux grâce à de petites électrodes appliquées sur le cuir chevelu. Il amplifia ces faibles signaux et les introduisit dans une machine qui restitua aussitôt le tracé correspondant.

Des rythmes différents

Berger découvrit que les messages électriques du cerveau produisent différents tracés aux rythmes plus ou moins rapides en fonction de l'âge du patient et de sa santé neurologique, ou encore selon l'activité à laquelle il se livre. Chez l'adulte en bonne santé, le tracé le plus courant recueilli sur un électroencéphalogramme correspond au rythme alpha, de dix cycles par seconde. C'est lorsque le sujet se repose les yeux fermés qu'on le capte le plus facilement. Toute opération intellectuelle réduit les ondes alpha et peut même les bloquer complètement. L'onde de fréquence irrégulière qui en résulte est connue sous le nom de « blocage alpha ». Au cours des deux premières phases du sommeil, les ondes cérébrales se ralentissent. Le sujet passe alors en rythme delta, qui se caractérise par des ondes ayant une fréquence d'un ou deux cycles par seconde.

Bien qu'atypique, l'électroencéphalogramme du savant Albert Einstein (1879-1955) illustre bien le phénomène du rythme alpha. Tant qu'il se livrait à des calculs qui ne présentaient pas de difficultés pour lui, Einstein avait l'esprit détendu, ce qui se traduisait sur son EEG par un rythme alpha régulier. Soudain, après une brutale interruption, le rythme s'était emballé. Lorsqu'on lui demanda s'il y avait un problème, Einstein répondit qu'il avait découvert par hasard une erreur dans ses calculs de la veille. Le rythme alpha d'Einstein avait été remplacé à ce moment précis par des ondes irrégulières (blocage alpha).

Tempête dans les méninges

L'EEG est, aujourd'hui encore, le seul procédé permettant de détecter et de contrôler l'épilepsie, dont les crises correspondent à de véritables tempêtes électriques dans le cerveau. Et c'est grâce à lui qu'une étude approfondie de la maladie a pu être menée. À la fin des années 1940, l'EEG permit de découvrir une nouvelle forme d'épilepsie – l'épilepsie du lobe temporal – dont les crises ne produisent pas de convulsions, le malade continuant même de marcher et de parler, mais manifestant des bizarreries du comportement.

À LA RECHERCHE DU « SIÈGE DE L'ÂME »

Les médecins et les philosophes de l'Antiquité sont peut-être pardonnables d'avoir situé l'intellect et la conscience – pour eux, le « siège de l'âme » – partout dans le corps, excepté dans le cerveau. Après tout, le cerveau humain, d'un poids moyen de 1 500 g, est relativement petit. L'examen superficiel de sa substance gélatineuse ne révèle en rien la complexité de son fonctionnement, ni le rôle fondamental qu'il joue dans l'accomplissement des fonctions corporelles.

Durant l'Antiquité, l'ignorance en anatomie était telle que l'on croyait, par exemple, que les sécrétions nasales provenaient directement du cerveau, et que la matière grise du même cerveau était presque exclusivement composée de flegme, ou lymphe. C'est pourquoi l'âme trouvait son siège dans des organes

apparemment plus intéressants, tels le cœur, le foie ou les reins. Au Vᵉ siècle avant J.-C., Hippocrate avait toutefois étudié l'épilepsie et en avait conclu que l'intellect se situait dans la tête. Ce qui n'empêcha pas Aristote, un peu plus tard, de le replacer dans le cœur, ravalant le cerveau au rang d'organe servant « à refroidir le sang ». Si le médecin grec Galien découvrit certaines fonctions du cerveau au IIᵉ siècle après J.-C., les théories d'Aristote exercèrent une influence considérable au cours des quinze cents ans qui suivirent.

Ce fut seulement lorsque le médecin anglais William Harvey découvrit la circulation du sang, en 1628, et montra que le cœur était en fait une pompe musculaire, que les théories d'Aristote tombèrent en désuétude. Mais, même à cette

époque, on continua de faire siéger l'âme un peu partout dans le corps. Au XVIIᵉ siècle, le philosophe Descartes tenait la minuscule glande pinéale (épiphyse) pour le point de contact entre le corps et l'âme, avançant que c'était la seule partie impaire du cerveau. En pratiquant des autopsies, des anatomistes eurent, par la suite, la surprise de découvrir que la glande qui passait pour le « siège de l'âme » était en fait calcifiée.

Ce fut le spécialiste autrichien du cerveau Franz-Joseph Gall qui, à la fin du XVIIIᵉ siècle, mit en lumière les liens unissant les nerfs au cerveau, avant de se fourvoyer en tant qu'inventeur de la phrénologie. Il définit, en effet, le cortex cérébral, à savoir la couche de substance grise enveloppant le cerveau, comme le siège des fonctions intellectuelles.

L'EXPLORATION DU CERVEAU

L'encéphalographie gazeuse et la scanographie

La découverte des rayons X, en 1895, n'a eu que peu d'impact sur l'étude du fonctionnement cérébral. S'ils produisent une image des substances dures du corps comme les os, les rayons X ne peuvent faire apparaître les substances molles du cerveau.

Nous devons le premier perfectionnement du procédé d'examen par rayons X au neurochirurgien américain Walter Dandy, qui, en 1919, mit au point la méthode de l'encéphalographie gazeuse. Dandy avait été intrigué par une remarque d'un de ses collègues, à savoir que les gaz intestinaux obscurcissent les radiographies de l'intestin. Dandy avait alors imaginé qu'en insufflant de l'air, qui est opaque aux rayons, dans les cavités du cerveau – les ventricules – , il deviendrait possible de visualiser par contraste les tissus entourant les ventricules.

C'est ainsi que Dandy inventa la machine grâce à laquelle il put observer les distorsions et les rétractions des ventricules, ou un tissu cérébral malade. Sa technique entraîna le développement de l'angiographie (radiographie après injection d'un produit opaque aux rayons X dans les vaisseaux sanguins), qui permit la détection de caillots sanguins (responsables des attaques d'apoplexie), de tumeurs ou d'autres anomalies de la circulation sanguine. Mais la méthode de Dandy, qui eut le mérite de

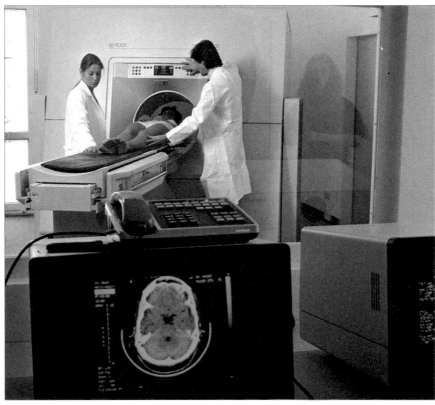

produire les premières images détaillées du cerveau, présentait un grave inconvénient : elle était douloureuse et dangereuse. On cessa de l'employer, après que les scientifiques Godfrey Housfield et Allan Cormack, respectivement anglais et américain, eurent inventé en 1973 le tomodensitomètre, ou scanner, qui leur valut le prix Nobel de médecine.

Le fonctionnement du scanner repose sur le fait que les tissus n'absorbent pas tous les mêmes quantités de rayons X. Exemple : le liquide cérébro-spinal, d'une densité moindre que les tissus cérébraux, absorbe moins de rayons X et apparaît donc comme une zone sombre sur la scanographie. En revanche, les tumeurs, qui sont d'une plus grande densité que les

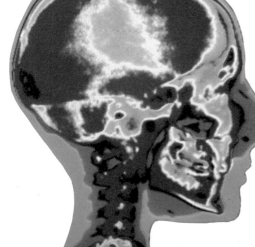

Cette image, sur laquelle se distinguent nettement le crâne, le cerveau, le cou, les vertèbres et l'os maxillaire, a été dessinée et colorée par l'ordinateur suivant les données obtenues par les rayons X du scanner.

Le scanner émet des rayons X qui balaient par tranches successives le cerveau du patient. Il est relié à un ordinateur, qui enregistre le degré d'absorption des rayons et analyse les données.

tissus cérébraux sains, y forment des zones plus claires.

Pour un examen au scanner, le patient est introduit dans un cylindre en métal pourvu d'une machine rotative à balayage par rayons X. Chaque fois que la machine tourne de quelques degrés autour de la tête, l'ordinateur mesure l'absorption des rayons pour reconstituer une image en coupe fine du cerveau. L'ordinateur analyse ensuite d'autres coupes, depuis la base jusqu'au sommet du cerveau, reconstruisant ainsi son image complète.

L'examen au scanner est indolore, rapide, précis et pratiquement sans risque. Il est actuellement largement utilisé aussi bien pour la détection des tumeurs, des abcès, des accidents vasculaires et des hémorragies cérébrales que pour l'examen des blessures crâniennes. En outre, il permet aux neurologues de mieux étudier le cerveau.

En Direct du Cerveau
Images « télévisées » d'un cerveau en activité

Le scanner TEP (tomographies par émission de positrons) transmet des images de l'intérieur de notre corps, voire des profondeurs du cerveau. Un phénomène physiologique simple a permis la mise au point de cet appareil : lorsqu'une partie du cerveau entre en activité, le sang y afflue pour lui fournir le surplus d'oxygène et de glucose dont elle a alors besoin.

Injection radioactive

Avant un examen au scanner TEP, une préparation d'oxygène ou de glucose radioactive est injectée dans les vaisseaux sanguins du patient. Quand ce « traceur » atteint le cerveau, il émet des positrons (particules atomiques chargées positivement) qui entrent alors en collision avec les électrons des cellules cérébrales, produisant de minuscules variations d'énergie enregistrées par le dispositif du TEP qui entoure la tête du patient. Des images apparaissent alors sur un écran de contrôle, où les régions activées du cerveau figurent en des formes rouges, bleues, jaunes s'agrandissant ou se déplaçant à mesure qu'elles s'adonnent à une activité spécifique : lecture, écriture ou parole.

Le scanner TEP est particulièrement précieux pour l'étude des troubles mentaux caractérisés par des niveaux de consommation d'énergie inhabituels.

Le scanner TEP a, en outre, permis à une équipe américaine de localiser le siège d'une de nos émotions : la peur. Il est apparu que celle-ci était contrôlée par le lobe temporal de l'hémisphère droit du cerveau.

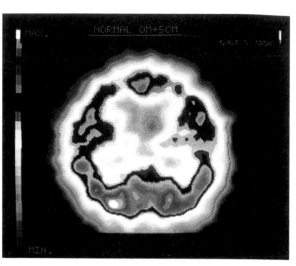

Cette scanographie TEP montre les niveaux d'activité des différentes parties d'un cerveau après une injection de glucose radioactif. Le glucose fait ressortir la quantité d'énergie consommée par chaque partie.

La Carte des Désordres Mentaux
Débuts de la neurologie

Le travail du neurologue est comparable à celui d'un cartographe des temps anciens portant sur son parchemin les terres et les océans inconnus. Les neurologues tracent, eux, la carte du cerveau de leurs patients souffrant de troubles mentaux, et s'efforcent de localiser précisément la région défaillante.

Jusqu'en 1861, on pensait que le cerveau gouvernait de façon indifférenciée l'ensemble des fonctions corporelles. Mais, cette année-là, le chirurgien et anthropologue français Paul Broca (1824-1880) découvrit que chaque partie du cerveau correspond à une fonction spécifique. Il parvint à cette conclusion après avoir pratiqué l'autopsie d'un patient qui, de son vivant, présentait un grave défaut d'élocution : il ne pouvait jamais prononcer plus d'une syllabe.

Comme Broca l'avait imaginé, cette autopsie révéla une lésion d'une partie du cerveau située dans le lobe frontal gauche – appelée aujourd'hui zone de Broca. Trois ans plus tard, Broca confirma la corrélation entre la perte de

Le Français Paul Broca, père de la neurologie, découvrit en 1861 que les différentes parties du cerveau contrôlent chacune une fonction particulière.

la capacité de parler (l'aphasie) et des lésions exclusivement situées dans l'hémisphère gauche du cerveau.

Dans les années 1940, le neurologue russe Aleksandr Louria traça la carte détaillée de toutes les fonctions de l'hémisphère gauche du cerveau, définissant les centres correspondant à l'ouïe, à la vue et à la motricité volontaire.

Louria rédigea nombre d'études de troubles mentaux qui constituent une mine d'informations pour l'analyse du fonctionnement de l'esprit. On y trouve, par exemple, le cas de patients incapables de marcher sur un sol plat mais qui pouvaient monter un escalier et enjamber des lignes tracées par terre. Louria identifia aussi les parties du cerveau atteintes de lésions.

Depuis, les neurologues ont découvert l'existence de lésions plus petites et plus localisées qui en disent long sur la complexité du fonctionnement cérébral. Par exemple, d'infimes lésions du centre de la parole et du langage peuvent avoir de bien étranges résultats. Certains patients, bien que sachant écrire, sont ainsi incapables de lire, et même de relire les mots écrits de leur propre main un instant auparavant. D'autres, incapables de parler spontanément, peuvent néanmoins prononcer des paroles apprises par cœur.

L'AVENTURE INTÉRIEURE

Voyage au centre du corps

Encore récemment, lorsque les médecins voulaient connaître l'état et le fonctionnement des organes internes, ils avaient le choix entre la chirurgie exploratrice (toujours potentiellement dangereuse) et les rayons X, qui ne fournissent qu'une image statique. Mais à présent, grâce aux fibres optiques (flexibles et ultrafines), ils peuvent exercer un regard direct aussi bien dans les bronches que dans l'estomac ou l'intestin, dans les artères que dans les cavités du cœur, et observer en détail les principaux appareils et systèmes.

Images internes

Nous devons ce progrès capital au fibroscope, un endoscope flexible de très petit diamètre. Il contient deux faisceaux parallèles de fibres optiques en verre extrêmement pur, le long desquelles la lumière peut passer. Protégé par une gaine en plastique ou en caoutchouc, il est introduit à l'intérieur du corps par une cavité naturelle ou grâce à une petite incision. Une fois que le fibroscope est en place, l'un des faisceaux projette de la lumière sur le sujet d'observation tandis que l'autre réfléchit une image visible à travers un objectif et retransmise sur écran de télévision ou enregistrée par caméra.

Le fibroscope peut contenir jusqu'à 10 000 fibres optiques dans un faisceau de moins de 1 mm de diamètre et réfléchir des images de minuscules tumeurs tel un polype dans l'intestin. Il peut voyager le long des appareils respiratoire, circulatoire, digestif ou reproducteur. Introduit, par exemple, à l'intérieur d'une artère du bras et dirigé vers le cœur, il permet aux praticiens de détecter la moindre anomalie des valvules cardiaques ou des artères coronaires.

Les endoscopes peuvent être munis à leur extrémité d'instruments chirurgicaux miniatures (ciseaux, pinces, brosses, panier,

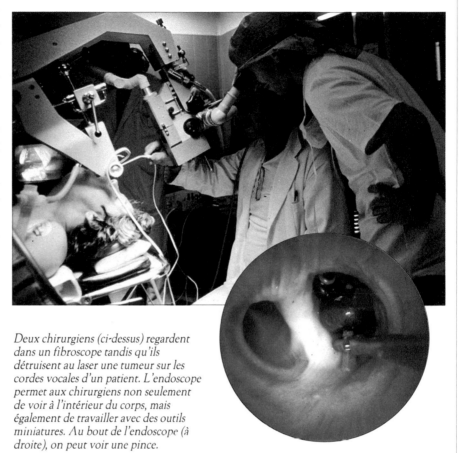

Deux chirurgiens (ci-dessus) regardent dans un fibroscope tandis qu'ils détruisent au laser une tumeur sur les cordes vocales d'un patient. L'endoscope permet aux chirurgiens non seulement de voir à l'intérieur du corps, mais également de travailler avec des outils miniatures. Au bout de l'endoscope (à droite), on peut voir une pince.

lacet, etc.) avec lesquels le médecin pratique des prélèvements de tissus (biopsies) ou d'autres interventions.

Le premier fibroscope fut fabriqué par le médecin américain Basil Hirschowitz. Dans les années 1950, ses collègues et lui achetèrent, pour quelques dollars, une petite quantité de verre optique qu'ils firent fondre afin d'obtenir des fibres. Ils enroulèrent celles-ci autour d'un cylindre et le recouvrirent d'une couche de verre. Chacune des fibres composites ainsi obtenues était conductrice de lumière. C'est en 1957 que l'instrument construit par Hirschowitz fut introduit pour la première fois dans l'estomac d'un patient.

Aujourd'hui, les médecins spécialistes peuvent non seulement par cette pénétration à l'intérieur du corps poser des diagnostics, mais aussi traiter des lésions telles qu'un ulcère de l'estomac en envoyant des rayons laser le long des fibres optiques.

LE SAVIEZ-VOUS ?

Le laser est utilisé pour améliorer l'aspect des « taches de vin » (angiomes), qui, contrairement aux autres taches de naissance, ne disparaissent pas naturellement avec l'âge. Certains médecins ont même essayé de « gommer » au laser des tatouages. Ils n'ont jusqu'ici obtenu que des résultats mitigés.

OLE, LE ROBOT CHIRURGIEN DU CERVEAU
Une technique de pointe inspirée de l'industrie automobile

Yik San Kwoh, directeur d'une unité de recherche spécialisée dans les scanners à Long Beach, en Californie, est assis devant un ordinateur relié à un bras robot dans la salle d'opération. À l'aide d'un scanner, un neurochirurgien localise précisément la tumeur cérébrale du patient, après quoi Kwoh transmet les instructions par ordinateur. Les moteurs ronronnent et le bras mécanique pivote pour se placer au-dessus du cerveau. Ole, le robot, est prêt à extraire la tumeur.

L'idée d'utiliser des robots pour des opérations au cerveau est venue à l'esprit de Kwoh, ingénieur électricien de son métier, en regardant fonctionner une chaîne d'assemblage de voitures dans un documentaire télévisé sur l'industrie automobile. Grâce à une donation de 65 000 dollars faite en 1981 par un immigrant danois du nom de Sven Olsen, Kwoh put adapter un bras robot industriel à des fins médicales. Il baptisa le prototype de son robot neurochirurgien Ole, en hommage à Olsen.

Le test du melon

En 1985, Kwoh expérimenta pour la première fois son robot. Lorsqu'il lui donna l'ordre d'extraire les pépins d'un melon, Ole le fit à la perfection, confirmant qu'il était prêt à être utilisé sur un patient. Un neurochirurgien localisa une tumeur chez un homme, à l'aide d'un scanner. Kwoh entra les données dans l'ordinateur. Ole pivota et prit position. Puis, lorsque l'ordinateur confirma que l'aiguille située au bout du bras d'Ole était précisément au bon endroit, le neurochirurgien la poussa doucement par l'intermédiaire de ce bras, et elle pénétra dans la tumeur.

Au cours d'une biopsie, c'est le chirurgien seul qui détermine habituellement l'endroit où enfoncer l'aiguille, mais, grâce aux instructions données à Ole par l'ordinateur, la précision du robot égalait celle d'un chirurgien, la marge d'erreur n'étant que de 0,0125 mm.

Depuis cette opération, Ole a permis de pratiquer nombre d'ablations de tumeurs et de biopsies. Sa précision est telle que seule une minuscule incision est nécessaire. L'intervention peut être pratiquée sous anesthésie locale, et nombre de patients rentrent chez eux le lendemain.

Le bras robot de Yik San Kwoh permet de prélever des cellules d'une tumeur cérébrale.

UN CŒUR EMPAQUETÉ

Âgé de cinquante-huit ans, le Soviétique Vassili Fokin souffrait d'une grave insuffisance cardiaque qui le rendait incapable de marcher. Chez lui, le cœur, en effet, ne pouvait plus efficacement « pomper » le sang, ce qui se traduisait par un œdème des jambes.

Ni donneur compatible ni cœur artificiel n'étaient disponibles. Si bien que les médecins de l'institut médical de Kaunas, en Lituanie, décidèrent d'« apprendre » à l'un des deux muscles dorsaux de Fokin à se contracter régulièrement au moyen d'un neurostimulateur électronique. Au bout d'un mois de stimulation constamment accrue, le muscle changea littéralement de structure, au point de ressembler au muscle cardiaque, qui se contracte continuellement sans se fatiguer.

L'opération qui s'ensuivit consista à prélever chez Fokin ce muscle dorsal, nerfs et vaisseaux compris, puis à l'implanter autour de son cœur défaillant pour faire office de « pompe » de soutien et servir de « moteur » aux contractions ventriculaires. Quelques mois plus tard, Fokin menait une vie normale et ses jambes n'enflaient plus.

Cette idée d'un « cœur remorqué » n'est pas l'apanage des Lituaniens. À Paris, une équipe de chercheurs étudie les possibilités d'utiliser un muscle de soutien du squelette, que stimulerait un dispositif électronique. À Londres, on mise plutôt sur un muscle de la paroi abdominale. Mais les chirurgiens savent qu'il faudra beaucoup de temps avant qu'un muscle fasse vraiment office de cœur, avec cavités et valves.

LE SAVIEZ-VOUS ?

Les fibroscopes permettent d'utiliser le laser pour des interventions chirurgicales à l'intérieur du corps, telles que la destruction de calculs rénaux ou l'ablation de tumeurs.

L'Histoire a conservé des informations intéressantes sur la médecine à Babylone. Ainsi, au XVIIIe siècle avant J.-C., le code d'Hammourabi condamnait tout chirurgien dont un patient mourait après l'ouverture d'un abcès à avoir la main tranchée. Si, toutefois, le patient était un esclave, le chirurgien n'était tenu qu'à le remplacer. Quelque treize cents ans plus tard, l'historien grec Hérodote rapporta qu'à Babylone la coutume voulait que l'on exposât les malades dans la rue afin de permettre aux passants de donner des conseils médicaux.

LE POUVOIR DE LA CONVICTION

*Les mystères
de l'effet placebo*

Deux groupes de patients souffrent d'un ulcère à l'estomac. Le premier groupe est sous le contrôle d'un médecin qui lui administre un médicament présenté comme très efficace. Une infirmière, par ailleurs, fait prendre aux patients du second groupe des comprimés qui, prévient-elle, peuvent ne pas être efficaces. Résultat : 70 % des patients du premier groupe se rétablissent, contre 25 % seulement dans le second. Pourtant, ce sont bien les mêmes comprimés qui ont été administrés, et qui étaient composés, en fait, d'une substance inactive. Cette histoire illustre ce que l'on appelle l'effet placebo.

Un certain nombre d'« opérations placebo » ont été menées dans le monde, notamment au Kansas, à la fin des années 1950, où des patients souffrant d'angine de poitrine furent invités à se prêter à un nouveau traitement chirurgical. Tous les volontaires furent anesthésiés, mais seulement la moitié d'entre eux furent opérés. Les autres subirent une petite incision leur laissant croire à la même opération. L'état de tous les malades s'améliora.

La réelle efficacité des médicaments

Les placebos démontrent que la guérison ne dépend pas uniquement de la réaction du corps à un traitement prescrit, mais également de facteurs psychologiques. L'effet placebo constitue d'ailleurs un obstacle lorsqu'il s'agit d'éprouver l'efficacité de nouveaux médicaments. La santé de certains patients s'améliore du simple fait de participer à une expérience médicale.

C'est pourquoi, dans la plupart des expériences de ce type, le placebo est administré à une partie d'un groupe de patients, et le vrai remède à l'autre. Après quoi, les médecins observent quels sont ceux qui guérissent le mieux. Mais, comme ils ont une tendance à voir l'amélioration espérée là où il n'y en a pas, ce genre d'essais se pratique souvent en dissimulant aux malades et aux médecins la véritable répartition entre placebo et remède (procédure « en double aveugle »).

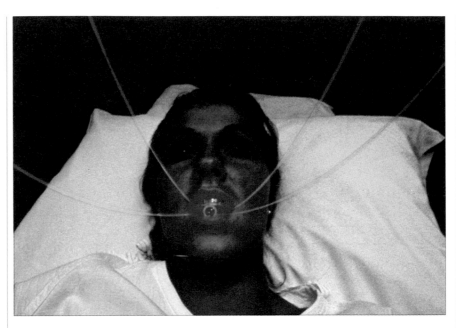

Un rayon laser de faible puissance est envoyé par quatre fibres optiques sur une tumeur cancéreuse située dans la gorge. L'énergie du laser active le médicament anticancéreux qui a été injecté auparavant.

LA MAGIE DU LASER

Le rayon invisible qui guérit les blessures

Le laser s'emploie couramment en chirurgie, notamment pour les opérations délicates des yeux. Mais les médecins cherchent aujourd'hui à généraliser le laser comme instrument de cicatrisation.

Les plaies sont exposées à un rayonnement laser de faible puissance pendant quelques instants. Un temps d'exposition plus long et des rayons plus forts pourraient, en effet, sérieusement abîmer les tissus. Les premiers résultats montrent que le traitement stimule la reconstitution des cellules endommagées. Dans le cadre d'une étude hongroise, 1 300 malades atteints d'ulcères

incurables furent exposés au rayonnement laser. Il en résulta la guérison complète de 80 % d'entre eux et une notable amélioration chez 15 %.

Les spécialistes ont observé que, exposés à un rayonnement laser de faible puissance, des globules blancs appelés macrophages libéraient des substances chimiques contribuant à la reconstitution des tissus endommagés. Les rayons laser de faible puissance ont également la propriété de coaguler le sang et les protéines. C'est ainsi que des tissus mous peuvent être ressoudés pour refermer des blessures et reconnecter des vaisseaux sanguins.

Si l'on en croit les conclusions d'expériences soviétiques, le rayonnement laser est particulièrement efficace pour la stimulation des cellules vieillissantes ou sous-alimentées et des cellules de blessures anciennes qui ne parviennent pas à se cicatriser.

Les médecins continuent de chercher de nouvelles applications pour le laser, y compris la diminution de la douleur, la cicatrisation des blessures d'origine sportive et le traitement de l'arthrite. Le laser a déjà été employé en chirurgie pour rattacher des membres sectionnés : la netteté de son incision dans les fibres nerveuses facilite la repousse des fibres.

LE SAVIEZ-VOUS ?

Bien que seul le rayonnement laser de faible puissance soit utilisé dans les techniques de cicatrisation, les lasers chirurgicaux peuvent atteindre une forte puissance. L'application chirurgicale du laser nécessite un rayonnement continu allant de 10 à 100 W, ou discontinu qui, à pleine puissance, peut aller de 10 000 à 1 million de watts. Cette puissance équivaut à peu près à celle d'un laser de la « guerre des étoiles » qui pénétrerait le revêtement d'un missile guidé, mais l'énergie se concentre en un étroit faisceau que l'on peut diriger avec une précision chirurgicale.

LE MONDE INTRA-UTÉRIN

De l'embryon au fœtus

Les liens qui unissent la mère et le futur bébé à l'intérieur de l'utérus sont si étroits que les deux êtres pourraient presque être considérés comme une entité biologique. C'est le placenta qui constitue le lien physique vital. Cet organe, relié au fœtus par le cordon ombilical, prend dans le sang de la mère les substances nutritives, l'oxygène et les anticorps, puis élimine les déchets.

Ce lien n'est évidemment pas seulement physique, mais également affectif. Au point que les médecins de la Chine antique encourageaient déjà les femmes enceintes à se livrer au *tai-kyo*, pratique qui consiste à parler au fœtus. La science a reconnu que cette forme de communication était possible en prouvant que les sons pénétraient bien jusque dans l'utérus. Ainsi,

même avant la naissance, le bébé se familiarise avec la voix de sa mère.

Mais le fœtus a également une vie bien à lui : un cœur qui pompe le sang, des membres qui bougent, ainsi qu'un cerveau et un système nerveux qui réagissent aux différents stimuli.

De la 5ᵉ à la 12ᵉ semaine (à droite) Au début de cette période, le futur bébé n'est encore qu'un minuscule embryon de 2 mm. Il baigne librement dans le liquide amniotique, chaud et protecteur, qui est contenu à l'intérieur d'une fine membrane appelée amnios. Dès la 8ᵉ semaine, son cartilage mou est remplacé par des os ; la structure du corps est achevée. D'embryon il devient alors fœtus. S'il mesure encore moins de 25 mm, son cœur bat, et sa colonne vertébrale bouge ; il possède un cerveau et un système nerveux ; et les principales articulations – hanches, épaules, genoux – sont visibles.

LES PREMIÈRES SEMAINES

Le premier signe de vie à l'intérieur de l'utérus est une cellule qui se divise bientôt en deux. Au bout d'une semaine, on compte 150 cellules. À la quatrième semaine, un minuscule embryon s'est développé. Au bout de la septième semaine, il est dix mille fois plus gros que l'œuf fécondé du début.

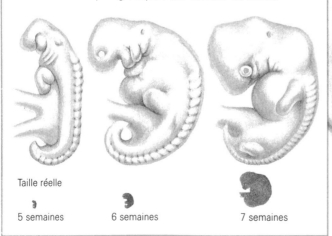

Taille réelle

5 semaines   6 semaines   7 semaines

12 semaines

À 12 semaines, le fœtus mesure 75 mm. Son cœur pompe néanmoins les 30 l de sang qui circulent chaque jour à travers son organisme.

Le futur bébé peut donner des coups de pied, replier les orteils, serrer et desserrer les poings. On peut déjà discerner des expressions faciales.

De la 13ᵉ à la 28ᵉ semaine *(ci-dessous)* Dès la 13ᵉ semaine, le fœtus, qui mesure 87 mm, est presque entièrement formé. Au cours des semaines suivantes, il va connaître la période de croissance la plus rapide de sa vie. À mesure que ses membres se fortifient, la mère commence à sentir ses mouvements. Au bout de 28 semaines, les poumons sont en état de fonctionner.

De la 29ᵉ à la 40ᵉ semaine *(ci-dessous)* Au bout de la 28ᵉ semaine, l'enfant peut survivre à l'extérieur de l'utérus. Il remplit l'utérus, et ses mouvements sont entravés faute d'espace. Autour de la 38ᵉ semaine, le bébé se met en position. La naissance a lieu normalement au cours de la 40ᵉ semaine. La taille moyenne du nouveau-né est de 50 cm.

Le fœtus commence à rêver dès la 28ᵉ semaine. Les ondes cérébrales correspondent à celles des périodes de rêve chez les adultes.

Les caractéristiques humaines, tels les cheveux, les sourcils et les cils, commencent à apparaître. Les dents sont en cours de formation.

Les scientifiques estiment que le rythme cardiaque de la mère imprime un battement à partir duquel se développe le sens musical.

Les ongles du futur bébé ont poussé au bout de ses doigts et de ses orteils. Ils devront être coupés peu après la naissance afin d'empêcher toute griffure.

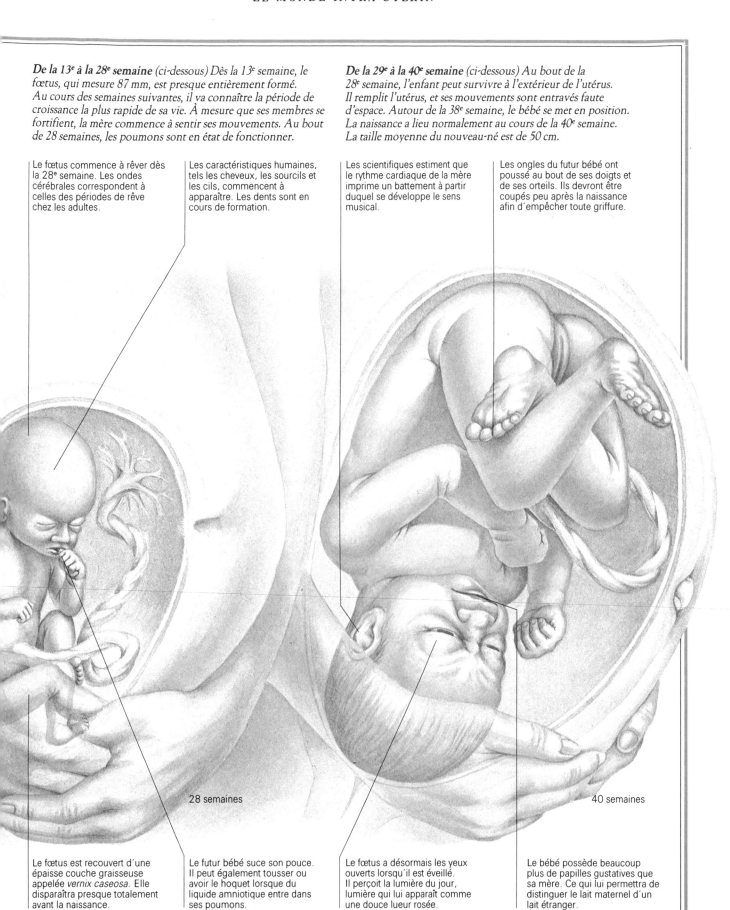

28 semaines

40 semaines

Le fœtus est recouvert d'une épaisse couche graisseuse appelée *vernix caseosa*. Elle disparaîtra presque totalement avant la naissance.

Le futur bébé suce son pouce. Il peut également tousser ou avoir le hoquet lorsque du liquide amniotique entre dans ses poumons.

Le fœtus a désormais les yeux ouverts lorsqu'il est éveillé. Il perçoit la lumière du jour, lumière qui lui apparaît comme une douce lueur rosée.

Le bébé possède beaucoup plus de papilles gustatives que sa mère. Ce qui lui permettra de distinguer le lait maternel d'un lait étranger.

SURPRENANT CORPS HUMAIN

Des tests sanguins permettent de percer le mystère d'une momie de 3 300 ans

La surface de chaque globule rouge comprend un réseau de molécules appelées antigènes. C'est grâce à la présence, ou à l'absence, d'un type particulier d'antigène qu'on a pu déterminer les groupes sanguins. Faire identifier son groupe sanguin procède d'une technique médicale banalisée, mais primordiale puisque, en cas d'accident, on ne peut être transfusé qu'avec le sang d'un groupe compatible avec le sien – mieux : du même groupe.

Les premiers antigènes étudiés furent appelés A et B. Leur présence, ou leur absence, détermine l'appartenance d'une personne aux principaux groupes ABO, c'est-à-dire A, B, AB ou O. Ceux qui ne présentent que des antigènes A appartiennent donc au groupe A ; ceux qui ne présentent que des antigènes B, au groupe B ; ceux qui présentent à la fois des antigènes A et B, au groupe AB ; quant à ceux qui ne présentent aucun de ces antigènes, ils appartiennent au groupe O. Les antigènes les plus connus, A et B, sont accompagnés d'un autre antigène appelé facteur Rh, présent chez 85 % de la population mondiale. (Un autre système de classification repose sur la présence d'autres antigènes nommés M, N, S et s.)

Ce sont les groupes sanguins de nos parents qui déterminent le nôtre. Il est donc impossible que nous présentions ne serait-ce qu'un antigène différent des leurs. Si les analyses d'antigènes ne constituent pas une preuve de maternité ni de paternité, ils peuvent parfois montrer qu'un homme ou une femme n'est pas le père ou la mère d'un enfant.

Crise d'identité

C'est grâce à des analyses sanguines qu'il a été possible de fixer l'identité d'un individu âgé de plus de 3 300 ans. En 1969, il fut demandé à une équipe dirigée par R.C. Connolly, de l'université de Liverpool, de procéder à l'identification d'une momie du musée des antiquités du Caire.

Au cours de précédentes analyses sanguines pratiquées sur des momies égyptiennes et sud-américaines, des chercheurs de l'équipe de Connolly avaient découvert que, bien après la désintégration des globules rouges, de minuscules quantités d'antigènes aisément identifiables demeuraient présentes dans les tissus. Il

> ### LE SAVIEZ-VOUS ?
>
> *Entre 1873 et 1880, plusieurs médecins américains entreprirent de transfuser de grands malades non pas avec du sang, mais avec du lait. L'état de certains malades parut s'améliorer, mais celui des autres empira, et ils moururent. Cette malheureuse expérience coupa court au « brillant avenir des transfusions de substances lactées ».*

s'agissait cette fois, pour son équipe, de vérifier deux hypothèses. Des études de manuscrits et de hiéroglyphes avaient suggéré, mais non démontré, la possibilité qu'une des momies du musée du Caire, que l'on prenait pour celle du pharaon Akhenaton, soit celle de son beau-fils et corégent Semenkharê. Quant aux historiens et aux anthropologues, ils se demandaient si l'enfant pharaon Toutankhamon et Semenkharê n'étaient pas frères. Pour vérifier ces deux hypothèses, il fallait donc connaître le groupe sanguin de Toutankhamon et celui de la momie mystérieuse.

L'équipe de Connolly révéla que les deux momies appartenaient bien au même groupe sanguin, et ce dans les deux systèmes de classification : A (dans le système ABO) et MN (dans le système MNS). Leurs mensurations étant également très proches, il était désormais plus que probable que les deux personnages aient été conçus par les mêmes parents. D'autres indices rassemblés par les historiens permirent d'affirmer que la momie mystérieuse était celle de Semenkharê, et que Semenkharê et Toutankhamon étaient frères.

Ce sont les artères (ici en rouge) qui alimentent toutes les parties du corps en sang oxygéné. Le rôle des veines (ici en mauve) est, en revanche, d'évacuer les déchets cellulaires.

DUR À AVALER

Le « truc » des avaleurs de sabres et des cracheurs de feu

Le secret des avaleurs de sabres ne relève pas de l'illusionnisme mais nécessite des années d'entraînement. Chaque objet introduit dans la gorge, menaçant d'obstruer la respiration, déclenche un réflexe de haut-le-cœur. Aussi les avaleurs de sabres professionnels apprennent-ils à contrôler ce réflexe, afin que les muscles de la gorge se détendent pour permettre le passage d'une lame.

L'axe bouche-estomac n'est naturellement pas droit. Mais, en renversant la tête en arrière, l'artiste évite la pomme d'Adam : il peut alors introduire la lame dans l'œsophage, et jusque dans l'estomac. La longueur du sabre employé

L'origine des représentations des cracheurs de feu remonterait à l'Antiquité gréco-romaine.

dépend de la distance entre la bouche et l'estomac. L'introduction d'une lame de 66 cm constitue un record absolu.

Il existe une variante de cette pratique qui consiste à avaler des néons. Rappelons néanmoins qu'en raison des dangers qu'ils présentent ces exercices ne sont réalisables que par des personnes très expérimentées. Si les spectateurs regardent bouche bée le corps de l'avaleur de néons s'illuminer de l'intérieur, ils oublient que l'exercice pourrait s'avérer mortel en cas de rupture du tube.

La performance des cracheurs de feu, ou pyrophages, démontre également la stupéfiante résistance du corps humain. Ce divertissement a des origines très lointaines. Il remonterait à l'Antiquité gréco-romaine. On a su, au fil du temps, trouver des variantes tout aussi spectaculaires, et l'on peut maintenant rencontrer des avaleurs de charbons ardents ou encore de métaux en fusion.

Le secret du mangeur-cracheur de feu est double. D'une part, la salive permet à la bouche de résister aux températures élevées, donc aux brûlures. D'autre part, il garde les lèvres très serrées et retient sa respiration, empêchant ainsi l'arrivée

d'oxygène, ce qui éteint la flamme. Les cracheurs de feu prennent soin de ne pas respirer par la bouche avant leur numéro : quand ils crachent le feu, ils recourent à des tampons imbibés de liquide inflammable dissimulés dans leur bouche. Certains cracheurs de feu peuvent projeter des flammes jusqu'à une hauteur de 9 m.

Harry Houdini, le grand prestidigitateur américain disparu en 1926, apprit, lui aussi, l'art d'avaler et de régurgiter. Dans l'un de ses tours, il avalait séparément plusieurs aiguilles et un morceau de fil avant de régurgiter toutes les aiguilles enfilées. Son « truc » était, en fait, de restituer un jeu d'aiguilles enfilées qu'il avait avalé avant d'entrer en scène.

LA SAGA DE LA BARBE

Les Romains de l'Antiquité considéraient leur visage impeccablement rasé et leurs cheveux courts comme des signes de haute civilisation. S'ils désapprouvaient les barbes bouclées des Grecs, ils abhorraient tout particulièrement les Barbares portant barbe et cheveux longs.

Les citoyens romains les plus riches se faisaient tailler les cheveux par leurs esclaves. Les plus modestes, eux, allaient chez le barbier. Les premières échoppes furent ouvertes par des Siciliens en 454 avant J.-C. Toutefois, à Rome, tous les hommes n'étaient pas imberbes, puisqu'il était de coutume, pour les philosophes et les personnes en deuil, de porter la barbe.

Contrairement aux préjugés des Romains, les prétendues tribus barbares — les Goths, Saxons, Gaulois d'Europe de l'Ouest, etc. — prenaient grand soin de leurs cheveux, de leurs longues moustaches et de leur barbe. Ils les enduisaient de graisse de chèvre et de cendres de hêtre afin de leur donner un reflet rouge lumineux. Les rois germaniques du début de l'ère chrétienne se poudraient même les cheveux et la barbe avec de la poussière d'or et les ornaient de pierres précieuses.

Il se peut que ce soit des superstitions qui aient motivé la répugnance des Barbares pour la coupe des cheveux. Ils croyaient, par exemple, que la tête était

le siège de l'« esprit protecteur ». Ils craignaient de blesser cet esprit en se rasant ou en réduisant leur chevelure.

Au Moyen Âge, l'Église catholique romaine ne cessa de s'opposer au port de la barbe ; elle publia même des décrets l'interdisant. Mais à aucun moment elle ne parvint à imposer ses recommandations aux laïcs.

À la fin du XIXe siècle, la barbe cessa d'être à la mode. Cela s'explique probablement par la généralisation de l'emploi du savon, qui facilitait le rasage, ainsi que par l'introduction d'un nouveau casque de guerre pourvu d'un protège-menton, et donc difficile à attacher sur une barbe.

DORMIR, RÊVER PEUT-ÊTRE

L'enregistrement de l'activité électrique du cerveau durant le sommeil

Il y a un demi-siècle, les neurophysiologistes ne savaient pratiquement rien sur les rêves. Au point qu'ils étaient incapables d'évaluer le temps que nous consacrons à rêver chaque nuit. Ce n'est que depuis les années 1950 qu'ils ont commencé à entrouvrir la porte derrière laquelle se trouve près d'un tiers de notre vie, progrès rendu possible grâce à l'électroencéphalographie, inventée en 1929 par le neuropsychiatre allemand Hans Berger.

L'électroencéphalographie a montré que nous traversons plusieurs phases de sommeil bien définies, d'une durée moyenne de quatre-vingt-dix minutes. Lorsque nous sommes actifs et que nous avons les yeux ouverts, l'EEG ne révèle pas de mouvements particuliers. Mais, dès que nous fermons les yeux et que le sommeil nous gagne, les ondes alpha se mettent à vibrer de huit à douze fois par seconde et figurent sur l'EEG comme une succession de pointes. Le début du sommeil proprement dit se traduit sur l'EEG par des ondes thêta plus lentes, qui émettent de trois à sept vibrations par seconde. Les ondes alpha et thêta sont celles de la relaxation, de la créativité et de la tranquillité. À ce stade, le sommeil est très profond et il est difficile d'en émerger. Les adeptes du yoga et d'autres techniques de méditation peuvent néanmoins accéder à ce degré de relaxation en état de veille.

La phase de sommeil profond est annoncée par un fort ralentissement du cerveau, qui produit alors des ondes delta émettant une ou deux pulsations par seconde. Mais alors une chose curieuse se produit : les plumes de l'électroencéphalographe commencent à tracer une série de petites pointes rapides et irrégulières – semblables à celles enregistrées en état de veille – tandis que l'on peut observer un rythme oculaire actif et des contractions des muscles faciaux ainsi que d'autres parties du corps. Cette brusque explosion d'activité,

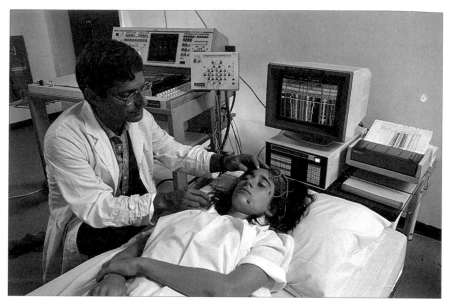

L'ordinateur permet à ce médecin de déchiffrer l'électroencéphalogramme recueilli pendant le sommeil d'une patiente.

survenant après une période d'intense relaxation, incita les spécialistes à nommer cette phase « sommeil paradoxal ». En raison de l'agitation caractéristique de l'œil derrière les paupières, cette phase est aussi appelée MRO (mouvement rapide de l'œil). Des médecins contrôlant cette phase sur l'EEG ont découvert qu'une personne réveillée pendant le sommeil paradoxal se souvenait huit fois sur dix du rêve qu'elle était en train de faire. En revanche, sur dix personnes réveillées lors d'une autre phase, une seule se souvenait d'avoir rêvé. On a pu déduire de cette observation que les mouvements rapides des yeux marquent les réactions du rêveur aux visions survenant dans son rêve.

Nous sommes en sommeil paradoxal environ cinq fois par nuit. La durée moyenne des phases alternatives, paradoxal et non paradoxal, est normalement de quatre-vingt-dix minutes. Mais, à mesure que la nuit avance, nous passons proportionnellement de plus en plus de temps en sommeil paradoxal. Si notre premier rêve ne dure que de dix à quinze minutes, il arrive, au réveil, que nous émergions d'une épopée de quarante-cinq minutes.

LE SAVIEZ-VOUS ?

Il est scientifiquement admis que le fœtus rêve dans le ventre de sa mère. Des tests pratiqués au scanner durant la grossesse ont permis d'observer qu'il présentait les mêmes mouvements rapides des yeux que les rêveurs adultes.

C'est l'Américain Bill Carskadon qui détient le record du rêve le plus long. Le 15 février 1967, des spécialistes constatèrent qu'une phase de son sommeil paradoxal avait duré plus de deux heures.

VOIR DANS L'AVENIR
Le système des rêves prémonitoires

Le président américain Abraham Lincoln, qui rêva de sa mort, raconta l'anecdote à son biographe. « Quelqu'un de la Maison-Blanche est-il mort ? demandait Lincoln dans son rêve aux personnes en deuil qui entouraient un corps recouvert d'un drap. – Oui, lui répondait-on. C'est le président. Il a été assassiné. » Lincoln fit ce rêve en mars 1865, quelques semaines avant de tomber sous les balles de John Wilkes Booth.

L'écrivain Mark Twain fut, lui aussi, l'objet d'une prémonition de ce genre, annonçant la mort de son frère Henry. Une nuit, Twain vit en rêve le cadavre de son frère allongé dans un cercueil métallique. Quelqu'un avait déposé sur la poitrine de Henry un bouquet de fleurs blanches comprenant une unique fleur écarlate.

Quelques semaines plus tard, Henry fut tué lors de l'explosion d'un vapeur sur le Mississippi. Arrivé dans la morgue de fortune où étaient exposés les corps, Mark Twain remarqua que tous avaient été placés dans de simples cercueils en bois, excepté son frère, qui, comme dans son rêve, était allongé dans un cercueil en métal. Alors, une vieille dame s'approcha et déposa un bouquet sur la poitrine de Henry ; un bouquet blanc, avec, au centre,

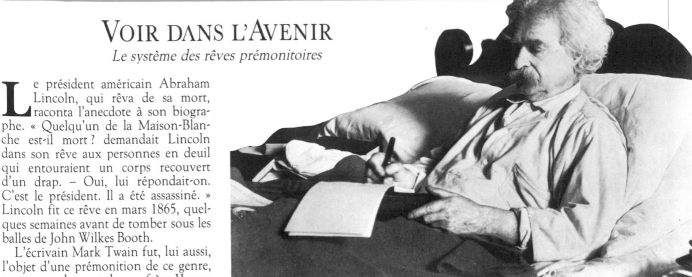

Le romancier Mark Twain a noté la plupart de ses rêves, y compris celui annonçant la mort de son frère au début des années 1860.

une seule et unique rose rouge.

Les rêves prémonitoires laissent souvent sceptique. On peut arguer que Mark Twain, doté d'une imagination débridée, était capable d'écrire une histoire à partir de n'importe quoi. Il se peut aussi que le biographe de Lincoln ait embelli les détails du rêve afin que son ouvrage se vendît mieux.

Une science des rêves ?

Mais Lincoln et Twain n'étant pas les seuls à avoir fait des rêves prémonitoires, ceux-ci méritaient bien l'attention des scientifiques.

Le Dr J. C. Baker, un psychiatre britannique, entreprit en 1966 une étude

sur les rêves annonciateurs de désastres, suite à l'effondrement d'une galerie de la mine de charbon d'Aberfan, au pays de Galles, qui avait fait 144 morts. Impressionné par le nombre des personnes affirmant avoir rêvé de la tragédie avant que celle-ci ne se produisît, il ouvrit un bureau des Prémonitions, d'abord en Grande-Bretagne, puis aux États-Unis. Au cours des six premières années d'études, près de 1 200 comptes rendus de rêves prémonitoires furent recueillis en Grande-Bretagne.

DISCULPÉ POUR CAUSE DE SOMMEIL

Dans son rêve, C. K. était poursuivi par deux soldats japonais, l'un brandissant un poignard, l'autre un fusil. Lorsqu'ils finirent par le coincer, C. K. se jeta sur le Japonais et tenta de l'étrangler. Pendant ce temps, l'autre soldat se mit à tirer sur lui. L'épisode décrit n'était qu'un horrible cauchemar. Mais, à son réveil, C. K. trouva sa femme étranglée dans le lit.

C. K. avait en effet étranglé son épouse pendant son sommeil, mais, jugé en 1985, il ne fut pas reconnu coupable de meurtre. Le jury se laissa convaincre par l'argumentation de la défense, selon laquelle il avait bel et bien tué, mais durant son sommeil, et que, dans ces conditions, il ne pouvait pas être tenu pour responsable.

Ce n'est pas un cas unique. En 1686, le colonel Culperer, qui souffrait de som-

nambulisme, tua par balle une sentinelle pendant sa ronde de nuit. On croyait encore à cette époque que, durant le sommeil, l'âme quittait le corps pour aller se mêler à des êtres surnaturels. C'est pourquoi il ne fut pas déraisonnable de la part du jury de penser qu'une créature diabolique s'était emparée de l'âme du colonel et avait conduit ses actes. Il était, en conséquence, lui-même innocent.

Aujourd'hui, les psychiatres fournissent des explications moins fantaisistes à ce genre de comportements, qu'ils appellent des terreurs nocturnes, lesquelles se caractérisent par un lever brutal accompagné d'angoisse. La personne souffrant de terreurs nocturnes peut se dresser sur son lit, le cœur battant, et pousser des gémissements ou des cris perçants. Toujours endormie, elle peut

aussi quitter le lit et se mettre à briser des meubles, ou même assaillir des gens. Lorsque, au bout d'une dizaine de minutes, elle revient à elle, elle ne garde souvent aucun souvenir de ce qui s'est passé.

On applique à ce type d'actions inconscientes le terme d'automatismes, à savoir des actes involontaires, exécutés inconsciemment.

Morton Schatzman, un psychiatre américain qui s'est penché sur ce phénomène, s'inquiète de ce que les terreurs nocturnes puissent servir d'alibi à des meurtres prémédités. Il préconise que les personnes affirmant avoir commis un acte violent durant leur sommeil se prêtent à des expériences en laboratoire, afin de déterminer si elles souffrent effectivement de terreurs nocturnes.

AVERTISSEMENT AUX RONFLEURS

Un risque inattendu

Un certain nombre de ronfleurs souffrent d'apnée du sommeil, un véritable danger mortel. La forme essentielle de l'apnée du sommeil est causée par une faiblesse de l'oropharynx, ou arrière-bouche, comprenant la masse globuleuse de la langue. Si l'on dort sur le dos et que l'on respire par la bouche, l'oropharynx s'abaisse. C'est alors que l'on se met à ronfler. Les vibrations peuvent atteindre 70 dB, ce qui équivaut au bruit d'un aspirateur.

Dans l'apnée du sommeil, l'oropharynx s'effondre et, bloquant la gorge, empêche le dormeur de respirer. Une énorme pression se produit dans la cage thoracique, et la diminution du flux de sang vers le cœur et les poumons qui en résulte peut aller jusqu'à causer un arrêt cardiaque. Après environ quinze secondes d'étouffement, le dormeur commence à se réveiller. La reprise de conscience partielle restaure alors le tonus musculaire et fait se rouvrir les voies respiratoires aériennes. L'énorme afflux d'air qui s'ensuit provoque un puissant ronflement suffocant, connu sous le nom de « ronflement héroïque ». Environ dix secondes plus tard, la personne se rendort et retrouve une respiration normale.

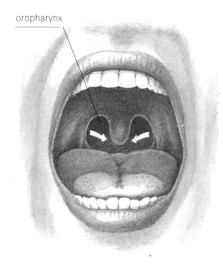

oropharynx

Durant le sommeil, les muscles de la bouche se détendent, et, sous l'effet de la respiration, l'oropharynx s'abaisse. Lorsqu'on dort sur le dos avec la bouche ouverte, on se met souvent à ronfler.

Les personnes souffrant d'apnée du sommeil soupçonnent rarement la gravité du problème, car elles se réveillent bien trop peu de temps pour en garder un quelconque souvenir au matin. En général, elles ne voient pas le lien entre ces interruptions de sommeil et la fatigue et le manque de concentration qui en résultent.

Aux États-Unis, où il existe dans la plupart des grandes villes des cliniques spécialisées dans les troubles du sommeil, on estime que la santé des personnes subissant 35 de ces crises par nuit est gravement menacée. À partir d'une centaine de crises par nuit, les médecins recommandent la mise en œuvre d'un traitement préventif.

Les remèdes traditionnels appliqués aux ronfleurs – par exemple, la fixation d'un objet dur sur le dos afin de les empêcher de se mettre dans une position favorisant le ronflement – permettent de combattre l'apnée du sommeil, mais ils ne sont pas toujours efficaces.

En dernier recours, une trachéotomie permet au dormeur de respirer malgré l'effondrement de l'oropharynx. Le traitement non chirurgical le plus efficace de l'apnée du sommeil a été imaginé par Colin Sullivan, de Sydney. Durant son sommeil, la personne souffrant d'apnées porte un masque alimenté par une réserve d'air sous pression légèrement supérieure à celle de l'atmosphère : la pression de l'air empêche l'effondrement de l'oropharynx.

LA SOLUTION RÊVÉE

Lorsqu'un problème insoluble vous torture l'esprit, la meilleure chose à faire est peut-être d'aller vous coucher en espérant trouver la solution en dormant. Selon certains psychologues, les rêves nous permettent de plonger au plus profond de nos connaissances cachées.

Des psychiatres ont mis au point des tests permettant d'étudier de quelle façon on peut résoudre des problèmes. Un médecin américain posa même deux énigmes dans un magazine, et invita les lecteurs à lui envoyer leur « solution rêvée ». La première était un problème mathématique : il était demandé aux lecteurs de construire un objet constitué de quatre triangles en traçant six côtés de lon-

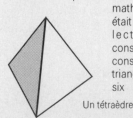

Un tétraèdre

gueurs égales. La résolution du problème ne pouvait passer que par la visualisation d'une figure géométrique de forme pyramidale appelée tétraèdre. Onze lecteurs trouvèrent la bonne réponse dans leurs rêves. Une étudiante en chimie expliqua qu'elle avait rêvé d'un wigwam, ce qui lui avait donné un premier indice quant à la forme. Une autre lectrice expliqua qu'elle avait entendu une voix lui conseillant d'« essayer la troisième dimension ».

Le deuxième problème était un casse-tête linguistique. On demanda aux lecteurs ce qu'avait de particulier une certaine phrase – dont, en fait, chaque mot comprenait une lettre de plus que le précédent. Un lecteur rêva de scientifiques répartis autour de plusieurs tables : l'un était assis seul à une première table, deux étaient assis à une seconde, trois à une troisième, etc. Une lectrice écrivit qu'elle avait rêvé d'un « comte ». Quand,

à son réveil, elle s'était aperçue qu'il s'agissait d'un homonyme de « compte », elle avait compris qu'il lui fallait compter les lettres de chaque mot.

Peut-être les rêves permettent-ils, en effet, de recombiner les données de façon à envisager dans une perspective nouvelle un problème apparemment insoluble. C'est en tout cas une solution trouvée en dormant qui, en 1920, permit au physiologiste allemand Otto Loewi de mener à bien une expérience visant à montrer de quelle façon les nerfs véhiculent les influx électriques. Lòewi s'était réveillé au milieu de la nuit et avait griffonné quelques notes, mais celles-ci s'avérèrent illisibles. Heureusement, il refit le même rêve le lendemain. Cette fois, Loewi se réveilla et tenta immédiatement l'expérience sur un nerf de grenouille. Ce fut la base des découvertes qui lui valurent le prix Nobel seize ans plus tard.

LA FATIGUE DU GLOBE-TROTTER

Il y a encore peu de temps, les scientifiques pensaient que le fait de traverser en avion plusieurs fuseaux horaires était responsable du dérèglement du rythme circadien ; autrement dit, le rythme biologique de l'individu sur un cycle de vingt-quatre heures.

Toutefois, cette théorie conventionnelle est aujourd'hui remise en question. Des chercheurs ont découvert, en effet, que des personnes ayant effectué un voyage en avion du nord vers le sud présentaient les mêmes troubles – à savoir fatigue, insomnie, manque de concentration et maux d'estomac – que d'autres qui avaient navigué d'est en ouest.

À la lumière de ces observations, les spécialistes en sont venus à mettre ces troubles non plus sur le compte du décalage horaire, mais sur les conditions mêmes du voyage en avion.

Carl Dransfield, pilote de long-courrier, a étudié ces troubles sur terre et en vol. Selon lui, voler dans la stratosphère, où la pression atmosphérique ne représente que 1 % de celle du niveau de la mer, expose les passagers à une quantité accrue de radiations du Soleil.

Pour Dransfield, cette exposition aux radiations, ajoutée à la pressurisation de la cabine, provoque des dérèglements biochimiques. En particulier, le corps réagit en produisant un excès de substances chimiques toxiques appelées radicaux libres. Ces substances s'éliminent rapidement dans un corps en pleine santé, mais peuvent persister chez les personnes âgées ou souffrant de stress.

Depuis des années, nombre d'habitués des long-courriers affirment qu'il est possible d'échapper à ces troubles en buvant beaucoup d'eau, en s'abstenant d'alcool et en se livrant à une vigoureuse gymnastique après l'atterrissage.

Dransfield souligne que ces précautions permettent effectivement d'éliminer du corps les radicaux libres. Pour limiter encore les symptômes, il a mis au point un supplément diététique à base de germes de blé qui fournit les enzymes facilitant la décomposition de ces radicaux libres.

Des suppléments en vitamines C et E peuvent également être utiles, prétend-il, puisque la fonction naturelle de ces vitamines est justement d'éliminer les radicaux libres.

RÊVES AFRICAINS
Ces tribus qui prennent leurs rêves au sérieux

Les membres de la tribu des Zandés, qui vivent au Soudan, au Zaïre et en République centrafricaine, croient en la réalité des événements qui se produisent au cours de leurs rêves.

Les Zandés considèrent en effet les rêves agréables comme des signes annonciateurs d'événements bénéfiques ; les rêves pénibles, en revanche, comme de mauvais présages dus à une influence de la sorcellerie. Les Zandés croient que tout malheur, particulièrement la maladie et la mort, est causé par l'esprit des sorciers lorsqu'il s'empare d'âmes innocentes. Pendant son sommeil, l'âme de tout membre de la tribu quitte son corps et se met à errer en liberté. Les sorciers libèrent également leur âme durant leur sommeil, et, lorsque les deux esprits se rencontrent, ils entrent en lutte. Les Zandés considè-

rent vraiment cette rencontre comme une réalité.

La victime d'un cauchemar doit consulter un devin pour que celui-ci identifie le sorcier responsable des pensées néfastes et conjure ainsi le sort.

Les membres de la tribu des Elgoni, à la frontière du Kenya et de l'Ouganda, attachent, eux aussi, une grande signification aux rêves. Le psychologue suisse contemporain Carl Young, qui consacra une grande partie de sa vie à l'interprétation des rêves, passa plusieurs mois en compagnie des Elgoni. Il fut ravi de constater que leur conception des rêves confirmait sa propre théorie, selon laquelle il existe deux types de rêves : les rêves personnels et les rêves collectifs.

Young observa que les Elgoni opéraient la distinction entre les « grands » et les « petits » rêves. Si un Elgoni faisait un rêve n'affectant que sa propre personne, il le considérait comme négligeable et le classait dans la catégorie des petits

rêves. Si, en revanche, il était entraîné dans un grand rêve, c'est-à-dire rêve concernant toute la communauté, telle une prémonition de sécheresse, il réunissait les membres de la tribu pour discuter des mesures à prendre.

Consulter un devin est une pratique courante chez les Zandés, pour qui il y a de la magie ou de la sorcellerie dans tous les événements de la vie. Ici, un devin (à droite) conseille l'un de ses consultants.

LE SAVIEZ-VOUS ?

Les Allemands et les Transylvaniens partageaient jadis une croyance selon laquelle il était dangereux de dormir la bouche ouverte. Ils craignaient que l'âme du dormeur ne s'échappe – sous la forme d'une souris – par sa bouche ouverte et ne se blesse durant ses pérégrinations. Le dormeur ne se réveillait pas tant que l'âme n'avait pas réintégré son corps.

UN MAL SOURNOIS

La mystérieuse maladie d'un immeuble moderne

La municipalité de Rotherham, en Grande-Bretagne, persuadée que son nouvel immeuble – Norfolk House – était on ne peut mieux conçu, le présenta à un concours d'architecture au début des années 1980. Mais à peine élus et employés furent-ils installés dans ses bureaux qu'ils commencèrent à se plaindre de migraines, de somnolences, d'éruptions cutanées, de difficultés respiratoires, de nausées ou d'irritations des yeux, de la gorge et du nez. L'écrasante majorité du personnel (94 %) présentait un ou plusieurs de ces symptômes, qui ne se manifestaient que dans les locaux de Norfolk House. On était en présence du « syndrome de l'immeuble malade ».

À cette époque, personne n'imaginait que des bureaux puissent provoquer de tels symptômes, mais aujourd'hui des médecins et des spécialistes de l'environnement ont apporté la preuve que certains immeubles peuvent affecter la santé de leurs occupants.

En 1982, une conférence sur le thème des conditions de travail au bureau, tenue à Washington, a défini le syndrome de l'immeuble malade comme une épidémie d'ampleur nationale. Il est aussi reconnu comme une maladie par l'Organisation mondiale de la santé. Certains chercheurs sont allés jusqu'à suggérer que les immeubles « malades » pouvaient être responsables d'hypertension et de fausses couches.

> ### LE SAVIEZ-VOUS ?
>
> *En mangeant du poisson d'eau douce cru – ou pas assez cuit – ou de la viande crue, on court le risque d'absorber des œufs de ténia. Ce vers parasite peut atteindre 10 m de long. Il s'enroule dans l'intestin grêle, où il peut vivre jusqu'à treize ans. La téniase provoque entre autres des cas d'anémie.*

Mais comment un immeuble peut-il rendre malades ses occupants ? Les spécialistes savent que le syndrome est plus répandu dans les bureaux situés dans des immeubles modernes pourvus de systèmes de climatisation défectueux. Les spécialistes de la santé incriminent les champignons, les microbes et les poussières véhiculés par l'air conditionné, ainsi que des substances chimiques appelées biocides, utilisées dans les humidificateurs pour éliminer les petits insectes. Certains matériaux ou produits utilisés dans l'architecture intérieure moderne – cloisons en aggloméré, détergents, solvants, colles pour moquette – produisent des émanations (de formaldéhyde notamment) qui peuvent provoquer des irritations de la peau et des yeux.

Un changement de moquette synthétique dans un immeuble risque d'entraîner des accès de fatigue et des extinctions de voix. Les néons fluorescents ainsi que les écrans d'ordinateurs peuvent également provoquer de graves troubles oculaires accompagnés de migraines. Le syndrome de l'immeuble malade est aujourd'hui si fréquent qu'il existe des sociétés spécialisées qui envoient sur place des équipes chargées de localiser la pollution intérieure et de « soigner » l'immeuble. Ces spécialistes utilisent la technologie de la fibre optique afin d'explorer les canalisations inaccessibles, puis éliminent bactéries, champignons, poussière, et même des souris mortes. Ils suppriment, en outre, les humidificateurs et les néons fluorescents, et améliorent la circulation de l'air. Les spécialistes dépêchés à Norfolk House préconisèrent ce type de mesures, ce qui se traduisit chez le personnel par une nette diminution des symptômes correspondant au syndrome de l'immeuble malade.

Norfolk House, le nouveau siège du conseil municipal de Rotherham, était moderne et bien conçu, ce qui n'empêcha pas 94 % des personnes qui y travaillaient d'être victimes du syndrome de l'immeuble malade.

VIN ET DÉCLIN
L'Empire romain est-il mort du saturnisme ?

Les Romains aimaient le vin, et ils en buvaient de prodigieuses quantités. Ainsi, ils s'intoxiquaient sans le savoir avec le plomb revêtant l'intérieur des jarres, rongé par l'acidité du vin. Pour le Dr S. C. Gilfillan, le plomb ainsi consommé est le grand responsable du déclin de l'Empire romain. Il soutient que l'intoxication par le plomb, ou saturnisme, frappa tout particulièrement les classes dirigeantes, du fait de leur grande consommation de produits de luxe, conservés dans des jarres doublées de plomb. Ces produits étaient, en effet, trop chers pour les Romains de condition modeste et les esclaves. De plus, il affirme que l'eau consommée par l'aristocratie romaine absorbait davantage le plomb des tuyauteries que l'eau, très chargée en calcaire, consommée par les paysans pauvres.

Selon Gilfillan, l'année cruciale du déclin et de la chute fut 150 après J.-C., où l'on accorda pour la première fois aux femmes le droit de boire du vin. L'accumulation progressive de plomb dans leur organisme, due alors à la consommation de vin, réduisit leur fertilité, et les rares enfants qu'elles mirent au monde ne furent plus que des créatures chétives et apathiques. Dès lors, la classe dirigeante perdit sa vigueur et son emprise sur l'empire. On sait, aujourd'hui, que le plomb affecte le cerveau, les muscles et les nerfs, et qu'il provoque l'anémie.

L'aristocratie romaine se serait lentement empoisonnée par son abondante consommation de vin. Celui-ci était en effet conservé dans des jarres dont l'intérieur était enduit de plomb.

QUAND L'ESPRIT S'EMBROUILLE

Amanda Fairhurst était une vieille dame dynamique de soixante-quatorze ans. Elle se rendait régulièrement à l'église et avait de nombreux amis. Mais, brusquement, sa personnalité changea : elle abandonna l'église et se montra même grossière envers le pasteur. Comme elle oubliait de payer ses factures, elle se faisait constamment couper le gaz et l'électricité. Elle ne reconnaissait plus les membres de sa famille qui lui étaient le plus proches ; sa confusion mentale était telle qu'elle devint incapable d'accomplir les tâches ménagères les plus simples. Affolée, sa famille appela le médecin : Amanda était atteinte de la maladie d'Alzheimer. Hospitalisée, elle mourut au bout de quelques années.

Le neurologue allemand Alois Alzheimer identifia pour la première fois cette maladie en 1907 après la mort d'une de ses patientes, âgée de cinquante-cinq ans, qui de son vivant avait présenté une troublante combinaison de dépression, d'hallucinations et de pertes de mémoire. Une autopsie révéla que les cellules du cortex cérébral de la malade étaient irrémédiablement « enchevêtrées », tel un amoncellement de câbles téléphoniques abattus lors d'une tempête. La découverte d'Alzheimer permit de distinguer deux principaux types de démence : la perte des facultés mentales et celle de l'équilibre affectif. L'une est causée par des attaques d'apoplexie et autres troubles circulatoires ; l'autre se caractérise par un dysfonctionnement et une dégénérescence des cellules cérébrales : c'est la maladie d'Alzheimer. Alors que la plupart des démences touchent principalement les gens de plus de soixante-cinq ans, la maladie d'Alzheimer frappe aussi des gens à partir de quarante ans.

Dans les années 1980, on a dénombré en France de 300 000 à 400 000 cas de détérioration cérébrale dont la moitié serait de type Alzheimer.

Personne n'a encore déterminé les causes de la maladie d'Alzheimer pour laquelle il n'existe toujours pas de traitement. Certains chercheurs incriminent l'aluminium, présent dans l'eau et dans les ustensiles de cuisine, qui, en s'accumulant dans le cerveau, interférerait avec les substances chimiques véhiculant les messages. D'autres affirment qu'il s'agit d'une maladie de type héréditaire.

On a toutefois observé chez des malades une insuffisance en neurotransmetteurs chimiques, et de nouveaux médicaments visant à corriger cette anomalie sont actuellement testés en laboratoire.

MORTELLES RADIATIONS
Les victimes de l'application industrielle du radium

En 1915, Sabin von Sochocky, un peintre amateur passionné, mit au point une peinture phosphorescente grâce à un composant spécial, le radium, une substance d'un blanc lumineux hautement radioactive, découverte en 1898 par Pierre et Marie Curie. Avec à-propos, Sochocky baptisa sa peinture « Undark » (anti-obscurité). Il créa, par la suite, l'US Radium Corporation, qui produisait des cadrans de montres aux chiffres phosphorescents, ainsi que des interrupteurs électriques et des crucifix. La mode des objets phosphorescents fit fureur, et Sochocky embaucha des centaines d'employées pour recouvrir de peinture à base de radium des cadrans de montres et d'instruments destinés à l'armée américaine. Dans une usine du New Jersey, des ouvrières, dont certaines n'avaient pas plus de douze ans, assises sur des bancs, suçaient consciencieusement leur pinceau imbibé de radium afin d'obtenir un trait de peinture le plus fin possible. Leur patron ne manquait pas de les y encourager en affirmant que le radium leur donnerait davantage de sex-appeal, leur ferait boucler les cheveux et leur embellirait le teint. Il ne s'agissait pas là d'une cruelle tromperie : à l'époque, en effet, nombreux étaient les médecins qui considéraient le radium comme une sorte de remède miracle – censé aussi bien stimuler l'ardeur sexuelle que faire remonter une tension artérielle défaillante ou vaincre des fatigues d'adolescentes. On savait

Des techniciens purifient du radium. En 1898, au moment de sa découverte, on croyait que le radium était inoffensif. Mais, dès les années 1930, les cancers qui emportèrent des ouvriers en contact avec cet élément apportèrent la preuve qu'il était dangereux.

parfaitement que l'exposition aux radiations émises par le radium détruisait les cellules, mais personne ne pensait que la peinture au radium pouvait être une cause de cancer.

En 1924, cependant, le dentiste new-yorkais Theodore Blum observa qu'une de ses patientes, qui travaillait pout l'US Radium, présentait une grave infection de la mâchoire. D'effroyables cancers de la mâchoire se déclarèrent chez des ouvrières qui peignaient les cadrans, mais l'US Radium maintint qu'ils étaient le résultat d'une mauvaise hygiène dentaire.

En 1927, cinq anciennes ouvrières de l'US Radium, qui souffraient alors de maladies des os qui les avaient rendues infirmes, intentèrent un procès à la société. Celui-ci promettait de s'éterniser lorqu'un accord extrajudiciaire permit à chacune des plaignantes de recevoir, en 1928, 10 000 dollars plus le montant des dépenses médicales nécessitées par leur intoxication par le radium.

UN FLÉAU VIEUX COMME LE MONDE
Le rhume continue à défier les chercheurs

Voilà bien longtemps que l'homme considère le rhume comme un véritable fléau. Au cours des âges, on a essayé quantité de remèdes plus fantaisistes les uns que les autres pour guérir le rhume. En vain. Le rhume reste aujourd'hui une affection banale fort répandue, et nous ne sommes pas plus avancés que nos ancêtres quant à la mise au point d'un vrai traitement à lui appliquer.

Ce n'est pourtant pas faute de recherches. Témoin, la Common Cold Unit, créée en 1946 en Angleterre. Ce laboratoire s'est durant des décennies consacré au rhume. On y recevait régulièrement des groupes d'une trentaine de volontaires, isolés par deux pendant environ dix jours. On leur inoculait divers virus du rhume, puis on leur administrait des antiviraux issus de nouvelles recherches.

Grâce aux 500 cobayes humains utilisés chaque année par cette unité de recherche, on sait à présent que le rhume peut être causé par pas moins d'une centaine de rhino-virus. Et c'est après avoir cultivé et identifié ces virus que l'unité fut enfin en mesure de se lancer dans la recherche immuni-

taire et la mise au point de vaccins.

Les expériences menées ont prouvé que les personnes souffrant de stress sont particulièrement vulnérables au rhume, mais la raison en est toujours inconnue. Il a également été possible de démontrer que les femmes souffraient davantage du rhume que les hommes.

D'autres expériences ont permis de montrer que les personnes introverties attrapent plus de rhumes graves que les extraverties et libèrent davantage de virus. Une expérience aurait également prouvé que, contrairement à l'opinion répandue, l'exposition au froid ne favorise nullement le rhume.

Nous savons maintenant, par ailleurs, que les virus se transmettent par la vapeur d'eau de l'haleine, ce qui expliquerait pourquoi les rhumes sont plus fréquents en hiver, où l'on passe en effet plus de temps confiné dans des pièces où l'air n'est pas renouvelé.

Alors que l'unité de recherche britannique allait mettre au point un composé antiviral synthétique capable de stopper la prolifération du virus pendant six jours, le manque de subventions la contraignit à fermer ses portes, en 1990.

LE SAVIEZ-VOUS ?

En dépit de risques alors déjà connus, un certain nombre d'industriels américains continuèrent de produire, au moins jusqu'en 1930, des aliments et des boissons à base de radium. Il existait de l'eau au radium, de la pâte dentifrice, de la crème pour le visage, une lotion capillaire, ainsi qu'une boisson non alcoolique à base de radium. Celle-ci fut popularisée par un champion de golf amateur, Eben Byers, qui en buvait deux petites bouteilles par jour. Celui-ci fut atteint d'un cancer de la mâchoire.

CHAPITRE SIX

PAR SIGNES ET PAR MOTS

Imaginez que, tout à coup, plus personne au monde ne parle votre langue maternelle ! Au début du siècle, Ishi, seul survivant d'une tribu d'Indiens californiens, se retrouva dans cette angoissante situation. Il finit par rencontrer un anthropologue qui l'aida à sortir de son isolement *(page 176)*.

Communiquer est vital pour l'homme, et tout autour du globe, on a trouvé mille et une façons de « parler » par gestes, avec des mimiques et même des signaux compliqués transmis par satellite.

DE VIVE VOIX

Quelle fut la première langue de l'homme et quand est-elle apparue ?

L'historien grec Hérodote rapporte que Psammétique Ier, roi d'Égypte au VIIe siècle avant J.-C., décida de se livrer à une expérience scientifique. Fort de son pouvoir absolu sur ses sujets, il choisit deux nouveau-nés et les confia à un berger à qui il ordonna de les élever dans l'isolement le plus complet. On ne devait en aucun cas parler en leur présence. Psammétique était curieux de découvrir la langue que ces enfants parleraient. Il supposait que leur langage serait le plus ancien du monde, autrement dit la langue originelle de la race humaine.

Deux ans après, selon Hérodote, le berger entendit les enfants prononcer à plusieurs reprises le mot *becos*. On parvint à reconnaître ce mot : il signifiait « pain » en phrygien, une langue parlée alors en Turquie centrale. Psammétique en conclut que le phrygien avait dû être la première langue de l'humanité.

De nos jours, on réfute cette conclusion – on suppose que les enfants cherchaient à imiter les bêlements du troupeau – mais personne n'a réussi à savoir à quoi ressemblait le premier langage parlé par l'homme. Les cher-

Au VIIe siècle avant J.-C., le roi d'Égypte Psammétique I^{er}(ci-dessus il est représenté faisant une offrande aux dieux) se livra à une très étrange expérience.

cheurs ont tenté de déterminer sa date d'apparition à partir de fossiles humains.

À quand remonte le langage ?

Le langage humain est sous la dépendance du cortex cérébral. Or l'activité des zones corticales qui commandent le langage est coordonnée par un centre unique, situé dans l'hémisphère gauche chez les droitiers. On l'appelle centre de Broca, du nom du médecin français qui a découvert en 1861 que la lésion de cette zone entraînait l'aphasie, ou perte du langage. L'aire de Broca existe chez tous les primates, mais elle n'est bien développée que chez l'homme.

On a tenté de la retrouver sur les moulages endocrâniens des hommes fossiles. On pense percevoir un accroissement de sa surface dès *Homo habilis,* il y a deux millions d'années : celui-ci devait déjà posséder un langage plus élaboré que celui des singes, mais bien rudimentaire ! Le langage humain, plus proche du nôtre, remonterait lui à quarante mille ans, c'est-à-dire environ trente-cinq mille ans avant l'invention de l'écriture par les Sumériens.

L'ORIGINALITÉ DE LA LANGUE BASQUE

On n'a jamais pu établir le moindre lien entre le basque et une autre langue, vivante ou morte. On ne sait que peu de choses sur ses origines. Selon une tradition populaire, le basque était la langue parlée par Adam au jardin d'Eden. On dit aussi que cette langue arriva en Espagne grâce à Toubal, le cinquième fils du fils de Noé, Japhet.

Aujourd'hui, le basque est parlé dans une région qui s'étend sur 10 000 km² des deux côtés des Pyrénées occidentales. Six cent mille personnes le parlent en Espagne et moins de cent mille en France. Presque tous ces gens sont bilingues, mais beaucoup ne parlent pas cou-

ramment basque et certains s'expriment dans des dialectes difficiles à comprendre même pour d'autres Basques.

Peu de changement au cours des siècles

Ce n'est qu'au XVIe siècle que l'on commença à écrire en basque. Quelques documents plus anciens montrent que cette langue a peu évolué depuis le Xe siècle. À l'origine, les Basques occupaient un territoire beaucoup plus vaste qui se vit réduit par des vagues successives de migrations et d'invasions, surtout des Celtes et des Romains. Cependant, grâce à la situation isolée de leur pays et

à un profond attachement à leur culture et à leur indépendance, les Basques ont pu préserver leur langue. Ce ne fut pas le cas de l'ibère, une langue, ni indo-européenne ni sémitique, parlée en Espagne avant l'époque romaine et qui a complètement disparu.

Les Basques possèdent une littérature orale aussi riche qu'originale. La chanson est privilégiée mais contes, historiettes ou proverbes ont également leur importance. Cependant, c'est la pastorale qui donne à la littérature son incontestable spécificité. Ce théâtre chanté par le peuple, pour le peuple, remonterait à la fin du XVe siècle.

LA FIN DU CHÂTIMENT DE BABEL
Et si nous parlions tous la même langue...

Si nous parlions tous la même langue, cela nous faciliterait considérablement la vie ! Nombreux sont ceux qui ne se sont pas contentés d'en rêver mais ont essayé d'inventer une langue mondiale.

On sait que déjà, dans l'Antiquité, les Grecs avaient eu l'idée d'une langue universelle et que, au XIIᵉ siècle, la mystique bénédictine allemande sainte Hildegarde inventa un langage fondé sur un alphabet nouveau dont le vocabulaire comptabilisait un total de neuf cents mots.

Un Anglais, Wilkins, proposa en 1668 une tout autre méthode. En effet, on préférait à cette époque les systèmes de communication très logiques et sans aucune ressemblance avec une langue existant déjà. Chaque objet, idée ou action était rangé dans une des quarante classes ou genres, qui comprenaient entre autres les « minéraux », les « plantes », les « problèmes maritimes » et les « questions religieuses ». On attribuait à chaque catégorie un son et un signe écrit, qui différaient légèrement suivant les objets désignés.

Il faut attendre la fin du XIXᵉ siècle pour que l'on essaie enfin de parler une de ces langues inventées. La première est le volapük (nom formé des mots de cette langue, *vol* et *pük*, tirés de l'anglais *world*, monde et *speak*, parler) créé en 1879 par Johann Martin Schleyer, un prêtre allemand. Dix ans plus tard, cette langue comptait deux cent mille adeptes en Europe et aux États-Unis. Toutefois, on se rendit vite compte que le volapük, dont la grammaire était très complexe, était trop difficile à apprendre.

L'espéranto

Après le volapük, l'espéranto fit son apparition en 1887. C'était le *Linguo Internacia* du Doktoro Esperanto (la « Langue internationale » du Docteur plein d'espoir). Derrière ce pseudonyme se cachait un Polonais d'origine juive : Lejzer Ludwik Zamenhof.

Élevé en quatre langues – polonais, russe, yiddish et hébreu –, il connaissait aussi l'allemand, l'anglais, le français, le latin et le grec. Il était d'autant plus convaincu de la nécessité d'une langue universelle qu'il vivait dans une région en proie aux divisions linguistiques.

L'espéranto a eu plus de succès que le volapük surtout après la Première Guerre mondiale. On espérait qu'il serait officiellement adopté par la Société des Nations comme langue internationale, pour promouvoir la paix et l'entente entre les peuples.

Ce ne fut pas le cas, mais l'espéranto reste populaire de par le monde, grâce à 1 200 chapitres répartis dans 110 pays. On estime de cent mille à plusieurs millions le nombre des espérantistes. Bien que ses tournures et ses racines soient typiquement européennes, l'espéranto est très apprécié des Japonais qui le trouvent plus facile à apprendre que le français, l'allemand ou l'anglais.

De nos jours, on publie plus de cent magazines en espéranto et des milliers de livres, dont la Bible et le Coran. Quelques pays diffusent également des émissions de radio et de télévision en espéranto.

LE SAVIEZ-VOUS ?

Lors du troisième congrès de volapük, qui se tint à Paris en 1889, tous les participants, même les garçons de café, conversaient en volapük. Malgré ce triomphe, les congressistes n'arrivèrent pas à se mettre d'accord pour décider s'il fallait ou non simplifier leur langue. Cela marqua le début du déclin du volapük comme première langue internationale.

✳ ✳ ✳

Si l'on devait décerner un prix à la langue la plus originale inventée au XIXᵉ siècle, celui-ci serait sûrement attribué au sol-ré-sol. Imaginée en 1858 par un maître de musique français, Jean-François Sudre, cette langue pouvait être chantée, jouée sur un instrument ou parlée, car tous ses mots étaient des combinaisons des sept notes de la gamme.

✳ ✳ ✳

Bien que leurs parents parlent des langues totalement différentes, les bébés du monde entier babillent de la même façon. Une étude de quinze « milieux linguistiques » a révélé que les nourrissons africains ou norvégiens utilisent les mêmes consonnes lorsqu'ils gazouillent. Par exemple, tous les bébés étudiés prononçaient le m et le b.

✳ ✳ ✳

Les Romains, lorsqu'ils jetaient un sort, le consignaient par écrit sur des tablettes de pierre dont ils se débarrassaient ensuite en les lançant dans une rivière ou en les enterrant.

✳ ✳ ✳

Certains jurons paraissent bien inoffensifs, même aux oreilles les plus délicates. C'est ainsi que le philosophe grec, Pythagore, jurait « par le chiffre quatre ». En Ionie (qui fait maintenant partie de la Turquie), on prêtait serment sur le « chou ». Baudelaire, lui, jurait « par le sacré saint oignon ».

UNE ÎLE POLYGLOTTE

Si vous parcourez 40 km en ligne droite en Nouvelle-Guinée, vous aurez sûrement franchi une frontière linguistique. On a déjà identifié près de 750 dialectes sur l'île et dans les alentours, et on est loin d'avoir tracé définitivement la carte linguistique de cette région. Si l'on compare ce chiffre à la surface du territoire ou à sa population, on constate la plus grande concentration de langues différentes au monde. En Nouvelle-Guinée, il y a un dialecte tous les 1 000 km², ce qui en France équivaudrait à 551 langues pour l'ensemble du pays !

Politiquement, l'île de la Nouvelle-Guinée est divisée en deux : l'État de Papouasie-Nouvelle-Guinée à l'est et l'Irian Jaya, qui appartient à l'Indonésie, à l'ouest. Il y a cinq millions d'habitants, mais beaucoup sont des immigrés récents. Seulement trois millions d'entre eux parlent une des langues de la région, ce qui donne une moyenne de 4 000 personnes environ par dialecte.

Plus de la moitié de ces langues sont parentes et on compte plus de cent groupes linguistiques. Certains de ces dialectes sont parlés par cent mille indigènes, mais d'autres ne sont compris que par quelques centaines de personnes, parfois moins. Il s'agit de populations isolées des régions montagneuses.

LE DERNIER DES INDIENS YAHIS

Un homme qui parlait une langue connue de lui seul

Le matin du 29 août 1911, on découvrit dans la cour d'un abattoir d'Oroville, en Californie, un Indien à moitié nu et affamé. Le shérif de la ville, pensant que l'homme était à demi fou, le mit en prison.

Le pauvre homme, effrayé, le regard perdu, se terra dans sa cellule tandis qu'une foule de curieux essayait de communiquer avec lui. On essaya diverses langues : l'anglais, l'espagnol, des dialectes indiens... en vain. Il ne comprenait rien.

L'Indien, que l'on baptisa Ishi, était le seul survivant de la tribu des Yahis, qui faisait partie de la peuplade des Yanas en Californie du Nord. Les Yanas vivaient de la chasse, de la pêche et de la cueillette. Ils avaient été sauvagement massacrés lors de la ruée de l'or, dans les années 1850 et 1860.

Une colonie dans le désert

On supposait que les quelques survivants avaient oublié leurs coutumes et leur langue. En fait, après les massacres, un groupe de cinquante Yahis s'étaient réfugiés dans le désert où ils continuèrent à vivre comme à l'âge de pierre. Au fil des années, ils étaient morts les uns après les autres. Ishi était le seul survivant. Après avoir vécu tout seul pendant trois ans, il ne supporta plus la solitude et rejoignit les Blancs.

Après deux jours épouvantables en prison, l'Indien reçut la visite du professeur Thomas T. Waterman, un anthropologue de l'université de Californie. Waterman devina les origines d'Ishi et essaya de lui lire une liste de mots en yana. L'Indien ne sembla pas comprendre. Les Yahis parlaient un dialecte bien particulier de la langue yana et Waterman avait du mal à bien prononcer les

Peu après sa capture, Ishi – le dernier Indien Yahi – avait recouvré ses forces et était devenu conseiller linguistique à l'université de Californie.

mots. Il finit par lire le mot *siwini*, qui signifie « pin », et montra du doigt le lit en bois qui se trouvait dans la cellule. Le visage de Ishi s'égaya. Il répéta plusieurs fois *siwini* avec enthousiasme.

Waterman parvint à acquérir un vocabulaire de base en yani. On emmena Ishi à Los Angeles où il devint célèbre. Il s'adapta aisément à la civilisation du XXe siècle.

Ishi se montra très utile : il expliqua aux anthropologues la langue, les coutumes et les façons de faire de son peuple. Il montra, par exemple, comment les Yahis arrivaient à grimper à un arbre avec un pot d'eau posé sur la tête.

Malheureusement, Ishi ne survécut pas aux maladies de l'homme blanc : il mourut de tuberculose en 1914 et sa langue disparut avec lui.

POTO ET CABENGA

Le langage secret des vrais jumeaux

Les parents de jumeaux ont souvent remarqué que leurs enfants communiquent parfois de façon bien particulière. Quand un enfant commence une phrase, l'autre la finit. Les jumeaux peuvent aussi s'inventer un vocabulaire qu'eux seuls comprennent. Un tel comportement se retrouve chez environ 40 % des jumeaux, mais s'arrête normalement à l'âge de trois ans. Dans quelques cas exceptionnels, ce lien secret persiste plus longtemps et est beaucoup plus profond.

Une langue pour deux

L'exemple le plus marquant de ce phénomène est le cas des jumelles Grace et Virginie Kennedy, nées en Géorgie, aux États-Unis, en 1970. Dès leur plus jeune âge, on les avait confiées à leur grand-mère qui parlait allemand. Elles voyaient rarement leurs parents, qui tous deux parlaient anglais, et n'avaient aucun contact avec d'autres enfants. À deux ans, les sœurs avaient pris l'habitude de communiquer entre elles dans un charabia incompréhensible. Elles s'étaient donné des noms : Grace était « Poto » et Virginie « Cabenga ». Elles ne parlaient pas un mot d'anglais.

On se rendit compte que le langage des deux fillettes était une sorte de langue secrète qui leur était propre. Une orthophoniste découvrit qu'elles avaient élaboré un jargon composé de mots anglais et allemands déformés, auquel elles ajoutaient leurs propres inventions.

Il était même difficile d'isoler un seul mot pendant leurs dialogues, car elles parlaient très vite. Grâce à l'orthophoniste, les jumelles apprirent rapidement l'anglais et on se rendit à l'évidence : leurs capacités étaient tout à fait normales.

LE SAVIEZ-VOUS ?

Chez les Dieri, une tribu aborigène d'Australie, les veuves s'enduisent la peau d'une couche d'argile. Il leur est interdit de parler jusqu'à ce que l'argile soit complètement écaillée, ce qui prend parfois des mois.

Un Record de Vitesse
L'homme qui parlait à l'envers

Tout le monde peut arriver, plus ou moins facilement, à lire à l'envers. Mais combien d'entre nous peuvent parler à l'envers ? Le professeur Andrew Levine s'aperçut qu'il possédait ce talent en 1959, tandis que, adolescent, il regardait les informations à la télévision. Admirant les interprètes qui accompagnaient le chef d'État soviétique Nikita Khrouchtchev lors de sa visite aux États-Unis, il chercha à les imiter. Comme il ne parlait pas un mot de russe, il s'amusa à prononcer des mots anglais, mais à l'envers.

Jeu de mots

Il est assez fréquent que les enfants s'amusent à ce genre de jeu, surtout entre huit et dix ans quand ils aiment inventer des langages secrets. Même les enfants analphabètes le font : au Panama, par exemple, les petits Indiens Cunas jouent à *sorik sunmakke,* un jeu traditionnel. Il s'agit d'inverser les syllabes de tous les mots.

Ce qui rendait le cas de Levine exceptionnel, c'était la vitesse à laquelle il parlait à l'envers. Il pensait que ce don n'était bon qu'à amuser ses amis. Toutefois ses collègues de l'université du Wisconsin, où il enseignait la philosophie, décidèrent de lui faire subir des tests très sérieux.

Pour « traduire » des phrases simples, il lui fallait moins de deux secondes. Il prononçait à l'envers les mots presque instantanément, comme s'il parlait normalement. Quand on retourne ainsi les mots, on obtient des sons inconnus en anglais. Pourtant Levine ne se trompait que dans 7 % de ses réponses.

Levine arrive à ces résultats incroyables, car il ne réfléchit jamais à l'orthographe des mots. Comme les enfants qui s'amusent à parler à l'envers, il retourne les phonèmes, c'est-à-dire les groupes de sons qui constituent les bases du langage parlé. « Dollars » devient ainsi « srallod ». Comme Levine ne retourne que ce qu'il entend, il ne prononce pas les lettres muettes. Il peut donc parler à l'envers dans des langues étrangères qu'il ne comprend même pas.

Un talent venu de l'inconscient

Les linguistes étaient fascinés par le fait que Levine reconnaissait inconsciemment les phonèmes. Si le cerveau découpe effectivement le langage parlé en segments phoniques, les chercheurs arriveront peut-être à aider les personnes sourdes ainsi que les enfants qui ont du mal à bien parler, à la suite d'une déficience mentale.

Comme les Oiseaux
Certains peuples communiquent en sifflant

Les fans des Marx Brothers connaissent bien les gags où Harpo, qui ne parle jamais, communique avec ses frères en sifflant frénétiquement et en donnant des coups de Klaxon. Ils seront peut-être surpris d'apprendre que, dans certaines régions du monde, les gens s'envoient des messages en sifflant.

Les Indiens Mazatèques d'Oaxaca, au Mexique, sifflent pour se saluer ou même faire du commerce, et se comprennent fort bien. Les enfants mazatèques apprennent à siffler dès qu'ils sont en âge de parler.

Dans les extravagantes comédies des Marx Brothers, Harpo ne parle jamais. Mais il communique avec des gestes, des sifflets, un cor ou bien même sa harpe.

Il ne s'agit pas là d'un langage ni d'un code. Les Indiens reproduisent les intonations et les rythmes du langage parlé, mais sans les mots.

Siffleurs bilingues

Un Mazatèque reconnaît dans les sifflements les mots, car ils sont parfaitement imités. Certains arrivent même à siffler en deux langues : leur dialecte et l'espagnol.

Les Mazatèques ne sifflent pas entre leurs doigts mais uniquement avec les lèvres. Quand on leur montre des photos de gens qui, eux, sifflent avec les doigts, ils demeurent perplexes.

Les Mazatèques sont les seuls dans le monde à communiquer en sifflant même lorsqu'ils ne sont pas éloignés les uns des autres, mais il existe d'autres régions où les gens « parlent » à distance en sifflant : au nord-est de la Turquie, au sud de la ville de Görele, et sur l'île de Gomera, dans l'archipel des Canaries. Dans ces deux régions, montagneuses, isolées et peu peuplées, les habitants sont obligés de faire des kilomètres à pied pour discuter avec leurs voisins. Ils préfèrent donc siffler.

LE SAVIEZ-VOUS ?

Les dauphins peuvent tenir plusieurs conversations à la fois. Ils sifflent et émettent des petits bruits secs. Ils envoient des messages différents en utilisant ces deux façons de communiquer. Chaque dauphin a sa façon bien distincte de siffler qui permet à ses congénères de l'identifier. Les dauphins peuvent aussi paralyser leurs proies en émettant des sons très puissants. Ils localisent ce qui se trouve dans leur environnement grâce aux ultrasons.

SANS PAROLES

Nos gestes nous trahissent souvent plus que nos paroles

Dans la vie quotidienne, nous remarquons les expressions du visage des gens que nous côtoyons et y réagissons. Ce langage est universel et il fait partie de ce qu'on peut appeler la communication non verbale, par laquelle nous transmettons des messages à notre entourage. Nos mimiques, la façon dont nous nous asseyons, nos postures et tous nos gestes révèlent ce que nous pensons des gens autour de nous et de la situation où nous nous trouvons. C'est notre inconscient qui envoie ces messages et qui les reçoit.

Marque de sympathie *Cette jeune femme révèle qu'elle préfère l'homme qui se trouve à sa droite en se tenant près de lui. Elle a les bras et les jambes croisés, ce qui montre qu'elle est sur la défensive vis-à-vis de son autre interlocuteur.*

Manque de confiance *En se tournant vers son interlocuteur, cet homme montre qu'il écoute. En se grattant le poignet, il révèle qu'il manque de confiance.*

Poignée de main *Nous délimitons tous un « territoire personnel », dans lequel nous n'invitons pas les inconnus à pénétrer. L'homme de gauche a tendance à délimiter un « territoire personnel » assez vaste. Quand il rencontre un inconnu, il tend la main au-delà de ce territoire. Celui de droite garde le bras près du corps quand il serre la main. Son « territoire personnel » est donc plus restreint.*

Persuasif *Tout en parlant, cet homme communique aussi par gestes. Il a un pied en avant (il a envie de convaincre son auditoire), une main sur la hanche (il est sûr de lui) et une main tendue (il essaie d'avoir l'air honnête).*

DES SIGNES QUI NE TROMPENT PAS

Seuls les menteurs avertis savent mentir avec leur corps aussi bien qu'avec les mots. Lorsque nous mentons, nous nous mettons inconsciemment à faire certains gestes. Les signes qui trahissent le plus un mensonge sont les gestes de la main vers le visage. Se passer la main sur la nuque, par exemple, est un signe d'incertitude. Se frotter les yeux ou se gratter le nez peuvent être une façon inconsciente de désavouer des paroles que le cerveau sait mensongères.

Se passer la main sur la nuque

Se frotter les yeux

Se gratter le nez

Hors jeu Cette jeune femme regarde en direction de ses amis, mais le fait que ses jambes soient tournées dans l'autre sens montre qu'elle se sent isolée.

Monsieur Je-sais-tout En croisant les mains derrière la tête, cet homme révèle qu'il est sûr de lui et qu'il se sent supérieur aux autres.

Toujours d'accord Ces deux jeunes gens assis, proches l'un de l'autre, montrent ainsi les liens étroits qui les unissent. Ils tournent les jambes l'un vers l'autre et ont la même attitude. Ils réagissent de la même façon à ce qui vient d'être dit. En approchant la main du visage, ils montrent qu'ils réfléchissent.

179

C'EST SI SIMPLE D'ÉCRIRE

Faits et légendes sur les origines de l'écriture

Qui a inventé l'écriture ? Toutes les civilisations antiques ont une légende à ce sujet. Les caractères chinois remontent à environ 2 000 ans avant J.-C. et leur origine fait l'objet de nombreuses explications. Selon une tradition, une tortue magique que l'empereur Yu le Grand sauva de la noyade fit don à ce dernier de l'écriture. On dit aussi qu'un certain Cang Jie aurait inventé les caractères chinois en s'inspirant des empreintes que laissent les pattes des oiseaux sur le sable.

Dans les pays où seuls les prêtres savaient écrire, le mot écrit était censé avoir des pouvoirs magiques. En effet, on attribuait souvent aux dieux l'invention de l'écriture. En Europe du Nord, on pensait que Odin, le premier des dieux scandinaves, était à l'origine des runes. Les musulmans croient que Allah lui-même avait appris à écrire à Adam.

La vérité est bien moins mystérieuse. Les archéologues sont persuadés que l'écriture est une invention des Sumériens en 3 500 avant J.-C. Ils écrivaient pour

Ce caractère chinois qui montre un homme portant des colliers sur un balancier désigne un don d'argent.

tenir leurs comptes et leurs archives. Les prêtres et les fabulistes adoptèrent ensuite cette invention.

Au début, l'écriture n'était qu'une représentation stylisée d'objets (écriture pictographique) ou bien elle se limitait à des symboles qui permettaient au lecteur de se souvenir de données préalablement mémorisées (écriture mnémonique). Peu à peu, des systèmes plus complexes représentant les idées abstraites avec des symboles (idéogrammes) apparurent.

Comme ces symboles correspondaient au sens des mots plutôt qu'à des sons, ils n'avaient rien à voir avec la langue parlée. Cependant, on finit par utiliser des symboles phonétiques représentant des sons. Les alphabets sont des systèmes phonétiques : chaque lettre correspond à un son et ne signifie rien en elle-même. Si le premier alphabet fut phénicien, les Grecs utilisèrent les premiers un alphabet composé de symboles qui reprenaient absolument tous les sons de leur langue, y compris les voyelles.

L'invention de l'écriture n'appartient pas uniquement au passé. Certains systèmes conçus au cours des deux cents dernières années, comme celui élaboré par John Evans pour les Indiens Crees d'Amérique du Nord, étaient destinés aux missionnaires qui souhaitaient porter la bonne parole par écrit. D'autres, comme le mendé de la Sierra Leone, inventé en 1930 par Kisimi Kamala, furent créés par les indigènes pour prouver qu'ils étaient tout aussi intelligents que les colons qui les avaient envahis.

Thot, dieu égyptien, dessine le destin des hommes avec le « stylet du destin ». Pour les Égyptiens, ce dieu, que l'on représente souvent avec une tête d'ibis, était censé avoir inventé l'écriture.

LES SECRETS DU CUNÉIFORME
Une pierre de Rosette géante

Henry Creswicke Rawlinson retint son souffle et se hissa en haut de l'échelle, à 100 m au-dessus du sol. Ce n'était pas le moment de commettre une erreur. Se plaquant contre la paroi, il commença à transcrire d'étranges inscriptions en pressant des feuilles de papier humide sur la pierre pour en prendre des empreintes.

Jour après jour, l'Anglais grimpait le long de la paroi abrupte à Béhistoun en Iran. Il peina ainsi pendant deux ans, par des températures qui atteignaient parfois 50 °C. La nuit, assis dans une hutte que ses aides refroidissaient en jetant de l'eau sur le toit, il avançait pas à pas dans ses traductions.

Les inscriptions sur la paroi rocheuse de Béhistoun sont tracées dans une écriture antique, le cunéiforme, composée de signes formés de coins – du latin *cuneus*, coin – qui a disparu depuis le Ier siècle après J.-C. Tout comme notre alphabet, le cunéiforme servait à transcrire plusieurs langues : trois exactement, arbitrairement appelées classe I, classe II et classe III, depuis l'étude des inscriptions de Persépolis. Rawlinson, et d'autres savants européens, était bien décidé à déchiffrer cette écriture. Il comprit que, pour percer le secret de ces langues, il lui fallait disposer d'un même texte gravé dans les trois types de cunéiforme – quelque chose comme la pierre de Rosette, dont Champollion s'était servi pour les hiéroglyphes.

En étudiant des textes en caractères cunéiformes, des spécialistes avaient retrouvé certains noms de rois qui apparaissaient dans des textes latins et perses. À partir de là, ils cherchaient à étudier d'autres mots.

Or, les inscriptions de Béhistoun mentionnent plus de noms de personnes et de lieux qu'aucun autre texte en cunéiforme et renferment un vocabulaire beaucoup plus vaste. Elles racontent l'arrivée sur le trône de Perse de Darios Ier en 522 avant J.-C. Ce texte aida Rawlinson à comprendre la grammaire du vieux perse. Mais surtout elles présentaient un avantage considérable : une fois qu'on comprenait le texte en classe I, on pouvait l'utiliser pour déchiffrer les textes en classe II et en classe III qui l'accompagnaient. L'exploit de Rawlinson porta ses fruits : en 1850, le vieux perse,

Les inscriptions et le bas-relief de Béhistoun relatent la victoire du roi perse Darios Ier contre un usurpateur.

l'élamite et l'akkadien, trois langues qui semblaient avoir disparu à tout jamais, pouvaient être lus, nous livrant l'histoire et la culture des peuples qui les avaient parlés.

LE B.A.-BA DE NOTRE ALPHABET

Nous disons souvent, en parlant de quelque chose de facile, que c'est le b.a.-ba. Toutefois, sans les Phéniciens, nous n'aurions pas de b, ni de a ; en bref nous n'aurions pas d'alphabet. Sans les Grecs, qui adoptèrent l'alphabet phénicien avant de nous le transmettre, toutes nos lettres seraient à l'envers.

On pense que les Grecs découvrirent l'alphabet vers 1000 avant J.-C., en faisant du commerce avec les Phéniciens. Ceux-ci habitaient la région où se trouve aujourd'hui le Liban. Ils écrivaient de droite à gauche. Quand les Grecs leur empruntèrent leur alphabet, ils écrivirent d'abord en boustrophédon : les lignes allaient alternativement de gauche à droite et de droite à gauche, comme un bœuf tirant une charrue. Les Grecs finirent par préférer l'écriture de gauche à droite et, pour former leurs lettres, ils reproduisirent les lettres phéniciennes, mais à l'envers.

Les Grecs modifièrent l'alphabet phénicien – qu'ils avaient découvert vers 1000 avant J.-C. – en écrivant les lettres à l'envers. Leur alphabet est l'ancêtre du nôtre.

Ils modifièrent également certaines lettres de l'alphabet phénicien. Les Phéniciens n'écrivaient que les consonnes et le lecteur devait deviner où placer les voyelles. Mais les voyelles sont indispensables en grec, elles servent, par exemple, à distinguer certains mots.

Lettres de rechange

Heureusement, les Phéniciens avaient des consonnes qui étaient inutilisées en grec. Les Grecs décidèrent donc d'utiliser ces lettres restantes pour représenter leurs voyelles. Ils conservèrent l'ordre et la plupart des lettres de l'alphabet phénicien : *aleph*, *bêth* et *gimel* par exemple devinrent *alpha*, *bêta* et *gamma*. Leur alphabet parvint à Rome par l'intermédiaire des Étrusques et devint l'alphabet latin classique.

phénicien   grec ancien   latin

PREMIÈRES IMPRESSIONS

Johannes Gensfleisch, dit Gutenberg, un orfèvre allemand du XVe siècle, est l'inventeur en Europe des caractères d'imprimerie mobiles qui n'ont disparu qu'il y a peu de temps. Toutefois, c'est en réalité un alchimiste chinois, Bi Sheng, qui inventa, vers 1040, les caractères mobiles. Les modèles qu'il fabriqua étaient en argile et représentaient chacun un idéogramme. Les Chinois ne s'intéressèrent pas à ce procédé parce qu'il fallait des milliers de caractères pour imprimer un livre. Il était plus simple d'utiliser un bloc de bois sur lequel on sculptait le texte.

Gutenberg n'avait sûrement pas entendu parler de l'idée de Bi Sheng. On peut donc le considérer comme l'inventeur de l'imprimerie. Jusqu'en 1450, les Européens copiaient tous les livres à la main ou utilisaient des blocs de bois. Ces deux méthodes étaient très lentes et donc coûteuses.

Comme notre alphabet compte peu de lettres, Gutenberg comprit qu'on pouvait obtenir des pages entières de texte en utilisant un nombre réduit de caractères. Des modèles en bois seraient difficiles à réaliser et s'useraient vite, mais par contre si on les fabriquait en métal, les lettres pourraient être façonnées dans

des moules et dureraient indéfiniment.

C'est là qu'intervint le talent d'orfèvre de Gutenberg. Il réussit à trouver un alliage parfait, probablement composé essentiellement d'étain et de plomb, pour les caractères et il parvint à reproduire chaque lettre très clairement afin qu'elle soit lisible sur la page imprimée. Il convertit aussi la presse à vis des

vignerons allemands en presse d'imprimerie pour pouvoir appuyer sur une page entière avec une force égale. Cette technologie fut une véritable révolution : on pouvait désormais imprimer les livres en grand nombre et à bon marché.

Un imprimeur passe de l'encre sur les caractères d'une presse semblable à celle inventée par Gutenberg.

LES RESTES GLORIEUX D'UN PEUPLE VAINCU

Un missionnaire préserva, sans le savoir, le secret de l'écriture maya

Diego de Landa, missionnaire espagnol chez les Mayas du Mexique, avait le plus profond mépris pour la culture. C'est pourtant grâce à lui que nous pouvons aujourd'hui déchiffrer en partie l'écriture maya.

Landa était un homme particulièrement dur – en fait, il agit avec tant de violence pour supprimer la culture maya qu'il fut rappelé en Espagne pour y être jugé. Bien décidé à prouver à ses juges que, malgré ses méthodes répressives, il respectait les Mayas, il publia en 1566 un récit détaillé de ce qu'il avait observé lors de son séjour chez eux. Il décrivit leurs coutumes, leur culture, et leur écriture pictographique. Ce livre est aujourd'hui un des rares documents qui nous permettent de traduire certains « hiéroglyphes ».

Bien que les langues mayas soient encore parlées par plusieurs millions de personnes en Amérique centrale, l'écriture pictographique n'est plus utilisée.

Landa supposait que les Mayas avaient un alphabet et demanda à un interprète indien de trouver pour chaque lettre espagnole un équivalent pic-

Les « hiéroglyphes » gravés sur le pourtour de cette sculpture maya décrivent le somptueux costume d'apparat d'un seigneur.

tographique maya. Plus tard, les chercheurs se rendirent compte que la langue maya n'était pas alphabétique. En 1950, toutefois, un jeune savant russe du nom de Yuri Knorozov se replongea dans les travaux de Landa, abandonnés depuis longtemps. Il pensait que, comme Landa avait dû prononcer chaque lettre en espagnol, les hiéroglyphes du missionnaire représentaient des syllabes entières. Il mit sa théorie à l'épreuve et réussit à déchiffrer de nombreux mots qui existent toujours dans les langues mayas contemporaines.

Malheureusement, l'écriture maya est très complexe. Certains « hiéroglyphes » ne sont pas des syllabes mais des images stylisées représentant des mots. Un mot s'écrit parfois de plusieurs façons. On n'a toujours pas trouvé le sens de certains pictogrammes. Cependant, grâce à ceux qu'ils ont pu déchiffrer, les historiens ont découvert une foule d'indications sur les Mayas, leurs conquêtes et leurs coutumes.

VOUS CONNAISSEZ LA NOUVELLE ?

Les premiers journaux

Quand on parle de Jules César, on ne pense généralement pas aux premiers journaux. Ce fut pourtant bien lui qui fit paraître les premières nouvelles officielles, en 59 avant J.-C. Les *acta diurna* étaient écrits à la main et affichés tous les jours à Rome, au forum et dans d'autres endroits importants de la ville.

Les nouvelles présentées dans cette chronique journalière ressemblaient à ce que l'on trouve dans nos journaux modernes : vie politique, batailles, nominations dans l'armée ou la marine, annonce des naissances, mariages et décès. Les lecteurs pouvaient également consulter les résultats des combats de gladiateurs ou apprendre qu'une météorite venait de tomber. Les citoyens romains qui vivaient aux quatre coins de l'empire faisaient recopier ces informations par leurs scribes, installés à Rome, et les recevaient ensuite par courrier. Certains scribes gagnaient leur vie en envoyant ces messages à plusieurs clients. Beaucoup d'entre eux étaient esclaves et quelques-uns utilisèrent cet argent pour racheter leur liberté.

Une révolution : l'imprimerie

Après la disparition des *acta diurna*, ce furent les voyageurs, et plus tard les troubadours et les crieurs publics, qui se chargèrent de faire circuler les nouvelles. Il fallut attendre l'invention de l'imprimerie en 1450 pour voir se développer les journaux. Grâce aux travaux de Gutenberg, on pouvait désormais imprimer à bon marché et rapidement. Toutefois, les premiers journaux, tels que nous les connaissons aujourd'hui, ne firent leur apparition que cent cinquante plus tard. Ainsi l'*Aviso Relation oder Zeitung* commença-t-il à paraître tou-

Une bordure macabre décore ce bulletin, en partie écrit à la main, qui dénombre les morts des sept épidémies de peste à Londres entre 1592 et 1665.

Les crieurs publics, comme celui-ci tiré d'un magazine anglais du XIXe siècle, attiraient l'attention des gens en criant : « Oyez ! »

tes les semaines, en 1609, à Wolfenbüttel, en Allemagne. À la même époque, d'autres journaux avec le même titre parurent à Strasbourg et à Augsbourg.

C'étaient des hebdomadaires qui donnaient les actualités. Ils étaient surtout lus par les commerçants, désireux de se tenir au courant de ce qui se passait en Europe et dans le monde et pouvait avoir des conséquences sur leurs affaires. À la fin du XVIIe siècle, les Allemands pouvaient se vanter d'avoir trente quotidiens. En France, c'est à Théophraste Renaudot que l'on attribue la création du premier journal, en 1631 : *la Gazette*.

Ces premiers journaux ont aujourd'hui disparu, mais en 1645 l'académie royale des lettres de Suède fit paraître un journal gouvernemental, le *Post och Inrikes Tidningar*, toujours publié.

> ### LE SAVIEZ-VOUS ?
>
> *Un meurtrier fut arrêté grâce au télégraphe électrique le 1er janvier de l'an 1845. On découvrit le corps d'une femme assassinée chez elle à Slough et on aperçut le suspect, John Tawell, alors qu'il prenait le train de Londres. Or, le premier service public de télégraphe avait été installé entre Slough et Londres en 1843. Les policiers purent donc alerter leurs collègues londoniens. Tawell fut arrêté, jugé, condamné et exécuté.*

183

INTERDIT À BOSTON

Les déboires du tout premier journal américain

Le jeudi 25 septembre 1690, les habitants de Boston apprirent que le premier journal américain venait de voir le jour dans leur ville. Un journaliste plein d'enthousiasme, Benjamin Harris, souhaitait publier son *Publick Occurrences Both Forreign and Domestick* (« Événements mondiaux et nationaux ») tous les mois, ou, si l'actualité l'exigeait, plus fréquemment. Malheureusement, le premier numéro fut aussi le dernier.

Harris avait mené une vie mouvementée à Londres, où il avait été vendeur de pamphlets séditieux et éditeur d'un journal politique. En 1678, il avait contribué à attiser la haine contre les catholiques en révélant, dans les pages de son journal, un prétendu complot destiné à massacrer les protestants et à incendier Londres. C'est un des premiers exemples de presse à scandale. Harris fut, à la suite de cet article, arrêté. Après sa libération, ses bureaux furent à nouveau fouillés par les autorités gouvernementales et il s'enfuit avec sa famille à Boston.

Des nouvelles variées

Le journal américain de Harris était bien écrit et très vivant. On y trouvait des articles rapportant une épidémie de variole qui faisait rage à Boston, un suicide, deux incendies, des atrocités commises par les Indiens pendant la guerre franco-indienne, et les troubles en Irlande. Malheureusement, le gouverneur du Massachusetts ne fut pas impressionné par les talents journalistiques de Harris. D'autre part, le clergé puritain fut horrifié par un article qui exposait la liaison de Louis XIV avec la femme d'un prince. Quatre jours seulement après sa parution, le journal fut interdit.

Les habitants de Boston durent attendre le 24 avril 1704 pour lire un nouveau journal local. C'était un hebdomadaire, le *Boston News-Letter* (« Lettre d'informations de Boston »), publié par un receveur de postes écossais, John Campell. Ce fut le seul journal des colonies anglaises pendant quinze ans. La publication cessa pendant la guerre d'Indépendance.

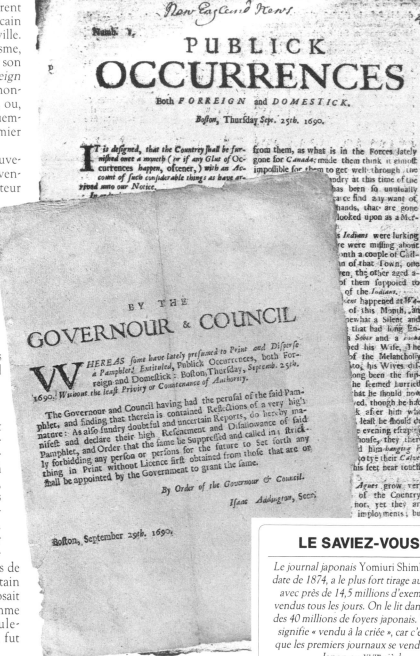

Avec seulement trois pages de 15 cm sur 26, le premier journal américain mettait les habitants de Boston au courant des faits divers. On y trouvait des informations locales et des nouvelles de l'étranger. Mais les révélations de l'éditeur Benjamin Harris déplurent aux autorités de Boston, qui s'empressèrent de faire une proclamation interdisant le journal.

LE SAVIEZ-VOUS ?

Le journal japonais Yomiuri Shimbun, *qui date de 1874, a le plus fort tirage au monde, avec près de 14,5 millions d'exemplaires vendus tous les jours. On le lit dans 24,6 % des 40 millions de foyers japonais. Yomiuri signifie « vendu à la criée », car c'est ainsi que les premiers journaux se vendaient au Japon au XVIIe siècle.*

* * *

Le mot gazette pour désigner un journal vient de la gazzetta italienne, issu du vénitien gazeta. Il s'agissait d'une petite pièce de monnaie en cuivre avec laquelle les habitants de Venise au XVIe siècle pouvaient acheter une feuille imprimée qui prit par la suite le même nom.

LE TÉLÉGRAPHE AÉRIEN
Une révolution dans la communication

L a guerre réveille le talent des inventeurs. Tel fut le cas en 1792 pendant les guerres révolutionnaires françaises.

Claude Chappe, prêtre et ingénieur, avait inventé un télégraphe optique en 1791, mais n'avait pas vraiment pu l'expérimenter. Son frère aîné, Ignace, faisait partie de l'Assemblée législative révolutionnaire et il se débrouilla pour que l'invention de son frère soit mise à l'essai. Le télégraphe de Chappe marqua un progrès important dans le domaine des communications rapides à distance. Les deux frères firent construire une série de tours éloignées les unes des autres de 5 à 10 km. Elles avaient toutes un mât vertical surmonté d'une poutre horizontale, le régulateur, qui pouvait tourner dans tous les sens selon plusieurs axes de rotation. À chaque extrémité du régulateur se trouvait un bras mobile, l'indicateur. Avec des cordes, on orientait le régulateur et les indicateurs, qui se plaçaient ainsi dans quarante-neuf positions facilement reconnaissables. Chappe baptisa son système sémaphore, un terme dérivé du grec qui signifie « porteur de signes ».

Les opérateurs, sur chaque tour, observaient les tours environnantes et transmettaient le message qu'ils recevaient. La première ligne faisait 230 km, de Paris à Lille, près du front autrichien. En 1794, le premier essai servit à transmettre la nouvelle de la

Ces croquis de Chappe montrent quelques-unes des quarante-neuf positions utilisées dans son télégraphe. Chaque position représentait une lettre ou un symbole codé.

Claude Chappe fait une démonstration de son invention près de Paris en 1793.

victoire des Français, qui venaient de reprendre Condé-sur-l'Escaut aux Autrichiens. Avec une moyenne de trois signaux par minute, il fallut vingt minutes pour que la nouvelle parvienne à destination, quatre-vingt-dix fois plus vite que si on avait dépêché des messagers à cheval.

L'invention de Chappe fut reconnue par tous et adoptée par la Russie, la Chine et l'Égypte. Peu de temps après, l'Amirauté britannique fit installer le premier télégraphe optique concurrent de celui de Chappe, entre Londres et la côte sud. Le télégraphe anglais avait six lattes mobiles. Les relais étaient installés sur des promontoires que l'on reconnaît encore aujourd'hui sur les cartes, les « telegraph Hills » (collines du télégraphe).

Soixante ans plus tard, quand le télégraphe électrique remplaça l'invention de Chappe, la France à elle seule avait plus de 550 postes de sémaphore qui couvraient 4 800 km. Le système de Chappe avait des inconvénients. On ne pouvait pas, par exemple, l'utiliser la nuit ou par temps de brouillard. Il requérait un personnel et un entretien coûteux et était difficile à manipuler. Critiqué et envié par d'autres ingénieurs qui prétendaient avoir inventé le sémaphore, Claude Chappe se suicida en 1805.

CORRESPONDANT DE GUERRE

William Howard Russel, le premier grand reporter

Sa prose était remarquable : « Il règne un silence pesant. Entre les grondements du canon, on entend les chevaux piaffer, les sabres s'entrechoquer dans la vallée que nous surplombons. » C'est ainsi que William Howard Russel décrivait aux lecteurs du *Times* de Londres l'attente qui précéda le massacre de la brigade légère en 1854. « Auréolés de leurs sabres tournoyants, ils poussèrent un cri, qui pour nombre d'entre eux fut l'ultime, et se lancèrent sur les batteries ennemies. »

Sur place

Russel fut le premier correspondant de guerre officiel. Avant la guerre de Crimée en 1854-1856, les journaux rédigeaient leurs articles à partir du courrier envoyé par des officiers ou des reportages parus dans la presse étrangère. Russel n'était pas le seul journaliste sur le front de Crimée, mais ses articles, qui s'appuyaient sur les conversations qu'il avait sur place avec des témoins oculaires, étaient précis et rendaient bien compte de la réalité.

« Quel coût inestimable pour notre pays, déclarait-il à ses lecteurs, que tous ces hommes morts d'épuisement, sous leurs tentes ou à l'hôpital, parce qu'on les tue à la tâche et qu'on les nourrit mal ! » De telles dépêches soulignaient les erreurs commises par le commandement militaire pour tout ce qui était soins médicaux, nourriture et vêtements. Russel était soutenu par les éditeurs du *Times,* le journal lu par les membres du gouvernement, les classes dirigeantes et moyennes. On accusa les généraux de se préoccuper du règlement plus que du bien-être de leurs soldats.

En janvier 1855, le gouvernement démissionna. Les articles de Russel étaient-ils responsables ? L'auteur prétendit que non, mais le nouveau secrétaire d'État à la Guerre laissa entendre à Russel qu'il le tenait pour coupable, et le prince Albert lança une campagne féroce contre celui qu'il traitait de « misérable scribouillard ».

Retour d'un héros

À son retour en Angleterre, il fut accueilli en héros. Personne n'avait auparavant saisi la guerre sur le vif, comme lui. Un de ses concurrents en Crimée, le journaliste Edwin Lawrence, lui rendit hommage : « Entre ses mains, les dépêches du front prirent une importance incroyable que les généraux redoutaient. » Une des conséquences des articles de Russel fut la réorganisation complète de l'armée. Le correspondant de guerre était désor-

William Howard Russel observe la scène d'une bataille pendant la guerre de Crimée. Avant de rédiger ses inoubliables reportages, il interrogeait un grand nombre de soldats pour obtenir des renseignements précis.

mais indissociable de tout conflit armé. Quand la guerre de Sécession éclata en 1861, on envoya sur le front nordiste pas moins de cinq cents correspondants, parmi lesquels Russel.

L'EXPLOIT DE FESSENDEN

Le 24 décembre 1906, assis devant son récepteur radio en plein océan Atlantique, un opérateur n'en croit pas ses oreilles. Au lieu d'entendre du morse, il perçoit le bruit d'un violon, puis d'une voix éraillée qui semble lui parvenir de nulle part. « Si quelqu'un m'entend, qu'il écrive à Mʳ Fessenden, à Brant Rock. » L'opérateur radio venait, par hasard, de se brancher sur la première émission avec musique et commentaires.

Fessenden, d'origine canadienne, avait inventé la radiotéléphonie, qui permettait de retransmettre voix et musique en utilisant les ondes continues du son. Cela était très différent du télégraphe sans fil de Marconi, testé avec succès en 1896, mais qui ne pouvait servir qu'aux communications en morse. Dès 1902,

Fessenden avait réussi à utiliser les ondes radio pour transmettre la voix humaine à une distance de 1,6 km.

Réservé aux professionnels

À l'époque de la première émission radio de Fessenden, on n'aurait pas imaginé que la radio puisse un jour servir à divertir les gens. Son public se réduisait à quelques opérateurs radio professionnels travaillant sur des navires ou chargés de surveiller les transmissions militaires et la navigation dans les stations sur la côte.

Le concert de Fessenden pour le réveillon était retransmis d'une tour de 128 m située à Brant Rock, dans le Massachusetts, et avait une portée de 320 km. Il passa le célèbre largo de l'opéra de Handel, *Serse,* sur son pho-

nographe et devint ainsi le premier disc-jockey de l'histoire.

Cependant la fabrication en série de postes de radio ne démarra qu'après la Première Guerre mondiale. Quant à la première station de radio, KDKA de Pittsburgh en Pennsylvanie, elle ne parvint sur les ondes que le 2 novembre 1920. Elle avait été financée par Westinghouse, un fabricant de radios. Pour faire monter les ventes, la station retransmettait les informations et des programmes de divertissements. KDKA fonctionne toujours aujourd'hui.

Fessenden inventa plus tard divers appareils de mesure, un détecteur électrolytique et des appareils de télécommunication sous-marine. Il mourut en 1932, à l'âge de soixante-cinq ans.

MESSAGES CODÉS

Un téléphone pas comme les autres

Voici un scénario classique au grand écran : dans un recoin secret du Pentagone (le poste de commande central des forces armées américaines), un petit téléphone rouge est posé sur une table dans une pièce sous haute surveillance. Le téléphone sonne. Le Président des États-Unis décroche et s'adresse directement à son homologue soviétique. Leur conversation est brève et sans détour. Le Président raccroche et déclenche une attaque nucléaire. La civilisation, telle que nous la connaissons, disparaît dans un nuage de poussière nucléaire.

Ce cliché cinématographique de la ligne directe entre le gouvernement des États-Unis et le Kremlin était si bien ancré dans les esprits que même Ronald Reagan l'avait appelée « le téléphone rouge ». Tout cela est bien loin de la réalité. Il ne s'agit pas du tout d'une ligne de téléphone, mais d'une liaison par satellite qui transmet des messages imprimés et, depuis 1984, des télécopies.

En cas de crise

Établie après la crise de Cuba en 1962, cette ligne directe était censée contribuer à éviter un conflit armé entre les deux supergrands. On ne sait pas combien de fois cette ligne a été utilisée depuis ; c'est un secret bien gardé. On sait qu'elle a servi quand les troupes soviétiques envahirent l'Afghanistan en décembre 1979.

Pour éviter tout problème de transmission, les Américains et les Soviétiques s'envoyaient des messages sans importance vingt-quatre fois par jour, afin de

Ci-dessus, des employés du Pentagone vérifient la ligne directe entre Américains et Russes pour prévenir tout risque de distorsion.

vérifier que tout fonctionnait bien. Les Américains envoyaient par exemple un extrait du règlement de l'Association des joueurs de golf tandis que les Soviétiques transmettaient une page d'encyclopédie sur les coiffures au XVIIe siècle. Le message qui déconcerta le plus les Soviétiques fut envoyé par les Américains le jour où la ligne fut mise en service, en 1963. On était à l'époque de la guerre froide et les experts de Moscou eurent à déchiffrer le message suivant : « Le vif renard brun saute par-dessus le chien paresseux. 1234567890. »

Dans le film de Stanley Kubrick, Docteur Folamour, *Peter Sellers incarne le Président des États-Unis.*

PUBLICITÉ SUBLIMINALE

Un message a-t-il plus d'influence sur nous si nous ne sommes pas conscients de l'avoir reçu ? Aux États-Unis, des grands magasins ont remplacé les panneaux menaçant de poursuite les voleurs par des messages à peine perceptibles, enregistrés sur un fond musical et qui exhortent à être honnête. Quand ces messages sont retransmis, le son est si bas que les clients ne les entendent pas consciemment : ils sont subliminaux. Dans certains cas, le système a prouvé son efficacité puisque le nombre de vols a baissé de façon sensible.

Les publicitaires ont été tentés d'utiliser ces méthodes, dès les années 1950. En théorie, si on arrive à pénétrer dans l'inconscient du public ciblé, celui-ci ne pourra pas résister et achètera

Les exemples les plus célèbres de publicité subliminale sont visuels. On passe une image pendant une fraction de seconde sur un écran de cinéma ou de télévision. Ce genre de publicité a attiré l'attention du public dès 1956, quand on apprit qu'un cinéma du New Jersey passait des publicités subliminales pour Coca-Cola.

Depuis, on en parle de temps en temps, la question provoque de vives réactions et tombe ensuite dans l'oubli. En 1971, une distillerie de gin a été accusée de dissimuler le mot « sexe » sur les glaçons figurant dans ses publicités.

Cette technique, que l'on appelle implantation, est courante, mais on ignore comment les gens réagissent.

Certains pays, considérant qu'il existe un risque de lavage de cerveau ou d'endoctrinement politique, ont interdit la publicité subliminale sur les écrans. Toutes les recherches faites quant à son efficacité ne sont pas concluantes. Dans le cas des publicités pour Coca-Cola, on s'est rendu compte que les ventes de toutes les marques de soda augmentaient après de tels messages. De toute évidence, ces publicités donnaient aux gens l'impression qu'ils avaient soif, mais ne les poussaient pas à acheter une boisson plutôt qu'une autre.

COMMUNICATION À DISTANCE
Les tam-tams africains

Dans certains pays africains, les tam-tams se parlent vraiment. Deux joueurs arrivent à converser à 32 km de distance, car ils traduisent leur dialecte tribal sur leurs tam-tams. Au Ghana, la technologie moderne a encore étendu la portée de cette forme traditionnelle de communication. En effet, les informations à la radio sont introduites par un message sur tam-tam : « Ghana, écoutez... Ghana, écoutez. »

C'est en Afrique occidentale, au Ghana, au Bénin et au Nigeria que l'utilisation du tam-tam est la plus courante. La plupart des langues parlées dans ces pays sont « tonales » : chaque syllabe d'un mot correspondant à une tonalité musicale, les joueurs de tam-tam peuvent reproduire les sons et les rythmes de chaque mot. Il est donc important pour les joueurs de tam-tam d'être bons musiciens. On ne pourrait pas traduire sur un tam-tam des langues comme le français, car on n'entendrait que le nombre de syllabes et leur rythme.

Les joueurs de tam-tam les plus célèbres en Afrique de l'Ouest sont les Yorubas, qui se servent d'un tam-tam en forme de sablier. Ils le tiennent sous

le bras et tapent dessus avec un bâton qui ressemble à un marteau. Pour pouvoir obtenir plusieurs tonalités, les joueurs pincent les cordes en cuir qui se trouvent sur le côté du tam-tam. Cela leur permet de resserrer la peau tendue sur le dessus de leur instrument. Pour envoyer leurs messages, les Bantous du Zaïre et d'Afrique du Sud utilisent des tam-tams sculptés dans des souches de bois creuses.

Les tam-tams jouent un rôle important dans la vie sociale et culturelle africaine. On ne les utilise pas seulement pour envoyer des messages. Pendant

Au Ghana, les tam-tams servent à faire des commentaires sur les danseurs lors de mariages à Tamale.

certaines cérémonies rituelles, on s'en sert pour jouer des hymnes à un dieu de la tribu ou pour chanter les louanges d'un grand chef. Pendant les fêtes, ils ponctuent les danses de commentaires facétieux ou encouragent les lutteurs. Chez certains peuples, par exemple les Mossis du Burkina, les tam-tams servent à perpétuer l'histoire de la tribu, sous forme de longues épopées que se transmettent les musiciens.

UN MYTHE PART EN FUMÉE
Les signaux indiens

Le peintre américain Frederic Remington (XIXe siècle) a, dans ce tableau, grandement exagéré la complexité des signaux de fumée.

Beaucoup de gens, après avoir regardé des westerns dans leur enfance, s'imaginent que les Indiens d'Amérique du Nord faisaient des signaux de fumée pour communiquer entre eux à distance.

Malheureusement l'idée selon laquelle chaque nuage de fumée correspondait à un message complexe n'est qu'une invention hollywoodienne.

Les signaux de fumée existaient bien, surtout parmi les tribus semi-nomades des Grandes Plaines, cependant, les messages étaient limités à des échanges très simples, dont le contenu était convenu d'avance. C'est ainsi que des guerriers Pimas, revenant en Arizona, signalaient l'issue heureuse de leurs attaques avec une colonne de fumée. Le village leur répondait alors avec deux colonnes de fumée.

Le feu était alimenté avec de l'herbe humide ou des branchages. C'était surtout l'endroit d'où le message était envoyé qui importait : sa signification était différente suivant qu'il venait d'une colline ou d'une vallée. Quand des chasseurs apaches repéraient un autre groupe d'Indiens au loin, ils allumaient un feu sur leur droite, ce qui signifiait : « Qui êtes-vous ? » Les autres, si c'étaient des alliés, envoyaient une réponse convenue d'avance. Les signaux de fumée servaient également à annoncer une victoire, la propagation d'une maladie dans un campement ou encore l'arrivée imminente des ennemis.

LE SAVIEZ-VOUS ?

Les gens qui ont l'habitude d'entendre les tam-tams d'Afrique occidentale arrivent à reconnaître les nuances de tel ou tel musicien, un peu comme nous identifions les gens par leur voix.

NUANCES DE SENS
Les couleurs du bonheur

Dans les pays occidentaux, le rouge symbolise le danger. C'est la couleur que l'on utilise pour les panneaux de stop et les feux de signalisation. Le rouge est aussi la couleur du sang, du feu et de la passion. C'est la couleur de Mars, le dieu romain de la guerre. Enfin, le rouge est la couleur de la colère. Ne dit-on pas : « J'ai vu rouge ! » En Chine, la symbolique du rouge est totalement autre : c'est en effet la couleur du bonheur.

Pour les autres couleurs, les différences d'appréciation sont tout aussi frappantes. En Occident, le noir est la couleur du deuil et le blanc celle des mariées, alors qu'en Chine on porte du blanc lors des enterrements. En Europe, on dit que la royauté a du sang bleu ; en Malaisie, ce sang est blanc.

Les couleurs de la boussole

Chez les Indiens Pueblos des États-Unis, les couleurs sont associées aux points cardinaux. L'est correspond au blanc, le nord au jaune, l'ouest au bleu et le sud au rouge. Les Cherokees, eux, attribuent aux couleurs des orientations mais aussi des qualités abstraites : le succès vient de l'est et est rouge ; le nord est bleu et synonyme de problèmes ; l'ouest noir apporte la mort ; le sud est blanc et associé au bonheur.

Pour les Occidentaux, le bleu est une couleur heureuse, mais la pire des insultes pour les Yazidis du Caucase et d'Arménie est : « Puisses-tu mourir en habit bleu ! »

Ces gens en deuil, sur l'île de Cheung Chaw à Hong Kong, sont habillés en blanc, comme il est de coutume aux enterrements en Chine.

MERVEILLES DE LUMIÈRE
Ces phares qui protègent les marins

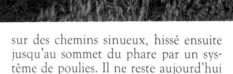

Destinés à guider les navires, à les éloigner des côtes ou des courants dangereux, les premiers phares n'étaient que de simples fanaux situés sur des promontoires. Mais dans la Grèce et la Rome antiques, les phares étaient des constructions imposantes qui signalaient souvent les grandes villes et même les empires. Ainsi le phare d'Alexandrie, sur les côtes de la Méditerranée, en Égypte, était une des sept merveilles du monde antique. Construit en 280 avant J.-C. en marbre blanc, il faisait 134 m de haut et l'on raconte que la flamme à son sommet était visible à 55 km.

La lumière de ce phare provenait d'un feu dans un panier en métal, alimenté par du bois transporté à cheval,

Ce phare est construit à la mémoire de Colomb. Il doit être inauguré en 1992 par la République dominicaine.

sur des chemins sinueux, hissé ensuite jusqu'au sommet du phare par un système de poulies. Il ne reste aujourd'hui que ses fondations.

Au cours du 1er siècle après J.-C., on commença à utiliser des bougies et des lampes dans les phares.

Aujourd'hui, ils sont éclairés à l'électricité ou au gaz. Les marins reconnaissent les phares à leur couleur et à leur forme.

En 1948, la République dominicaine a entamé la construction d'un phare, à la mémoire de l'explorateur Christophe Colomb. Les Dominicains espèrent que ce monument deviendra une des merveilles du monde moderne. Pour qu'il puisse résister aux ouragans et aux tremblements de terre, fréquents dans les Caraïbes, le phare n'a pas la forme d'une tour mais plutôt

Les phares, tels que celui-ci sur l'île d'Anacapa, en Californie, marquent les endroits dangereux, servent de repères et constituent une aide précieuse pour les marins.

d'une énorme croix couchée sur le sol, de 1 200 m de long et 35 m de hauteur.

Son édification n'a pas été de tout repos. En 1948, lors des cérémonies qui marquaient le début de la construction, les explosifs destinés à creuser les premières fondations détonèrent trop tôt et détruisirent la voiture d'un des dignitaires présents. La banque américaine dans laquelle avaient été déposés les honoraires de l'architecte fit faillite et sa famille dut attendre des années pour ne toucher finalement qu'une petite partie des 10 000 dollars qu'il aurait dû gagner.

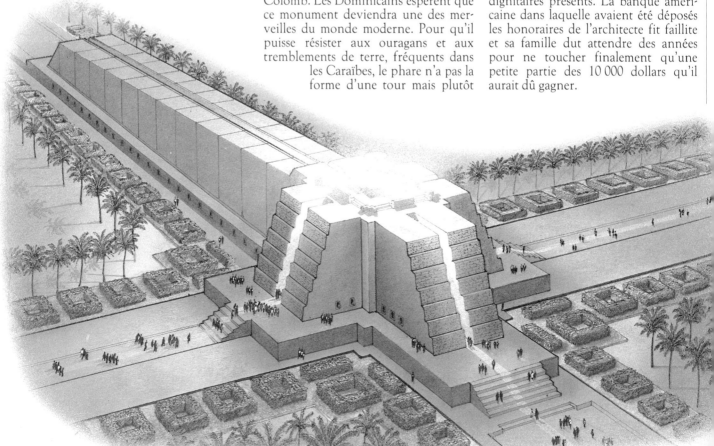

INTRIGUES ET MENSONGES

La vérité sur Sidney Reilly

Dans l'univers trouble de l'espionnage, Sidney Reilly se distingue par son ambition démesurée. Son but était de renverser le gouvernement communiste en Russie et, à l'en croire, il faillit y parvenir.

Reilly n'était en fait qu'un des nombreux pseudonymes du personnage qui se faisait aussi appeler Camarade Relinsky, Georg Bergmann ou Monsieur Massimo. Il était né Sigmund Rosenblum, dans le port d'Odessa, en 1874. Il prit le nom de Reilly de sa première femme, Margaret Reilly Callaghan. Il prétendit plus tard être le fils illégitime d'un capitaine de navire irlandais, mais c'était pure fantaisie.

Dénué de scrupules en affaires et en amour, il était devenu, au moment de la Première Guerre mondiale, marchand d'armes à New York et avait contracté sans divorcer un second mariage avec Nadine. Après la révolution russe d'octobre 1917, il fut recruté par les services de renseignements britanniques pour partir en Russie déstabiliser le régime de Lénine et Trotski.

Un ténébreux complot

À son arrivée à Petrograd, au printemps 1918, il mit sur pied un complot. Après s'être infiltré dans les milieux bolcheviques, il réussit à se procurer des papiers, qui l'identifiaient comme l'un des membres de la Tchéka, la police secrète bolchevique. En même temps, il s'allia avec un groupe de gardes lettons de Lénine, déçus par le régime, qui devaient arrêter les dirigeants bolcheviques. Ces derniers seraient contraints de défiler dans la ville, sans pantalon, et un nouveau gouvernement prendrait la direction des affaires du pays. Reilly était convaincu que son complot aurait pu facilement aboutir. Il écrivit plus tard : « J'étais à deux doigts de devenir maître de la Russie. »

Toutefois, à la suite d'un attentat contre Lénine le 30 août 1918, perpétré par Fanny Kaplan, un assassin opposé aux bolcheviques, la police secrète de Lénine ouvrit une enquête et effectua de nombreuses arrestations. Reilly parvint à s'enfuir mais il fut condamné à mort par contumace.

Les services secrets britanniques donnèrent congé à Reilly, mais il resta obsédé par l'idée de renverser le gouvernement soviétique. Dans les années 1920, il devint membre d'une organisation antigouvernementale en Union soviétique, le Trust.

Le 25 septembre 1925, il traversa clandestinement la frontière entre la Finlande et l'Union soviétique afin de contacter les dirigeants du Trust à Moscou. Il ne savait pas que cette organisation avait été infiltrée par la police secrète. Tous ses mouvements furent observés et il se confia même à des agents doubles. Ce fut la fin de Reilly. Peu après son arrivée, il fut arrêté et exécuté.

QUI ÉTAIT VRAIMENT MATA HARI ?

L'histoire d'une grande espionne

En juillet 1917, en pleine guerre, Margaretha Geertruida Zelle, alias Mata Hari, risquait la peine de mort devant un tribunal militaire à Paris. On l'accusait d'avoir transmis des secrets militaires français à l'ennemi allemand. Le procureur déclara que ces secrets étaient si importants qu'ils avaient coûté la vie à cinquante mille soldats français. Le tribunal écouta un incroyable récit où sexe et espionnage avaient la part belle, alors que Margaretha angoissée protestait en vain de son innocence. Le tribunal n'hésita pas et la condamna à passer devant le peloton d'exécution.

Une danse dangereuse

Pourtant, si l'on s'en tient aux faits, Margaretha fut une victime innocente et désemparée plutôt qu'une dangereuse espionne. Née aux Pays-Bas en 1876, elle épousa un officier hollandais à l'âge de dix-neuf ans et vécut à Java et à Sumatra. En 1905, elle revint en Europe et se sépara de son mari. Elle devint alors danseuse orientale, prenant tout d'abord le nom de Lady MacLeod, puis celui de Mata Hari – expression qui signifie en malais « l'œil du jour ».

Mata Hari devint vite célèbre, non pas parce qu'elle dansait bien mais plutôt parce qu'elle ne répugnait pas à se montrer sur scène quasiment nue. Elle eut de nombreux amants de toutes nationalités, militaires et hommes politiques influents, parmi lesquels Frédéric-Guillaume, le Kronprinz, héritier du trône allemand.

Après le début de la Première Guerre mondiale en 1914, ses contacts dans les milieux internationaux faisaient d'elle une recrue de choix pour les services d'espionnage. Elle traversait alors une période difficile et accepta de l'argent des services de renseignements allemands et français. Elle n'avait cependant aucun don pour le métier d'espionnage. Rien ne prouve que les Français ou les Allemands aient reçu, grâce à elle, des renseignements importants. Fatigués de payer pour rien, les Allemands firent tout pour que les Français découvrent sa duplicité.

Malgré les interventions de ses anciens amants, dont certains avaient beaucoup d'influence, Margaretha fut exécutée à Vincennes le 15 octobre 1917. Son indifférence devant le peloton d'exécution contribua largement au mythe de Mata Hari.

Un Infidèle dans les Cités Interdites

Un aventurier suisse redécouvrit la cité perdue de Pétra

En 1809, Johann Ludwig Burckhardt, fils d'un officier suisse de l'armée impériale de Napoléon, s'embarqua pour le Moyen-Orient afin d'explorer le cœur secret du monde islamique. Depuis 1 000 ans, les déserts contrôlés par les Arabes et les villes saintes étaient interdits d'accès aux infidèles chrétiens. La seule façon de pouvoir s'y rendre était de se faire passer pour un musulman. Burckhardt avait appris l'arabe et à son arrivée à Alep il s'était déguisé en revêtant un costume local. Il se présentait comme un commerçant musulman du nom de Ibrahim ibn Abd Allah.

Ruines dans le désert

Burckhardt garda cette identité d'emprunt pendant huit ans et vécut de nombreuses aventures, dont la plus célèbre fut la découverte de la cité de Pétra. Cette capitale florissante du royaume arabe des Nabatéens avait connu le déclin après l'invasion romaine, en 106 après J.-C.

C'est à Amman (devenue aujourd'hui capitale de la Jordanie) que Burckhardt entendit parler de la magnifique cité en ruine dans le désert. Les tribus du désert ne laissaient aucun étranger s'en approcher. Cependant Burckhardt, ou plutôt Ibrahim ibn Abd Allah, exprima le désir d'aller offrir un sacrifice sur un site sacré proche de là. Il était impossible de lui refuser la permission d'effectuer un tel pèlerinage.

Accompagné de guides méfiants, Burckhardt traversa le désert et les

montagnes de grès rouge. Il prenait des notes en cachette, écrivant sous ses larges vêtements arabes. S'ils avaient connu sa véritable identité, ses guides n'auraient pas hésité à le tuer. Le 22 août 1812, Burckhardt se fraya un chemin dans la montagne et arriva enfin devant les imposantes ruines. Se trouvaient là, taillés à même le grès rouge, des centaines de temples, tombeaux et monuments ornés de sculptures représentant des aigles et des bêtes étranges, et des roches noires dédiées au dieu soleil.

Burckhardt était le premier Occidental à contempler ce spectacle incroyable, depuis l'époque de l'Empire romain.

En 1809, le voyageur suisse Johann Ludwig Burckhardt se déguisa en Arabe et visita les cités arabes sacrées dans lesquelles aucun infidèle n'avait jusqu'alors pénétré.

Dans la cité de Pétra, en Jordanie, le Trésor, construit après la conquête de la ville par les Romains en 106 après J.-C., est un des plus beaux monuments.

Burckhardt réussit à revenir de son voyage à Pétra sans être inquiété. Il se rendit en pèlerinage à La Mecque en 1814. Il fut le premier infidèle à pénétrer dans la ville musulmane la plus sacrée et son déguisement était devenu impénétrable. Il mourut de dysenterie au Caire en 1817.

LE SAVIEZ-VOUS ?

D'après une légende populaire, l'urne perchée sur le Trésor du Pharaon à Pétra renferme d'innombrables richesses. Les chercheurs de trésor essaient, en vain, depuis des années de la faire tomber en tirant dessus. Elle est maintenant criblée de balles.

CHAPITRE SEPT

L'Aventure de l'Invention

Nul ne peut prédire jusqu'où ira l'imagination débridée d'un inventeur. En 1738, les Parisiens s'émerveillaient devant un canard mécanique, en cuivre doré, qui se dressait sur ses pattes, se lissait les plumes, plongeait le bec dans l'eau, émettait des gargouillis et venait même leur manger dans la main *(page 201)*. Aujourd'hui, le robot de taille humaine surnommé Manny, cousin éloigné de ce curieux volatile, a une tâche des plus sérieuses : il teste des tenues de protection contre les armes chimiques pour l'armée américaine *(page 202)*. Entre ces deux robots, quelle évolution !

LA BATAILLE DES COURANTS

Face à Nikola Tesla, l'illustre Edison avait tort

L'une des inventions les plus célèbres de Thomas Edison est la lampe à incandescence, et sa contribution à l'essor de l'énergie électrique est énorme. Pourtant, si les thèses qu'il défendait avaient prévalu, la distribution du courant aurait sans doute subi un retard de plusieurs années. Edison croyait en effet à l'avenir du courant continu, constitué d'électrons circulant dans un seul sens (c'est celui que produit une pile). Le courant alternatif, celui aujourd'hui distribué dans tous les foyers, circule dans les deux sens en changeant de direction à chaque fraction de seconde. Son principal avocat fut l'inventeur yougoslave Nikola Tesla.

À son arrivée en Amérique, en 1884, Tesla était un admirateur d'Edison et travailla même pour sa société en modernisant ses dynamos génératrices de courant continu. Mais Tesla était convaincu de la supériorité du courant alternatif. En effet, plus le voltage auquel on transmet l'électricité est bas, plus les pertes d'énergie sont importantes le long du câble conducteur. Or

Le célèbre inventeur Thomas Edison était un farouche défenseur du courant continu.

le courant continu est produit à basse tension. Sa transmission à grande distance implique donc une forte déperdition.

Tesla avait compris que le courant alternatif, à la différence du courant continu, pouvait être produit à faible voltage, avant d'être porté à haute tension par un transformateur pour une transmission plus efficace. À destination, il suffisait de faire l'inverse, au niveau local, pour distribuer aux particuliers un courant convenant à leurs besoins. Il se sépara d'Edison au bout d'un an et en 1888 s'associa à l'industriel George Westinghouse, afin d'exploiter son propre système de dynamos à courant alternatif. C'est ainsi que commença la « bataille des courants ».

Edison tabla sur l'ignorance du public et sur la crainte suscitée par l'électricité pour dénigrer le procédé de ses concurrents. Déterminé à prouver le danger du courant alternatif, il alla jusqu'à faire acheter des dynamos Westinghouse par un collaborateur, afin de les revendre aux autorités pénitentiaires, qui les utiliseraient pour faire fonctionner les premières chaises électriques. Cette manœuvre se retourna contre lui : en 1890, le premier condamné à mort par électrocution mit huit minutes à mourir. Le bourreau n'avait pas utilisé une tension suffisante : c'est en effet celle-ci qui est mortelle, que le courant soit alternatif ou non.

On s'est vite rendu compte que la sécurité pouvait être assurée en plaçant les lignes à haute tension hors d'atteinte de l'homme. La supériorité des thèses de Tesla a été définitivement reconnue en 1893, lorsque Westinghouse enleva le contrat de construction de la première centrale hydroélectrique opérationnelle, édifiée sur les chutes du Niagara, dans l'État de New York.

L'inventeur yougoslave Nikola Tesla, photographié ici près de son générateur de foudre artificielle, avait travaillé pour Edison avant de devenir son adversaire.

LE ROI DU BREVET
Succès et échecs *d'un grand inventeur*

L'Américain Thomas Edison (1847-1931) fut probablement l'inventeur le plus prolifique de tous les temps. Il est célèbre surtout pour trois inventions : la lampe électrique à incandescence, le kinétoscope (ancêtre du cinéma, que l'on regardait par un oculaire individuel) et le phonographe. Mais il déposa plus de 1 300 brevets, tant aux États-Unis qu'à l'étranger : à l'apogée de sa gloire, pendant les années 1880, il en rédigeait en moyenne un tous les cinq jours.

Ses idées ne furent néanmoins pas toutes couronnées de succès. Sa première invention brevetée, qui date de 1868, était un dispositif électrique destiné à accélérer le dépouillement fastidieux des scrutins au Congrès américain. Chaque parlementaire aurait disposé de boutons « oui » et « non » reliés à un central. L'ensemble fonctionnait parfaitement, mais le Congrès refusa cette innovation.

L'une des inventions les plus étranges d'Edison est le phonomoteur, inspiré du phonographe. Il s'agissait d'un « moteur vocal » censé capter l'énergie vibratoire de la voix humaine pour faire fonctionner des machines. Une machine à coudre, par exemple, aurait été actionnée non par une pédale ou un moteur électrique, mais par la voix de la couturière. Ce système s'avéra inopérant.

Le stylo électrique d'Edison permettait de tirer jusqu'à 3 000 copies d'un texte manuscrit. Grâce à l'énergie d'une batterie Bunsen, la pointe du stylo effectuait des milliers de perforations dans une feuille de papier qui servait ensuite de stencil.

Les poupées parlantes des années 1880 eurent plus de succès. Chacune d'elles contenait un rouleau de phonographe où était enregistrée une berceuse, et que l'on remontait avec une clé.

En 1908, Edison s'intéressa au bâtiment. Il se proposa de remplacer les taudis des quartiers pauvres par des constructions préfabriquées à bon marché. Chaque nouvelle maison devait être moulée d'une seule pièce en trois heures à peine, simplement en coulant du béton dans un moule. Cette proposition fut tournée en dérision, mais il prouva qu'elle était réalisable en coulant lui-même un pavillon. Malgré le recours croissant au béton, cette invention resta sans lendemain.

La curiosité de cet homme hors du commun s'étendait aussi au surnaturel. À la fin de sa vie, stimulé par les parents des victimes de la Première Guerre mondiale, il s'efforça d'entrer en contact avec l'au-delà. Le spiritisme le laissant sceptique, il chercha, en vain, à élaborer un amplificateur des ondes susceptibles d'émaner d'outre-tombe.

INVENTEUR ET BUSINESSMAN

Edison était non seulement un inventeur génial, mais encore un homme d'affaires avisé. Son esprit d'entreprise se manifesta dès l'âge de douze ans, lorsqu'il obtint la concession de vente de journaux et de confiseries dans le train reliant Port Huron à Detroit.

Pour tirer un bénéfice maximal de la vente de ses journaux, il devait conserver le moins d'invendus possible. Il demanda donc à un ami qui travaillait au *Detroit Free Press* de lui montrer quotidiennement les épreuves de la une avant tirage. Il pouvait ainsi estimer l'intérêt que manifesterait le public, et donc évaluer son chiffre d'affaires de la journée.

Cette méthode lui valut un véritable triomphe en avril 1862, lorsque, en pleine guerre de Sécession, le journal consacra ses gros titres aux premiers comptes rendus de la terrible bataille de Shiloh. Edison n'hésita pas : il acheta à crédit 1 000 exemplaires du *Detroit Free Press* et fit télégraphier et afficher des informations sur la bataille dans les gares où le train était attendu.

La nouvelle se répandit comme une traînée de poudre : la foule afflua dans les gares pour en savoir plus avec l'arrivée des journaux. Edison vendit tous ses exemplaires, non sans en augmenter fortement le prix au fil du voyage.

Il tâta aussi du journalisme en installant une presse à imprimer dans le fourgon à bagages pour éditer sa propre publication, le *Grand Trunk Herald*, vendue 3 cents le numéro et tirée à environ 700 exemplaires. C'était le premier journal imprimé à bord d'un train.

Mais Edison alla trop loin : il se constitua un laboratoire de chimie, toujours dans le fourgon, pour effectuer des expériences. L'une d'elles déclencha un incendie, et l'inventeur en herbe fut expulsé du convoi avec perte et fracas.

LE RAYON DE LA MORT

À la fin de sa vie, l'ingénieur et inventeur Nikola Tesla était devenu un homme solitaire et excentrique dont le plus grand plaisir, malgré sa phobie des microbes, était de nourrir les pigeons de New York.

Il habitait une chambre d'hôtel qui lui tenait lieu de laboratoire, et dont il émergeait parfois en annonçant la découverte du siècle, idée généralement si futuriste qu'elle n'était guère prise au sérieux.

En 1934, il déclara à la presse avoir trouvé le rayon de la mort, arme de dissuasion toute-puissante censée mettre fin à toute guerre. Il s'agissait d'un faisceau de particules à haute vélocité capable de détruire des avions ennemis à 400 km de distance. Le détail n'en fut jamais divulgué.

Cette vieillesse haute en couleur ne saurait faire oublier ses précieux travaux sur le champ magnétique circulaire, qui ont permis, entre autres, de réaliser les générateurs de tension alternative utilisés de nos jours.

Son nom a été donné à une unité de mesure du système international, le tesla, ou weber par mètre carré, qui sert à mesurer l'induction magnétique.

Drôle de bobine

D'autre part, la bobine de Tesla, inventée en 1891, est toujours utilisée sur les téléviseurs, les postes de radio et autres appareils électroniques. Son rôle est important : elle permet, en effet, à un transformateur de produire un courant électrique à haute fréquence à un voltage très élevé.

Né en Croatie en 1856, Tesla s'éteint dans la misère, à New York, en 1943.

QUAND TESLA DÉCLENCHAIT LA PANIQUE À NEW YORK

Ou comment une expérience tourne au séisme

Nikola Tesla, qui se lançait parfois dans de curieuses expérimentations, se fit fort d'aplatir le pont de Brooklyn comme une crêpe ou même, avec un peu de temps et une quantité raisonnable de dynamite, de fendre la planète en deux.

Son idée était simple : la Terre et tout ce qui se trouve dessus possèdent une vibration naturelle. Si on leur applique une force ondulatoire extérieure de même fréquence que celle-ci, on crée un phénomène de résonance potentiellement dangereux. Tesla, fasciné par la puissance extraordinaire de toutes les formes d'énergie invisible, mena en 1898 une série d'expériences à ce sujet, afin de satisfaire sa propre curiosité.

Panique à Manhattan !

Il fixa un petit oscillateur – c'est-à-dire un dispositif générateur de vibrations – à l'un des piliers de fer soutenant l'immeuble de Manhattan où se trouvait son laboratoire. Il pensait que la résonance serait transmise aux objets de la pièce. Il n'en fut pratiquement rien, du moins au début. Mais Tesla ne pouvait guère se rendre compte que certains habitants du quartier croyaient se trouver au centre d'un séisme : les immeubles tremblaient, le plâtre tombait des plafonds et les fenêtres volaient en éclats.

La carcasse métallique du bâtiment avait transmis les vibrations à la couche de sable sur laquelle est construite Manhattan. Le sable transmettant très bien les vibrations, un puissant phénomène de résonance s'était créé dans les autres immeubles avant d'être ressenti dans celui du physicien.

À coups de masse

En voyant son atelier trembler à son tour, Tesla comprit qu'il était temps de cesser l'expérience. L'oscillateur fonctionnait à l'air comprimé. Plutôt que de perdre du temps à déconnecter les réservoirs d'air sous pression, il trouva plus simple de détruire la machine à coups de masse. C'était ce qu'il faisait lorsque la police, qui connaissait son homme, vint vérifier qu'il était bien le responsable de la panique vécue dans tout le quartier.

Ce ne fut pas la seule extravagance du savant. Il renouvela l'expérience sur l'armature d'un immeuble en construction dans le quartier financier de New York, sans en informer les ouvriers. Affolés, ceux-ci descendirent de leurs poutrelles en toute hâte, et la police dut à nouveau intervenir.

LA DIFFUSION MONDIALE

Une station de radio créée cinquante ans trop tôt

Le 12 décembre 1901 est une date historique : ce jour-là, l'Italien Guglielmo Marconi transmit en morse la lettre « S » de la Cornouaille à Terre-Neuve. Nikola Tesla travaillait alors à une application beaucoup plus ambitieuse de la téléphonie sans fil. Son « Système mondial de diffusion » ne devait pas se limiter à l'envoi de messages en morse : il comptait relier les systèmes de téléphone et de télégraphe du monde entier et diffuser sur toute la planète des cours de Bourse et des bulletins météorologiques. Ayant remarquablement compris le potentiel des ondes radio, il prévoyait leur utilisation à des fins distrayantes. Mais il imaginait également déjà des merveilles aussi futuristes que la télévision, la transmission de messages d'un poste à un autre – comme le fait notre courrier électronique – et la télécopie d'images photographiques par voie aérienne.

Tesla ne s'émut pas outre mesure du succès de Marconi. « C'est un brave type. Qu'il continue. Il utilise dix-sept de mes brevets », se contenta-t-il de dire à un ami. Son service mondial de diffusion devait être coordonné à partir d'une tour de bois de 57 m de haut, surmontée d'un vaste dôme de cuivre qui lui donnerait l'air d'un énorme champignon. Grâce à la générosité du financier J. Pierpont Morgan, elle fut effectivement construite à Long Island, de 1901 à 1903. Mais l'argent vint ensuite à manquer. Jusqu'à sa destruction, pendant la Première Guerre mondiale, elle ne fut plus qu'une image dérisoire du génie de Tesla.

Reconnaissance tardive

Si Tesla s'était concentré sur des applications limitées, au lieu de concevoir des projets grandioses qui n'aboutissaient jamais, il serait aujourd'hui aussi célèbre qu'Edison et Marconi. En 1943, la Cour suprême des États-Unis clôtura un long procès en déclarant que les principes ayant permis à Marconi son émission de 1901 avaient tous été décrits en détail dès 1893 par Tesla. Cette reconnaissance officielle de Tesla arrivait trop tard : il venait de mourir, âgé de quatre-vingt-six ans.

LE PREMIER DU GENRE

Qui est le véritable inventeur de l'ordinateur ?

Le docteur John Vincent Atanasoff n'est guère connu de par le monde. Pourtant, une décision de justice rendue en 1973 aux États-Unis lui reconnaît la paternité de l'ordinateur électronique, principale innovation technologique de notre époque.

L'invention en était jusqu'alors attribuée d'un côté aux services britanniques de décodage des messages chiffrés, et de l'autre aux Américains John W. Mauchly et J. Presper Eckert, chercheurs à l'université de Pennsylvanie. Installés durant la dernière guerre à Bletchley Park, dans le Buckinghamshire, les premiers créèrent en 1943 la machine Colossus ; les seconds, quant à eux, ont mis au point, entre 1942 et 1945, l'intégrateur et calculateur électronique et numérique ENIAC.

Pour éviter les calculs

Atanasoff les avait bel et bien précédés. Professeur de physique à l'université d'État de l'Iowa, il était spécialiste de la mécanique quantique. Afin de s'épargner des années de calculs fastidieux, il avait entrepris la construction d'un appareil électronique capable de les accomplir à sa place. Ses travaux furent interrompus en 1942 par l'entrée en guerre des États-Unis. Il disposait alors d'une machine élémentaire, mais opérationnelle. Elle présentait la plupart des caractéristiques essentielles de l'ordinateur moderne, notamment le recours au système binaire (où toutes les opérations

Atanasoff tient le tambour abritant la mémoire de son ordinateur de 1942. Malgré sa taille, sa capacité ne correspondait qu'au dixième de celle d'une calculette actuelle.

sont réduites à un choix entre 0 et 1) et à une mémoire électronique.

Les travaux d'Atanasoff n'ont été connus du public qu'en 1971, lors d'un procès concernant ses brevets. Après six ans de querelles, la justice stipula que le calculateur ENIAC se fondait sur les recherches d'Atanasoff qui pouvait être considéré comme le père de l'informatique. Avec trente-cinq ans de retard.

LE YO-YO À TRAVERS LES ÂGES

En 1927, un Philippin nommé Pedro Flores, portier d'hôtel à Los Angeles, se mit à fabriquer des Yo-Yo de bois et à les vendre aux clients de l'établissement. Deux ans plus tard, le jouet fascina tant Donald F. Duncan, un client originaire de Chicago, qu'il décida d'acheter l'atelier de Flores.

Duncan eut tôt fait de persuader le magnat de la presse William Randolph Hearst de faire du Yo-Yo un cadeau publicitaire. Le jouet connut alors des deux côtés de l'Atlantique une vogue extraordinaire, qui n'a jamais totalement disparu depuis.

Bing Crosby lui consacra une chanson et des stars se firent photographier en train de jouer avec. Cette mode alla jusqu'en Iran, où un journal accusa même

le jouet d'être une « perte de temps et une nouveauté pernicieuse » en fustigeant les mères de famille qui négligeaient leurs enfants pour jouer au Yo-Yo.

La filière française

Le Yo-Yo n'est pourtant pas une invention moderne, mais ses origines restent obscures. Certains historiens les situent en Chine, d'où il aurait été importé en France à la fin du XVIIIe siècle par des missionnaires de retour de Pékin.

Que cela soit vrai ou non, le jouet était effectivement fort apprécié par la noblesse française, à commencer par le roi Louis XVI et la reine Marie-Antoinette. Sous la Révolution, il reçut le nom d'émigrette ou d'émigrant, par analogie

avec les aristocrates qui avaient fui le pays pour échapper à la guillotine.

Selon une autre théorie tout aussi plausible, le Yo-Yo aurait été inventé dans la Grèce antique : on peut en voir un entre les mains d'un jeune garçon sur le décor d'un vase datant de 500 avant J.-C. conservé dans un musée de Berlin.

Drôle de jeu

Le Yo-Yo n'a pas toujours été inoffensif : pour les Philippins du XVIe siècle, c'était une arme dont le poids pouvait atteindre celui du livre que vous avez entre les mains. L'assaillant se cachait dans un arbre et le lançait sur la tête de l'ennemi qui passait par là. Si on le maniait correctement, l'engin revenait dans la main de son utilisateur.

AU BÉNÉFICE DE L'INVENTEUR

L'esprit pratique n'est pas toujours récompensé

Tout inventeur connaît une minute fascinante : celle où l'idée de départ se cristallise dans son esprit pour donner naissance à la découverte elle-même. Cet instant magique ne se produit parfois qu'après des mois, voire des années, de recherches sur un problème clairement défini. Dans d'autres cas, la perception du problème et sa résolution sont pratiquement simultanées.

Mais cette étincelle de génie n'est pas une garantie de bonheur et de prospérité : pour bon nombre d'inventeurs, la joie de la découverte a été assombrie par des poursuites en justice sur la paternité de brevets. Certains, travaillant pour de grandes entreprises, n'ont jamais pu profiter des bénéfices réalisés grâce à eux. D'autres, au contraire, n'ont rien changé à leur mode de vie, malgré le pactole tiré de leur trouvaille.

Pas un sou

Le créateur du cintre en fil de fer, Albert J. Parkhouse, n'a pas touché un centime pour cette invention aussi modeste qu'ingénieuse. Il travaillait chez un fabricant d'armatures pour abat-jour à Jackson (Michigan).

Comme il n'y avait pas assez de portemanteaux dans l'atelier, il prit un jour un morceau de fil de fer, lui donna la forme banale que nous connaissons tous et y accrocha sa veste. Ayant compris le bénéfice à en tirer, son employeur fit breveter cette idée, mais Parkhouse resta simple ouvrier.

Pour garder le tempo

Au début du XIXe siècle, bien des amateurs de musique essayaient de mettre au point un métronome commode et fiable pour apprendre aux instrumentistes à jouer à une cadence régulière. Le problème fut résolu en 1814 par Dietrich Winkel, un facteur d'orgues allemand établi à Amsterdam. Il disposa sur le balancier d'un mécanisme d'horlogerie un poids fixe et un contrepoids coulissant, de part et d'autre d'un pivot. Chaque mouvement du balancier provoquait un claquement régulier dont le rythme variait en fonction de la position du contrepoids, ce qui permettait au musicien de choisir la cadence de son interprétation. Mais Winkel eut la malencontreuse idée de montrer son

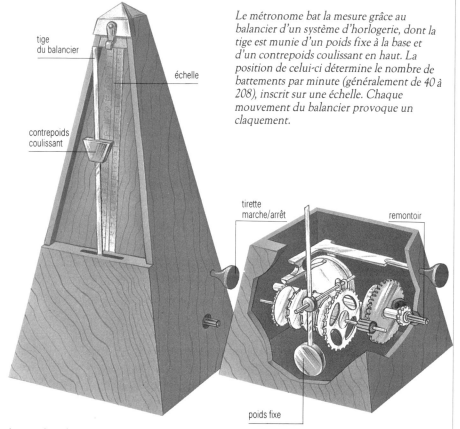

Le métronome bat la mesure grâce au balancier d'un système d'horlogerie, dont la tige est munie d'un poids fixe à la base et d'un contrepoids coulissant en haut. La position de celui-ci détermine le nombre de battements par minute (généralement de 40 à 208), inscrit sur une échelle. Chaque mouvement du balancier provoque un claquement.

tige du balancier

échelle

contrepoids coulissant

tirette marche/arrêt

remontoir

poids fixe

invention à son compatriote et concurrent Johann Nepomuk Maelzel. Celui-ci n'eut aucun scrupule à faire breveter et à commercialiser l'invention, toujours connue aujourd'hui sous le nom de métronome Maelzel.

Les yeux du chat

Par une nuit brumeuse de 1933, Percy Shaw, employé des Ponts et Chaussées du Yorkshire, aperçut dans le faisceau de ses phares l'éclat des yeux d'un chat. Cela lui donna l'idée d'un procédé de marquage des routes adapté à la vision de nuit : une lentille convexe devant un miroir d'aluminium, le tout emboîté dans un patin de caoutchouc fixé à la route par un support en fonte. L'inclinaison de la lentille et du miroir était calculée pour renvoyer aux automobilistes la lumière de leurs phares. Shaw déposa le brevet d'invention de ses « yeux de chat » un an après en avoir eu l'idée, et en commença la fabrication industrielle en 1935. Il en tira une fortune colossale, mais n'en continua pas moins de mener une existence modeste dans sa petite maison de Halifax.

Coussin d'air

Le pneu gonflable a pour particularité d'avoir été inventé deux fois ! Il a été imaginé en 1845 par un ingénieur londonien, Robert W. Thomson, qui le destinait aux roues de charrette. Le caoutchouc était alors trop cher pour que l'invention soit viable.

Le procédé fut redécouvert en 1887 par le vétérinaire d'origine écossaise John Boyd Dunlop, installé en Irlande. Il eut l'idée, en voyant le tricycle de son fils tressauter sur les pavés irréguliers de Belfast, de remplacer les bandages pleins par des boudins de caoutchouc gonflés d'air. Le brevet fut déposé l'année suivante. L'invention connut tout de suite un grand succès commercial auprès des cyclistes, qui pouvaient enfin pédaler sans risquer de se rompre les os à tout moment.

Elle aurait dû rendre Dunlop milliardaire. Mais il vendit sa part de l'entreprise en 1896. Aussi ne perçut-il aucun des bénéfices qu'aurait pu lui fournir le développement prodigieux de l'automobile.

Au Fil de l'Histoire
Un fil de fer meurtrier

À la fin des années 1860, les pionniers affluèrent dans les grandes plaines de l'Ouest américain pour y cultiver des terres jusqu'alors vierges, avec la bénédiction du gouvernement fédéral. Mais les éleveurs de bétail, habitués à mener leurs troupeaux sans contrainte dans l'immensité de la prairie, ne l'entendaient pas de cette oreille.

Les clôtures de l'époque ne pouvaient absolument pas empêcher le bétail de piétiner les champs cultivables. Le bois était trop rare et trop cher pour en faire des barrières, et le fil de

En bon agriculteur, Glidden déposa un brevet de barbelé en 1873, afin de protéger les récoltes contre le bétail.

fer ne résistait pas aux rigueurs de l'hiver. Les haies d'épineux, plus efficaces, mettaient du temps à pousser. On s'efforça alors de trouver un fil de fer assez solide pour remplir le même office.

En 1873, plusieurs brevets de fil de fer barbelé avaient déjà été déposés quand Joseph Glidden, agriculteur à De Kalb, dans l'Illinois, en proposa une nouvelle version. Les piquants étaient maintenus en place le long d'un câblage à double toron. L'homme ne revendiquait pas l'origine de l'invention, mais son procédé était suffisamment original pour qu'un brevet lui soit délivré. Comme c'était aussi le premier qui fût commercialisable à grande échelle, Glidden est considéré comme l'inventeur du barbelé.

La guerre s'éternisa de part et d'autre des nids de barbelés des tranchées de la guerre de 1914-1918, qui étaient pratiquement infranchissables.

Les conséquences de cette invention devaient aller bien au-delà de la rivalité entre laboureurs et éleveurs. Sans elle, Washington aurait eu du mal à appliquer sa politique de sédentarisation de l'agriculture, qui s'ajoutait à une volonté de privatiser les terres.

Bien plus dramatique fut son influence stratégique. Les états-majors comprirent très vite que ce qui pouvait arrêter le bétail pouvait aussi arrêter les hommes. Pendant le premier conflit mondial, les tranchées protégées par des nids de barbelés s'avérèrent pratiquement inexpugnables. La supériorité absolue de la défense sur l'attaque aboutit à une impasse militaire inacceptable pour les deux camps, ce qui eut pour effet de prolonger la guerre au prix de millions de morts. Le barbelé avait changé le cours de l'histoire.

LE SAVIEZ-VOUS ?

En 1830, l'Anglais Edwin Budding déposa un brevet de « nouvelle combinaison et application mécanique aux fins d'égaliser ou de tondre la couverture végétale des pelouses, plateaux herbeux et terrains récréatifs ». Autrement dit, il inventa une tondeuse à gazon.
Budding, qui travaillait dans le textile, avait voulu construire une machine de finition des tissus lourds. Mais les ouvriers y voyaient une menace pour leur emploi, et Budding trouva une solution en adaptant son invention à un nouvel usage. Les lames de sa tondeuse étaient disposées en cylindre et entraînées par une chaîne, procédé toujours très utilisé de nos jours.

Folie Mécanique
L'univers loufoque et poétique de Heath Robinson

Qui a inventé la machine à nettoyer les taches de sauce sur les allées de jardin ? Celle qui tire des pétards le jour de Noël ? L'appareil qui permet de manger les petits pois sans fourchette ni couteau ? Ne cherchez pas : ces élucubrations n'existent que dans le monde drolatique du caricaturiste William Heath Robinson, né à Londres en 1872.

Il dressait les plans de machines d'une complexité hallucinante, où des cohortes de leviers étaient reliées à des armées de poulies par des kilomètres de ficelle, et dont la réalisation aurait été bien plus compliquée que le travail qu'elles étaient censées simplifier. Leur ingéniosité n'avait d'égal que leur irréalisme délirant.

La maison idéale

La maison miniature qu'il a conçue en 1934 pour le Salon de la maison idéale, à Londres, est un bijou. Ses occupants, deux petits-bourgeois proprets, descendent prendre le petit déjeuner le long de cordes. À l'arrivée sur leur chaise, leur poids actionne des ressorts qui placent un disque sur le phono ainsi qu'un accordéon d'où gicle le lait du chat. Dans la nursery, le soin de talquer les fesses de bébé est assuré par une machine du même tonneau.

Ce livre de 1934 rassemble les délires de Heath Robinson, qualifié d'« ingénieux jusqu'à l'excès » par les dictionnaires.

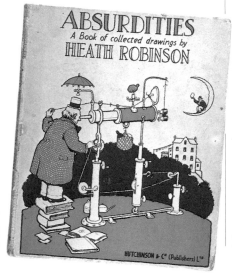

199

LES PRODIGES DE LA ROBOTIQUE

De l'automate au robot

A Philadelphie, le personnel de l'institut Franklin était perplexe : le musée venait d'acquérir ce qui ressemblait à une poupée mécanique, mais personne ne savait quand, par qui et pour quel usage elle avait été fabriquée. Elle répondit toute seule à cette triple interrogation : après restauration de son mécanisme, elle prit sa plume pour rédiger un petit poème en français dont les derniers mots étaient : « écrit par l'automate de Maillardet ».

Ce robot, et bien d'autres fabriqués par Henri Maillardet au début du XIXᵉ siècle, étaient les héritiers d'une longue tradition. Au IIᵉ siècle avant notre ère, on trouve déjà dans les écrits d'Héron d'Alexandrie la trace d'un théâtre d'automates. Léonard de Vinci aurait construit en 1507 un lion mécanique à l'occasion de la visite du roi de France à Milan. Au XVIIIᵉ siècle, la fabrication des automates avait atteint un niveau de raffinement considérable : les inventeurs suisses et français rivalisaient d'ingéniosité pour construire des modèles pouvant jouer d'un instrument de musique ou effectuer les gestes les plus complexes.

Le terme « robot », dérivé d'un mot tchèque signifiant « travail forcé », n'apparaît qu'en 1921, dans une pièce de théâtre ayant pour thème une rébellion d'humanoïdes. En passant de la fiction à la réalité, le robot est cependant devenu l'ami fidèle de l'homme et accomplit sans regimber les tâches difficiles, fastidieuses ou dangereuses.

Un travailleur infatigable

Ce sont, par exemple, des robots télécommandés qui ont exploré l'épave du *Titanic* en 1986. Elle avait été localisée l'année précédente par 3 950 m de fond ! Il en existe même un modèle spécialisé dans l'assistance à la chirurgie cérébrale. L'industrie est cependant leur principal utilisateur, malgré des débuts primesautiers – les premiers robots peintres, de General Motors, par exemple, préféraient se peindre les uns les autres plutôt que peindre les voitures. On trouve aujourd'hui des robots soudeurs, ajusteurs ou monteurs en électronique. Au Japon, pays qui en utilise deux fois plus que le reste du monde, une société a construit une usine où les équipes de nuit sont exclusivement constituées de robots.

Le rêve de l'avenir est le robot qui à son tour en construirait d'autres : il ouvrirait la perspective fascinante d'une exploration spatiale par des machines capables de se renouveler indéfiniment.

Cet automate construit en 1774 par l'horloger suisse Pierre Jaquet-Droz peut écrire un texte de 40 lettres. Il trempe sa plume dans l'encre et suit des yeux le mouvement de sa main. Son mécanisme vu de dos (ci-dessus) est mû par des ressorts.

LE SAVIEZ-VOUS ?

Le prestidigitateur français Jean-Eugène Robert-Houdin, originaire de Blois (1805-1871), dut sa célébrité en partie à son costume de scène. Il avait pris l'habitude de présenter ses tours en habit noir. Magicien de talent, il était également très doué pour les sciences mécaniques. Il fabriqua des automates aussi raffinés qu'extraordinaires ; les plus célèbres sont : l'Escamoteur, le Danseur de corde, l'Oiseau chantant, l'Écrivain dessinateur, l'Oranger mystérieux et le Pâtissier.

LE CANARD À LA PARISIENNE

En 1738, Jacques de Vaucanson présenta un canard à l'Académie royale des sciences de Paris. Comme tous ses semblables, celui-ci se dressait sur ses pattes, tournait la tête, se lissait les plumes, plongeait le bec dans l'eau, émettait des gargouillis, venait manger dans la main des gens et « s'oubliait » sans vergogne. Mais il était en cuivre doré, totalement mécanique et se remontait avec une clé.

Le canard « digérait » même la nourriture, qui se dissolvait dans son estomac. Hélas, seuls sa description et les dessins publiés par Vaucanson nous sont parvenus.

Cet inventeur de génie qui avait alors vingt-neuf ans présenta la même année un automate joueur de flûte qui interprétait douze morceaux sans fausse note, et construisit un berger-tambourinaire capable de jouer vingt airs de galoubet d'une main et de frapper un petit tambour de l'autre.

Il mit aussi son talent au service de projets plus sérieux en s'attaquant notamment à la réalisation d'un métier à tisser la soie. Le résultat est l'œuvre d'un précurseur : mue par énergie animale ou par une chute d'eau, la machine était entièrement automatique et guidée par des cartes perforées.

VENU DU FOND DES ÂGES
Le dernier vol du ptérosaure

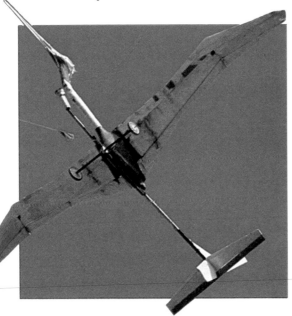

Il est difficile d'imaginer la vie à l'ère mésozoïque, époque où le ptérosaure était le maître du ciel. Ce gigantesque reptile ailé s'est éteint il y a quelque 65 millions d'années. Et, pourtant, on a bien failli en voir voler un le 17 mai 1982.

Ce jour-là, devant des milliers de spectateurs rassemblés à la base aérienne Andrews, près de Washington, un robot-ptérosaure remorqué jusqu'à 120 m d'altitude s'écrasa piteusement lorsqu'il dut voler tout seul, réduisant à néant deux ans de travail et 700 000 dollars d'investissement. « Nous savons maintenant pourquoi les ptérosaures ont disparu », commenta non sans humour son concepteur, l'ingénieur aéronautique Paul MacCready.

Du planeur au robot

Le robot radioguidé s'appelait QN, initiales de *Quetzalcoatlus northropi*, un ptérosaure de 11 m d'envergure dont le fossile fut découvert en 1972 au Texas. Celui-ci avait une anatomie impropre au vol : tête énorme, bec interminable, cou long et pas de queue.

MacCready était pourtant bien décidé à faire voler un ptérosaure méca-

Le ptérosaure QN vola vingt et une fois sans problème, mais s'écrasa lors de sa présentation au public.

nique. Il commença par un planeur de 2,40 m d'envergure avant de passer à des modèles plus grands munis de capteurs anémométriques, d'un ordinateur, de gyroscopes et de piles. Pour la stabilité au décollage, il leur fallait un empennage, largué en vol au déclenchement du guidage automatique.

QN avait 5,50 m d'envergure, battait des ailes et pesait 16 kg. À la satisfaction de MacCready, il réussit une série de vingt et un vols d'essai avant de s'écraser sous les yeux du public.

UNE DANSEUSE DANS LA RUCHE
Le robot qui parle aux abeilles

Depuis l'Antiquité, le miel est récolté et apprécié pour son pouvoir sucrant, mais aussi pour sa saveur et ses propriétés médicinales.

Or, un jour viendra peut-être où l'apiculteur ira à ses ruches non seulement pour en ramasser le miel, mais aussi pour passer commande à ses abeilles. Après des années de travaux, une équipe de chercheurs allemands et danois a en effet trouvé le moyen de leur « parler ».

Les abeilles communiquent entre elles par une sorte de ballet bourdonnant. Celle qui a trouvé une source de nourriture, par exemple un champ de fleurs, en indiquera aux autres l'endroit par une danse très élaborée, dont sons et mouvements sont reproduits par un robot-abeille conçu par l'équipe.

Imposteur mécanique

L'imposteur est un insecte de laiton recouvert de cire d'abeille, aux ailes taillées dans une lame de rasoir. Placé près de l'entrée de la ruche, il ne vole pas, mais bat des ailes pour bourdonner comme une abeille. Le processus complexe de ses bruits et mouvements est contrôlé par ordinateur. Lors d'expériences réalisées en Allemagne (RFA) en 1988, de véritables abeilles ont effectivement suivi ses directives et sont allées butiner à 1 km de distance.

LE SAVIEZ-VOUS ?

Des savants nippons ont conçu un robot qui sait faire le sushi, plat traditionnel japonais composé de riz et de poisson cru. Sa capacité horaire est de 1 200 bols de riz. Autre exemple de robotique à la cuisine : une « main », élaborée aux États-Unis, qui casse un œuf dans un bol et le bat d'un doigt à la cadence de 65 coups par seconde.

* * *

La serveuse d'un bar de San Francisco a pour collègue un barman automatisé auquel elle passe ses commandes de vive voix, par radio. Il réalise, sans se tromper, 150 cocktails différents et, comme il sait calculer, il établit l'addition.

ATTENTION, DANGER !
Là où l'homme renonce, le robot fonce

En 1942, le biochimiste et écrivain de science-fiction Isaac Asimov définit les trois règles morales du robot :

1. Ne pas blesser un humain et intervenir pour le protéger en cas de danger.
2. Obéir aux ordres des humains, sauf quand ils sont contraires à la règle précédente.
3. Protéger sa propre existence tant que ce n'est pas contraire aux deux autres règles.

Travail dangereux

Bien que trop primitifs pour être dotés de sens moral, les robots actuels satisfont néanmoins aux critères fixés par Asimov, se substituant à l'homme pour accomplir des tâches trop dangereuses pour lui.

Des robots-démineurs ont, par exemple, été construits aux États-Unis et en Grande-Bretagne. Ils sont téléguidés et alimentés par des batteries ou par une prise de courant. Montés non sur roues, mais sur chenilles, certains peuvent aller à peu près partout ; ils

peuvent même gravir les escaliers.

Comme il existe toutes sortes de bombes, ils doivent être guidés pas à pas par des opérateurs, auxquels ils sont reliés par caméra de télévision, câble ou radio. Les hommes peuvent ainsi évaluer la situation à distance, en toute

La caméra de ce robot-démineur télécommandé permet à ses opérateurs d'observer une valise suspecte.

sécurité, et faire enlever tout ce qui recouvre le détonateur de la bombe, puis la neutraliser au fusil ou par tout autre moyen.

Des robots similaires travaillent aussi dans les zones radioactives des centrales nucléaires, interdites à l'homme. Ils filment l'intérieur du réacteur, entretiennent les barres de combustibles, nettoient les déchets nucléaires, débouchent les tuyaux et effectuent soudures et autres réparations.

LE ROBOT QUI TRANSPIRE PENDANT L'EFFORT

L'armée américaine s'est dotée d'un robot de taille humaine, surnommé Manny, qui ressemble à l'homme au point de transpirer pendant l'effort. Contrôlé par ordinateur, Manny marche, court, rampe et tape même dans un ballon.

Le mannequin vedette du Pentagone souffle un peu entre deux essayages.

Pour simuler la respiration, sa poitrine se dilate et se contracte, et il exhale de l'air humide par le nez et la bouche. Son corps est tiède au toucher, grâce à 12 petits réchauffeurs implantés sous sa peau de caoutchouc.

Ses articulations sont actionnées par des pompes hydrauliques. Plus il bouge, plus sa respiration s'accélère et sa température monte. Des capillaires font alors suinter de l'eau à travers sa peau pour simuler la transpiration.

Pourquoi ce luxe de perfectionnements ? Pour mesurer l'efficacité des tenues militaires de protection : mouvements, température et transpiration les soumettent à des contraintes similaires à celles d'un soldat au combat.

Manny travaille dans un espace hermétiquement clos. Quand l'air y est contaminé par des armes chimiques ou biologiques, ses capteurs détectent aussitôt tous les produits nocifs qui traverseraient sa combinaison.

LE SAVIEZ-VOUS ?

Les robots japonais ont, sans conteste, la fibre artistique. Wasubot est capable de lire une partition et de la jouer à l'orgue électrique en se servant à la fois du clavier et des pédales. Un autre robot moins mélomane, mais artiste, sait, lui, dessiner un visage qu'il a observé vingt secondes sur un écran.

* * *

Des chercheurs américains ont fabriqué un bien drôle de robot. Surnommé Cubot, il est le roi du Rubik's cube. Il le tient dans ses mains, regarde attentivement les couleurs, qu'il interprète, manipule ses faces pour résoudre le problème et vient toujours à bout des combinaisons les plus ardues, en moins de trois minutes.

UNE AIDE PERMANENTE
Les robots au service des handicapés

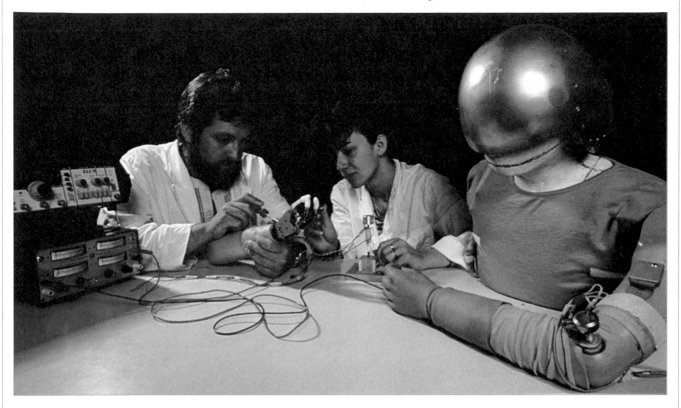

Les robots peuvent être une aide précieuse pour les handicapés, en leur donnant une plus grande autonomie. Des chercheurs japonais mettent actuellement au point Meldog, un robot susceptible de remplacer les chiens d'aveugles. Il « voit » grâce à un sonar, technique inspirée du repérage naturel des chauves-souris : il émet des ultrasons et, grâce à l'écho renvoyé par un obstacle, peut en déterminer la forme. Son programme contient le plan détaillé du quartier de son propriétaire, ce qui lui permet d'en reconnaître murs et panneaux indicateurs.

Meldog se déplace sur roues et règle sa vitesse sur celle de l'aveugle, qu'il précède de quelques pas. Celui-ci est en liaison radio avec la machine grâce à une ceinture spéciale : des électrodes placées sur la peau lui envoient de légères impulsions électriques codées. Il n'a plus qu'à apprendre celles qui lui ordonnent, par exemple, de s'arrêter, de continuer tout droit, ou de tourner à droite et à gauche.

Aux États-Unis, un autre robot à commande vocale permet à des paraplégiques d'utiliser un ordinateur. Il peut tourner des

En décrochant et en raccrochant le téléphone, un robot peut transformer la vie d'un handicapé, que ce soit chez lui ou au travail.

Les bras artificiels classiques sont peu commodes, mais les capteurs tactiles de ce bras robotisé peuvent « sentir » un objet.

pages, ouvrir un classeur, ramasser du courrier, servir du potage, changer un disque, faire du café et même présenter un mouchoir en papier au son d'un éternuement !

Certains hôpitaux américains utilisent déjà des robots, notamment pour raser les malades ou leur brosser les dents. Des études sont également en cours sur des membres artificiels robotisés pour les amputés.

Les repas d'un hôpital du Connecticut sont distribués par Roscoe, un robot qui sait prendre l'ascenseur et trouver son chemin tout seul. Sa mémoire informatique contient le plan complet de l'établissement. En cas d'obstacle imprévu, par exemple un fauteuil roulant, il s'écarte pour éviter le choc ou cède poliment la priorité.

Aucun robot ne vaudra jamais l'aide humaine, mais il peut libérer des tâches les plus ingrates le personnel soignant, qui apportera ainsi par ailleurs plus de soin aux malades.

EXTRAVAGANCES EN TOUT GENRE

Voyage au pays méconnu de l'invention délirante

Les services des brevets du monde entier regorgent de dossiers d'inventions qui n'ont jamais été commercialisées. À part quelques prototypes, elles n'ont généralement pas dépassé le stade de la planche à dessin. La plupart des projets du XIXᵉ siècle nous semblent aujourd'hui ridicules. Leurs auteurs étaient pourtant très sérieux, et espéraient rendre un service inestimable à l'humanité. De nos jours, le brevet loufoque est devenu une fin en soi. Les Britanniques sont passés maîtres dans cet art assez particulier, généralement exercé par amour de l'insolite. En voici quelques exemples.

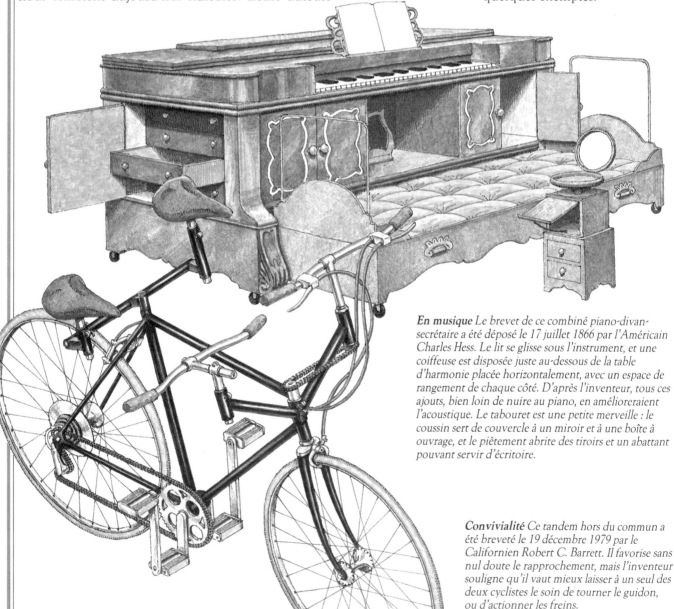

En musique *Le brevet de ce combiné piano-divan-secrétaire a été déposé le 17 juillet 1866 par l'Américain Charles Hess. Le lit se glisse sous l'instrument, et une coiffeuse est disposée juste au-dessous de la table d'harmonie placée horizontalement, avec un espace de rangement de chaque côté. D'après l'inventeur, tous ces ajouts, bien loin de nuire au piano, en amélioreraient l'acoustique. Le tabouret est une petite merveille : le coussin sert de couvercle à un miroir et à une boîte à ouvrage, et le piètement abrite des tiroirs et un abattant pouvant servir d'écritoire.*

Convivialité *Ce tandem hors du commun a été breveté le 19 décembre 1979 par le Californien Robert C. Barrett. Il favorise sans nul doute le rapprochement, mais l'inventeur souligne qu'il vaut mieux laisser à un seul des deux cyclistes le soin de tourner le guidon, ou d'actionner les freins.*

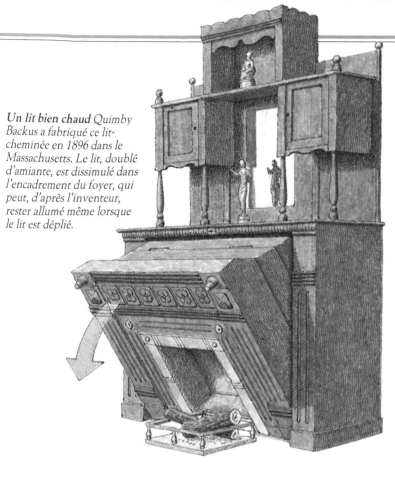

Un lit bien chaud *Quimby Backus a fabriqué ce lit-cheminée en 1896 dans le Massachusetts. Le lit, doublé d'amiante, est dissimulé dans l'encadrement du foyer, qui peut, d'après l'inventeur, rester allumé même lorsque le lit est déplié.*

En plein vol *Voici le fusil photographique réalisé en 1882 par le professeur parisien E.J. Marey pour étudier le vol des oiseaux. La détente permet de prendre 12 clichés en rafale grâce aux plaques photographiques contenues dans le barillet.*

Heure solaire *Cette horloge spatiale à énergie solaire comporte trois aiguilles d'aluminium placées en orbite autour de la Terre, mais elle n'a pas de cadran. Elle a été imaginée en 1987 par les Britanniques Chris Coles et Alan Jefferson. On pourrait la voir sept fois par jour en tout point du globe, mais elle ne donnerait que l'heure GMT.*

aiguille des minutes

aiguille des heures

trotteuse

Au golf *L'Anglais Arthur Paul Pedrick a fait breveter en 1974 ce tee de golf relié à un générateur Van de Graaf actionné par le pied du golfeur. La charge électrostatique du générateur fait planer la balle au-dessus du tee, ce qui réduit le risque de la faire dévier. L'invention n'est malheureusement pas reconnue par les règles du golf.*

LIRE L'AVENIR

Tout comme les écrivains, les savants ont l'imagination fertile

Pour beaucoup, un fossé infranchissable sépare la science, qui relève des faits, et la science-fiction, qui ne repose que sur des chimères. Scientifiques et écrivains – lorsqu'ils ne sont pas les deux à la fois – s'empruntent pourtant souvent leurs idées. Le Russe Konstantin Tsiolkovsky, dont les travaux sur l'espace et les fusées ont servi de base aux programmes spatiaux soviétiques des années 1950 et 1960, écrivait aussi des romans d'anticipation. Dans *Au-delà de la planète Terre*, écrit en 1920, il imaginait déjà d'immenses stations spatiales où pourraient vivre plusieurs générations d'hommes.

Le génie de l'extrapolation

Sans faire particulièrement progresser la science, bien d'autres écrivains extrapolaient à merveille les découvertes de leur temps. Doué d'une sorte de double vue, Jules Verne (1828-1905), considéré comme le père de la science-fiction française, traça des perspectives fulgurantes dans la plupart de ses quatre-vingts romans. Ce grand écrivain trouvait souvent son inspiration dans les découvertes de son temps. Ainsi, en écrivant en 1870 *Vingt Mille Lieues sous les mers,* il savait, à la différence de la plupart de ses lecteurs, que les derniers travaux sur les sous-marins rendaient possible l'odyssée de ses personnages.

Il n'est donc pas étonnant que la science-fiction ait souvent précédé de plusieurs années, voire plusieurs siècles, l'innovation scientifique. *Le Meilleur des mondes,* roman écrit en 1932 par Aldous Huxley, fait une description des bébés-éprouvette qui donnait alors froid dans le dos. Un demi-siècle plus tard, la science en a fait une réalité. Huxley avait aussi imaginé la reproduction par clonage d'une seule cellule. Le clonage humain n'est pas encore possible, mais, que ce soit pour des végétaux ou pour des animaux, le génie génétique par dérivation de cellules isolées fait aujourd'hui partie des sciences appliquées.

La réalité dépasse parfois la fiction : Jules Verne a fait connaître au grand public bien des projets scientifiques, comme le sous-marin et le scaphandre autonome figurant sur ce timbre guinéen.

D'autres romanciers ont été de grands visionnaires. Dans *la Libération du monde,* Herbert George Wells brosse en 1914 un tableau terriblement précis des effets d'une guerre nucléaire.

Certains romans semblent être de véritables prémonitions : dès 1835, Edgar Poe relate le premier voyage sur la Lune dans *l'Aventure inégalée d'un certain Hans Phaal.* Or, il faudra attendre 1969 pour qu'un homme marche sur la Lune !

Quelles seront les autres anticipations littéraires vérifiées par la réalité ? Pour le savoir, il nous faudrait emprunter la machine à explorer le temps de Wells.

LES DONS DE LA MER
L'océan au secours de la chirurgie osseuse

Certains produits de la mer ont aidé au développement de la chirurgie osseuse. En effet, les oursins, les coraux et même les algues permettent de réaliser de meilleures prothèses que n'importe quel matériau artificiel.

Les os du corps humain ont une capacité limitée à se régénérer. Ils nécessitent toujours pour base un tissu osseux sain. Dans le cas, par exemple, d'une disparition partielle de la mâchoire, le chirurgien devra d'abord implanter un matériau tel que la céramique hydroxylapatite sur lequel pourront se développer les cellules osseuses.

Cette céramique est un phosphate de calcium, tout comme l'os naturel. Mais les deux matériaux sont très différents : l'os est très poreux et la céramique ne l'est pas. Quand les cellules sanguines peuvent s'infiltrer dans l'os, sa régénération est excellente. Mais l'os se développera autour d'un implant de céramique sans s'y mélanger.

Question de porosité

Or les chercheurs se sont rendu compte, ces dernières années, que la porosité du squelette de certains pro-

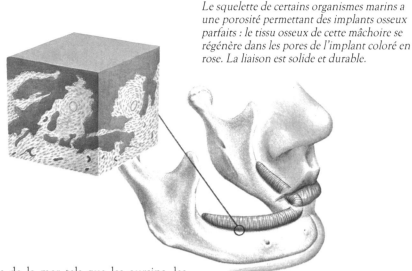

Le squelette de certains organismes marins a une porosité permettant des implants osseux parfaits : le tissu osseux de cette mâchoire se régénère dans les pores de l'implant coloré en rose. La liaison est solide et durable.

duits de la mer tels que les oursins, les coraux et les algues était très proche de celle de l'os humain. Bien que constitués de carbonate de calcium, qui se décomposerait dans le corps humain, ils peuvent être utilisés afin de mouler d'autres matériaux, ou être transformés en phosphate de calcium chimiquement. Les deux procédés donnent un matériau stable et poreux, tout à fait idéal pour la réalisation d'implants osseux.

UN FIL ÉLECTRIQUE EN CAOUTCHOUC

Le caoutchouc est un excellent isolant électrique. L'Américain Minal Thakur, chercheur aux laboratoires AT&T-Bell, a pourtant réussi à y faire passer du courant grâce à la technique du « dopage », qui modifie la structure atomique d'une substance en y ajoutant une impureté (en l'occurrence, il s'agissait d'iode). Le produit résultant est un conducteur électrique dix milliards de fois meilleur que le caoutchouc normal.

Remplacer le cuivre

Si étonnant que cela puisse paraître, le caoutchouc est le dernier polymère en date à se révéler bon conducteur. Les polymères sont des substances qui, comme le béton, le verre et le plastique, ont de très grandes molécules, qui sont elles-mêmes composées d'une multitude d'unités chimiques plus simples. Depuis le début des années 1970, la science s'intéresse à leurs propriétés électriques.

En 1987, des chercheurs allemands (de RFA) ont ainsi créé par dopage un polymère dont la conductivité était double de celle d'un morceau de cuivre du même poids.

Le cuivre est un des meilleurs conducteurs naturels. Mais comme il est lourd et très cher, l'industrie cherche à le remplacer dans ses circuits électriques. De tels polymères ont aussi été utilisés pour fabriquer une nouvelle batterie plus légère, plus durable et convenant particulièrement aux voitures électriques.

Certains polymères ne sont conducteurs qu'à certaines températures. On peut les relier à un ohmmètre pour évaluer les modifications électriques, et donc les variations de température, d'un chargement de médicaments ou d'aliments surgelés par exemple. Dans l'avenir, certains polymères pourraient même sans doute servir de nerfs artificiels au corps humain.

LE SAVIEZ-VOUS ?

Une société française a mis au point un béton spécial, amélioré à la poudre de sang séché : grâce à certains produits chimiques, cette poudre forme dans le béton de minuscules bulles d'air régulièrement espacées. Une carapace de silicate dure et homogène se forme alors autour de chaque bulle et renforce le matériau.

✳ ✳ ✳

Le Coca-Cola peut remplacer l'huile pour voitures, ce qui permettra peut-être aux automobilistes de réaliser quelques belles économies ! Pour démontrer cette étrange théorie, le médecin britannique Jack Schofield a fait en 1989 l'aller et retour Liverpool-Manchester (115 km) au volant d'une voiture lubrifiée avec du Coca... et un additif particulier. Ce produit réagit au Coca, ou même au thé, pour former, selon le docteur Schofield, un lubrifiant plus efficace que l'huile.

✳ ✳ ✳

Dans quelques années, on n'hésitera pas à acheter des « piles-feuilles », ou du moins des piles plates : des chercheurs japonais ont, en effet, inventé un papier-pile flexible. Parfaitement sec, il ne contient plus d'électrolyte solide ou liquide, mais se compose uniquement de feuilles de plastique très fines imprégnées de cuivre, prises entre des films métalliques.

UNE VOITURE ÉLASTIQUE
Le plastique au service de l'automobile

Les voitures de l'an 2000 devraient avoir un avantage important sur les véhicules actuels : en cas de choc léger, la carrosserie, grâce à sa structure en plastique, retrouvera instantanément sa forme initiale.

Cette élasticité ne constitue que l'un des avantages du plastique sur l'acier, qu'il a déjà remplacé dans les pare-chocs de plus de 80 % des voitures européennes. Le plastique, en effet, entraîne également un gain de poids et donc une économie de carburant. Voilà pourquoi la proportion d'éléments en plastique est de plus en plus importante, et s'étend même sur la carrosserie tout entière dans certaines voitures comme la Renault Espace ou le cabriolet BMW Z1. Il en est de même pour la plupart des voiturettes que l'on peut conduire sans permis en France.

Problème d'aspect

Certaines matières plastiques, comme celles qui constituaient autrefois les carrosseries de la Citroën Méhari ou de la légendaire Trabant est-allemande, avaient un aspect moins lustré que les voitures classiques. Ce défaut n'existe plus sur les matériaux utilisés aujourd'hui, comme en témoignent les véhicules cités plus haut.

Dernier avantage, et non des moindres : le plastique évidemment ne rouille pas. Il peut parfois être recyclé quand la voiture n'est plus qu'une épave, et donc servir à la construction de nouveaux véhicules. De plus, certains éléments sont maintenant fabriqués par moulage. Cette technique est moins coûteuse que le pressage et les innombrables points de soudure de l'acier. Elle permet d'effectuer d'intéressantes recherches aérodynamiques, ce qui est très important pour la tenue de route et la consommation.

Cette voiturette française conçue pour la ville a une carrosserie en plastique assemblée par collage, rivetage et boulonnage. Elle ne dépasse pas 50 km/h et peut être conduite sans permis en France.

Ce matériau serait-il parfait ? Non, car il ne se prête pas encore aussi bien que l'acier à la fabrication rapide de grandes séries. En outre, il pâtit toujours d'une réputation injustifiée de mauvaise qualité, ce qui explique que les constructeurs n'en fassent pas un argument publicitaire.

LE FLAMANT ROSE ET L'ALGUE MIRACLE
De simples algues au secours de l'humanité

On connaît aujourd'hui un micro-organisme très simple capable de lutter contre la pollution et la famine, de colorer les aliments et qui pourra même produire un jour l'oxygène respiré par les astronautes. Ce « phénomène » est une algue bleu-vert dénommée *Spirulina* (la spiruline), qui pousse dans certains lacs d'Afrique et d'Amérique.

C'est un aliment traditionnel au Tchad et on pense que les Aztèques en mangeaient déjà. Elle passionne l'association écologiste suisse Flamant vert, dont le nom a été inspiré par le flamant rose : celui-ci doit sa couleur au pigment de bêta-carotène contenu dans la spiruline. Le groupe a entrepris de faire pousser cette algue dans des poches d'eau saumâtre, où elle se nourrit de sous-produits dégagés par des générateurs de méthane.

Communément appelé « gaz de fumier », le méthane est issu de la décomposition de déchets organiques. C'est une source d'énergie importante en Chine et dans plusieurs pays du tiers-monde. Mais sa production a pour défaut majeur de dégager beaucoup de dioxyde de carbone, gaz responsable, entre autres, de l'effet de serre qui menace l'atmosphère terrestre. La spiruline en est justement grosse consommatrice et se plaira donc beaucoup près des générateurs de méthane.

Cette algue miracle est déjà exploitée à travers le monde. En France et aux États-Unis, elle intervient dans la fabrication des cosmétiques et des colorants alimentaires. Israël s'en sert pour traiter ses eaux usées, et on songe à la cultiver dans des vaisseaux spatiaux et des sous-marins pour dégager de l'oxygène.

La spiruline constitue enfin un excellent aliment pour les poissons et les humains. Elle est riche en protéines, en acides gras essentiels, en vitamines A et B, et pauvre en graisses saturées. Sa digestion facile a permis de sauver de la mort des bébés qui ne pouvaient rien digérer d'autre. Elle pousse dans l'eau, mais peut aussi s'adapter aux régions désertiques : avec un apport d'eau minimal, elle assure des rendements meilleurs que les autres cultures. Si bien qu'elle pourrait un jour sauver l'humanité de la famine.

LES TEMPS SONT DURS

Le diamant au quotidien

Nous utiliserons peut-être un jour des lames de rasoir qui ne s'émoussent pas, des lunettes aux verres inrayables et des outils d'une longévité phénoménale ; le secret de ces objets : ils seront tous doublés de diamant artificiel.

Le diamant est le matériau le plus dur de la nature. L'homme a découvert en 1798 que c'était une variété de carbone et a immédiatement tenté d'en fabriquer. Les savants croyaient alors qu'il se formait dans les entrailles de la terre à des températures et à des pressions énormes. À la fin du XIXᵉ siècle, certains ont cru toucher au but, mais le diamant artificiel n'est vraiment apparu qu'en 1955, lorsque des chercheurs de la société américaine General Electric ont soumis du graphite à des pressions 55 000 fois supérieures à celle de l'atmosphère et à des températures de 2 000 ºC.

Briser un gaz

Un an plus tard, leurs collègues de l'Académie des sciences soviétique ont réussi à former du diamant à basse pression et à 1 000 ºC. Leur procédé, connu sous le nom de « déposition chimique de vapeur », consiste à briser des molécules de méthane pour que les atomes de carbone déposent une pellicule de diamant sur un morceau de diamant, d'acier ou de tout autre matériau déjà existant.

Certains géochimistes ont, de ce fait, reconsidéré toutes leurs théories sur les origines du diamant naturel et en sont arrivés à cette conclusion : il pourrait être le résultat d'une déposition chimique de vapeur au sein de la Terre.

À l'Université industrielle du Japon, des chercheurs ont fait progresser la technique. Ils ont utilisé d'autres gaz riches en carbone, comme des vapeurs d'alcool, et ont établi un record mondial dans la constitution d'une pellicule de diamant : 30 microns (millièmes de millimètre) par heure. Dans l'ex-URSS, on est parvenu plus récemment à créer une variété de carbone encore plus dure que le diamant. Celui-ci étant sensible aux fréquences très élevées, une société japonaise en double déjà ses haut-parleurs afin d'améliorer la reproduction des aigus. Outre le verre inrayable, d'autres applications pourraient apparaître bientôt : étant insensible aux radiations, le diamant pourrait servir à fabriquer des circuits électriques destinés aux réacteurs nucléaires ou aux engins spatiaux. Comme c'est aussi un bon conducteur de chaleur, il conviendrait sans doute parfaitement au refroidissement du matériel électronique.

IMPRESSION ÉLECTRIQUE

Des voitures électriques, des avions silencieux et des réfrigérateurs poids plume, telles seront les réalisations de demain, si les thèses du physicien américain Kenneth Wilson se vérifient.

Le docteur Wilson est l'inventeur d'un procédé qui permettrait de produire de l'électricité à partir de panneaux de papier. Sa théorie s'inspire de la découverte faite au début du XIXᵉ siècle de la formation d'électricité par jonction de deux métaux, dont l'un est chauffé.

Cette technique s'était auparavant révélée inefficace, car il aurait fallu constituer une « thermopile » de plusieurs milliers de câbles pour produire l'électricité nécessaire à la propulsion d'un avion, par exemple.

Mais Kenneth Wilson se propose de simuler une telle thermopile en imprimant le câblage à l'encre métallique sur une feuille de papier spécialement traitée. Exposés à la chaleur, ces minces « panneaux thermiques » pourraient produire du courant et auraient de multiples applications.

Dans les voitures et les avions, la chaleur du moteur lui-même pourrait servir de source d'énergie. D'autre part, comme le pétrole brut dégage de la chaleur lorsqu'il remonte à la surface, en lui exposant des panneaux thermiques, on fournirait de l'énergie aux plates-formes pétrolières. De même, on pourrait récupérer la chaleur des tuyaux d'évacuation des centrales électriques pour créer de l'électricité.

LE SAVIEZ-VOUS ?

Les moteurs de demain seront peut-être constitués de pièces de plastique. En effet, une société canadienne a déjà réalisé un moteur de ce type. Il est, selon elle, beaucoup plus efficace et plus durable que ceux d'aujourd'hui. L'embiellage, les engrenages de distribution et les segments des voitures de course américaines sont déjà tous en plastique. Par ailleurs, des essais de moteurs Diesel en céramique et non refroidis sont en cours.

La recette du diamant : Pour déposer une pellicule de diamant sur une feuille de silicium, pompez à très basse pression du méthane et de l'hydrogène dans une cloche en verre de silice. Passez-les aux micro-ondes pour obtenir une boule de plasma bleue et porter le silicium à 900 ºC. Les atomes de carbone se sépareront des molécules de méthane pour former une couche d'un atome d'épaisseur sur le silicium. Pour faire épaissir, recommencez.

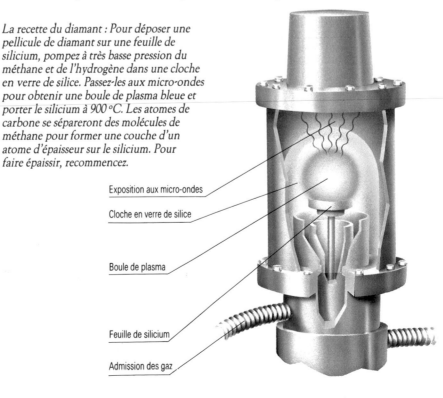

Exposition aux micro-ondes

Cloche en verre de silice

Boule de plasma

Feuille de silicium

Admission des gaz

DES PHOTOS EN UN CLIN D'ŒIL

Ne serait-il pas amusant de pouvoir regarder une photo à la télévision juste après l'avoir prise et, si on en est content, d'en faire les tirages chez soi ? Plusieurs fabricants tentent depuis des années d'en mettre au point la technique. Aujourd'hui, il semble qu'ils touchent au but. Leurs appareils, au lieu d'utiliser une pellicule photosensible, mémorisent des images électroniques fixes, tout comme un caméscope peut le faire avec des images mobiles.

Il est néanmoins difficile d'atteindre la qualité de l'image photographique. Les vidéo-cassettes parviennent cependant à faire illusion : leurs 25 images par seconde sont imparfaites, mais l'œil et le cerveau les « décodent » en une image mobile nette. Avec un appareil vidéo, chaque instantané doit être excellent. Or il ne compte actuellement que 800 000 pixels (unité d'information numérique de l'image électronique),

alors qu'un cliché en couleurs normal pourrait en atteindre 20 millions.

Cela suffit pourtant à certains photographes qui savent tirer profit des avantages propres aux appareils vidéo. Ceux-ci permettent notamment de constituer très rapidement un album de photos sur l'écran du téléviseur familial. En outre, certains enregistrent dix secondes de son par vue, afin de faire un bref commentaire, et la pellicule est ensuite réutilisable.

La presse peut aussi en tirer parti : immédiatement après l'événement, l'image électronique pourrait être transmise par téléphone au journal, où elle serait retouchée, si besoin est, par ordinateur avant publication.

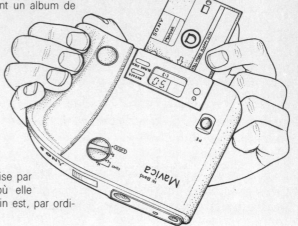

Cet appareil vidéo Sony stocke ses images électroniques sur disquette. On peut les regarder tout de suite sur un téléviseur sans aucun développement chimique.

ON VOUS DÉPOSE AU BUREAU ?
La soucoupe volante : l'automobile de demain

Les soucoupes volantes sont encore associées au monde extra-terrestre et aux petits hommes verts. Elles sont pourtant en passe de devenir réalité et pourraient être un jour aussi banales que nos voitures actuelles.

Le prototype biplace d'« appareil à décollage et atterrissage verticaux » (ADAV) conçu par la société californienne Moller International ressemble en effet étrangement à une soucoupe volante. Il tient dans un garage normal et est propulsé par huit moteurs à hélice disposés sur sa circonférence. L'air brassé par les hélices est dirigé vers le bas pour assurer la poussée nécessaire au décollage de l'appareil et au vol stationnaire. Un ordinateur commande indépendamment chaque hélice pour contrôler la vitesse, l'altitude, la stabilité et la direction de l'engin. En marche avant, la forme de l'ADAV assure la portance nécessaire à son maintien en vol, comme le feraient les ailes d'un avion.

Moller travaille déjà sur un modèle à quatre places et à moteurs horizontaux, qui pourrait atteindre 645 km/h et 9 500 m d'altitude. Son aspect est différent de celui du biplace : il se situe entre l'avion léger et la voiture de compétition ; sa forme aérodynamique devrait le rendre peu sensible aux rafales de vent. La consommation prévue en vitesse de croisière n'est que d'une quinzaine de litres d'essence aux 100 km !

Embouteillage céleste

Pour l'instant, ces « volantours », comme les appelle leur constructeur, coûteraient aussi cher que des hélicoptères. Mais Paul Moller, qui en est l'inventeur, espère que la demande abaissera leur prix jusqu'à celui d'une voiture de luxe. Cette hypothèse permet de croire en l'avenir de l'ADAV en tant que moyen de transport privé. Mais il faudrait avant tout pour cela obtenir le feu vert des autorités de l'aviation civile.

Plusieurs constructeurs européens ont déjà des projets concurrents. Si leurs espoirs sont couronnés de succès, cela créera sans aucun doute de sérieux problèmes de circulation aérienne. Pour vous en convaincre, imaginez donc ce que donnerait chaque matin un embouteillage de soucoupes volantes dans le ciel de Paris, Londres, New York ou Los Angeles...

La soucoupe volante privée de demain ne ressemblera peut-être pas à ce prototype Moller 200X, mais devra cependant beaucoup à ses essais en vol.

L'INTELLIGENCE ARTIFICIELLE

L'énorme bond de la révolution informatique

La première machine à calculer imaginée par l'homme est l'abaque. Elle fut sans doute conçue à Babylone cinq mille ans avant notre ère. Près de sept millénaires séparent cet ancêtre de la « machine analytique » à vapeur du mathématicien britannique Charles Babbage, que l'on considère comme le précurseur de l'informatique moderne. Cette machine, dont l'ébauche remonte à 1834, n'a jamais été construite. Mais ses principes mécaniques fondamentaux, reposant sur l'utilisation de cartes perforées, étaient toujours observés un siècle plus tard par les pionniers de l'informatique.

La taille et la puissance

En 1946, la technologie avait abouti à l'intégrateur et calculateur électronique et numérique ENIAC, construit à l'université de Pennsylvanie. Chiffres et informations y étaient mémorisés et manipulés sous la forme d'impulsions électriques, ce qui constituait un grand progrès sur les milliers de pièces mobiles des dispositifs mécaniques antérieurs. L'ENIAC n'était pas le premier ordinateur électronique (voir p. 197), mais il était incomparablement plus puissant que ses prédécesseurs et pouvait accomplir plusieurs milliers de calculs par seconde. En revanche, il était énorme : il contenait 18 000 lampes radio-électriques et occupait 150 m² de surface au sol.

Depuis cette époque, l'informatique a fait un bond en avant fulgurant. En 1976, soit trente ans plus tard, le Cray 1, l'ordinateur le plus puissant du monde, effectuait 100 millions de calculs par seconde. Ce n'était qu'un début : le Cray 4, attendu pour 1993, devrait être quatre fois plus puissant.

En devenant plus performants, les ordinateurs sont aussi devenus beaucoup plus petits et bien moins chers. À l'origine de ces changements : la puce électronique. Adoptée au cours des années 1970, elle permet d'intégrer des circuits électroniques entiers sur un tout petit carré de silicium de 6,35 mm de côté, ce qui tient sur l'ongle du petit doigt. Elle rendrait aujourd'hui l'ENIAC 16 000 fois plus petit. Quant à l'économie qu'elle engendre, elle est tout aussi impressionnante : un ordinateur qui aurait coûté la coquette somme de 600 000 francs en 1960 n'en valait plus qu'environ 6 000 en 1985.

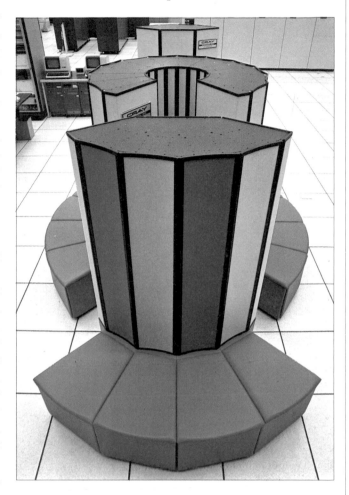

La compacité des ordinateurs modernes permet une certaine recherche esthétique, comme en témoigne ce Cray X-MP/48 appartenant à un centre d'études suisse.

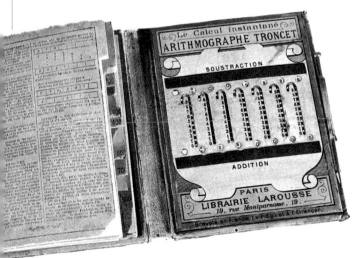

Pour faire additions et soustractions avec cet arithmographe, breveté en 1889 à Paris, on insérait le stylet dans les trous situés en face des chiffres et on tirait vers le haut ou le bas.

À L'ABORDAGE !
Les pirates de l'informatique

En 1988, le Pentagone révéla qu'un étudiant allemand avait réussi à consulter régulièrement les dossiers ultrasecrets de bases militaires américaines et étrangères du monde entier. Le coupable n'était jamais sorti de chez lui. Il avait relié son ordinateur au téléphone et s'était branché sur une trentaine de réseaux informatiques à accès codé pour y pêcher toutes sortes d'informations confidentielles.

Malgré les apparences, ce n'était pas un exploit à la James Bond, mais un exemple de piraterie informatique, passe-temps favori de quelques virtuoses du clavier d'ordinateur. Il s'avéra que Hambourg était l'un des principaux ports d'attache de ces flibustiers modernes, capables non seulement de lire les dossiers secrets, mais encore de les modifier ou de les effacer.

Tout ordinateur branché sur le téléphone est vulnérable. Il suffit de découvrir le mot de passe qui y donne accès. Pour un esprit déductif et persévérant, c'est souvent possible par simple tâtonnement.

La plupart des pirates veulent seulement s'amuser, comme les Anglais Robert Schifreen et Steve Gold, parve-

nus, en 1984, à lire tout le courrier électronique du prince Philip sur le réseau télématique britannique Prestel.

Mais cela peut aussi se transformer en une fraude très rémunératrice : d'après les experts, la piraterie informatique fait perdre quelque 5 milliards de dollars par an aux institutions financières américaines ; un pirate réussissant à

Ces deux passionnés d'informatique de Hambourg ont lu, mais sans les modifier, les fichiers de la NASA : ce serait contraire à l'éthique d'un vrai pirate.

décoder le fichier d'une banque n'a plus qu'à faire virer d'importantes sommes d'argent sur un compte étranger. C'est la version moderne du hold-up !

EFFICACE, MAIS IDIOT

Un ordinateur peut réaliser en quelques secondes des calculs prodigieux, mais c'est par ailleurs une machine limitée : il lui faut un laps de temps énorme pour reconnaître un visage, participer à une conversation, lire une écriture irrégulière ou comprendre une plaisanterie, ce que nous faisons sans même y penser.

Réactions rigides

Pour qu'il se trompe, il n'y a qu'à lui donner des informations incomplètes ou ambiguës, car il a des réactions conformes à son programme et donc totalement rigides. Notre cerveau, au contraire, est capable de tirer les leçons d'une expérience. Il interprète tout ce que nous voyons ou entendons et peut déduire la meilleure solution, face à une situation inconnue ou inattendue, à la lumière des connaissances amassées au fil des années.

Beaucoup de chercheurs estiment que la prochaine génération d'ordinateurs fonctionnera de la même manière que le cerveau. Les « neuro-ordinateurs » ne se contenteront plus d'exécuter une série d'opérations définies par un programme, mais pourront « être éduqués ». Chaque tâche réalisée sera mise en mémoire dans un réseau neuronal, pour leur permettre de comparer cette expérience à chaque nouveau problème à résoudre.

Câblage cauchemardesque

Dans la pratique, la réalisation de tels ordinateurs présente des difficultés effarantes. La science ne connaît rien de plus complexe que le cerveau humain. Il contient plus de 10 milliards de neurones (cellules nerveuses), dont chacun est relié à 10 000 autres. Établir le câblage simulant un tel réseau représente un vrai cauchemar. On espère pourtant y parve-

nir grâce aux rayons laser, incomparablement plus performants que les simples fils électriques.

Le neuro-ordinateur n'appartient pourtant déjà plus à la science-fiction : en effet, des prototypes étaient déjà opérationnels à la fin des années 1980. Certains aéroports californiens ont notamment testé leur efficacité à repérer les explosifs cachés dans les bagages. Comme le plastic contient beaucoup d'azote, les ordinateurs étaient munis de capteurs spéciaux pouvant détecter ce gaz dans une valise. On leur a ensuite appris, en procédant par tâtonnements, à faire la différence entre une bombe éventuelle et un objet anodin présentant les mêmes indices. Leur taux de réussite a sensiblement progressé, mais il leur reste encore beaucoup de chemin à parcourir pour rivaliser avec le cerveau humain.

UN ORDINATEUR DANS L'OREILLE

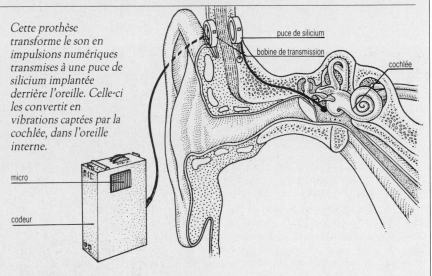

Les personnes atteintes de surdité totale n'avaient encore tout récemment aucun espoir de guérison. Les prothèses auditives ne leur servaient absolument à rien, car l'amplification du son n'avait aucun effet sur elles.

La technologie informatique est venue au secours de certains cas en permettant l'implantation d'une puce électronique dans l'os mastoïdien, derrière l'oreille. La puce est en silicium doublé de titane, afin de la protéger de la corrosion produite par les fluides corporels.

Les vibrations sonores sont captées par un codeur de la taille d'un baladeur, relié à une bobine de transmission portée derrière l'oreille. Le codeur transforme les sons en implusions numériques, elles-mêmes retransmises par la bobine à la puce électronique. Celle-ci décode le message et l'envoie à une ou plusieurs électrodes fixées à la cochlée, partie de l'oreille interne qui analyse les fréquences sonores et les transforme en impulsions nerveuses transmises au cerveau. Les versions les plus perfectionnées de

Cette prothèse transforme le son en impulsions numériques transmises à une puce de silicium implantée derrière l'oreille. Celle-ci les convertit en vibrations captées par la cochlée, dans l'oreille interne.

micro

codeur

puce de silicium

bobine de transmission

cochlée

ces nouvelles prothèses comportent jusqu'à 16 électrodes.

Ces dernières stimulent les terminaisons nerveuses de la cochlée, tout comme dans l'ouïe normale. Les modèles les plus simples ne restituent pas l'ouïe, mais ils peuvent aider une personne sourde à contrôler et à améliorer sa propre élocution. Les versions plus complexes retransmettent des voix de synthèse comparables à celles utilisées dans certains films de science-fiction.

LES VIRUS
L'univers inquiétant de l'infection électronique

Dans leur roman *Softwar*, publié en 1984, l'informaticien Thierry Breton et l'écrivain Denis Beneich imaginaient une machination particulièrement machiavélique : les services secrets américains assujettissaient l'URSS en rendant peu à peu inopérant l'ensemble de son réseau d'ordinateurs, grâce à un piège dissimulé dans un logiciel acheté en France. Ils utilisaient la technique du virus, cauchemar de tous les utilisateurs d'ordinateurs.

Un virus informatique est un programme pirate que son auteur associe clandestinement à un logiciel existant. La contagion se produit à chaque fois que le programme contaminé est recopié et transmis à un nouvel ordinateur.

L'instant fatidique

Beaucoup de virus dorment jusqu'à ce qu'un élément quelconque les réveille. Dans le roman de Breton et Beneich, c'était une donnée météorologique. Dans la réalité, ce peut être une certaine heure, comme pour le virus Ping-pong, qui fait rebondir une petite balle à travers tout l'écran. Ou une date, comme pour le terrible virus du Vendredi 13.

Il existe en fait plusieurs souches virales. Le « ver » est une vraie peste : c'est un programme conçu pour infiltrer tout un réseau d'ordinateurs et se multiplier à l'infini, éventuellement jusqu'au blocage total. Le 2 novembre 1988, le réseau américain Internet, utilisé non seulement par plusieurs universités, mais aussi par le Pentagone et plusieurs services officiels, a été neutralisé pendant trente-six heures par une petite horreur de ce genre.

Le Cheval de Troie est encore bien pire : tout comme le prétendu cadeau fit ouvrir aux guerriers grecs les portes de Troie, ce programme cache son jeu. Il fait semblant de faire une chose et en accomplit une autre. L'opérateur n'y voit que du feu et donne tout seul le signal du carnage en introduisant la disquette piégée.

La vaccination

L'auteur du virus n'a pas forcément de mauvaises intentions : il agit souvent par amour de l'art, uniquement pour montrer que le piratage est possible, et se contente parfois d'envoyer un message amical sur l'écran. Mais certains virus ont aussi provoqué la disparition de toutes les autres informations stockées par l'ordinateur.

Épouvantées par l'ampleur du risque, les sociétés consacrent des sommes énormes à l'élaboration de programmes dits « de vaccination », pour protéger leurs ordinateurs. Mais chacun sait que les virus naturels s'adaptent par mutation aux remèdes qui leur sont opposés. Il n'est pas du tout impossible que leurs cousins électroniques en fassent autant.

UN ORDINATEUR PRESQUE HUMAIN

Comment une machine peut-elle voir, entendre et comprendre ?

Au cinéma, les voyageurs de l'espace ont parfois de longues conversations avec leur ordinateur. Ce n'est encore qu'une fiction : l'ordinateur a d'énormes difficultés à distinguer les syllabes et les mots constitutifs du langage, a fortiori à comprendre leur sens.

Il est assez facile aujourd'hui de faire parler un ordinateur par synthèse vocale, et une machine qui dit poliment « s'il vous plaît » et « merci » n'a rien de miraculeux. Mais lui faire reconnaître l'enchaînement continu de mots qui forme notre langage est un véritable défi. Malgré tout, certains ordinateurs sont déjà capables d'identifier une suite de mots bien détachés et nettement articulés.

La prochaine génération d'ordinateurs à commande vocale réagira à de très nombreux ordres oraux. Les constructeurs espèrent aussi parvenir à mettre au point des machines qui seront capables d'écrire sous la dictée. On a longtemps pensé que ces « secrétaires cybernétiques » devraient être adaptées à l'accent et aux habitudes de langage de chaque utilisateur, et qu'elles ne seraient sans doute sensibles qu'à la voix d'une seule personne. Cette

Dans ce laboratoire spécialisé, les chercheurs s'emploient à étudier à la fois la commande vocale et, chose beaucoup plus complexe encore, la simulation de la vision humaine.

théorie semble aujourd'hui bel et bien infirmée.

Le système IBM Tangora, dont la mise au point était encore en cours à la fin des années 1980, peut reconnaître un vocabulaire qui s'élève à 20 000 mots avec un taux de réussite de 95 %. Son utilisateur doit veiller à toujours bien détacher les mots, mais le système comporte un microprocesseur qui lui permet de deviner la phrase la plus probable. Les règles de grammaire

Par l'intermédiaire d'un micro, ce chercheur chez IBM donne ses ordres à un prototype d'ordinateur qui les interprète et y réagit.

ont été intégrées au programme et une abondante correspondance commerciale a fait l'objet d'une analyse statistique. Grâce à toutes ces informations, l'ordinateur peut calculer la probabilité d'un enchaînement de mots.

Pour interpréter des données visuelles, il faut aussi recourir à l'analyse statistique. Certains systèmes de sécurité peuvent déjà identifier des visages qu'on leur a appris à reconnaître, mais aucun ordinateur, à la différence de l'homme, ne peut encore analyser une scène en trois dimensions en reconnaissant tous les objets qui s'y trouvent.

LE SAVIEZ-VOUS ?

Tout récemment encore, la capacité maximale d'une puce de silicium était de 1 million de bits (unité élémentaire d'information représentée par 0 ou 1), soit environ 20 000 mots. En 1988, la société japonaise Toshiba l'a portée à 4 millions de bits (ou mégabits), ce qui permettrait de stocker le contenu d'un livre de 160 pages sur une surface grande comme l'ongle de l'auriculaire.

CHAPITRE HUIT

VILLES ET CIVILISATIONS

Chaque année, des millions de jeunes mariées franchissent dans les bras de leur époux le seuil du foyer conjugal. Il importe peu aujourd'hui que cette coutume ait répondu jadis au souci de conjurer les mauvais génies *(page 243)*, ou simplement de veiller à ce que l'épouse ne trébuche pas à un moment aussi important de sa vie – on s'y prête désormais sans autre but que de marquer une étape de son existence. Rites, coutumes, croyances, modes de vie, habitations : de l'Antiquité à nos jours, l'expérience humaine se révèle sur tous ces points d'une diversité pour le moins déconcertante.

LES PREMIÈRES VILLES DU MONDE
Comment les premiers agriculteurs devinrent-ils des citadins ?

À partir de 10000 avant J.-C., le climat terrestre subit un changement radical dans le sens de l'amélioration. La glace qui recouvrait une grande partie de l'hémisphère Nord depuis des millénaires se mit à fondre. Dans la zone du Proche-Orient que l'on nomme aujourd'hui Croissant fertile, ce réchauffement devait engendrer un phénomène inédit : l'essor de véritables villes.

Depuis des milliers d'années, les hommes survivaient grâce à la chasse, la pêche et la cueillette de plantes comestibles. Dans le Croissant fertile, qui s'étend de la mer Morte au golfe Persique, un cycle météorologique nouveau – hivers frais et pluvieux suivis d'étés torrides – contribua à modifier cet ancien mode de vie. Des plantes alors sauvages comme l'orge et le blé devinrent très prisées, car elles mûrissaient au printemps et se réensemençaient avant l'assèchement de la terre.

Les habitants des cavernes de la région eurent tôt fait de comprendre qu'il était plus simple de s'établir dans les étendues céréalières naturelles que d'acheminer la récolte jusqu'à leurs grottes. Pour achever plus vite la moisson, des familles s'installèrent en groupe et travaillèrent ensemble. Peu à peu, ces villageois accrurent leurs ressources en procédant eux-mêmes aux semailles.

Un pas restait à franchir pour que ces villages agricoles se transforment en villes. Lorsque, vers 9000 avant J.-C., les paysans apprirent à irriguer les terres, l'approvisionnement fut enfin assuré. Mieux encore, certains disposaient d'un excédent de vivres. Les villages où se conservait la nourriture devinrent alors des pôles d'attraction.

Vers 3500 avant J.-C., les zones fertiles du Proche-Orient étaient parsemées d'agglomérations qui, par leur organisation, s'identifiaient à des villes.

LA VOIE DE L'IMMORTALITÉ
Pourquoi l'écriture est-elle née en terre d'abondance ?

L'écriture est la plus grande invention de l'homme, devant la voiture, l'ordinateur, l'énergie nucléaire ou le moteur à vapeur. C'est elle qui lui a permis de préserver ses idées, sa culture, ses techniques, et de défier le temps – voire la mort – en transmettant le savoir dans toute sa précision d'une génération à l'autre.

Comment et où l'écriture a-t-elle vu le jour ? À qui doit-on l'invention de cet incomparable moyen de communication ?

Il y a environ 5 500 ans, les peuples sumériens s'établirent entre le Tigre et l'Euphrate, dans le sud de la Mésopotamie. Nul ne sait d'où ils venaient, mais ils irriguèrent et exploitèrent ce pays fertile, jusqu'à produire davantage qu'ils ne consommaient. Ils plaçaient leurs excédents céréaliers dans des

La plaine comprise entre le Tigre et l'Euphrate était le pays des anciens Sumériens. Des canaux d'irrigation leur assuraient des vivres en abondance.

entrepôts qui abritaient aussi leurs objets les plus sacrés. Ces entrepôts devinrent des centres de commerce ainsi que des lieux de pèlerinage. La ville d'Ur comptait ainsi plus de 20 000 habitants vers 1750 avant J.-C.

Le roi de Sumer était le propriétaire suprême des terres cultivées. La famille divine avait à son service un immense corps sacerdotal, qui administrait la terre. L'apport d'une récolte excédentaire aux greniers royaux en vint à constituer une sorte d'impôt – la dîme. Mais avec le développement des villes,

on eut bientôt du mal à contrôler l'acquittement des impôts et à tenir à jour le « catalogue » des greniers.

Les prêtres imaginèrent alors un système d'inscriptions pour tenir le compte des richesses de leur divin monarque. Engagés dans cette voie, ils ne pouvaient qu'évoluer : des chiffres et des signes indiquant le contenu des greniers, ils passèrent à des formes écrites pour les noms et les dates, puis à des mots décrivant l'action ou l'état. À l'aide de styles pointus, les scribes traçaient les signes sur des tablettes d'argile fraîche qu'ils faisaient cuire ensuite.

Sans cesse perfectionnée, leur écriture cunéiforme a véhiculé jusqu'à nous les mythes et les lois des cités de Sumer, ainsi qu'une multitude d'inventaires. Le rayonnement de cette langue écrite fut tel qu'on la comprenait encore au Ier siècle de notre ère, plus de 1 600 ans après la fin de la civilisation sumérienne.

LE SAVIEZ-VOUS ?

Les Sumériens ont inventé l'écriture, bâti les premières véritables villes du monde et inventé la roue, vers 3500 avant J.-C.

LA PLUS VIEILLE CITÉ DE LA TERRE

Les épisodes de la ville de Jéricho

« Josué livra la bataille de Jéricho, dit le vieux Spiritual, et voilà que les murailles s'écroulèrent. » Le récit biblique, plus explicite, nous dit que « le peuple poussa un formidable cri de guerre » au son des trompettes embouchées par les prêtres et que « le rempart s'écroula sur place. Aussitôt, le peuple monta vers la ville (...). Ils exterminèrent la population, hommes et femmes, jeunes et vieux. Ils tuèrent même les bœufs, les moutons et les ânes. » (Josué VI, 20-21.)

Cette hécatombe a eu lieu vers 1400 avant J.-C. d'après les archéologues. Mais la cité dont s'empara Josué avait déjà un passé prodigieux – le rempart qui s'écroula se dressait sur ses fondations depuis près de 7 000 ans. Et ce n'était ni la première ni la dernière fois que l'on assiégeait Jéricho.

Le temps des semailles

Si Jéricho a exercé un tel attrait, c'est parce qu'elle se trouve aux confins du Croissant fertile, vaste étendue englobant la vallée du Nil, les côtes de la Méditerranée orientale et les bassins du Tigre et de l'Euphrate. C'est dans ces terres fécondes qu'est né, voici quelque 11 000 ans, l'art de l'agriculture.

On cueillait et broyait les céréales sauvages depuis des générations lorsque l'homme eut l'idée de semer lui-même les épis et de les porter à maturité. Cette initiative capitale devait, avec la domestication d'animaux tels que le mouton, le porc ou la chèvre, révolutionner les modes de vie : de l'« ancien » âge de pierre fondé sur la chasse et la cueillette, on accédait au « nouvel » âge de pierre des agriculteurs.

Ces derniers ignoraient tout de l'usage des métaux, mais repéraient à coup sûr un lieu propice. La ville qui prit le nom de Jéricho en était un, qui attirait des communautés en nombre croissant. Environ 8 000 ans avant J.-C., cette population devint assez prospère pour édifier autour de la cité, dans un but défensif, une enceinte de

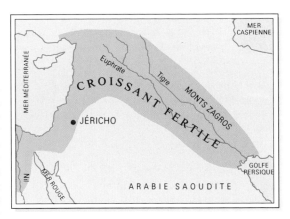

Aux confins du Croissant fertile, Jéricho fut le théâtre de nombreux conflits récurrents entre civilisations urbaines avancées et nomades du désert.

pierre surmontée d'une immense tour.

Jéricho peut être considérée comme la plus ancienne ville connue, antérieure d'environ 5 500 ans aux métropoles plus grandes et plus évoluées de Sumer. L'agglomération primitive fut mise à sac et détruite aux alentours de 7000 avant J.-C. D'autres communautés s'y fixèrent, pour en être évincées à leur tour ; la ville resta parfois inhabitée des siècles entiers.

Un sang neuf

À partir de 2000 avant J.-C., une civilisation entièrement nouvelle découvrit Jéricho. Les immigrants d'alors, issus de Mésopotamie, maîtrisaient des techniques de construction avancées et savaient forger armes et outils de bronze. C'était les Cananéens, ancêtres du peuple que Josué vainquit au son des trompettes.

Mais l'occupation de Jéricho par Josué fut elle-même de courte durée. La plus vénérable des villes devait tomber et se relever à maintes reprises, sur ses premières fondations ou à proximité, et son emplacement a changé plus d'une fois. Qui sait combien d'avatars connaîtra encore l'actuelle Jéricho, en Cisjordanie, centre actif de plus de 10 000 habitants, situé à 1,6 km au sud de la cité de l'Ancien Testament ?

Les Hébreux de Josué plaçaient de grands espoirs dans la chute des murailles de Jéricho : la prise de cette ville oasis leur permettrait de ne plus souffrir de la faim.

LES CITÉS SECRÈTES DE L'INDUS
Une civilisation qui a gardé son mystère

Même en ruine, les cités antiques des bords de l'Indus pakistanais semblent mieux conçues que la plupart des villes modernes du sous-continent indien. On y voit des rues agencées de façon régulière, des édifices de brique et un réseau d'égouts.

Les archéologues qui, au début de notre siècle, exhumèrent les ruines de la vallée de l'Indus comprirent qu'il s'agissait d'une civilisation originale, contemporaine de Sumer et de l'Égypte antique (autour de 2400 avant J.-C.). Elle possédait en propre une méthode d'écriture – non encore déchiffrée – et commerçait avec l'ancienne Mésopotamie ainsi qu'avec des comptoirs proches de l'actuel Bombay, soit à plus de 1 000 km.

D'où venaient les fondateurs de cette civilisation ? Quelle langue parlaient-ils ? Ces villes dépendaient-elles du même gouvernement ? Qu'est-ce qui entraîna l'effondrement de cette civilisation, vers 1700 avant J.-C. ? Aucun de ces mystères n'est encore élucidé.

Les principales cités exhumées (Harappā, Mohenjo-Dāro) présentent une disposition analogue : une citadelle aux énormes remparts, flanquée de tours à intervalles réguliers, est juchée sur un tertre d'environ 12 m de haut.

Une hypothèse veut que l'idée de construire des villes ait trouvé son origine en Mésopotamie et se soit propa-

Des distances considérables séparaient les villes de la civilisation de l'Indus, aujourd'hui situées au Pakistan et en Inde (à droite). Et pourtant ces cités étaient étrangement semblables. Par ailleurs, la plupart de ces villes étaient dominées par une citadelle, centre religieux et administratif, comme celle qui surplombe les ruines de Mohenjo-Dāro, au Pakistan (ci-dessus).

gée le long des axes commerciaux. L'intensité des échanges avec Sumer est attestée par le fait qu'il y eut des traducteurs sumériens officiels de la langue de l'Indus. Malheureusement, les échantillons d'écriture de l'Indus qui nous sont parvenus sont trop fragmentaires pour une reconstruction fiable.

Pourquoi un tel ensemble culturel s'est-il totalement effondré ? Il se peut qu'une brusque modification du cours de l'Indus ait livré les villes aux inondations ou à la désertification ; celle-ci a aussi pu résulter d'un déboisement excessif, lié au besoin de combustible pour la cuisson des briques. À moins que les épidémies et les famines ne soient à l'origine de cette disparition.

La fin fut peut-être plus violente. À Mohenjo-Dāro, on a exhumé treize squelettes, dont certains portent des traces de coups de hache ou d'épée à la tête. Doit-on alors y voir le passage des envahisseurs aryens – ancêtres des hindous –, qui dominèrent l'Inde après la civilisation de l'Indus ?

Si l'on excepte quelques mythes hindous, comme le Rig-Veda, qui évoque un peuple prospère à peau foncée tombant sous le joug des Aryens, ou le culte de Shiva, dieu destructeur et fécondateur qu'un aspect animal apparente au dieu de l'Indus, cette civilisation éphémère et mystérieuse a disparu presque sans laisser de traces.

QU'EST-CE QU'UNE VILLE ?

Chacun de nous croit connaître le sens du mot « ville », dérivé du latin *villa*, maison de campagne. Mais est-ce vraiment le cas ?

En France, une ville est considérée comme telle lorsqu'elle forme une agglomération d'au moins 2 000 habitants, aux activités professionnelles diversifiées. En Grande-Bretagne, on tient pour ville toute agglomération, grande ou petite, dotée d'une cathédrale. En Australie, une ville est un simple secteur administratif. C'est sur ce continent qu'on trouve la plus vaste agglomération du monde : Mount Isa, dans le Queensland, qui s'étend sur 40 978 km². Aux États-Unis, le mot « city » a un sens purement juridique : la

taille d'une agglomération n'est pas prise en compte. Cependant, le Recensement américain considère comme ville tout lieu, même rural, de plus de 2 500 habitants.

La ville la plus peuplée du monde est Mexico. Avec son agglomération, elle compte plus de 19 millions d'habitants. Tōkyō, elle, compte près de 12 millions d'habitants. Cette ville japonaise est en outre la ville la plus chère du monde ; un homme d'affaires de passage y dépensait 362 dollars par jour en 1989, contre 318 dollars à Londres et 88 dollars à Johannesburg (Afrique du Sud).

La définition d'une ville dépend donc de la partie du monde où l'on vit !

L'ÂGE D'OR D'ATHÈNES

Cinquante ans d'essor politique et culturel inégalé

Le Parthénon de l'Acropole est tout en marbre

Près de 2 500 ans nous séparent de l'époque où le Parthénon, temple de la déesse Athéna, apparut dans toute sa gloire sur l'acropole de l'antique cité d'Athènes. De nos jours, les touristes, qui affluent par milliers dans la ville, s'extasient devant l'ampleur de l'œuvre architecturale des Athéniens. Le peuple auquel on doit une telle perfection n'était-il pas de ceux qui perdurent des centaines, voire des milliers d'années ? Force est pourtant de constater que la période considérée comme l'âge d'or d'Athènes s'étend sur moins d'un demi-siècle.

La construction du Parthénon fut avant tout l'expression de l'orgueil civique athénien. Au milieu du Vᵉ siècle avant J.-C., les Athéniens se vantaient de leur démocratie qui favorisait l'évolution politique et culturelle jusqu'à un degré encore inégalé.

L'homme d'État Périclès s'est fait le porte-parole de ses concitoyens pour glorifier Athènes. Dans un discours notoire, prononcé en 431 avant J.-C., il célèbre

en Athènes « une initiation à la Grèce » – l'apothéose de la civilisation et du gouvernement démocratique.

Animés d'une telle fierté, les Athéniens jugèrent de leur devoir d'unir leurs forces pour embellir la cité. La construction du Parthénon (447-432 avant J.-C.) se fit à l'aide de fonds publics, des milliers de contrats étant conclus avec autant de citoyens. Chacun d'eux assumait une petite part du travail collectif, l'un en transportant quelques blocs de marbre, l'autre en ornant une colonne de cannelures.

Mais l'âge d'or était trop parfait pour durer. La peste s'abattit sur la ville en 430 avant J.-C., emportant des milliers d'habitants. Et en 404, l'invasion spartiate mit fin aux projets monumentaux d'Athènes. Jamais la ville ne retrouva la splendeur du siècle de Périclès.

De grands philosophes, comme Platon (au centre, à gauche) et Aristote (au centre, à droite) – représentés ici dans l'École d'Athènes, de Raphaël –, contribuèrent à faire de la cité grecque un foyer intellectuel rayonnant.

LE BERCEAU DE LA DÉMOCRATIE

Les citoyens s'allient pour le bon gouvernement de l'État

Nous sommes habitués à voir présenter Athènes comme le « berceau de la démocratie ». Mais ce que nous appelons démocratie n'eût rien évoqué de familier aux anciens Athéniens. Il n'existait chez eux aucun parti politique au sens propre, et le droit de vote y restait très limité.

Tous les citoyens avaient un rôle à jouer dans les affaires de l'État. Chacun pouvait siéger à l'Assemblée, principal organe de décision, avec le droit de poser des questions ou de soulever des points importants. Mais les femmes, les esclaves et les enfants de parents non athéniens ne pouvaient prétendre à la citoyenneté. Ainsi, des quelque 350 000 personnes que regroupait la cité antique, seuls 40 000 hommes majeurs étaient citoyens.

L'administration d'Athènes

Les citoyens nommaient un conseil de cinq cents membres, ou boulê, chargé d'administrer les affaires publiques. Le mandat des conseillers se limitait à un an. Les membres les plus éminents de la boulê formaient une commission restreinte (prytanie) et exerçaient à tour de rôle la présidence de l'Assemblée.

En plus de ses activités politiques, tout citoyen valide servait une partie de l'année dans l'armée ou la flotte.

Les citoyens athéniens accordaient une grande importance à leurs devoirs civiques. Ces petits jetons leur servaient de bulletins de vote.

Les soldats athéniens devaient fournir leur équipement. Pour la plupart, cela signifiait l'achat d'une tenue cuirassée et d'une épée.

L'idéal démocratique athénien s'appliquait au monde militaire. Les principaux stratèges des forces terrestres et navales étaient élus chaque année, et il n'était pas exceptionnel, après un échec, qu'un chef « retombe dans le rang » l'année suivante.

La démocratie athénienne peut se comparer à une très grande famille où chacun est responsable de soi-même et des autres. Si les Athéniens n'avaient pas nourri une passion réelle pour la vie publique, leur mode de gouvernement n'aurait jamais pu fonctionner. L'idée, propre à nos démocraties modernes, de s'en remettre à un élu pour les décisions importantes leur aurait semblé tyrannique.

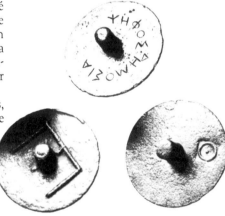

HORS DE NOS MURS !

Comment se défaire d'un homme politique gênant

Les citoyens – hommes libres de l'Athènes antique – tiraient orgueil de leur égalité ; mais qu'arrivait-il quand certains d'entre eux risquaient de devenir plus égaux que d'autres ?

La démocratie fut souvent compromise par les factions et les vendettas, qui avaient pour théâtre l'Assemblée. Les hommes politiques de métier étaient des figures charismatiques dont le prestige tournait souvent au culte personnel. Il en résultait parfois des dissensions entre leurs partisans. Si les querelles prenaient un tour trop virulent ou si un personnage impopulaire acquérait trop de puissance, les affaires publiques en étaient perturbées. Athènes créa donc une institution préventive : l'ostracisme.

Votes de bannissement

Tout citoyen éminent devenu impopulaire pouvait être frappé d'ostracisme, c'est-à-dire banni de la ville pour dix ans. N'importe quel citoyen pouvait, sans nommer quiconque, proposer un vote d'ostracisme. Si l'Assemblée donnait son accord, on entourait de barrières l'Agora – place marchande et lieu de réunion politico-religieux. Chacune des dix tribus d'Athènes disposait d'une entrée par où ses représentants venaient déposer leurs suffrages. On votait en inscrivant le nom de celui qu'on voulait exiler sur un tesson de poterie appelé ostracon.

Pour bannir un citoyen (celui dont le nom était le plus cité), il fallait dépouiller au moins 6 000 suffrages. Mais une fois ses dix ans d'exil accomplis, l'ostracisé pouvait reprendre sa vie sans déshonneur ni confiscation de biens.

Un suffrage inscrit sur un tesson de poterie (ostracon) condamne le général et homme politique Aristide à l'ostracisme.

QUE CACHE UN NOM ?

On imagine mal que la capitale grecque porte un autre nom qu'Athènes. Mais si l'on s'en tient à la légende, la ville eût fort bien pu l'emprunter au dieu des mers Poséidon, plutôt qu'à la déesse Athéna.

En un temps reculé, une farouche inimitié opposait Poséidon et Athéna, qui s'acharnaient l'un contre l'autre et convoitaient tous deux la province de l'Attique, dont le joyau était la ville que nous appelons Athènes. Pour en finir, les dieux décidèrent que la province reviendrait à l'auteur du don le plus précieux pour elle. Frappant la terre de son trident, Poséidon en fit jaillir une source d'eau salée encore visible aujourd'hui ; Athéna créa le premier olivier, à côté de la source.

Les dieux jugèrent l'olivier d'un plus grand prix, mais à une seule voix de majorité. Athéna reçut donc la province, et la ville d'Athènes prit son nom. Furieux, Poséidon se vengea en asséchant tous les cours d'eau en été. Aujourd'hui le lit des rivières s'assèche encore l'été — l'approvisionnement d'Athènes vient pour l'essentiel des collines avoisinantes. Au fond, Poséidon a obtenu sa revanche.

AU TEMPS OÙ LES CORBEAUX ÉTAIENT BLANCS

Une corneille noire communément appelée corbeau se reconnaît d'emblée à son plumage noir et luisant. Mais dans la mythologie grecque, il fut un temps où tous les corbeaux étaient blancs.

Dévoré de passion pour Athéna, le dieu Héphaïstos l'attira dans sa forge, où il se jeta lubriquement sur elle. Mais sa tentative de viol fut un échec. Sa semence tomba sur le sol, et c'est Gaïa, la terre nourricière, qui conçut l'enfant d'Héphaïstos.

Bien que le nouveau-né – Erichthonios – fût la laideur même et présentât une queue de serpent à la place des jambes, Athéna se sentit dans l'obligation de veiller à ce qu'on prît soin de lui. Elle le confia aux filles du roi Cécrops, enfermé dans un panier couvert, et leur ordonna de ne jamais regarder à l'intérieur.

Les filles du roi n'ayant pu s'empêcher de soulever le couvercle, la vue d'Erichthonios – mi-garçon mi-serpent – les rendit folles, et elles se jetèrent du haut de l'Acropole.

C'est ici qu'intervient le corbeau, qui fut un temps l'oiseau préféré d'Athéna. Croyant se rendre utile à la déesse, un corbeau s'empressa de lui porter la triste nouvelle. Athéna, qui bâtissait l'Acropole, en fut si ébranlée qu'elle laissa choir l'énorme bloc de pierre qu'elle tenait : c'est le rocher du Lycabette, encore visible aujourd'hui. La colère d'Athéna se retourna contre le corbeau, messager du malheur. Elle bannit à jamais les corbeaux de l'Acropole et noircit leur blanc plumage.

À qui en veut la preuve, il suffit d'observer les corneilles mantelées de la Grèce actuelle. Si elles ont bien la tête, les ailes et la queue noires, le reste de leur plumage est teinté de blanc, rappel de l'apparence qu'elles offraient avant d'irriter la déesse.

VIVRE DANS LA GRÈCE ANTIQUE
La journée ordinaire d'un Athénien

Au majestueux spectacle de l'Acropole, le touriste peut être enclin à penser que les anciens Athéniens vivaient dans le luxe. On ne saurait se tromper davantage. L'Athénien moyen du Vᵉ siècle avant J.-C. habite une simple maison de brique crue, très sommairement meublée, sans salle de bains ni cuisine.

Dans la salle à manger, aucun tapis ne recouvre le sol et des banquettes dures côtoient quelques tables basses ; le reste de la pièce est nu. Un repas typique se compose de pain fait à la maison, servi avec des œufs, de la volaille ou du poisson cuits à l'huile d'olive.

Esclaves qualifiés

Les esclaves, considérés comme de précieux membres de la maisonnée, reçoivent un salaire, qu'ils peuvent épargner pour acheter leur liberté. Certains sont des Grecs faits prisonniers au cours de guerres contre d'autres cités souveraines, mais la plupart viennent des marchés d'esclaves de l'Orient. Souvent instruits, bon nombre occupent des emplois de secrétaires, d'artistes et d'enseignants qualifiés.

Pour un Athénien, les loisirs sont un luxe suprême, et un citoyen possédant des esclaves trouve le temps de s'adonner à ses centres d'intérêt.

Cette coupe, du Vᵉ siècle avant J.-C., représente un jeune homme jouant de la double flûte pour son maître – l'aspect récréatif d'un symposion athénien.

Le citoyen entame sa journée à l'aube, quitte son lit rude et se vêt de son manteau, qui lui sert aussi de couverture. Puis il gagne son lieu de travail – il peut être potier ou maçon, administrateur des mines d'argent de l'État ou propriétaire terrien supervisant vignobles et oliveraies. À l'exception des mines, toute industrie s'exerce à petite échelle dans l'Athènes antique : la plus grande manufacture, d'où sortent les boucliers de l'armée, n'emploie que 120 ouvriers.

Sport et politique

L'après-midi, les citoyens se consacrent à leurs activités de prédilection : le sport, la philosophie et surtout la politique. La plupart essaient de se réserver quelques heures quotidiennes au gymnase – à la fois centre sportif et lieu de débats – pour y confronter leurs idées sur les questions du jour. Les vives discussions, entrecoupées de chansons, de récitations et d'autres amusements, se prolongent jusqu'au banquet du soir : le symposion (littéralement, « réunion de buveurs »).

LE SAVIEZ-VOUS ?

Les tribunaux athéniens n'avaient ni juges professionnels ni avocats. Plaignants et accusés plaidaient leur cause eux-mêmes devant un jury de citoyens dont le nombre variait de 101 à 1001, selon l'importance de l'affaire. Si l'accusé était jugé coupable, le plaignant proposait une peine. L'accusé pouvait présenter une solution de rechange : il appartenait alors au jury de trancher, sans appel.

* * *

Pour le philosophe Platon, auteur du dialogue de la République, la cité modèle, souveraine et démocratique, ne devait pas compter plus de 5 000 citoyens. Aristote pensait quant à lui que chaque citoyen devait connaître tous ses concitoyens de vue.

* * *

Les Athéniens appliquaient une forme de fiscalité pour entretenir leur ville, rémunérer les fonctionnaires et soutenir la flotte et l'armée. Tout homme dont la fortune excédait un certain montant devait assumer divers services publics, ou liturgies. On lui donnait le choix entre armer un vaisseau pendant un an, financer des représentations théâtrales ou pourvoir aux frais d'une procession religieuse.

LA GROSSE POMME

Comment New York sortit d'un sac de verroteries

Le plus célèbre marché de l'histoire américaine fut conclu en 1626, lorsque Peter Minuit, premier gouverneur général de la Nouvelle-Hollande, acheta l'île de Manhattan aux Indiens Manhate. Il la troqua contre un sac de verroteries et quelques ouvrages d'étoffe et de ferronnerie, d'une valeur de 60 florins (24 dollars). La totalité de l'île, aujourd'hui absorbée dans la ville la plus peuplée des États-Unis, lui revint à 0,41 dollar par kilomètre carré. De nos jours, les 58 km² de surface habitable de Manhattan sont estimés à plus de 945 milliards de dollars.

Les Hollandais ne furent pas les premiers Européens à voir l'île ni à proclamer leurs droits sur elle. L'explorateur italien Giovanni da Verrazano, à la solde de François 1er, la découvrit en 1524 et l'attribua aussitôt au roi de France. Cent ans après, les Hollandais fondaient la première colonie de Manhattan. Ils construisirent alors au sud de l'île le fort Amsterdam et baptisèrent leur colonie La Nouvelle-Amsterdam. Celle-ci resta hollandaise jusqu'en 1664, puis tomba aux mains des Anglais qui lui donnèrent alors son nom actuel.

On raconte que c'est à la présence hollandaise que la ville doit son surnom de Grosse Pomme. Le gouverneur hollandais Peter Stuyvesant avait planté des vergers dans sa colonie en 1647 et, plus tard, l'État de New York fut réputé pour la qualité de ses pommes. Dans les années 1920, la ville de New York, bigarrée entre toutes, était le plus gros et le plus succulent produit de l'État aux yeux des musiciens de jazz, qui créèrent l'expression.

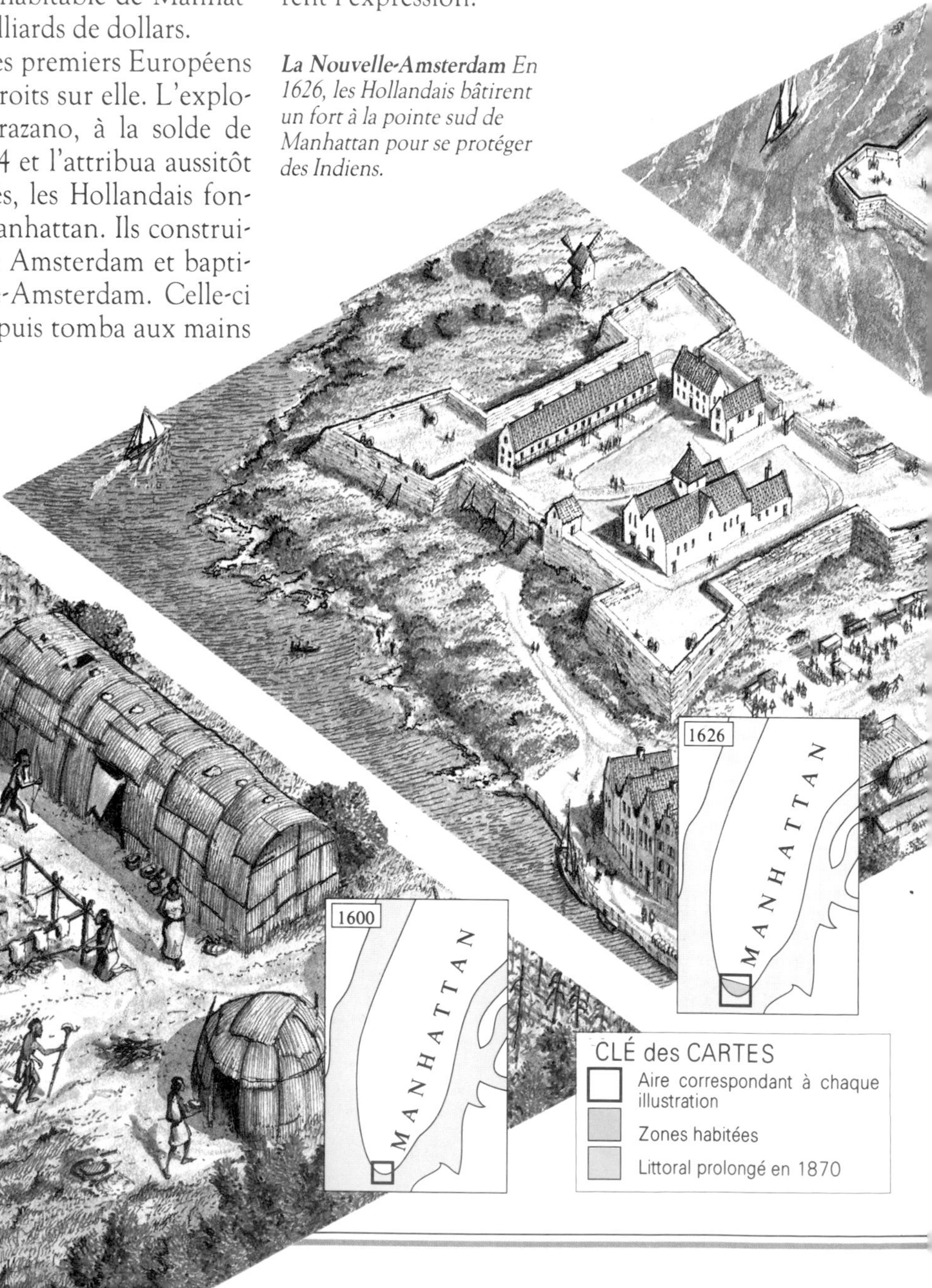

La Nouvelle-Amsterdam En 1626, les Hollandais bâtirent un fort à la pointe sud de Manhattan pour se protéger des Indiens.

Les origines Les premiers Européens parvenus à l'île de Manhattan n'y trouvèrent qu'un peuplement indien de vieille souche, établi dans sa plaine marécageuse.

CLÉ des CARTES

Aire correspondant à chaque illustration

Zones habitées

Littoral prolongé en 1870

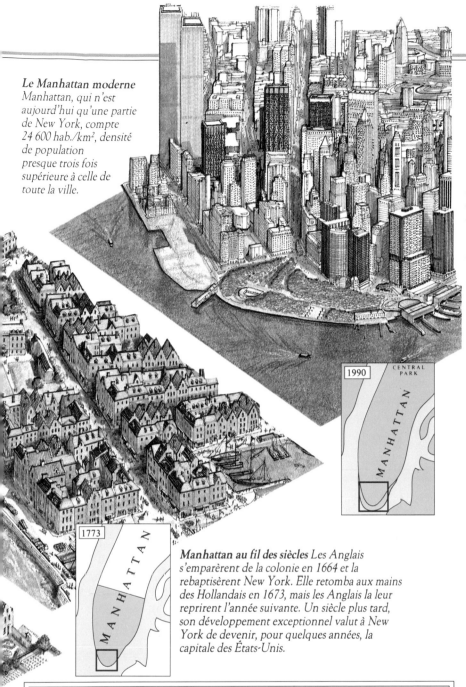

Le Manhattan moderne
Manhattan, qui n'est aujourd'hui qu'une partie de New York, compte 24 600 hab./km², densité de population presque trois fois supérieure à celle de toute la ville.

1990

CENTRAL PARK

MANHATTAN

1773

MANHATTAN

Manhattan au fil des siècles *Les Anglais s'emparèrent de la colonie en 1664 et la rebaptisèrent New York. Elle retomba aux mains des Hollandais en 1673, mais les Anglais la leur reprirent l'année suivante. Un siècle plus tard, son développement exceptionnel valut à New York de devenir, pour quelques années, la capitale des États-Unis.*

COSMOPOLIS
Le grand bouillon de culture

Pour les immigrants de tous pays, le port de New York est depuis des siècles l'entrée du Nouveau Monde. Dès le XVIIᵉ siècle, on parlait dix-huit langues dans la ville, où ne circulaient que quelques centaines de colons. Après les Hollandais et les Anglais, les immigrés les plus nombreux furent d'abord, au début du XIXᵉ siècle, les Italiens, suivis d'habitants de toute l'Europe, qui fuyaient la misère et les persécutions religieuses ou politiques. Les Irlandais arrivèrent par centaines de milliers après la famine de 1845-1847, due à la maladie de la pomme de terre. En 1910, New York abritait deux fois plus d'Irlandais que Dublin et davantage d'Italiens que Naples.

Aujourd'hui, environ 20 % des sept millions de New Yorkais sont nés hors des États-Unis. Des Italiens y côtoient des Russes, des Irlandais, des Grecs, des Canadiens et des Portoricains. Les Grecs sont plus nombreux à Astoria (district de Queens) qu'en aucune autre ville extérieure à la Grèce, et les écoles de ce quartier rassemblent des enfants d'une vingtaine de pays.

L'arrivée

En 1892, le gouvernement fédéral créa dans la baie de New York, à Ellis Island, un centre d'immigration par lequel passèrent douze millions de personnes dans les soixante-quatre années suivantes. En 1907, on y enregistra le record de 1 004 756 immigrants − dont 2 % furent refoulés, pour notamment anarchisme et polygamie.

Population mouvante

Les immigrants de New York ne venaient pas tous de l'étranger. Harlem, partie de Manhattan d'abord occupée par les Hollandais en 1658, puis par d'autres Européens dans les années 1880, devint la destination de nombreux Noirs du Sud, à partir de 1890. Affranchis après la guerre de Sécession, ils étaient, eux aussi, en quête d'une vie meilleure. Durant la décennie 1920, la population noire passa de 83 000 à 204 000 habitants et suscita un courant artistique auquel on donna le nom de Renaissance de Harlem.

LA RACE PERDUE

Environ 14 000 Indiens, originaires de l'ensemble des États-Unis, vivent à New York. Mais où sont aujourd'hui ceux dont les ancêtres furent les premiers habitants des lieux ?

Deux ethnies indiennes survivantes se rattachent à l'histoire de Manhattan : d'une part, les Delawares, forcés d'émigrer à plus de 2 000 km de là, en Oklahoma, au Wisconsin et en Ontario ; et d'autre part, les Ramapough, établis à la frontière New York-New Jersey, qui sont les descendants directs des premiers occupants de Manhattan.

Vers 1740, l'île avait perdu ses premiers Indiens sous les effets de la maladie, de l'afflux des colons européens et de la guerre. Les Indiens sont pourtant indissociables du trait le plus caractéristique du Manhattan moderne : les gratte-ciel. Les descendants des Iroquois de l'État de New York ont en effet acquis la réputation d'ouvriers sidérurgistes incomparables dans l'industrie du bâtiment ; leur atout : ils n'ont pas le vertige.

LA CAPITALE ORIENTALE

En s'ouvrant à l'Occident, le Japon adopte une nouvelle capitale

Au XIXᵉ siècle, quelques Japonais furent bouleversés de voir un jour apparaître leur mère « avec un autre visage ». Leurs sourcils n'étaient plus rasés, elles laissaient flotter leurs cheveux, et leurs dents – jusque-là noircies artificiellement, comme celles de toutes les Japonaises – étincelaient de blancheur.

Ce n'était qu'un exemple des très nombreux changements accompagnant l'aube des temps modernes au Japon. Modèle de traditionalisme, ce pays avait décidé d'ouvrir ses portes à l'Occident – après un isolationnisme séculaire – et de se moderniser au plus vite.

À partir de 1860 et après des siècles de traditionalisme, le Japon entame un processus de modernisation rapide ; en témoignent ces jeunes gens de Satsuma qui se préparent à aller faire leurs études à l'étranger habillés à l'occidentale.

En 1868, le gouvernement transféra son siège de Kyōto à Edo, que l'on rebaptisa Tōkyō, « capitale orientale ». Située sur une baie, Edo ouvrait la voie du Pacifique et de l'Occident. En 1800, déjà, la ville n'avait rien d'un arrière-poste : avec plus d'un million d'habitants, c'était sans doute la plus grande du monde.

Le programme de modernisation imitait souvent les modèles de l'Ouest avec servilité. On adopta tout dans l'enthousiasme, depuis les chaises – introduites en 1871 dans les locaux officiels – jusqu'aux jaquettes et aux faux cols. À partir de 1880, il fut même recommandé au corps diplomatique et à l'élite politique de s'initier aux danses de salon, par patriotisme.

En 1887, un bal masqué mit fin à ces excès : des danseurs déguisés en insectes provoquèrent l'indignation des milieux conservateurs. Sous la pression de l'opinion publique, on révisa promptement le programme d'occidentalisation.

Héritage linguistique

Aujourd'hui encore, « à la mode » se dit en japonais *haikaru* (faux col), et bien d'autres expressions occidentales remontant à cette période ont été assimilées. Les femmes employées de bureau sont appelées *O-eru* (d'après les initiales O et L de *Office Lady*) ; leurs collègues masculins sont les *sararimen* (d'après *Salary Men*). L'ancienne ville d'Edo, devenue le Tōkyō moderne, se maintient, avec 12 millions d'habitants, au rang des plus grandes villes du monde.

DIVERTISSEMENT ET DISTINCTION

Bien des Occidentaux pensent à tort que le mot « geisha » désigne pudiquement une prostituée. Or, il signifie littéralement « personne de l'art ». Cette expression s'applique à une artiste japonaise versée dans le chant, la danse et la pratique du shamisen (luth traditionnel à trois cordes). Les geishas jouissent d'un statut social élevé au Japon.

À l'origine, elles avaient pour fonction de divertir en début de soirée les hommes qui allaient passer la nuit avec une prostituée. La prostitution a été interdite en 1958, mais les geishas ont continué d'offrir leurs divertissements exotiques et

coûteux. Certains hommes sont obligés de s'associer pour entretenir une geisha, ses services exclusifs n'étant à la portée que des plus riches.

De nos jours, une geisha débute comme *maïko* (jeune danseuse), au service de groupes d'hommes aisés. Elle chante et danse à leur intention, s'assied à table avec eux pour leur servir à boire et à manger, sans intervenir dans leur conversation.

Quand un client s'éprend d'une maïko, et elle de lui, le statut de maïko disparaît. L'homme doit offrir à la jeune fille des mets de choix, une riche garde-

robe et un logement. En se liant à un homme, une maïko renonce à devenir geisha.

Les geishas se font de plus en plus rares. Songeant aux années qu'elles doivent passer à apprendre l'arrangement floral (ikebana), la calligraphie, la musique et les danses anciennes, effrayées par la nécessité de dormir sans bouger sur des oreillers de bois pour préserver une coiffure compliquée, de porter des kimonos serrés et de côtoyer des hommes âgés, les jeunes filles d'aujourd'hui optent en grande majorité pour les discothèques et les vêtements occidentaux.

DES FUNÉRAILLES IMPÉRIALES

Le 22 février 1989, Hirohito, empereur du Japon, était inhumé à Tōkyō, près de la tombe de son père, dans les jardins impériaux de Shinjuku Gyoen, en présence des dignitaires de 163 pays. Ces funérailles officielles, dont le coût avoisinait 80 millions de dollars, étaient les plus onéreuses qu'on eût jamais organisées. Elles marquaient aussi l'acte final d'une période traumatisante de l'histoire japonaise et mondiale.

À son accession au trône du Chrysanthème, en 1926, la nature divine d'Hirohito était unanimement reconnue au Japon. Hirohito était censé descendre du fondateur mythique de l'Empire, Jimmu Tennō, dont le règne débuta en 600 avant J.-C. et qui descendait lui-même, d'après la légende, de la déesse du soleil, Amaterasu Omikami. Tous les empereurs du Japon étaient donc d'essence divine. En 1889, la première constitution du pays posait en principe fondamental que « l'empereur est pur et sacré ».

Cent ans plus tard, c'est toutefois un simple mortel que l'on enterrait dans les jardins impériaux. La constitution de 1947 — imposée par les États-Unis après la Seconde Guerre mondiale — avait privé l'empereur de son aura divine pour en faire « le symbole de l'État et de l'unité du peuple ». Les Américains tenaient à séparer nettement la religion de l'État, en vue d'affaiblir l'influence militariste du shintoïsme, qui prônait le culte de l'empereur.

Leur succès ne fut pas complet, beaucoup de Japonais restant fidèles aux traditions. Et les obsèques d'Hirohito donnèrent lieu à deux cérémonies très différentes : une manifestation laïque officielle et une réunion shintoïste traditionnelle.

Une garde d'honneur escorte le palanquin acheminant le corps d'Hirohito à sa dernière demeure.

DU BON USAGE DU THÉ
Le sens philosophique d'un breuvage national

Pour les Japonais, le thé est bien davantage qu'une agréable boisson ; c'est une religion et un mode de vie. Son service et sa dégustation relèvent d'un cérémonial souvent si complexe que plus d'un Japonais ne sait qu'en partie ce qu'il recouvre.

Le thé fut introduit au Japon au XIIᵉ siècle, avec le bouddhisme zen. Les moines l'utilisaient pour ne pas succomber au sommeil dans les longues périodes de méditation. Puis il conquit les classes supérieures, et devint très rapidement une boisson à la mode. On servait le thé dans une habitation de 3 m², construite à cet effet, selon un rituel élaboré qui visait à inspirer une sensation de paix et de tranquillité à des hôtes choisis avec soin.

Aujourd'hui, le thé n'est plus l'apanage de la haute société. Adopté par tous, il n'en garde pas moins au Japon une place privilégiée, dont témoigne le respect qui est porté aux prêtresses professionnelles de la cérémonie du thé. Celle-ci dure quatre heures et tous ses aspects font l'objet d'une attention vigilante ; décor, ustensiles, mets, choix du thé, sujet de conversation, rien n'est laissé au hasard. Bien des Japonaises refusent de se marier tant qu'elles ne maîtrisent pas toutes les subtilités de cette cérémonie.

Le talent des geishas se déploie dans l'art subtil et raffiné de la cérémonie du thé.

QUAND LA VILLE TREMBLE

Les Japonais ont appris à vivre avec la crainte omniprésente des séismes

Rares sont les survivants du grand tremblement de terre de la plaine de Kantō (1er septembre 1923) encore de ce monde. Ceux-là n'oublient pas le jour où 5 000 immeubles de Tōkyō furent détruits et quantité d'autres incendiés. Le matin suivant, on dénombra 99 331 cadavres, et la ville était anéantie aux deux tiers.

Les séismes sont fréquents au Japon. L'archipel est à cheval sur trois plaques géologiques instables, ce qui vaut à Tōkyō l'un des taux de secousses telluriques les plus élevés du monde. La capitale nippone enregistre en moyenne trois séismes perceptibles par mois ; on appelle « fleurs d'Edo » les incendies qui en résultent souvent.

Mise en confiance

Depuis 1923, seul le séisme du 3 août 1983 (un mort) a été cause de dégâts notables. Bien qu'il ait privé d'électricité 844 000 foyers, tous les services ont été rétablis en quelques heures.

Les Japonais sont passés maîtres en matière de protection antisismique. En cas de secousse majeure, les sismologues pensent être en mesure de prévoir le phénomène à temps pour alerter les services d'urgence.

La conception de bâtiments à l'épreuve des séismes fait l'objet d'études poussées. Depuis la catastrophe de 1923, on a construit de nombreuses tours d'habitation sur des fondations de roc, renforcées par des piliers enfouis en profondeur. Les séismes étant souvent suivis de raz de marée en série, appontements, quais et jetées ont été surélevés et renforcés.

Nul ne sait jusqu'à quel point Tōkyō résisterait à un nouveau séisme aussi grave que celui de 1923. Seule une secousse d'envergure sanctionnera les précautions prises par les urbanistes.

Structures de bois et murs de papier : les maisons de Tōkyō offraient un terrain rêvé aux incendies provoqués par le séisme de 1923.

FONDATIONS MACABRES

En soulevant une pierre des fondations du château d'Edo, que l'on restaurait après le séisme de 1923, on découvrit des squelettes humains écrasés sous la masse, les mains disposées en attitude de prière ; des pièces d'or parsemaient leurs têtes et leurs épaules.

Ces squelettes étaient ceux de serviteurs des shoguns Tokugawa, la plus puissante famille du Japon. Quand on construisit le château (achevé en 1640), les serviteurs s'étaient portés volontaires pour être enterrés vivants, croyant qu'un édifice élevé sur la chair humaine serait imprenable.

Au XVIIe siècle, François Caron écrivit à leur sujet : « Ils se rendent joyeusement à l'endroit désigné, puis, étendus au fond, laissent poser sur eux les pierres de la fondation. » On peut voir aujourd'hui quantité de pierres semblables au château, près de la porte Hirakawa. Mais on ignore combien de corps gisent là — ou dans les fondations d'autres châteaux et temples du Japon.

LES EMBARRAS DE TŌKYŌ
Une ville de rêve sous le joug de la surpopulation

Tōkyō est la ville la plus riche du monde. Le terrain y est si cher qu'en 1987, lors d'un boum immobilier, il eût été plus coûteux d'acheter la zone métropolitaine de Tōkyō que la totalité des terres aux États-Unis. La capitale du Japon est aussi une ville surpeuplée. Tōkyō ne dispose que du dixième des espaces libres de Londres par habitant et subit une forte pollution.

Le problème des transports en commun revêt une ampleur telle qu'on engage des « pousseurs », reconnaissables à leurs gants blancs, pour entasser les gens dans les trains. La surpopulation devient si alarmante que l'on songe sérieusement à transférer la capitale ailleurs.

Pivot économique

La difficulté tient au fait que Tōkyō abrite le siège de toutes les grandes entreprises industrielles du pays, ainsi que sa plus prestigieuse université. Tout Japonais ambitieux désire y habiter. La plupart des habitants travaillent six jours par semaine et, disposant de douze à quatorze jours de vacances par an, considèrent un congé supplémentaire comme déloyal envers leur employeur. La journée d'un homme d'affaires débute par un long trajet depuis la banlieue. Le soir, il se rend, souvent avec des collègues, dans l'un des 500 000 restaurants de Tōkyō – où se prolongent les discussions professionnelles. On passe très peu de temps chez soi, et sans regrets tant que les perspectives d'avancement sont satisfaisantes.

Il est difficile de profiter de ses loisirs à Tōkyō. Les Japonais sont certes de grands amateurs de golf, mais le pays compte peu de terrains et l'adhésion à un club est d'un coût prohibitif. La formule moins onéreuse des centres d'entraînement sur plusieurs étages connaît un succès croissant.

Le coût élevé de certains luxes d'Occident a inspiré aux Japonais des solutions de rechange. Ils produisent à présent un whisky de haute qualité et ont suppléé au manque d'espace pour le golf par des centres d'entraînement superposés.

PROBLÈMES DE LOGEMENT
Un coup d'œil sur l'intérieur des foyers japonais

Le Japon a beau être l'une des plus grandes puissances économiques du monde, sa densité de population impose au Japonais moyen de vivre à l'étroit. À Tōkyō, foyer d'un habitant de l'archipel sur quatre, la demande de logements dépasse de très loin l'offre. Il faut donc, en général, se contenter de petites superficies – 90 % des habitations ont moins de 100 m².

Les maisons japonaises traditionnelles sont constituées de parois intérieures de papier tendu sur des structures de bois. Havres de fraîcheur en été, elles peuvent être très froides l'hiver.

Les intérieurs japonais contemporains sont souvent conçus à l'occidentale, mais presque chaque foyer présente encore une ou deux pièces au plancher recouvert de tatamis traditionnels. Ces nattes de paille et de roseau, bordées de coton ou de soie, font 1,80 m de long sur 1 m de large et 7,50 mm d'épaisseur. On mesure les pièces d'après le nombre de nattes qui peuvent y tenir ; une pièce de six ou huit nattes servira de salle de séjour durant la journée, puis de chambre à coucher pour une famille de six personnes (ce qui comprend, souvent, les grands-parents).

Quand on construit une habitation, il est couramment demandé à un prêtre shintoïste de purifier le sol avant le début des travaux. Par des prières, les propriétaires demandent au dieu de la terre de favoriser une construction sans contretemps. On a aussi coutume d'entourer le site de petits cônes de sel contenant des bâtonnets d'encens allumés.

Plus d'un foyer sur trois de l'agglomération de Tōkyō ne reçoit jamais directement le soleil. Et beaucoup disposent d'installations sanitaires très sommaires.

CONCRÉTISER UN IDÉAL

De grands esprits s'appliquent à créer une ville parfaite

Imaginez un lieu où l'on veille sur chaque personne – où nourriture, vêtements, logement et soins médicaux sont donnés à tous et où nul n'a besoin de travailler plus de six heures par jour.

C'est une société de ce type qu'imagina au XVIᵉ siècle l'homme politique anglais Thomas More (1478-1535), qui défia le roi Henri VIII et mourut décapité. Il la nomma Utopie (du grec signifiant « nulle part »). Comme toute société idéale, elle avait aussi ses inconvénients.

Celui qui n'avait pas la main verte était bien mal loti en Utopie, car chacun devait jardiner, et deux années de « vie rustique » étaient obligatoires pour tout citoyen. Le temps libre était consacré à l'instruction : on pouvait choisir d'étudier seul ou préférer les conférences publiques. On ne vendait aucun bien de consommation, et chacun devait se vêtir de noir. Une fois par mois, les femmes devaient solliciter à genoux le pardon de leur mari. Le célibat perpétuel était la sanction d'une liaison prémaritale, et l'esclavage celle de l'adultère. En outre, la conduite de chacun faisait l'objet d'une surveillance constante.

Le projet de société idéale qu'exposait déjà Platon dans *la République* n'était guère plus séduisant. Ceux que Platon nommait des « philosophes-rois » constituaient l'élite. Venait ensuite l'armée. Les citoyens ordinaires se situaient au bas de la pyramide sociale. Un intellectuel ne devait pas travailler de ses mains. Un tailleur de pierre (métier dont le philosophe Socrate fit l'apprentissage) devait le rester. Une censure inflexible régissait toute littérature – musi-

Sur l'île d'Utopie de Thomas More, aucune ville ne se trouvait à plus d'une journée de marche.

que et poésie étant interdites. La famille, abolie, était remplacée par des crèches publiques. On ne se mariait pas : on « procréait » quand cela semblait nécessaire.

Thomas More ou Platon s'attendaient-ils vraiment à ce qu'on vive un jour selon leurs prescriptions ? *Utopie* était au premier chef une critique de la morale des Tudor, dénonçant l'avidité des rois et l'hypocrisie religieuse. La vision idéale de Platon était, pour sa part, une froide abstraction niant les sentiments humains.

Ce type de projet décrit aussi un cadre de vie en général agréable. More dépeint les villes d'Utopie dans le détail. Elles sont entourées de robustes enceintes et constituées de maisons en terrasse aux vastes jardins, d'entrepôts, de salles à manger communales et d'églises. Platon était plus prudent : ses descriptions de la ville circulaire d'Atlantis sont davantage un plan d'aménagement urbain. Ni Platon ni More ne furent cependant les derniers à nourrir la vision d'un séjour idéal.

VIVRE EN GROUPE

Au début du XIXᵉ siècle, le Français Charles Fourier (1772-1837) fut l'instigateur d'un mode d'organisation communautaire original. Critiquant le salariat, les systèmes commerciaux, l'« anarchie industrielle » due au morcellement de la propriété, ce théoricien bisontin croit possible d'organiser une communauté essentiellement agricole, appelée phalange. Pour cela, il prévoit de faire cohabiter 1 620 individus (810 femmes et 810 hommes), soit, selon lui, tous les types de caractères possibles. Dans sa société coopérative, chaque membre ne travaillerait plus par devoir mais par passion, d'où une augmentation de la productivité. Chacun posséderait au moins une action du phalanstère et se sentirait ainsi proprié-taire. Faute de capitaux, Fourier ne put lui-même mettre en application ses théories. Ses disciples, cependant, firent bon nombre d'essais en France, mais surtout à l'étranger. De son vivant une seule tentative de phalanstère à Condé-sur-Vesgre, dans les Yvelines, se solda rapidement par un échec. Il faudra en fait attendre 1844 pour que le premier vrai phalanstère voie le jour, en Roumanie. Il fut dissous par la police. En Russie, les tentatives de vie communautaire en phalange furent durement réprimées : les partisans du fouriérisme furent emprisonnés, certains, dont l'écrivain Dostoïevski, furent même condamnés aux travaux forcés. Mais c'est aux États-Unis que Fourier fit le plus d'adeptes.

LES JALONS D'UN NOUVEL ORDRE

Défi suprême d'un architecte : remodeler la vie quotidienne

À la fin des années 1920, un architecte américain sans foyer et sans le sou, par suite de démêlés judiciaires, décida de jeter les bases d'une ville parfaite.

Selon les plans de Franck Lloyd Wright, Broadacre City devait rassembler d'innombrables fermes. Les habitations y seraient simples et fonctionnelles, en harmonie avec leur environnement. Plus qu'un modèle d'architecture, Broadacre était censé concrétiser un nouveau mode de vie.

La belle vie

Pour ses habitants, il n'y aurait ni besogne écrasante ni fossé entre travail et loisirs. Les fermes prolongeraient les jardins, les usines seraient des centres d'artisanat, et le gouvernement limiterait son action aux tâches administratives essentielles. L'architecte avait acquis une renommée mondiale en construisant ses « maisons de la prairie », dissymétriques et

basses, d'inspiration ultra moderne mais parfaitement intégrées à leur milieu naturel. Mais lorsqu'il ébaucha la ville de ses rêves, il avait largement eu sa part d'infortunes personnelles.

Après la Première Guerre mondiale, sa réputation s'était envolée et on le sollicitait peu. Broadacre fut sa riposte aux revers que lui avaient infligés le destin et le monde moderne.

Wright résuma d'un mot – loyer – tout ce qu'il condamnait dans les villes modernes. Tout se payait : les idées, le terrain, et même l'argent quand on l'empruntait. À ses yeux, l'exploitation était inhérente à un tel système, qui transformait les citadins modernes en esclaves du loyer et les empêchait de se sentir productifs.

Économie de troc

Mais à Broadacre, pareil esclavage serait impossible. Chacun posséderait assez de terre pour y planter de quoi subsister avec les siens. Rien ne permettrait à des éléments extérieurs de s'interposer entre le citoyen et sa production pour exploiter l'un et l'autre. Biens et services seraient échangés, et non achetés et vendus pour un bénéfice financier.

Quelqu'un a-t-il jamais réalisé Broadacre ? La réponse est non. Mais l'originalité frappante des maisons de Wright et ses plans minutieux nous font entrevoir des virtualités qui eussent pu devenir réelles.

L'architecte Franck Lloyd Wright dessinait des bâtiments futuristes et des moyens de locomotion révolutionnaires. Ce croquis date de 1930.

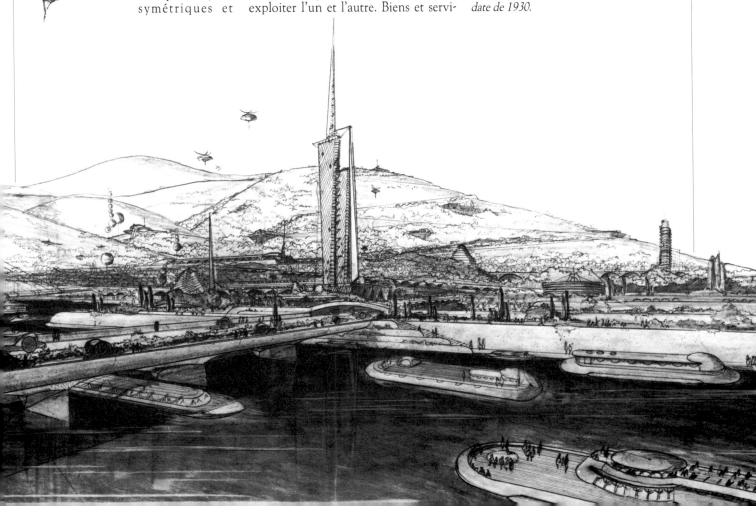

PROJETS DE RECONSTRUCTION

Londres, tel qu'il n'a jamais été

« Si vous cherchez son monument, regardez autour de vous », dit l'épitaphe de l'architecte Christopher Wren dans la cathédrale Saint Paul de Londres. À la suite du grand incendie de 1666, Wren bâtit cette nouvelle cathédrale et restaura 51 des 84 églises détruites. Mais c'était là des travaux mineurs en comparaison de ce qu'il avait voulu faire – recréer Londres de fond en comble. Wren présenta au roi Charles II un projet de métropole nouvelle.

Occasion manquée

Le plan fut rejeté. Mais deux siècles après, quand une épidémie de choléra s'abattit sur Londres, des experts médicaux notèrent que si le roi l'avait adopté, éliminant ainsi un labyrinthe de ruelles insalubres et surpeuplées, le taux de mortalité eût pu être inférieur d'un tiers. Après la mort de Wren, en

1723, son fils déplora qu'on eût manqué l'occasion de faire de la ville « la plus magnifique de la Terre, et la mieux conçue pour la médecine et le commerce ».

Dans le projet de Wren, que l'ampleur n'effrayait pas, toutes les rues nouvelles devaient avoir 27, 18 ou 9 m de large. Passages étroits et ruelles, si caractéristiques du vieux Londres, disparaissaient. Un grand quai ouvert au public bordait la Tamise entre la Tour de Londres et le Temple.

Sa seule envergure rendait le projet impossible, et son coût eût été colossal.

En un temps où beaucoup, sans feu ni lieu, survivaient à grand-peine, il était primordial de reconstruire la ville rapidement.

Rêves sans lendemain

D'autres options s'offraient à Charles II. L'écrivain John Evelyn avait présenté au roi un projet assez proche de celui de Wren, mais à plus petite échelle et préservant davantage le caractère historique de Londres. Robert Hooke, astronome et mathématicien, proposait un plan sévère où figuraient des rues en damier. Le roi refusa.

Mais en 1675 débuta la construction de la cathédrale Saint Paul, sur les plans de Wren. Elle demanda trente-cinq ans, plus de 86 000 t de pierre à bâtir, et coûta 750 000 livres. À défaut d'être une ville entière, ce majestueux édifice est le plus grand temple chrétien après Saint-Pierre de Rome.

UNE VILLE D'OR LÉGENDAIRE

Les Indiens Chibcha d'Amérique du Sud pensaient que l'or était la sueur du soleil. Aussi, au XVIᵉ siècle, les conquistadores espagnols crurent que les Indiens disposaient de ce métal précieux en quantité illimitée. Après avoir découvert l'immense richesse des Aztèques et des Incas, les Espagnols furent persuadés que d'autres trésors gisaient plus loin dans l'intérieur du continent, où des villes d'or entières s'offriraient au pillage. Ils appelèrent cette contrée fabuleuse El Dorado. En réalité, El Dorado n'était ni une ville ni un pays. Ce nom a d'abord été celui du souverain de Colombia, cité indienne proche de Bogota.

Rituel du sacre

Lorsqu'un roi chibcha montait sur le trône, on l'enduisait de la tête aux pieds d'un mélange de résine gluante et de poussière d'or, jusqu'à ce qu'il en devienne étincelant et reflète les rayons du soleil, auquel son peuple vouait un culte. On le conduisait ensuite à la rame au milieu du lac Guatavita, où il se dépouillait de sa pellicule d'or et la répandait dans l'eau. Il plongeait enfin dans le lac en y abandonnant le reste de l'or collé à sa peau, après quoi son peu-

ple apportait un ultime tribut d'or au lac. Les recherches menées ultérieurement par drainage des eaux ont toutes échoué et pour autant qu'on le sache, le trésor demeure tapi dans le fond, legs miroitant et furtif d'El Dorado, l'homme d'or.

Les Espagnols, mais aussi les Allemands, les Portugais et les Anglais parcoururent les jungles d'Amérique du Sud en quête de cet or, sans succès. Mais tous ces explorateurs permirent de préciser la géographie du continent en fournissant des renseignements inestimables sur les régions qu'ils avaient traversées en tous sens.

Le poète anglais John Milton eut recours au mythe d'El Dorado dans le *Paradis perdu* (1667) ; un siècle plus tard, en 1759, Voltaire y revenait dans

Cette sculpture en or, découverte en 1969 dans une grotte non loin de Bogota, représente El Dorado entouré de rameurs qui détournent la tête en signe de déférence.

Candide. La légende de la cité introuvable s'était aussi profondément ancrée dans la culture européenne que l'or dans la boue du lac colombien.

UNE RÉSIDENCE INSOLITE...

Ou comment résoudre le problème de la surpopulation

Il faut à chacun un lieu pour vivre et travailler. L'homme sait tirer le meilleur parti de son environnement – il habitera selon le cas un igloo, une case, une tente ou une embarcation exiguë.

Dans le monde industrialisé, le problème dominant est le manque d'espace et le coût prohibitif du terrain. La plupart des villes modernes ont trouvé une solution : le gratte-ciel – construction verticale plutôt qu'horizontale. Mais que peut-on faire à Tōkyō, ville surpeuplée où les séismes limitent l'économie que permettent de réaliser les gratte-ciel ?

Les Japonais songent à mettre le monde sens dessus dessous. Les entreprises Taisei et Shimizu, financées par l'État, échafaudent en effet les plans de vastes cités souterraines pouvant accueillir 100 000 personnes : logements, bureaux, théâtres, bibliothèques, hôtels et centres sportifs seraient desservis par un réseau de transports. Taisei a baptisé son projet Alice City, en référence à l'héroïne de Lewis Caroll qui découvrit le pays des merveilles dans un terrier de lapin. Ce projet sera théoriquement exécuté au cours du XXIᵉ siècle.

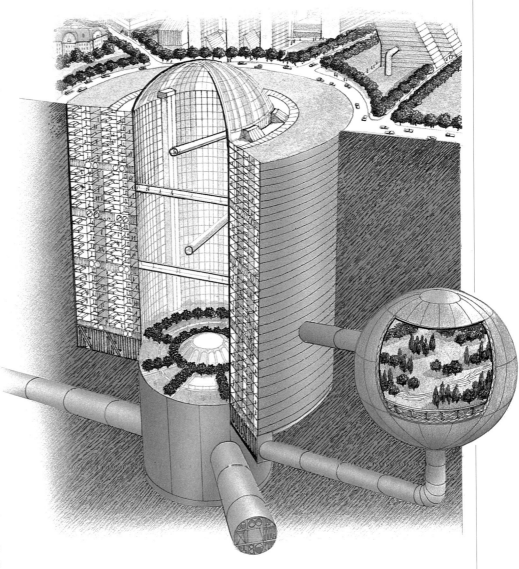

Une ville souterraine offre de grands avantages, surtout au Japon – les secousses telluriques étant beaucoup moins sensibles à 30 m sous terre qu'en surface.

Problème d'adaptation

La ville souterraine, techniquement réalisable, suppose que l'on surmonte un écueil psychologique majeur. L'homme s'habituera-t-il à vivre loin du ciel et du soleil ? Au stade actuel, les urbanistes envisagent de construire les logements en surface ; les citoyens utiliseraient des transports en commun pour descendre à leurs lieux de travail et de loisirs. Même ainsi limitée, la vie sous terre fera-t-elle assez d'adeptes ?

À Minneapolis (États-Unis), déjà, l'université du Minnesota a construit 95 % du bâtiment de génie civil et de minéralogie à 35 m de profondeur. Grâce à un ingénieux système de miroirs, les salles souterraines reçoivent un peu de lumière naturelle et ont un aperçu de l'extérieur. Aux États-Unis et au Canada, plus de 6 000 habitations sont aménagées sous terre, avec tout le confort et la sécurité souhaitables.

On déploie des efforts considérables pour recréer sous terre la vie en surface. Le centre de télévision Asahi de Tōkyō, installé à 20 m sous terre, peut même reconstituer le climat extérieur. Un soir de pluie, une averse artificielle – soigneusement isolée du réseau électrique – parvient même à donner l'illusion qu'il pleut aussi dans le studio.

CITÉ CÉLESTE
*Passer sa vie
sans descendre sur terre*

Si vous avez le goût des hauteurs, un appartement au 92ᵉ étage du John Hancock Center de Chicago pourrait bien vous convenir : comme tous les partisans de la vie climatisée, vous n'aurez alors pratiquement pas à sortir de votre gratte-ciel. Les ascenseurs vous déposeront à votre bureau ou au centre commercial du 44ᵉ étage – où se trouvent une banque, un bureau de poste, une blanchisserie et une épicerie livrant à domicile. Une piscine vous attend au même étage et, pour dîner, il vous suffira de gagner le restaurant du 95ᵉ étage où vous jouirez d'une vue de 100 km au-dessus de Chicago et du lac Michigan.

Tour colossale

Les Chicagoans ont baptisé Big John le Hancock Center, ce que justifie amplement le profil de l'édifice. Cette tour noire de 344 m de haut, achevée en 1968, a été le premier immeuble de cent étages de la ville. Sa construction a exigé cinq millions d'heures de travail et un volume d'acier égal à celui de 33 000 voitures ! Le bâtiment comporte 2 000 km de fils électriques et 11 459 panneaux de verre couvrant 3,2 ha de surface.

La sécurité des 2 000 personnes qui habitent le Hancock Center et des 5 000 autres qui y travaillent revêt une importance prioritaire (Big John a inspiré le film catastrophe la *Tour infernale*). Il arrive que le gratte-ciel oscille et grince par vent violent, mais son armature novatrice – empilements de poutres armées en forme de X – lui fournit une robuste assise.

Nul ne pourrait toutefois passer sa vie entière au Hancock Center : on n'y trouve, en effet, ni maternité ni pompes funèbres !

LE SAVIEZ-VOUS ?

Les trois ascenseurs desservant l'observatoire du Hancock Center sont les plus rapides du monde. Ils relient le rez-de-chaussée au 94ᵉ étage en trente-neuf secondes, soit à la vitesse de 30 km/h environ. 500 000 visiteurs les empruntent chaque année.

« TROGLODYTES » POUR LES VACANCES

Certains ont trouvé un endroit original en France où passer leurs vacances. Ils se réfugient sous terre. Non pas dans le métro, mais dans des grottes. En quête d'un havre de paix, ils optent pour de charmants villages du nord de la vallée de la Loire, dont les habitants mènent depuis des siècles une vie de troglodytes dans leurs caforts (abréviation de « caves fortes ») creusés dans du tuf volcanique blanc.

Cette région a pour centre la petite ville de Trôo, aussi jolie qu'insolite. On y trouve des habitations troglodytiques étagées aux terrasses fleuries, que relient d'étroites ruelles, des volées de marches et de mystérieux passages souterrains. Chaque maison comprend une salle principale avec cheminée, d'où l'on accède à d'autres pièces par un couloir latéral. Des plafonds sont aménagés depuis peu, mais les murs sont en général de pierre nue.

Un cafort est un lieu de villégiature agréable, d'autant que les « troglodytes » d'aujourd'hui y ont installé salle de bains, chauffage central et télévision. La roche maintient toute l'année une température égale dans les foyers qui sont presque impossibles à cambrioler.

SURVIVANTS DE L'ÂGE DE PIERRE
Les troglodytes des Philippines : vérité ou imposture ?

Nous savons que les hommes de la préhistoire habitaient des cavernes. Mais peut-il exister aujourd'hui, en quelque point reculé du globe, des communautés encore vouées aux us et coutumes de 35 000 avant J.-C. et soustraites à l'évolution mondiale ? Les scientifiques aimeraient le croire. La possibilité d'étudier l'« homme préhistorique en chair et en os » les aiderait à élucider nombre d'interrogations sur l'espèce humaine – était-elle par exemple naturellement pacifique avant d'être corrompue par la civilisation ?

Nobles sauvages

Une grande excitation saisit donc les milieux scientifiques lorsque, en 1971, un chasseur philippin nommé Dafal annonça la découverte de la petite tribu tasaday dans la forêt de l'île de Mindanao. Ses 27 membres vivaient isolés, dans l'ignorance de l'agriculture et de l'élevage. Ils habitaient des grottes et connaissaient le feu, mais ne possédaient pas d'armes et se servaient d'outils de pierre primitifs. Menant une vie simple fondée sur l'égalité de tous, sans chef ni hiérarchie sociale, ils partageaient leurs maigres biens dans le bonheur et la paix.

Manda Elizalde, ministre des Affaires tribales du président philippin Ferdinand Marcos, décida de protéger les Tasaday contre l'abattage qui menaçait leur zone forestière. Anthropologues et journalistes du monde entier vinrent observer, enregistrer et filmer cette survivance de l'âge de pierre. Mais, en 1972, on transforma la forêt des Tasaday en réserve interdite à la plupart des étrangers. L'affaire devait en rester là pendant quatorze ans.

En 1986, après la chute du gouvernement Marcos, le journaliste suisse Oswald Iten fit sensation en dénonçant une imposture caractérisée. Les membres de la tribu tasaday, assurait-il, s'étaient présentés à lui comme des autochtones ordinaires qu'Elizalde avait amenés à simuler un mode de vie primitif. Le ministre aurait ensuite supprimé les subventions accordées par ses soins à la tribu. Selon Iten, les troglodytes présumés habitaient en fait des maisons, et leurs pagnes de feuilles cachaient des sous-vêtements tout à fait modernes.

Spectacle convaincant ?

Des querelles publiques opposèrent les spécialistes, dont beaucoup avaient certifié que la tribu était authentique. Pour certains, les outils de pierre des Tasaday étaient de trop piètre facture pour être utiles et devaient donc être faux. D'autres attiraient l'attention sur la langue des Tasaday : si ce n'était qu'une invention, comment expliquer le fait que les enfants l'emploient de façon si convaincante ? On mettait aussi en cause les méthodes d'investigation – peut-on obtenir des réponses fiables en posant des questions orientées ?

Les Tasaday, quant à eux, quittèrent leurs grottes pour la résidence d'Elizalde, à Manille. Qu'ils aient connu ou non l'âge de pierre, ils n'y retourneront maintenant plus jamais.

UN EMPIRE ISSU DE LA BOUE

L'essor héroïque de Venise

Aucune ville n'évoque d'images plus romantiques que Venise – gondoles glissant sur le Grand Canal, palais Renaissance que reflète une eau calme, paisibles places bordées par la lagune... Sa fondation n'eut toutefois rien de romantique : Venise est née de la peur. Voici environ mille cinq cents ans, l'Italie vivait une époque des plus troubles. L'Empire romain s'effondrait sous les coups des envahisseurs barbares du Nord, qui semaient la désolation. La région de Venise n'était alors qu'un ensemble d'îlots et de marécages boueux compris dans une lagune en forme de croissant – une zone totalement inculte ravagée par le paludisme.

Mais elle offrait un avantage capital : la sécurité. Lorsque Attila et les Huns détruisirent la ville portuaire d'Aquilée, en 452, ses habitants s'enfuirent dans les marais. Un siècle après, l'envahisseur lombard forçait d'autres populations terrorisées à chercher refuge sur les îlots de la lagune.

Les communautés déracinées s'adaptèrent vite à cet environnement aquatique, stabilisant la boue des marais avec des pieux, levant des édifices sur des piliers, reliant les îlots par des canaux.

Située près du centre de la lagune, Venise prit de l'avance sur les autres villages. Au VIIIe siècle, c'était une république aristocratique indépendante, gouvernée par un doge élu. Pendant des siècles, Venise connut ensuite un formidable essor commercial et artistique. La ville est à présent un phare du tourisme mondial – destin paradoxal d'une région qui dut paraître jadis l'une des plus désolées de la terre.

Au début du XVIIIe siècle, environ deux cents palais se dressaient sur l'archipel de bancs de vase et d'îlots formant la cité historique de Venise.

DORMIR DANS UN NID

Si, appartenant à la gent masculine, vous cherchez un endroit propre et bon marché où passer la nuit à Tōkyō, faites une tentative dans l'un des hôtels à capsules apparus depuis une dizaine d'années au Japon. D'une capacité quatre fois supérieure à celle d'un hôtel classique pour un espace égal, ils répondent au problème de la surpopulation.

À quoi ressemble une nuit dans l'un de ces hôtels ? En gagnant sa chambre, le client suit de longs couloirs bordés de chaque côté par des capsules de plastique sur deux niveaux. Ces cabines climatisées mesurent 1,50 m de haut et de large sur 2 m de long.

Après s'y être introduit, le client ne peut se tenir debout, mais doit théoriquement pouvoir s'étendre de tout son long sur le matelas posé au sol. Ces mini-chambres sont remarquablement équipées pour leur taille, avec radio et téléviseur, bureau pliant, réveil et téléphone. Pour ne pas être encombré, on confie presque tous ses bagages à la réception.

Les hôtels à capsules pratiquent de faibles tarifs, qui expliquent leur succès. (La valeur astronomique du terrain pousse à la hausse le coût du développement hôtelier et par là même le prix d'une chambre dans un hôtel classique.)

Dans l'avenir, la « capsule à coucher » se répandra-t-elle dans des pays où l'espace est moins mesuré ?

Un jeune Japonais profite des agréments et de la propreté de l'hôtel Capsule Inn d'Osaka.

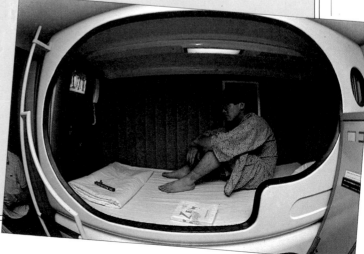

VIVRE AVEC LES MORTS

De tous les cimetières, celui du Caire est le plus « animé »

En quittant l'aéroport pour le centre du Caire, on traverse un immense et misérable faubourg étalé sur le pourtour oriental de la ville. Des maisons brunes en torchis poussiéreux bordent des rues typiques des quartiers pauvres – vacarme d'enfants, femmes portant leurs provisions sur la tête, fumeurs de narguilé dans les cafés.

Mais le quartier n'est pas tout à fait ce qu'il paraît. Au-dessus du désordre et de la saleté s'élèvent des dômes et des minarets signalant les majestueux tombeaux des maîtres de l'Égypte médiévale, Fatimides et Mamelouks. Car cette partie vivante et populeuse de la ville est la célèbre cité des Morts – un vaste cimetière.

Les plus importants mausolées sont des monuments protégés à titre religieux ; mais les tombeaux de famille plus sobres, dont la plupart ont la taille d'une petite maison, fournissent d'excellents logements aux vivants. Certaines familles habitent en effet leur propre tombeau, auquel un patio et un toit en terrasse donnent l'aspect d'une villa. D'autres occupent des sépultures désertées par leurs propriétaires ou leur versent un loyer – en convenant de s'en absenter les jours où le propriétaire vient honorer ses ancêtres.

Après un enterrement, les familles se retirent plusieurs semaines pour laisser le corps se décomposer dans l'extrême chaleur du Caire.

L'habitude de vivre parmi les tombes est presque aussi vieille que ce cimetière de huit cents ans, mais l'explosion démographique égyptienne se traduit par un mouvement croissant vers l'espace habitable de la nécropole. On estime à 300 000 le nombre de vivants établis à la cité des Morts ; la plupart occupent toutefois des maisons de torchis construites entre les tombes.

Pour ceux qui disposent de l'électricité et de l'eau courante, le cimetière peut être de tout confort.

LE SAVIEZ-VOUS ?

Dans certains quartiers du Caire et de sa banlieue, la densité de population atteint 104 000 hab./km². Ainsi la capitale égyptienne est-elle presque quatre fois plus peuplée que l'île de Manhattan (New York).

LES SAINTS DE SEL PROTECTEURS DE LA POLOGNE

À plus de 100 m sous terre, une mine de Pologne abrite la splendide chapelle de la Bienheureuse Kinga, dont l'autel date du XVIIe siècle. Le dédale de souterrains qui l'entoure recèle d'autres sanctuaires, des statues de saints et d'émouvantes fresques religieuses. Leur emplacement a certes de quoi étonner, mais leur matière surprend davantage encore. Chapelles et statues sont en sel gemme.

Nous sommes ici dans la mine de Wieliczka, près de Cracovie, où des générations de mineurs ont creusé 150 km de tunnels depuis le XIe siècle. Les sculptures de sel témoignent de la dévotion religieuse et du besoin de protection divine de ces hommes au métier périlleux. Aujourd'hui, la mine est devenue à la fois un haut lieu touristique et un centre de loisirs souterrain. En vous promenant dans les souterrains de Wieliczka, au détour d'une des galeries de ce labyrinthe vous pourrez vous retrouver dans un lieu de restauration rapide, une salle de bal, ou même sur un court de tennis. Il y a également un sanatorium, où les malades asthmatiques bénéficient du microclimat de la mine de sel.

La chapelle souterraine de la Bienheureuse Kinga (54 m de long) a été sculptée dans le sel. Kinga était une religieuse venue de Hongrie en Pologne au XIIIe siècle.

TERRIERS HUMAINS

Pourquoi vivre en sous-sol ?

Dans certains hôtels de Coober Pedy (en Australie méridionale), le visiteur découvre des pièces tapissées avec goût, des meubles confortables et tout l'appareillage électronique moderne. Mais il chercherait en vain une fenêtre donnant sur l'extérieur : ici, tout est souterrain.

Coober Pedy est une ville minière qui fournit près de 90 % de la production mondiale d'opales. Depuis qu'on y a découvert ces pierres fines, en 1915, beaucoup de mineurs habitent des « abris » creusés dans le désert. Les aborigènes appellent ces lieux *kupa piti*, « homme blanc dans un trou ».

Les charmes de la vie souterraine

Taillées dans un grès rose et tendre, les habitations de mineurs sont bien davantage que de simples trous. Outre les commodités modernes classiques, elles présentent des avantages originaux : il suffit par exemple de prendre sa pioche pour agrandir une pièce. On peut y passer sa queue de billard à la craie en la frottant au plafond ! Le manque de bois de construction explique en partie ce mode d'habitation (Coober Pedy a perdu son dernier arbre en 1971). Mais le souci d'éviter la chaleur en est le motif principal. La température peut atteindre 50 ºC dans le désert, alors qu'elle se maintient à 25 ºC dans les logements souterrains. Le tiers des habitants de Coober Pedy habite sous terre.

D'autres pays chauds ont vu se développer une vie souterraine moins luxueuse. Dans le Sud tunisien, les Berbères de la région de Matmata ont creusé dans la roche des habitations disposées en cercle autour d'une placette où se concentre la vie communautaire. On estime à 700 le nombre de ces excavations, qui résultent sans doute de l'absence totale de matériaux de construction et de la présence d'une roche tendre. Pour les Berbères, il était plus simple de construire en profondeur qu'en hauteur.

En Tunisie, les Berbères évitent chaleur et vents dans leurs demeures souterraines de Matmata.

LES TUNNELS DU CU CHI

La résistance souterraine du Viêt-cong

Pour les soldats américains, l'un des aspects les plus démoralisants de la guerre du Viêt-nam tenait au caractère invisible de leur ennemi. En janvier 1966, 8 000 Américains furent acheminés dans le district de Cu Chi, à 30 km de Saigon, où la guérilla du Viêt-cong était en force. Malgré l'ampleur et la rapidité de cette opération aéroportée, on ne put localiser presque aucun combattant ennemi : le Viêt-cong semblait s'être littéralement volatilisé. En réalité, les résistants avaient disparu sous terre.

Forteresse du maquis

Les communistes avaient creusé un réseau de tunnels d'environ 320 km de long, véritable exploit de génie militaire. Et certains endurèrent plusieurs années de suite les conditions de vie accablantes que leur imposait cette forteresse souterraine.

Beaucoup de ces tunnels n'avaient pas plus de 1 m de large et de haut, soit à peine de quoi permettre à un homme de passer. Ils débouchaient sur des salles d'environ 3 m² où on fabriquait et réparait des armes et où l'on imprimait des journaux et des tracts. On y respirait un air chaud, suffocant et vicié, notamment là où le réseau s'étageait sur quatre niveaux. Les maquisards, souvent à court de vivres, mangeaient ce qu'ils pouvaient. « Je trouvais meilleur goût au rat grillé qu'au poulet ou au canard », rapporta l'un d'eux.

Tandis que les combats faisaient rage en surface, on s'efforçait par tous les moyens de rendre la vie supportable aux soldats du Viêt-cong. Une troupe théâtrale fit même une tournée des tunnels pour leur remonter le moral. Le Cu Chi n'était en effet que le plus grand d'un vaste ensemble de réseaux souterrains qui cernaient Saigon, parfois depuis la frontière du Cambodge.

Une défense efficace

Dix années durant, les tunnels du Cu Chi firent échec à d'importantes forces américaines. Beaucoup de résistants y périrent, mais le réseau survécut aux bombardements, aux tirs de gaz et aux descentes des « rats de tunnel » américains. Après la victoire communiste de 1975, un hommage officiel fut rendu au « Pays de fer du Cu Chi ». On fait aujourd'hui visiter les tunnels – restaurés – aux hôtes étrangers.

BIENVENUE AU MONDE

Coutumes liées à la naissance

En Occident, les partisans de l'accouchement « naturel » conseillent aux sages-femmes de mettre, dès sa naissance, le nouveau-né dans les bras de sa mère. Une telle pratique épouvanterait la tribu akha de Thaïlande. Un nourrisson akha doit crier trois fois avant que quiconque ne le touche. Ces trois cris correspondent à des prières adressées au dieu Apoe Miyeh pour lui demander une âme, une longue vie et sa bénédiction.

Ce devoir accompli, la sage-femme le prend et lui donne un nom provisoire afin d'éloigner les mauvais esprits : ceux-ci pourraient penser qu'un enfant sans nom n'est pas désiré et tenter de se l'approprier. S'il est assez robuste pour survivre, le nouveau-né recevra son nom définitif lors d'une cérémonie ultérieure.

Dans le monde entier, il est de tradition de chercher à protéger la mère et son enfant des mauvais sorts. Dans certains pays d'Europe, on défaisait tous les nœuds de la maison en fermant portes et fenêtres pour conjurer le mal et favoriser une délivrance plus sereine.

Superstitions

En France, les coutumes visant à assurer des couches faciles et heureuses étaient empreintes de superstition. On conseillait, par exemple, à la mère de porter sur elle une ceinture bénie, une amulette, ou un talisman. Soucieuses du bon déroulement de leur accouchement imminent, certaines femmes faisaient accomplir à un de leurs proches un certain pèlerinage.

On n'en pensait pas moins que l'heure de naissance de l'enfant influait sur sa vie future.

En Inde, il était de mauvais augure qu'un enfant naisse au cours d'une éclipse ; son père ne pouvait le voir qu'après avoir accompli certains rites. Selon une tradition allemande, un enfant né sous un ciel de nuages moutonnants devait connaître un destin heureux. Pour beaucoup de peuples, naître le dimanche était de bon augure et, selon une vieille croyance britannique, un enfant dont la naissance coïncidait avec les 3, 6, 9 et 12 coups de l'horloge aurait le don de voir les fantômes.

Dans bien des cultures, on organisait aussitôt après la naissance des cérémonies de purification. La plus insolite est sans doute la tradition philippine de la « mère mise à rôtir » : on étend la mère près d'un feu. Au bout d'une semaine, on verse de l'eau sur les pierres brûlantes du foyer : les vapeurs qui se dégagent ont des vertus purificatrices.

Un recueil de légendes galloises du XIXe siècle conte les épreuves de Jennet Francis, qui, après un combat désespéré, arracha son fils nouveau-né aux griffes des lutins et des goules.

LE SAVIEZ-VOUS ?

Au pays de Galles on pensait au XIXe siècle qu'un os d'épaule de mouton permettait de prédire le sexe d'un enfant. On suspendait l'os calciné au-dessus de la porte de la maison. L'enfant aurait le même sexe que la première personne extérieure à la famille qui franchirait le seuil.

✳ ✳ ✳

En Allemagne, on croyait qu'une femme n'aurait jamais d'enfant prématuré, si elle portait une chaussette de son mari.

VIERGES ET MIRACLES

Jésus, Bouddha et Zoroastre ont-ils des traits communs ?

Pour les chrétiens, la conception de Jésus est un événement aussi important que sa naissance. La virginité de Marie, sa mère, au moment où elle le conçut, est le signe de son essence divine et de sa qualité de fils de Dieu. Mais le dogme de la naissance miraculeuse n'est d'aucune façon l'apanage du christianisme et se retrouve dans le monde entier.

Selon la légende, Bouddha passe par des milliers d'incarnations avant de se transformer en éléphanteau blanc et d'entrer dans la matrice de sa future mère par le côté droit. Cet événement s'accompagne d'autres miracles – instruments de musique jouant tout seuls, rivières cessant de couler, arbres et plantes fleurissant hors saison...

Lumière divine

Zoroastre (Zarathoustra), prophète de la religion parsie, eut aussi une existence divine avant sa naissance, au VIIe siècle avant J.-C. Son père est censé être Ahura-Mazdâ, le dieu suprême, et sa mère une vierge de quinze ans nommée Dughda. Pendant sa grossesse, Dughda éblouit les passants d'une

À la naissance du dieu hindou Krishna, des astrologues consultent leurs almanachs afin de prévoir le cours de sa vie. Krishna signifie « sombre comme un nuage ».

lumière divine enveloppant son corps. Ses parents la marient promptement à un villageois des environs pour éviter un scandale.

Une lumière divine émane aussi de la vierge indienne Devaki lorsque le dieu hindou Vishnu entre dans sa matrice pour venir au monde sous les traits de Krishna et mener sur terre une vie de guerrier et de philosophe, avant de regagner le royaume spirituel.

En Amérique centrale, une divinité après avoir pris la forme du matin étend son souffle sur une vierge pour qu'elle tombe enceinte et donne forme humaine au dieu aztèque Quetzalcóatl.

Zeus, dieu suprême de la Grèce antique, se métamorphose en pluie d'or pour féconder Danaé (qui enfantera Persée, exécuteur de la Gorgone), et en cygne pour abuser Léda. De cet accouplement naquit Hélène, dont le rapt déclencha la célèbre guerre de Troie.

La métamorphose la plus audacieuse de Zeus le verra prendre la place d'Amphitryon auprès d'Alcmène, qui a interdit son lit à son mari jusqu'à ce

Le dieu grec Zeus se métamorphose en cygne pour abuser Leda et en pluie d'or pour faire la conquête de la vierge Danaé, symbole de chasteté. Le serviteur recueille les pièces précieuses.

qu'il venge la mort de ses frères. Celui-ci part donc au combat. Zeus observe la bataille et, changé en Amphitryon, en fait le récit détaillé à Alcmène. En outre, il donne congé au dieu du soleil, Hélios, afin de pouvoir passer avec Alcmène une nuit de trente-six heures.

Au matin, le véritable Amphitryon, rentrant victorieux du combat, est déconcerté par la froideur d'Alcmène, laquelle ne comprend pas qu'il répète le récit de ses exploits. Mais le prophète Tirésias réconcilie le couple en lui révélant le véritable déroulement des faits.

Une ancienne coutume grecque attribuait une paternité divine aux personnages éminents : ainsi le philosophe Platon et le mathématicien Pythagore passaient-ils tous deux pour les fils d'Apollon.

Fleur magique

Certaines civilisations antiques sont à l'origine de mythes de conceptions miraculeuses qui ne font pas intervenir de divinités. Ceux-ci ont une signification moins religieuse que politique. Le rôle du père incombe alors en général à quelque objet magique. Il en est ainsi de Fo-hi, empereur légendaire de Chine, conçu lorsque sa mère avale une fleur qui s'est accrochée à ses vêtements pendant sa baignade.

LE BIENFAITEUR DES MÈRES
Le remède tout simple de la fièvre puerpérale

Dans l'Europe du XIXe siècle, une femme sur quatre entrant à l'hôpital pour accoucher courait le risque de succomber à la fièvre puerpérale. Or, le gynécologue qui vint pratiquement à bout de cette terrible maladie fut tourné en dérision et mourut fou.

Ignaz Semmelweis fit sa découverte à la clinique obstétrique de Vienne, où il travaillait depuis 1844. La fièvre puerpérale, qui sévissait là comme ailleurs, est une affection bactérienne dont est victime la femme affaiblie par l'accouchement. Semmelweis constata deux à trois fois plus de cas de fièvre dans la partie de la clinique accessible aux étudiants en médecine. Ceux-ci sortaient souvent directement de la salle de dissection pour assister le travail d'une mère en couches. Semmelweis en conclut que les étudiants transportaient quelque chose – il ne savait quoi – du cadavre des femmes mortes de la fièvre puerpérale à celles qui accouchaient. Il pressentait ainsi le rôle nocif de la contagion septique.

Hygiène salutaire

Sa solution fut désarmante de simplicité. Il exigea des étudiants qu'ils se lavent les mains dans un désinfectant à base d'hypochlorite de soude (Javel) avant tout examen en salle d'accouchement. Le résultat de cette mesure fut concluant. Le nombre de décès chuta de 1 sur 5 à 1 à 100.

Fait stupéfiant, ce résultat ne fut suivi d'aucune autre disposition de la part des supérieurs du médecin. Dédaignant les découvertes de Semmelweis (on ignorait alors l'existence des bactéries), ils s'obstinaient à croire la maladie inévitable. De plus, les opinions politiques libérales de Semmelweis, tenues en suspicion, renforcèrent l'opposition à laquelle il s'était toujours heurté.

Ayant perdu tout espoir d'obtenir gain de cause, il regagna en 1850 sa Hongrie natale.

Là, ses travaux furent adoptés sans réserves, mais les milieux médicaux du reste de l'Europe lui étaient toujours hostiles. Il lutta encore quinze ans contre les mandarins de la médecine, puis son énergie se brisa. En 1865, il entra dans un asile d'aliénés, où il s'éteignit en moins d'un mois.

Semmelweis fut à la pointe de la pensée médicale de son temps. Lorsqu'il mourut, tandis que Louis Pasteur découvrait les bactéries, Joseph Lister mettait au point en Angleterre les principes de l'aseptie chirurgicale.

Ultime ironie du sort, Semmelweis fut emporté par la maladie qu'il avait combattue toute sa vie. Juste avant d'entrer à l'asile, il se coupa la main durant la dissection d'une victime de la fièvre puerpérale. La plaie s'infecta et il en mourut.

QUAND LES HOMMES ENFANTENT

Bien avant la découverte de l'anesthésie, les femmes de Dumfries (en Écosse) eurent la chance de connaître une méthode d'accouchement sans douleur. Selon un rapport de 1772, les sages-femmes de la région avaient le pouvoir de communiquer à leur mari les douleurs de l'enfantement. Leur méthode reste un mystère, mais les enfants « venaient doucement au monde, sans causer la moindre gêne à leur mère, tandis que le pauvre mari, quant à lui, rugissait sous des douleurs anormales et monstrueuses ».

Le spectacle peu ordinaire de maris souffrant plus que leur femme des douleurs de la grossesse et de l'accouchement ne se limite pas à une ville d'Écosse. Ce phénomène, appelé « couvade », a, en effet, revêtu de multiples formes à travers le monde.

Dans certaines tribus africaines, les hommes gardent le lit pendant toute la grossesse de leur femme, qui continue de travailler comme de coutume jusqu'aux dernières heures précédant l'accouchement. On croit les hommes plus forts et plus adroits que les femmes, et donc mieux à même de protéger l'enfant contre les mauvais génies – tâche qui leur incombe durant la grossesse.

L'activité symbolique des pères n'est pas toujours aussi extrême. Certains insulaires du Pacifique sont séparés de leur femme durant l'accouchement et les jours qui suivent ; certains aliments et les travaux dits « masculins » leur sont interdits.

Dans l'Europe médiévale, la femme mettait les habits de son mari quand le travail commençait, dans l'espoir de lui transmettre ses douleurs. Croire que les pères ressentent les douleurs de l'enfantement avait aussi un but pratique. Dans le nord de l'Angleterre, on débusquait le père d'un enfant illégitime en recherchant dans le village tout homme souffrant et alité lorsque commençait le travail de la mère.

Ce bas-relief zaïrois montre un homme étendu près de sa femme qui accouche – illustration de l'étrange phénomène de la couvade.

LE TEMPS DES ÉPREUVES

Les Massaï : une société inflexible

Peu de gens affichent leur appartenance à la société dans laquelle ils vivent aussi clairement qu'un guerrier massaï d'Afrique de l'Est. Son visage et son corps sont teints d'ocre rouge, de même que ses cheveux savamment tressés ; il porte une simple tunique rouge et quantité de verroterie brillante. Il fait partie de l'élite massaï. Son rôle consiste à défendre le village contre ses ennemis, et son bétail contre les lions en maraude.

Au sein de leur village, tous les Massaï appartiennent à une « classe d'âge ». Régulièrement, le sorcier annonce la formation d'une classe où entrent les jeunes garçons de treize à dix-sept ans. Pour devenir un *moran* (guerrier), le jeune homme se fait raser la tête et prend un bain rituel avant d'être circoncis en public au moyen d'une pierre aiguisée. Pendant cette épreuve, il doit garder un silence complet tandis que ses parents hurlent et gémissent à sa place.

Les jeunes guerriers laissent ensuite repousser leurs cheveux, qu'ils teignent avec de l'ocre. Durant cette période, il leur est permis d'oublier la discipline, de manquer de respect à leurs aînés ou aux traditions de la tribu. Puis ils entreprennent de construire leur campement, où ils vivront avec des jeunes filles de leur classe d'âge. Les guerriers plus âgés – ayant environ vingt-cinq ans – sont appelés à une nouvelle cérémonie, qui en fera des membres à part entière de la tribu. Ils prendront alors des décisions concernant le commerce et les aires de pâturage, mais resteront dans la force de réserve pour la défense du village.

Changement de statut

La classe d'âge précédente abandonne sa teinture rouge distinctive, quitte le camp des *morans* et peut désormais se marier. Ce sont de « jeunes aînés », dont le rôle consiste à préparer les adolescents à l'initiation. Ils deviendront en temps voulu de « grands aînés », intervenant auprès du groupe en tant que juristes, juges et conseillers. En dernier lieu, ils renonceront aux charges publiques pour devenir de « vénérables aînés ».

Peu de sociétés ont une structure aussi rigide que celle des Massaï, qui, de ce fait, connaissent très peu de luttes intestines. Cette réussite s'explique en partie par des rites de passage comme l'initiation à la vie adulte que subit tout homme massaï : cette « sortie de l'enfance » les rend solidaires de tous les autres membres de la communauté.

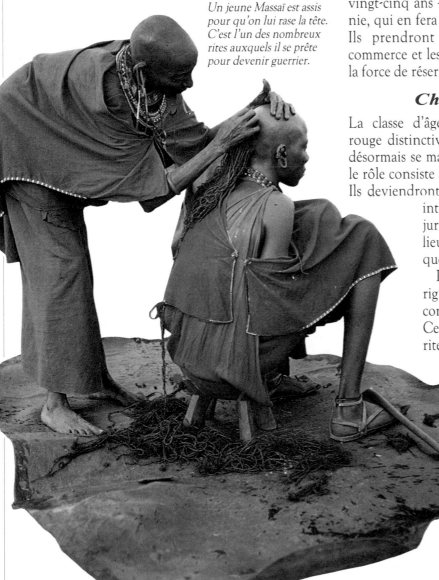

Un jeune Massaï est assis pour qu'on lui rase la tête. C'est l'un des nombreux rites auxquels il se prête pour devenir guerrier.

LE SAVIEZ-VOUS ?

En Australie, les jeunes garçons de l'ethnie Kukata pratiquent le rituel du passage du feu pour ne plus avoir peur. Dans d'autres tribus aborigènes, les femmes les poussent dans le feu ou leur lancent des bâtons enflammés par-dessus la tête.

L'ACTION ET L'AIGUILLON

Chez les Indiens Taulipáng, la douleur est un stimulant

L'adolescence est déjà un âge difficile sans qu'on l'inaugure par des coups de fouet, des scarifications au menton, aux bras et à la poitrine et l'application sur le corps d'un ouvrage de vannerie couvert de fourmis urticantes.

Chez les Indiens Taulipáng de Guyane, c'est pourtant ainsi qu'un garçon devient un homme. S'il donne des signes de peur ou de douleur, son épreuve est répétée. Chaque partie du rite initiatique a son importance. Le fouet purifie le sujet en lui donnant la force. Les entailles au menton l'aideront à maîtriser le maniement de la sarbacane, et celles qu'on lui fait aux bras à se perfectionner au tir à l'arc.

L'épreuve des fourmis est censée le ragaillardir en le maintenant actif.

Les Taulipáng ne limitent pas aux rites de la puberté ces contacts cuisants avec les insectes. La plupart s'y soumettent d'eux-mêmes quand ils sentent le besoin de se revigorer. Ils y voient aussi un moyen de conjurer la maladie, d'affiner leur humour et de perfectionner leurs techniques de chasse.

Un jeune Taulipáng est soumis aux piqûres de fourmis plaquées sur sa poitrine ; ultime épreuve d'une cérémonie par laquelle il accède à l'âge adulte.

LE PRIX DU SAVOIR

Bizutages d'autrefois en Allemagne

Entre le XIVe et la fin du XVIIe siècle, un étudiant qui entrait dans une université allemande pouvait s'attendre à ce que ses facultés intellectuelles soient mises à l'épreuve. Mais il devait d'abord être admis dans le corps étudiant – ce qui impliquait un test sans rapport avec son savoir ou son intelligence.

Le nouvel étudiant devait subir les humiliations de la *depositio beani* ou « dépouillement du bec jaune » – le *beanus,* ou bec jaune, désignant le novice. Il était contraint de se déguiser en bête à cornes et à grosses dents de bois, coiffée d'un chapeau. Les autres étudiants traquaient alors l'animal, le frappaient, lui sciaient les cornes et lui arrachaient les dents avec des pinces. Le corps enduit de pommade nocive, l'étudiant était ensuite gavé de pilules faites de bouse de vache.

La note finale

Prenant part à un simulacre de jugement, le novice était accusé de vol et de perversion sexuelle, puis un prêtre l'absolvait sur confession.

La cérémonie prenait fin avec solennité. On déposait sur la langue de l'étudiant un grain de sel, symbole de sagesse, et on lui versait du vin – la joie que donne la sagesse – sur la tête. L'ancien *beanus* était maintenant intégré au corps étudiant. Au prix d'un ultime effort : pour confirmer son nouveau statut, il devait offrir le souper à tous ses tortionnaires.

LE SAVIEZ-VOUS ?

Dans la tribu sud-américaine Maui, les garçons doivent exécuter sept danses, le bras dans une manche grouillante de fourmis – et cela plusieurs fois avant de se marier.

À la puberté, les Indiennes Omaguas du Pérou étaient suspendues au plafond de leur hutte dans des hamacs cousus. Elles devaient y rester huit jours sans bouger, en recevant une fois par jour un peu de nourriture et d'eau.

MYSTÈRES ET PRIVILÈGES
Rites initiatiques des francs-maçons

A la porte du temple, un homme adulte se défait de son argent, de sa montre et de tout autre objet de métal. On lui bande les yeux et on lui passe une corde au cou. Il se tient debout, en pantalon et en chemise, le sein gauche dénudé, la manche droite retroussée au-dessus du coude et la jambe gauche du pantalon au-dessus du genou. Il porte une chaussure au pied gauche et une pantoufle au pied droit, ce qui le fait boiter.

Il franchit le seuil du temple derrière un huissier qui l'annonce comme « un pauvre candidat en état d'ignorance » désirant accéder aux « mystères et privilèges de la franc-maçonnerie ».

Force de caractère

Les francs-maçons – ou frères – forment une société fermée issue des guildes et confréries des maçons européens qui bâtirent les cathédrales et châteaux du Moyen Âge. Regroupés en loges (nom, à l'origine, du local où les maçons bâtisseurs se réunissaient en dehors du chantier), ils professent l'élévation morale et soutiennent les bonnes œuvres dans la société. Mais leurs rites initiatiques ont souvent de quoi ébahir.

À l'intérieur du temple, le candidat est amené dans une salle éclairée aux bougies et sans fenêtres où, corde au cou et dague pointée sur la poitrine, il passe devant les membres de la loge.

Il jure alors, « en présence du Grand Architecte de l'Univers », de ne pas « écrire, graver, marquer, ni décrire autrement ces secrets (...) sous peine (...) d'avoir la gorge tranchée, la langue arrachée et enterrée dans le sable de la mer à marée basse (...) ».

Une fois son serment dûment prononcé, le candidat est alors admis comme apprenti, premier grade maçonnique. En général, il devient quelques mois après compagnon, puis maître. La cérémonie d'accession à ce dernier échelon est particulièrement macabre – le sujet serait symboliquement pendu et ressuscité des morts, gibet et cercueil à l'appui.

Comme le montre ce tableau français du XIXᵉ siècle, les francs-maçons bandent les yeux des novices pour symboliser leur état d'ignorance.

LE SAVIEZ-VOUS ?

Chez les Indiens Hopis d'Amérique du Nord, une jeune fille ne devient femme qu'après quatre jours d'isolement dans la maison d'une tante, où elle passe son temps à broyer des céréales. Durant sa retraite, elle ne doit pas se gratter le corps avec la main, mais avec une baguette. À sa sortie, elle se coiffe autrement pour montrer qu'elle est prête au mariage.

On croyait jadis en Angleterre que si un enfant ne pleurait pas à son baptême le diable ne l'avait pas quitté. Mais en Allemagne, un enfant qui pleurait pendant la cérémonie était voué à mourir jeune.

POUR LE MEILLEUR ET POUR LE PIRE

Choisir une date de mariage

Nombreux sont ceux qui considèrent le jour de leur mariage comme la date la plus décisive de leur vie. Nulle surprise, dès lors, que l'on ait au fil des âges mis un grand soin à la fixer. Dans l'Antiquité, Grecs et Romains préconisaient le mariage à la pleine lune, qui favorisait la fécondité. Dans les campagnes françaises, autrefois, on tenait compte des interdits d'origine religieuse pesant sur l'avent et le carême et de la croyance à des périodes défavorables comme le mois de mai. Sur les côtes des Pays-Bas et de l'Écosse orientale, on faisait coïncider les mariages avec la marée haute, symbole de bonne fortune.

Les préoccupations mystiques et pratiques se rejoignaient parfois. Les Romains jugeaient pertinent de se marier en juin : c'était le mois de Junon, déesse de la féminité et du mariage, mais cela signifiait aussi que l'épouse pourrait aider aux moissons avant que sa grossesse fût trop avancée. Étant appelée à donner le jour à son premier enfant au printemps suivant, la mère serait en outre rétablie à temps pour la nouvelle récolte.

De tout temps, les mariages se sont ainsi ajustés aux saisons. Dans certains villages des Alpes suisses et d'Irlande rurale, il est encore de règle de s'y prendre avant le temps des moissons. Les habitants du sud de la Finlande, quant à eux, évitent cette période et se marient plus tard, quand le climat interdit tout travail. Le renouveau printanier avait la préférence des anciens Chinois, des Irlandais et des Écossais – dont un vers nous dit : « Marie-toi avec l'année nouvelle, toujours aimante et toujours vraie. »

Les traditions ancestrales voulaient que le choix du jour de la semaine ait aussi son importance. Si, en Occident, le samedi est à présent le jour le plus commode, un vieux dicton anglais le disait néfaste. En Normandie, on se mariait souvent un mardi, ce qui laissait le lundi aux derniers préparatifs de la cérémonie et permettait le déroulement des festivités toute la semaine jusqu'à la messe dominicale qui clôturait la fête. En Italie, on racontait que les époux du lundi risquaient d'engendrer des idiots, et ceux du mardi des enfants au pied bot. Et il était totalement impensable de se marier le 28 décembre, anniversaire du massacre des enfants par Hérode, sous peine de connaître le malheur toute l'année suivante.

Dans les campagnes, au XIXᵉ siècle, une fête de mariage mobilisait souvent tout le village.

PANOPLIE DE MARIÉE

Chaque année, des milliers de fiancées américaines et britanniques se présentent à l'église en portant « une chose ancienne, une chose nouvelle, une chose d'emprunt, une chose bleue ». Mais combien connaissent le sens de chacune de ces « choses » ?

La chose ancienne, un col, ou un mouchoir en dentelle, rappelle la période où le prétendant faisait la cour à sa fiancée. Elle doit préserver les sentiments de cet heureux temps. La chose nouvelle est signe des espérances liées au mariage. Sur ce plan, l'adoption d'une tenue entièrement neuve le jour de la cérémonie est une coutume universelle. Il est traditionnel de laisser pendre quelques fils de la robe de mariée jusqu'au dernier instant, pour qu'elle paraisse aussi neuve que possible. Comme chose d'emprunt, beaucoup choisissent un voile prêté par une femme au mariage heureux. Il symbolise les amitiés appelées à perdurer dans la vie de la nouvelle mariée. Le bleu enfin, couleur de la constance et de la fidélité, est représenté par la jarretière. Souvent, la mariée portait une jarretière que lui avait prêtée une amie célibataire. La tradition voulait en effet que l'amie en question ait ainsi plus de chances de se marier.

Si la mariée avait beaucoup d'amies célibataires, il arrivait qu'elle se rende à l'église les jambes couvertes des vœux de bonheur de ses amies !

En France, jusqu'à la première moitié du XXe siècle, il était impensable qu'une fiancée couse elle-même sa robe de mariée « sous peine de malheur, de mauvais ménage et même de mort ». Cette tâche était confiée à la couturière du village.

VIVE LA MARIÉE
Entrer dans le mariage du bon pied

En sortant de chez elle le jour de son mariage, la future épouse doit littéralement partir du bon pied : sortir du pied gauche porte malchance. Selon les croyances populaires, le trajet qui suit peut être semé de bons ou de mauvais présages. Le soleil est de bon augure, mais l'annonce maléfique de la pluie se dissipe si la mariée aperçoit un arc-en-ciel. L'attelage ou la voiture doit ensuite démarrer sans contretemps : le mariage serait alors voué à l'échec. Qu'un ramoneur ou un éléphant passe devant la mariée, en cours de route (ce qui est somme toute fort peu probable) c'est bon signe ! Elle ne risque heureusement guère plus de voir un cochon croiser sa route, signe de malheur certain. Mais si elle tombe sur un enterrement, autant annuler le mariage.

Une mariée en tenue d'Ève

Selon une vieille coutume anglo-américaine, le mari n'était redevable d'aucune dette contractée par sa femme lors d'un précédent mariage si elle l'épousait en ne portant qu'une blouse. On estimait que, comme elle n'apportait rien aux nouvelles noces, ses créanciers ne pourraient rien lui prendre.

Obéissant à une logique extrême, certaines femmes allaient jusqu'à se marier entièrement nues. En 1789, dans l'État du Vermont, l'une d'elles, assise nue dans une armoire, dut passer la main par un trou pour recevoir l'alliance. Après la cérémonie, la mariée pouvait revêtir ses plus beaux atours et quitter l'église en femme solvable.

Attention à la marche

Le seuil d'une maison a longtemps été considéré comme un endroit funeste où se cachent les mauvais esprits. Ce qui expliquerait l'ancienne tradition qui voulait qu'un jeune marié portât son épouse dans ses bras lorsqu'elle devait franchir pour la première fois le seuil de sa nouvelle maison. Selon une autre explication, plus pratique, le mari voulait ainsi éviter à sa femme un faux pas.

Mariages fantômes

Lorsque, chez les Zoulous, un homme fiancé meurt avant son mariage, sa promise doit épouser l'un de ses parents pour qu'il engendre un enfant portant le nom du disparu. Dans la Chine antique, celle dont le fiancé mourait prématurément n'en prenait pas moins part à la cérémonie – pour y épouser son fantôme. Elle vivait ensuite chez les parents du défunt. Aux yeux des Hopis du Sud-Ouest américain, des liens fondamentaux unissent le mariage et la mort. L'épouse garde sa parure de mariée, qui deviendra son linceul et son viatique pour l'au-delà.

L'ALLIANCE
Symbole d'amour ou de possession ?

En tant que symbole d'amour, l'alliance relève d'une vision relativement moderne. À l'origine, on la considérait comme une « option ferme » sur la mariée et un signe indiquant aux hommes que la femme qui la portait n'était plus disponible.

Les hindous furent parmi les premiers à faire usage d'alliances et la coutume se répandit en Occident par l'entremise des Grecs et des Romains. L'anneau resta la marque d'une « acquisition » jusqu'au IXe siècle, époque où l'Église en fit un symbole de fidélité.

Autrefois, dans les campagnes françaises on déterminait qui des deux époux commanderait dans le ménage, selon la manière dont ils se passaient l'alliance au doigt pendant la messe de mariage. Par la suite, on croyait très lourd de conséquences le fait de perdre, de briser ou d'ôter un si puissant symbole. Si l'anneau tombe au cours de la cérémonie nuptiale et roule à terre en s'éloignant de l'autel, le présage est terrible. Si l'anneau s'arrête contre une pierre tombale, une mort précoce attend l'un des nouveaux mariés.

Le choix du doigt auquel on passe la bague est également lié à diverses croyances. Grecs et Romains optaient pour l'annulaire de la main gauche parce qu'ils croyaient, à tort, qu'une artère le reliait au cœur. Le fait que de nombreux époux portent leur alliance à la main gauche vient de l'idée qu'il s'agit de la plus faible des deux mains, symbole de la soumission de la femme à l'homme.

LE SAVIEZ-VOUS ?

Les Tiwis de l'île de Melville, au large de l'Australie, épousent les filles avant même qu'elles soient conçues. Un contrat relatif au futur mariage de la première fille est conclu lors de celui de la mère. Si des garçons naissent d'abord, le contrat est rempli ultérieurement.

En Allemagne, il arrive encore, dans les campagnes, que les nouveaux mariés soient invités à scier une bûche en public pour prouver qu'ils sauront faire équipe.

243

AU FAÎTE DU BONHEUR CONJUGAL

Le mariage collectif célébré en plein vol entre Tōkyō et Bangkok en 1972 reste à coup sûr l'une des cérémonies nuptiales les moins ordinaires qu'on ait imaginées. La Lufthansa avait monté ce coup publicitaire pour inaugurer le premier vol commercial d'une compagnie européenne assuré par jumbo-jet.

Après avoir proposé un « mariage en altitude » à des couples japonais, la compagnie allemande se vit submergée de candidats. Une fois sélectionnés, vingt couples embarquèrent à l'aéroport de Tōkyō en compagnie d'un prêtre shintoïste.

L'entreprise fut un curieux mélange de tradition et de mercatique. Après le décollage, les couples furent unis les uns après les autres devant un sanctuaire shintoïste dressé dans la carlingue. Le pilote de l'avion put participer à la cérémonie grâce à un interphone. Au banquet qui suivit, on servit le traditionnel alcool de riz – le saké – dans des coupes ornées d'une grue – tout à la fois symbole japonais du bonheur et emblème des appareils de la Lufthansa.

Après une escale à Bangkok, où le groupe reçut la bénédiction d'un moine bouddhiste, les nouveaux mariés gagnèrent l'Allemagne pour une lune de miel en Forêt-Noire. Neuf mois plus tard, débordant de reconnaissance envers ses hôtes allemands, l'un des couples ne trouva rien de mieux que de donner à son enfant le nom de Lufthansa.

Vœux de Bonheur en Cascade

Si vous n'avez plus de riz, lancez des souliers

Au cours d'une cérémonie nuptiale anglo-saxonne, le père de la mariée donnait souvent au nouvel époux un soulier de sa fille pour marquer un transfert de « biens ». Le marié tapotait la tête de sa femme avec le soulier qu'il venait de recevoir, montrant ainsi qu'il était son nouveau maître. Les parents de la mariée lui lançaient alors une vieille chaussure ; par ce geste, ils abandonnaient leurs responsabilités à son égard.

Les Inuit (Esquimaux) d'Amérique du Nord lancent aussi des chaussures à la mariée, mais la coutume revêt chez eux un tout autre sens : le soulier symbolise la fécondité. Ainsi, une femme qui désire avoir beaucoup d'enfants devra se résoudre à porter sur elle un morceau de vieille chaussure.

Les confettis

Il est plus courant de voir lancer des confettis sur les jeunes mariés. Confetti dérive d'un mot italien signifiant sucreries, et l'usage est d'origine romaine – on lançait alors amandes et noix, symboles de fécondité. Aujourd'hui, nombreux sont les pays où les convives lancent des grains de riz. Les époux incarnent le terreau où pousseront de nouvelles générations, aussi répand-on des graines pour favoriser leur union.

Une variante consiste à rompre le gâteau de mariage sur la tête de l'épouse – qu'il s'agisse d'une galette d'avoine comme dans l'ouest de l'Irlande, ou d'un sablé comme en Écosse. Les produits sucrés jouent un autre rôle. Au Maroc, on fait pleuvoir figues, dattes et raisins pour que la cérémonie se passe en douceur et que la mariée soit... douce à son époux et à sa famille.

Dans cette usine de confettis du XIXe siècle, les feuilles de papier sont livrées à une déchiqueteuse.

LE SAVIEZ-VOUS ?

Aux mariages des Gitans d'Europe, les nouveaux conjoints doivent tous deux « sauter le balai ». Si, en sautant, la femme touche le manche avec sa jupe, c'est qu'elle n'est plus vierge. Si c'est l'homme qui heurte le manche, on dit qu'il sera infidèle.

CONTRE LE MAUVAIS ŒIL
Des stratagèmes étonnants

Plus d'un rite encore en usage dans les cérémonies nuptiales contemporaines avait pour but premier de soustraire le couple des mariés aux forces malignes.

Le voile est sans doute le talisman le plus universel. C'était à la fois un travestissement, qui dissimulait la mariée aux mauvais génies, et un bouclier contre le mauvais œil. Les Chinois se méfient particulièrement des présences néfastes entre le moment où la future mariée quitte sa maison et son arrivée à la cérémonie ; aussi fait-elle ce trajet dans une chaise à porteurs fermée. Si ses craintes sont extrêmes, elle circule en « poupée russe », dans une caisse placée dans la chaise ! Lors des cérémonies russes, on scelle portes, fenêtres et cheminées pour empêcher les sorcières de perturber le mariage.

Jeux de rôles

De manière plus subtile, on détourne aussi l'attention des mauvais esprits par le subterfuge des fausses fiancées. Le frère de la fiancée prend parfois sa place, espièglerie très populaire chez les Baltes d'Estonie et qui a trompé plus d'un fiancé en provoquant l'hilarité de sa future belle-famille. En Inde méridionale, la mariée se déguise en garçon, et

à Fès, au Maroc, le marié se déguise en fille. Mais la duperie la plus étrange se pratique en Inde du Nord, où l'on organise de faux mariages avec des arbres ou des objets. En général, ils ont lieu quand les présages sont défavorables. Ainsi, lorsqu'un veuf convole pour la troisième fois, sa nouvelle femme s'expose aux persécutions des esprits jaloux des épouses défuntes ; pour s'y opposer, l'homme « épouse » d'abord un arbre, sur lequel s'acharneront les esprits. Si l'horoscope de la femme lui prédit un veuvage prématuré, elle se prête à un simulacre d'épousailles avec une grande cruche à eau parée des habits de son futur mari. Le vrai mariage intervient ensuite.

Des armes à feu

Certains prennent, contre les forces du mal, des mesures autrement plus combatives. Le tonnerre des armes à feu sert souvent à chasser les esprits malins. Il retentissait jadis aux mariages ruraux de toute l'Europe et résonne encore avec panache au Maroc, où la pauvre mariée doit frôler le traumatisme à la fin de ses noces. Des salves de mousquet sont d'abord tirées devant son cortège, puis tout à côté d'elle et, enfin, dans la chambre nuptiale. La fumée est supposée purifier la mariée et le fracas faire fuir les esprits. L'attirail de guerre suit la mariée même lorsqu'elle se retrouve seule avec son époux. Ce dernier lui

Cette future mariée chinoise se protège du mauvais œil.

heurte le front et les épaules du plat de son épée avant de mettre un pistolet sous l'oreiller – pour le cas où des esprits tenaces rôderaient encore.

Au moins échappe-t-elle à une coutume slave qui veut que tous les hôtes s'assemblent devant la porte de la chambre nuptiale en faisant le plus de bruit possible tandis qu'à l'intérieur le mariage est consommé.

LA MARIÉE EN FLEURS

La fleur d'oranger, qui accompagne depuis des siècles les mariages méditerranéens, symbolise toutes les vertus anciennes qu'un homme espérait de sa future femme — pureté, beauté et maternité. Si cette jolie fleur blanche très décorative suggère innocence et virginité, l'arbre porte aussi de nombreux fruits évoquant la fécondité. L'oranger, en outre, est l'un des rares arbres à produire fleurs et fruits simultanément — parfaite alliance du beau et de l'utile.

D'après la légende, la première mariée à porter la fleur d'oranger fut la fille d'un jardinier du roi d'Espagne. Elle était éperdument amoureuse, mais, son père étant trop démuni pour lui fournir une dot, son mariage ne pouvait avoir lieu. À cette époque, le roi venait de recevoir le premier oranger du pays, sur lequel il veillait jalousement. L'ambassadeur de France, rempli d'admiration devant l'oranger, en demanda une bouture au roi, qui la lui refusa.

La fille du jardinier, qui avait eu vent de ce refus, se glissa la nuit dans le jardin et coupa une branche de l'arbre fruitier. Le lendemain, elle la vendit à l'ambassadeur et en reçut donc sa dot. Le jour de son mariage, elle se rappela qu'elle devait son bonheur à l'oranger. En signe de reconnaissance, elle en disposa les fleurs dans ses cheveux, sans se douter qu'elle créait ainsi une nouvelle mode, qui allait perdurer pendant des siècles.

LES VIVANTS ET LES MORTS

Les coutumes qu'inspire la mort à travers le monde

Il est d'usage, en Europe, de porter des habits sombres lorsqu'on assiste à des obsèques. Le noir traduit notre chagrin et la gravité de la circonstance. Mais la coutume est née d'un tout autre sentiment – la crainte pure et simple du défunt.

Nos ancêtres pensaient que le fantôme du mort s'attardait près de sa dépouille et se sentait si seul qu'il cherchait à la première occasion à enlever un vivant qui lui tienne compagnie. Peu enclins à courir ce risque, tous mettaient des couleurs ternes pour se distinguer le moins possible.

Échappatoires et détours

La peur des revenants a suscité de curieuses pratiques. Aux enterrements des Indiens Menominis d'Amérique du Nord, le plus proche parent du défunt s'esquivait en avance pour échapper au fantôme, qui observait la cérémonie. Aux funérailles d'Indiens Sacs ou Fox, la famille jetait dans la tombe un peu de nourriture ou un vêtement à l'intention de l'esprit errant.

En certains lieux du monde, on sortait le corps de la maison par une fenêtre plutôt que par la porte, dans l'espoir d'égarer le fantôme et de l'empêcher de revenir. En Chine, ceux qui rentraient chez eux après un office funèbre lançaient des feux d'artifice pour éloigner l'esprit du disparu.

Les Yakoutes de Sibérie ont porté la coutume à un point extrême. Ils offraient au mourant les mets les plus succulents et le meilleur siège à son banquet funéraire, avant de sortir l'enterrer vivant. Pour qu'il n'ait aucun motif de rentrer chez lui, on enterrait à ses côtés nourriture et biens – voire un cheval pour gagner l'autre monde.

Les habits de deuil noirs de l'Europe et de l'Amérique modernes sont loin d'être les seules reliques de cette profonde crainte des morts. Les pièces de monnaie que l'on posait sur les yeux d'un défunt ne servaient pas qu'à les tenir fermés ; c'était le viatique de son âme pour l'au-delà. Et si parfois les oraisons funèbres actuelles semblent surchargées d'éloges, c'est peut-être qu'elles expriment plus qu'un simple hommage. Il se peut que nous redoutions encore, à demi consciemment, une présence invisible mais attentive à chacune de nos paroles.

Les habits noirs d'un cortège funèbre sont une marque de respect. On croyait autrefois qu'ils protégeaient aussi les vivants de l'esprit vigilant du défunt.

LE SAVIEZ-VOUS ?

Après la mort d'Horatio Nelson à la bataille de Trafalgar (1805), on rapatria en Angleterre le corps de l'amiral conservé avec soin dans un grand tonneau d'eau-de-vie.

LE REFUGE DES CATACOMBES
Rome environné de fantômes

Un territoire mortuaire cerne secrètement le périmètre primitif de Rome. C'est le labyrinthe des catacombes, où 750 000 personnes sont enterrées sur une longueur de 250 km. C'est aussi une terre étrangère, ces excavations étant rattachées depuis 1929 à l'État souverain du Vatican.

Les catacombes romaines datent pour l'essentiel du IIe au IVe siècle de notre ère. Pourquoi les a-t-on creusées – et pourquoi hors des murs de la Rome antique ?

Force majeure

Les Romains, hormis les plus riches, incinéraient tous leurs morts. Ce qui faisait horreur aux chrétiens, dont la foi enseignait la résurrection des corps. Mais il était illégal d'enterrer quelqu'un dans l'enceinte de la ville, et les terres environnantes coûtaient cher. Aussi les chrétiens créèrent-ils des souterrains – à partir de puits, de carrières ou même de sépultures – dans la roche volcanique tendre du sous-sol.

Les dépouilles étaient placées dans des cavités creusées de chaque côté des galeries. Suivant les besoins, on construisait de nouvelles salles au niveau des premières ou plus en profondeur. Certaines catacombes ont ainsi jusqu'à six étages.

Rome et le christianisme n'ont certes pas l'exclusivité des catacombes. On en trouve tout autour de la Méditerranée : en Tunisie, au Liban, en Égypte et à Malte, dans l'ancienne Étrurie et à Naples ; elles sont parfois bien antérieures à l'ère chrétienne. Mais les plus « peuplées » sont celles qui s'étendent sous les rues de Paris.

Là, au cours d'une visite guidée, le touriste découvre une succession de salles garnies d'os et de crânes, ainsi qu'un immense ossuaire, où sont rassemblés

Au début du XIXe siècle, les millions d'ossements des catacombes de Paris firent l'objet d'une exposition, illustrée ici par le caricaturiste anglais George Cruikshank.

quelque six millions de squelettes, provenant d'anciens cimetières parisiens. Les catacombes de Paris étaient à l'origine d'immenses carrières souterraines, qui ne furent transformées qu'en 1787. Durant la Seconde Guerre mondiale, elles servirent de refuge au P.C. central de la Résistance.

LES TOURS DU SILENCE

Les Pārsis de l'Inde – adeptes de la religion zoroastrienne de l'ancienne Perse – estiment que les cadavres ne doivent profaner ni la terre, qui est sacrée, ni le feu, symbole divin. Une difficulté en résulte : comment se défaire des morts sans les enterrer ni les brûler ? La solution est la tour du silence (dakhma).

Peu après un décès, des porteurs de cadavre (seules personnes habilitées à toucher le corps) lavent et habillent le mort. Puis ils placent un chien – animal sacré – devant le visage du défunt pour en écarter les mauvais esprits. La dépouille est conduite au dakhma dans un cercueil que les porteurs brisent et enterrent ensuite.

Ces tours sont d'énormes édifices de pierre et de brique à ciel ouvert, d'environ 90 m de circonférence. À l'intérieur, des terrasses circulaires entourent une fosse centrale.

Seuls y ont accès les porteurs de cadavre, qui déposent le mort, le visage tourné vers le ciel, sur l'une des trois plates-formes concentriques : l'extérieure pour les hommes, l'intérieure pour les femmes et l'intermédiaire pour les enfants. Le corps est exposé à la brûlure purificatrice du soleil – et aux vautours qui, en quelques heures, lui arrachent toute sa chair. Des mois plus

La tour funéraire pārsie de Yezd (Iran) surplombe un mausolée moderne bâti sous le règne du dernier chah.

tard, les os sont jetés dans la fosse centrale, bordée de sable et de charbons ardents. La tâche est accomplie : le corps a effectivement disparu sans toucher ni la terre ni le feu.

CONSERVER LES MORTS
Les momies de l'Égypte ancienne

Pour accéder à la vie nouvelle qui devait suivre la mort, les anciens Égyptiens avaient par-dessus tout besoin de leur corps physique, indissociable de leur personnalité. Ne supportant pas l'idée que le corps pût se décomposer, ils momifiaient tous les défunts, riches ou pauvres.

Les embaumeurs devaient vraiment avoir du sang-froid. Ils prélevaient tous les organes internes, du cœur au cerveau et de l'estomac aux poumons, et les plaçaient dans des récipients distincts – les canopes – après l'embaumement. Ils remplissaient la dépouille d'aromates et de bitume (momie vient du mot arabe *moum* cire, bitume), ce qui la rendait noire, lourde et quasi indestructible. Enfin, ils lavaient le corps et l'enveloppaient de bandes de toile encollée.

Cette pratique eut cours d'environ 2400 avant J.-C. au VIe siècle de notre ère. Mais les Égyptiens ne furent pas seuls à chercher à conserver leurs morts. Les Indiens du Pérou embaumaient et adoraient les leurs, à l'instar des Guanches des îles Canaries, en appliquant des méthodes semblables à celles de l'Égypte. Les Aléoutes nord-américains desséchaient leurs morts en les suspendant à des hampes ou en les plaçant à l'intérieur de cavernes sèches.

En Égypte, les morts emportaient dans la tombe tout le nécessaire pour l'au-delà, vêtements et autres biens temporels. Ce qui devait plus tard faire la joie des profanateurs de sépultures, prêts à monnayer jusqu'aux momies qui, réduites en poudre, se vendaient au Moyen Âge comme cicatrisants.

LE SAVIEZ-VOUS ?

Notre connaissance du mobilier égyptien antique est due, pour beaucoup, à une coutume funéraire. Par souci du confort dans l'au-delà, les riches se faisaient enterrer avec certains de leurs meubles.

✳ ✳ ✳

Au Congo, des tatoueurs professionnels déploient sur les cadavres un art aux figures complexes et saisissantes – qu'ils dévoilent contre rétribution.

LE JOUR DES MORTS

On offre aux enfants des cercueils en chocolat portant leur nom ; des crânes en sucre sourient de toutes leurs dents et des familles chantent et bavardent avec les morts en pique-niquant au cimetière. Tout cela a lieu au Mexique, dans le cadre des festivités extraordinaires du jour des Morts.

Ce jour-là, disent les Mexicains, les défunts reviennent brièvement au pays des vivants – et comme leur visite est courte, ils méritent un joyeux accueil.

Le jour des Morts n'est pas triste, c'est comme un aimable rappel de la fugacité et de l'insignifiance de la vie. Le poète et essayiste Octavio Paz va jusqu'à dire de la mort que « le Mexicain la fréquente, la raille, la brave, dort avec, la fête ».

Pareille attitude s'enracine loin dans l'histoire du Mexique. Entre les IIIe et VIIIe siècles, bien avant l'essor de la civilisation aztèque, les Indiens Totonaques croyaient le monde des morts parallèle au nôtre. Dans leur vision, une personne décédée recommençait sa vie écoulée, en épousant le même conjoint. Il n'y avait pas lieu de craindre le trépas ; et, comme pour le prouver, on représentait le dieu totonaque de la mort sous l'aspect d'un squelette au sourire épanoui.

DEVOIR ET SOUMISSION
Quand les veuves suivaient leur mari dans la tombe

Des monuments témoignent dans toute l'Inde du dévouement des femmes hindoues à leur mari. Pour laver les péchés de son couple et lui assurer la félicité éternelle, chaque veuve accomplissait un acte suprême : elle s'immolait sur le bûcher funéraire de son époux.

On peut se demander si ces femmes se sacrifiaient volontairement ou non. Mais une veuve hindoue n'avait guère le choix : si elle regimbait devant son devoir, son refus la vouait au statut de proscrite au sein de la société, pendant le restant de ses jours. Si le courage lui manquait, des hommes étaient prêts à la pousser dans les flammes du bout de leurs perches. Cette coutume inexorable remonte au moins au IVe siècle avant J.-C. La secte hindoue Brahmo Samaj, attachée au progrès, persuada les Britanniques d'interdire le satī contre l'avis des hindous orthodoxes. En 1829, le sacrifice des veuves devint illégal dans les Indes britanniques, mais il resta en vigueur trente ans de plus dans quelques États princiers et semble se pratiquer encore aujourd'hui.

L'immolation par le feu des femmes hindoues survivant à leur mari remonte à plus de 2 300 ans – et continue peut-être.

L'EXPÉRIENCE DE LA MORT

Enfermés, emmurés ou enterrés vivants

Le soir du 20 juin 1756 vit peut-être commencer la nuit la plus étouffante de l'année à Calcutta. La mousson avait du retard et la chaleur était accablante. Mais les quelques dizaines de soldats britanniques présents dans la ville n'avaient guère dû s'en soucier au lever du jour. Entassés avec 500 soldats du pays au fort William, ils étaient assiégés par 30 000 fantassins, 20 000 cavaliers, 400 éléphants et 80 canons sous l'autorité du nawab (gouverneur) du Bengale, Siraj-ud-Dawlah.

En prenant le fort d'assaut, l'armée du nawab ne tua pas les Européens ; elle les jeta dans le cachot du fort, sinis-

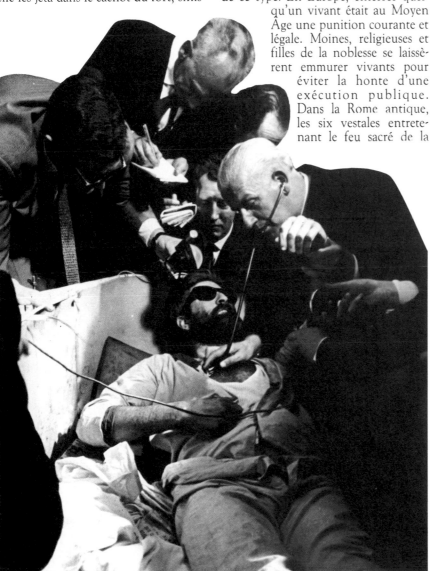

tre cage à poules de 5,50 m sur 4,60 m, à deux fenestrons, que la garnison avait baptisée Trou noir. Dans ce réduit suffocant, 64 hommes plus serrés que moutons en bergerie affrontèrent, sans eau, la nuit la plus chaude de l'année. Au matin, il n'en restait que 21 en vie.

Longtemps cité comme exemple de barbarie, cet événement résulta sans doute d'une stupide inadvertance plutôt que d'une cruauté délibérée.

Châtiment séculaire

L'épisode du Trou noir de Calcutta resta tristement célèbre, mais c'était un cas isolé dans l'histoire des châtiments de ce type. En Europe, enterrer quelqu'un vivant était au Moyen Âge une punition courante et légale. Moines, religieuses et filles de la noblesse se laissèrent emmurer vivants pour éviter la honte d'une exécution publique. Dans la Rome antique, les six vestales entretenant le feu sacré de la

déesse Vesta encouraient le même sort si elles rompaient leur vœu de chasteté.

Au Mexique, en Allemagne et en Chine à différentes époques, les épouses nobles étaient censées survivre à leur mari... pour être enterrées vivantes dans la même tombe.

Contre toute attente, il semble possible de survivre à une inhumation en règle. On sait que des fakirs indiens, par une étonnante maîtrise de leur métabolisme, ralentissent leur rythme cardiaque et leur respiration jusqu'à les rendre à peine perceptibles. Dans cet état léthargique, ils survivent sous terre des jours entiers.

Faire le mort

En 1835, au palais du maharadjah de Lahore, le fakir Haridas fit une expérience exceptionnelle : il resta enterré quarante jours dans un coffre scellé. Selon le *Calcutta Medical Times*, Haridas avait d'abord jeûné plusieurs jours, avalant et régurgitant une bande de toile de 27 m pour se nettoyer l'estomac. Le nez et les oreilles bouchés avec de la cire pour se protéger des insectes, il enroula sa langue – dont il avait exprès retranché les muscles – de façon à se cacheter la gorge, puis se détendit. Selon un témoin, en quelques secondes « il fut physiquement mort ».

Des grains d'orge semés au-dessus du coffre avaient germé lorsque Haridas revit le jour. Il offrait un aspect raide et ratatiné, mais après une heure de massage il reprit sa physionomie normale – pour recevoir une offrande de diamants du maharadjah.

L'Irlandais Mike Meaney est examiné après être resté enterré vivant soixante et un jours dans un cercueil à Londres en 1968. On lui avait fourni oxygène, eau et nourriture.

LA VOIX DU PEUPLE

Ardeur révolutionnaire et besoin de démocratie

« Je m'étonne que mes ancêtres aient permis l'avènement d'une telle institution », soupirait Jacques Ier d'Angleterre, en 1614. Il évoquait ainsi le Parlement, souvent prompt à contrarier ses desseins. Les rois, pensait Jacques, sont désignés par Dieu pour gouverner en son nom.

Comment la démocratie occidentale moderne s'est-elle imposée contre ce droit divin, qui paraissait immuable ? L'Angleterre du XVIIe siècle, qui décapita Charles Ier pour usurpation des pouvoirs du Parlement, est particulièrement instructive à cet égard. À cette époque fut acquise l'idée que le roi gouvernait en association avec le Parlement – sans l'accord duquel il ne pouvait créer d'impôts.

« Pas de taxation sans représentation » : telle fut la devise de l'Amérique révolutionnaire. Les États-Unis proclamèrent l'égalité de tous en même temps que leur indépendance, en 1776.

L'assemblée législative de la France prérévolutionnaire – les états généraux –, qui n'avait pas été réunie depuis 1614, fut convoquée par Loménie de Brienne le 5 juillet 1788 pour mettre fin à la révolte nobiliaire et résoudre la crise financière. Moins de cinq ans plus tard, le roi Louis XVI était guillotiné sur l'actuelle place de la Concorde, aux cris de « liberté, égalité, fraternité ».

Les idées conjuguées de ces révolutions anglaise, américaine et française suscitèrent en Europe un immense besoin de démocratie auquel bien peu de gouvernants étaient, vers la fin du XIXe siècle, en mesure de résister.

Les monarchies restées sourdes à la volonté des peuples de choisir leurs gouvernants ne survécurent pas longtemps à la Première Guerre mondiale, surtout dans le camp des vaincus. Quelques souverains restèrent sur leur trône, mais en cédant le pouvoir aux représentants du peuple. Et l'idéal démocratique obligea les régimes les plus oppressants à organiser des élections, plus ou moins truquées, pour se donner un semblant de légitimité populaire.

QUI COMPTE GAGNE

À pouvoir absolu, corruption absolue

Il est notoire que le général Alfredo Stroessner, dictateur du Paraguay pendant trente-cinq ans (jusqu'à son éviction en 1989), donnait asile à des criminels de guerre nazis, emprisonnait et torturait les dissidents et trempait sans doute dans le trafic de la drogue. Mais il tenait à organiser un scrutin présidentiel régulièrement pour sauver les apparences.

Majorités magiques

Les élections étaient complètement truquées. La liste électorale restait secrètement gardée ; on découvrit, après la chute de Stroessner, les noms d'une foule de personnes qui, par magie, avaient continué de voter (pour le dictateur) longtemps après leur mort. Des enfants votaient aussi pour lui. Les différents partis d'opposition obtenaient rituellement le tiers des sièges aux deux Chambres, quel que fût leur score réel : Stroessner payait leurs frais de campagne et versait de bons salaires aux députés élus.

Les Paraguayens tenaient alors ces propos sarcastiques : « Nous avons des élections plus perfectionnées qu'aux États-Unis. Là-bas, les ordinateurs connaissent les résultats deux heures après la clôture du scrutin. Au Paraguay, nous les connaissons deux heures avant son ouverture. »

Si Stroessner sombrait dans le grotesque en se prétendant élu démocratiquement, il n'inaugurerait pas l'histoire de la corruption politique. La Grande-Bretagne, « mère des parlements », eut un système de représentation bien peu démocratique jusqu'aux réformes de 1832, qui en atténuèrent les bizarreries.

Parmi ses moindres maux figuraient des « circonscriptions de poche », où de riches propriétaires – souvent pairs du royaume, siégeant déjà à la Chambre

---

LE SAVIEZ-VOUS ?

L'élection la moins ambiguë de tous les temps eut lieu le 8 octobre 1962 en Corée du Nord. La participation fut de 100 % et le parti du travail de Corée recueillit tous les suffrages.

---

des lords – présentaient leurs candidats sans opposition. Certains de ces bourgs étaient jugés politiquement si rentables qu'ils changeaient de mains comme actions en Bourse.

La corruption à son comble

La corruption prenait parfois des tours inimaginables. En témoigne la situation de Old Sarum (Salisbury). Dans ce petit bourg du Wilshire, une population inexistante élisait fidèlement depuis des siècles un député choisi par le propriétaire foncier, qui vivait ailleurs.

Les amendements adoptés après 1832 remédièrent à cet état de choses, mais ce n'est qu'en 1918 que les hommes obtinrent le droit de vote ainsi que les femmes de plus de trente ans.

Si bizarres que soient certains systèmes électoraux, aucun ne surpasse en efficacité celui que mit en œuvre Charles D.B. King aux présidentielles du Liberia en 1927. Mr. King obtint 234 000 voix de plus que son adversaire – écart d'autant plus remarquable que le total des votants ne s'élevait qu'à 15 000 ! Mr. King fut élu.

LA LONGUE MARCHE POUR LES DROITS DE LA FEMME

Des millions de femmes restent privées d'expression politique

Le monde a écarquillé les yeux en voyant le Liechtenstein octroyer le droit de vote à ses citoyennes de plus de vingt ans. La petite principauté faisait cette concession majeure en 1984 : on se demanda alors comment elle avait refusé jusque-là un droit aussi élémentaire. Pourtant, la lutte menée en tout lieu pour donner aux femmes une voix en politique est loin de son terme.

En France, les femmes ont dû attendre l'ordonnance du 21 avril 1944 pour bénéficier du droit de vote et de l'éligibilité. En Grèce, berceau de la démocratie, elles ne participent aux élections nationales que depuis 1952. Au Royaume-Uni, dont le Parlement existe

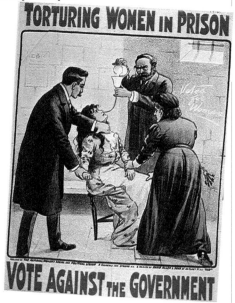

Cette affiche d'une campagne menée par les suffragettes illustre le sort que réservaient les autorités aux femmes prêtes à mourir pour obtenir le droit de vote.

depuis 1265, le vote des femmes date de 1918 – et seules pouvaient l'exercer celles de plus de trente ans jusqu'en 1928, alors que les hommes votaient dès l'âge de vingt et un ans. « Tous les hommes naissent égaux en droit », proclament les États-Unis en 1776 : mais les femmes attendront le droit de voter aux élections fédérales pendant 144 ans.

En Islande, dont l'Althing – créé en 930 – est le plus vieux Parlement du monde, les femmes votent depuis 1915. Dans les années 1980, ce pays s'est donné le seul parti politique spécifiquement féminin du monde et la première présidente élue démocratiquement.

Cette négation de la lucidité politique des femmes ne semble avoir aucun fondement logique, ni historique. Cléopâtre en Égypte, Élisabeth Ire d'Angleterre et Catherine II de Russie furent des souveraines sagaces, souvent impitoyables, qui déjouaient sans peine les menées de leurs rivaux masculins.

L'époque moderne a connu de vigoureuses dirigeantes comme Indira Gandhi en Inde, Golda Meir en Israël ou Margaret Thatcher en Grande-Bretagne. Fortes de leur popularité, la Philippine Corazon Aquino et la Pakistanaise Benazir Bhutto ont renversé des régimes autoritaires. Cette dernière a été la première femme à diriger le gouvernement d'un pays musulman ; mais dans beaucoup d'États islamiques, il reste interdit aux femmes de voter, a fortiori de jouer un rôle politique. Au Bhoutan, la constitution autorise un

vote par famille – ce qui, grosso modo, limite l'expression politique à l'opinion des hommes.

L'Afrique du Sud refuse le droit de vote au nom de la couleur et de la race, et il existe encore des pays où nul n'est en droit de voter. Certains, comme la Guinée, sont d'anciennes colonies victimes de coups de force. D'autres pays, par exemple ceux du Golfe, sont gouvernés par des dynasties et privés de système électoral.

LE SAVIEZ-VOUS ?

Aleksandra Kollontaï devint la première femme ministre au monde : membre du comité central du Parti et du comité exécutif du soviet de Petrograd, elle entre au Conseil des commissaires du peuple où on lui confie l'Assistance publique. En 1923, elle fut la première ambassadrice au monde en représentant l'URSS en Norvège.

Les Américaines ont mené une longue lutte pour le droit de vote, qui ne leur a été octroyé qu'en 1920.

LA COURSE AUX RÉSULTATS

Tous les quatre ans, au soir du premier mardi de novembre, les Américains captent les bulletins de radio et de télévision pour savoir qui sera leur prochain président. Mais les chiffres qu'ils entendent, pour chaque comté et chaque État, ne sont pas les résultats électoraux officiels.

Les décomptes officiels s'achèvent en général deux ou trois semaines après l'élection, en partie à cause des votes par procuration : ceux-ci affectent rarement l'issue du scrutin, mais doivent être inclus dans le dépouillement officiel et vérifiés avec soin.

Comment le public apprend-il donc un résultat exact quelques heures après la fin de la consultation ? Le dépouillement a bien lieu dès la fermeture des 181 000 bureaux de vote du pays.

En 1964, les trois grandes chaînes de télévision, ABC, CBS et NBC, créèrent le service d'informations électorales (NES), pour recueillir les résultats dans chaque bureau, les additionner au plus vite et les diffuser.

Ce travail mobilise d'importants moyens téléphoniques et informatiques. En 1988, le NES traita plus de 90 millions de suffrages pour le scrutin présidentiel, autant pour le renouvellement de la Chambre des représentants, 50 millions pour celui du Sénat et des millions d'autres pour l'élection des gouverneurs de douze États.

SCRUTIN À L'AMÉRICAINE
Le chemin tortueux de la Maison-Blanche

Les trois principales élections aux États-Unis sont celles du président, des représentants (l'équivalent des députés français) et enfin des sénateurs.

Le président est élu par un collège de 538 grands électeurs désignés au suffrage universel direct par le peuple. Les 435 sièges de la Chambre des représentants sont attribués à chacun des 50 États au prorata de sa population. Le nombre de sénateurs ne tient en revanche aucun compte de la démographie. Chaque État dispose de deux sièges.

Le président des États-Unis d'Amérique n'est donc pas élu au suffrage universel direct mais par un collège composé des délégués de chacun des candidats – le collège des grands électeurs. Chaque État désigne ses délégués en fonction de l'importance de sa population ainsi que du nombre de voix obtenu par chacun des candidats.

Mais toutes les voix dont dispose l'État au collège des grands électeurs vont au candidat arrivé en tête. La clé de l'élection est donc détenue par la douzaine d'États le plus fortement peuplés. Il peut même arriver qu'un candidat dispose d'une majorité au collège des grands électeurs alors qu'il est minoritaire en voix dans l'ensemble du pays. Il devient donc président. Il lui suffit d'arriver en tête dans les États les plus peuplés. Ce cas de figure paradoxal s'est déjà présenté en trois occasions, dont la dernière, en 1888, lorsque le républicain Benjamin Harrison l'emporta sur le démocrate Grover Cleveland, pourtant choisi par un plus grand nombre de citoyens américains.

Le 41ᵉ président américain crie victoire en 1988, après avoir reçu l'appui de 426 grands électeurs sur 538, de 40 États et de 54 % des citoyens.

UN DEVOIR
Aux urnes, sous peine d'amende

Dans les démocraties occidentales, un parti a deux objectifs à atteindre en période électorale : réaliser un meilleur score que ses rivaux mais aussi persuader l'opinion qu'il faut aller voter. Il est toutefois des pays où, en boudant les urnes, on s'expose à des sanctions prévues par la loi.

En Autriche et en Australie, ne pas voter entraîne automatiquement une amende. La participation électorale y est rarement inférieure à 92 % ; en Australie, elle a même atteint 98 %.

Ailleurs, la sanction est d'ordre pratique. En Grèce, on peut retirer ou ne pas délivrer un passeport. En Bolivie, les non-votants se voient fermer l'accès aux banques et aux écoles. Les Boliviens, dont le pays a connu 191 coups d'État entre son indépendance, en 1825, et 1984 (soit un tous les dix mois, en moyenne), voient peut-être d'un œil assez ironique cette loi.

Avant 1989, le vote obligatoire avait cours dans un seul pays communiste à parti unique : la Roumanie. La participation y tombait rarement au-dessous de 99 %, de même que les scores enregistrés par les candidats élus. En 1985, Nicolae Ceausescu obtint 100 % des voix. Mais, la même année, les élections à la « Grande Assemblée nationale » font apparaître des votes de 5 à 7 % hostiles aux candidats officiels.

LE SAVIEZ-VOUS ?

Le premier pays à faire voter les femmes fut la Nouvelle-Zélande, en 1893.

Les Indiens des États-Unis n'avaient pas rang de citoyens et, malgré leur engagement dans la Première Guerre mondiale, ne votèrent qu'en 1924.

En Bolivie, il faut avoir vingt et un ans pour voter – ou dix-huit si l'on est marié. En République Dominicaine, même ceux qui n'ont pas l'âge légal de dix-huit ans peuvent voter s'ils sont mariés.

C'est en Andorre que la majorité électorale est le plus élevée : elle est de vingt-cinq ans.

Un Patrimoine d'Étranges Traditions

Usages propres au Parlement britannique

Le Parlement britannique respecte toute une série de coutumes qui paraissent insolites à un public non averti. L'une des plus frappantes intervient à l'ouverture officielle du Parlement, quand les deux Chambres, celle des lords et celle des communes, se réunissent en présence du souverain. Les lords envoient l'huissier à verge noire – ainsi nommé en raison de sa baguette de fonction – convoquer les députés des communes à la Chambre haute. Mais, à l'arrivée de l'huissier aux Communes, le sergent d'armes lui claque la porte au nez. Pour être admis, le messager doit frapper trois fois tandis que le sergent l'observe par un judas. La Chambre des communes affirme ainsi son indépendance envers la Chambre des lords.

Lorsque la Chambre des communes « se lève » en fin de journée, un fonctionnaire lance à la cantonade : « Qui regagne ses foyers ? » – appel repris par les policiers qui surveillent le bâtiment.

LE SAVIEZ-VOUS ?

La Chambre des communes britannique comprenait à l'origine deux chevaliers de chaque comté, deux citoyens de chaque ville et deux bourgeois de chaque bourg.

À l'origine, cela permettait aux députés de traverser en groupe les champs, sans éclairage et malfamés, séparant Westminster de la Cité de Londres, ou de partager le prix d'une barque sur la Tamise.

Gardez vos distances

Aux Communes, les bancs du gouvernement et de l'opposition sont séparés par un passage central, bordé de deux cordons rouges, où il n'est pas permis aux députés de prendre la parole. Cela pour leur propre sécurité : ce passage, survivance d'époques plus violentes, est large « comme deux épées mises bout à bout ».

Quand un député de sexe masculin veut soulever un point de procédure lors du vote qui suit un débat, il doit le faire en portant un chapeau. Cela montre qu'il ne cherche pas à relancer le débat, la règle interdisant aux députés d'intervenir dans une discussion avec un couvre-chef. Comme les chapeaux se portent moins qu'autrefois, on garde à la Chambre des hauts-de-forme pour les députés souhaitant soulever une question de procédure.

Le représentant officiel des communes auprès du souverain n'est pas le Premier ministre (qui ne représente que le gouvernement du jour), mais le speaker de la Chambre, qui a le rôle de président de la Chambre. Il est élu par les députés au début de chaque session.

La Chambre des communes fit valoir ses droits contre la monarchie quand Charles Ier tenta d'arrêter cinq de ses membres en 1642. Le rituel de l'huissier à verge noire remonte à ce triomphe du pouvoir parlementaire.

À L'ATTAQUE
Curieux motifs de guerre

La plupart des gens conviennent que la guerre est un enfer, mais les nations trouvent quelquefois les plus étranges raisons de se mesurer l'une à l'autre. L'oreille d'un marin anglais a ainsi déclenché une guerre entre la Grande-Bretagne et l'Espagne au XVIIIᵉ siècle. Les hostilités débutèrent en 1731, après qu'un capitaine espagnol nommé Fandino eut coupé une oreille à Robert Jenkins. Le conflit se prolongea neuf ans dans le cadre de la guerre de succession d'Autriche, où la Grande-Bretagne et l'Espagne étaient ennemies.

Des cochons ont provoqué deux guerres. La « guerre du Cochon » de 1906-1909 avait pour cause un différend commercial entre l'Autriche-Hongrie et la Serbie sur l'importation de viande de porc serbe ; mais, en réveillant les antagonismes entre les partisans des deux adversaires (Allemagne et Russie), elle contribua, fût-ce de loin, aux tensions à l'origine de la Première Guerre mondiale. À une moindre échelle, un conflit tribal sur la propriété d'un seul cochon – symbole de richesse et de prestige – aboutit en 1974, en Papouasie-Nouvelle-Guinée, à quatre heures de combats furieux qui se soldèrent par 4 morts, 60 blessés, 70 arrestations et 200 maisons détruites !

En 1969, la passion du football fit des ravages lors d'un match de qualification à la coupe du monde entre le Salvador et le Honduras. Les émeutes qui suivirent le match dégénérèrent en une guerre de cinq jours entre les armées des deux pays, qui fit 2 000 morts et décima les forces aériennes du Honduras.

En 1739, la Grande-Bretagne déclara la guerre à l'Espagne après que le marin Robert Jenkins eut raconté au Parlement l'attaque de son navire par les Espagnols, qui lui avaient coupé l'oreille.

LE SAVIEZ-VOUS ?

Les Amazones, guerrières antiques de légende, vivaient à l'écart des hommes, qu'elles ne fréquentaient brièvement que pour tomber enceintes. Elles tuaient leurs enfants mâles à la naissance, ou les mutilaient, ou bien encore les donnaient à leurs pères, et gardaient les filles pour perpétuer la race.

FAROUCHES GUERRIÈRES
Des combattantes qui frappaient leurs ennemis de terreur

Nul ne les avait jamais rencontrées, mais la crainte des premières Amazones était répandue parmi les anciens Grecs. Leur seul nom impliquait la terreur, car il signifie « qui n'a pas de sein » – allusion à la légende selon laquelle ces redoutables guerrières se coupaient un sein pour mieux tirer à l'arc ou manier la lance.

Plus mythiques que réelles, ces femmes de combat évoquées par Homère – leur souveraine ayant pris parti pour Troie et contribué à défaire le héros grec Achille – demeuraient insaisissables. À mesure que les Grecs découvraient les territoires qui les entouraient, le pays présumé des Amazones reculait devant le monde connu.

Archéologues et historiens jugent possible aujourd'hui que les Sarmates, qui occupaient le territoire de la Pologne actuelle, aient inspiré ces récits de guerrières sans peur, car des femmes combattaient parmi eux et se faisaient enterrer avec leurs armes.

En Afrique de l'Ouest, des Amazones en chair et en os formaient un corps d'armée du Dahomey (l'actuel Bénin). Au milieu du XIXe siècle, le roi dahoméen Guézo ordonna que toute fille de son royaume fût présentée – à l'âge de dix-huit ans, semble-t-il – pour un éventuel enrôlement dans l'armée.

Celles qui avaient les aptitudes physiques requises recevaient un entraînement très rude, dont une épreuve consistait à franchir nues une barrière d'épines de 5 m et une fosse remplie de braises !

Guézo avait formé ce corps d'élite féminin pour une raison assez simple : n'ayant jamais connu l'indépendance, ces femmes obéiraient toujours aux ordres. On les comptait aussi officiellement – pour les soustraire à d'autres hommes – parmi les épouses du roi. Mais il y avait, en outre, un

Les femmes de l'armée de Dahomey avaient la réputation d'être intrépides et prêtes à tout pour défendre leur roi.

impératif de tradition : le Dahomey avait toujours eu des femmes soldats, et Guézo tenait à les voir combattre plus farouchement que la plupart des hommes.

Leur plus grande bataille fut aussi leur dernière. En 1851, Guézo attaqua les Egbas, ses ennemis, à Abeokuta. À un moment, une division de quelques centaines de femmes mit en déroute 3 000 guerriers egbas, puis, surpassée en nombre à raison de 15 contre 1, défia un autre contingent de défenseurs – qui durent enjamber les monceaux de morts de leur camp pour vaincre enfin ces formidables guerrières.

L'ultime engagement

Au total, près de 5 000 « amazones » périrent dans ce sanglant assaut. Les pertes ennemies étaient sans doute cinq fois plus lourdes, mais l'armée féminine était terriblement affaiblie, et son rôle déclina – éclipse accélérée par les hommes du Dahomey, révoltés de ne pouvoir épouser les plus belles femmes du pays avant qu'elles ne quittent l'armée, à l'âge de trente-cinq ans.

Les amazones firent une dernière apparition sur un champ de bataille dans la guerre des Boers, en Afrique du Sud. Une unité de guérilla, les « amazones boers », combattit avec des hommes contre les Britanniques de 1899 à 1902. Depuis lors, le nom traditionnel des femmes combattantes a disparu de l'histoire militaire.

LA DEMOISELLE DE SARAGOSSE

Durant la guerre d'Espagne menée par Napoléon, la ville de Saragosse subit un siège marqué par d'incessantes canonnades. Voyant les soldats démoralisés abandonner leurs postes, une Espagnole de vingt-deux ans, Augustina Domonech, s'empara d'un canon et riposta aux Français en jurant de ne pas quitter cette arme tant qu'elle serait en vie.

Son acte d'héroïsme ramena les soldats espagnols à leurs postes, et la bataille continua de plus belle. Huit mois plus tard, en février 1809, Saragosse tomba enfin, vaincue par le nombre et la ténacité des Français. Mais Augustina s'échappa de la ville détruite pour défendre ailleurs son pays.

Dans *le Chevalier Harold*, le poète lord Byron célébra la demoiselle de Saragosse, dont la bravoure inspirait admiration et respect.

Les exploits d'Augustina se prolongèrent au cours de la guérilla contre les Français.

Attaquée en 1813 par trois bandits, elle en tua deux et s'en tira avec une blessure à la joue. Ce n'était pour elle qu'une « rude bousculade ».

Ses actes de courage valurent à l'Espagnole Augustina Domonech trois médailles et des appointements de soldat.

LES FEMMES DE CHOC DE MIN-TOP

On sous-estime trop souvent le rôle que joua l'armée féminine du Sud Viêt-nam dans le conflit vietnamien. Fondée dans les premiers temps de la guerre, cette armée de 3 000 femmes combattit avec la férocité caractéristique de cette guerre. Ses recrues, coriaces et bien entraînées, étaient prêtes à lutter jusqu'à la mort. L'engagement de Hoc Nom (1962), où 15 d'entre elles liquidèrent 25 hommes du Viêt-cong, illustre leur efficacité.

Le « grand peuple de Min Top » donna peut-être son élément le plus redoutable à cette armée. De constitution plus forte et de peau plus claire que les autres Vietnamiens, ces habitants descendaient de métis nés trois générations plus tôt, alors qu'une société minière suédoise opérait à Min Top. Les femmes de Min Top étaient des guerrières nées, qui tuèrent 22 ennemis à Kong Loc en n'essuyant qu'une seule perte. L'une d'elles, Dho Minde, aurait parcouru 70 km de jungle au pas de course pour ne pas être capturée. Elles étaient également impitoyables et semblent n'avoir jamais fait de prisonniers.

SOUS L'UNIFORME
Le secret le plus difficile à garder pour un soldat...

Le général anglais lord Malborough était en passe de vaincre les Français à Ramillies ; mais, pour un cavalier grièvement blessé, la bataille avait déjà pris fin. Les chirurgiens occupés à étancher le sang de sa blessure à la tête déchirèrent son uniforme pour opérer plus aisément. Dès cet instant, le dragon Cavanagh ne pouvait plus réintégrer son régiment, car on avait mis au jour son grand secret : c'était une femme.

Sur les traces d'un mari

Le secret de Kit Cavanagh fut dévoilé en 1706. Déguisée en homme, elle était devenue soldat en 1693 afin de retrouver le mari qui l'avait quittée pour l'armée britannique. Durant sa carrière militaire, elle fut deux fois blessée et une fois « prisonnier » de guerre. Deux ans avant Ramillies, elle avait réussi à rencontrer son mari, mais sans lui avouer son identité.

Une fois remise de sa blessure, Kit Cavanagh devint cuisinière au service d'officiers. Mais elle s'en lassa vite et reprit les armes, désormais habillée en femme – ce qui lui sauva la vie à la bataille de Malplaquet (1709), où son corset arrêta net une balle. Elle vécut encore trente ans puis s'éteignit en Angleterre, où elle fut enterrée avec les honneurs militaires.

Kit Cavanagh n'est ni la seule femme à avoir guerroyé travestie en homme, ni la seule à l'avoir fait pour débusquer son mari. L'Anglaise Hannah Snell, femme d'un marin hollandais, en fit autant en 1744, sous le nom de James Gray. Elle combattit les rebelles d'Écosse en 1745 puis, dans l'infanterie de marine britannique, les Français à Pondichéry (Inde).

Blessée dans la bataille, elle extirpa la balle elle-même pour ne pas être démasquée. Ayant appris au bout de cinq ans que son mari était mort, elle fit ses adieux à la mer, vendit ses Mémoires et se remaria deux fois avant de mourir en 1792.

Sarah Edmonds, elle, s'engagea dans l'armée pour fuir un père tyrannique. Sous le nom de Franklin Thompson, elle prit part à la guerre de Sécession américaine pour l'Union nordiste, contre le Sud confédéré. Cet engagement que semble avoir inspiré un roman dura deux ans : désillusionnée par la vie de soldat, elle déserta. Mais l'histoire de Sarah Edmonds s'achève à la manière d'un conte de fées : en 1867, la guerre finie, elle épousa son amour d'enfance.

Agent double

L'armée confédérée du Sud eut elle aussi son héroïne secrète. Quand son mari épousa la cause sudiste, Loreta Velasquez prit le nom de Harry T. Buford, leva un régiment, livra plusieurs batailles, fut blessée au combat et, pour finir, devint espionne. Elle stupéfia son mari en arrivant un jour à son camp sous l'identité de « Harry Buford ».

De tels cas se font de plus en plus rares, peut-être parce que la plupart des armées comportent aujourd'hui des unités féminines. À moins que les soldats qui veillent sur un secret intime ne se déguisent beaucoup mieux...

DRÔLE DE GUERRE
Une guerre longue et paisible

En avril 1986, les Néerlandais mirent fin à leur guerre la plus longue, qui est peut-être aussi la plus longue de tous les temps. Leur ambassadeur à Londres se rendit aux îles Scilly, avec une déclaration de paix qui enterrait officiellement trois cent trente-cinq ans de conflit entre ce paisible archipel et les Pays-Bas.

Du début à la fin de cette curieuse guerre, on n'avait pas tiré un coup de feu. Au départ, l'affaire se présentait comme un à-côté de la guerre civile anglaise. Dans l'espoir de remplir leurs coffres vides, les royalistes autorisèrent les habitants des Scilly (qui soutenaient le roi contre le Parlement) à pratiquer le métier de corsaires.

Les Hollandais en furent les principales victimes, leurs navires passant près des îles Scilly pour gagner les Antilles. En 1651, l'amiral hollandais Maarten Tromp ordonna aux îliens de se modérer, puis, devant leur refus, déclara la guerre à l'archipel. Mais peu après, la marine britannique éloignait Tromp en l'invitant à ne pas se mêler des affaires de la Grande-Bretagne.

En 1985, on s'aperçut que la guerre ne s'était jamais conclue officiellement. Certains hasardèrent que l'on y mettait fin parce que les insulaires – qui, depuis longtemps, ne craignaient plus de voir apparaître une flotte de guerre hollandaise à l'horizon – espéraient attirer les touristes néerlandais.

LE SAVIEZ-VOUS ?

Durant la guerre de Cent Ans – série de conflits franco-anglais échelonnés sur cent seize ans (1337-1453) – la Flandre, sous contrôle français, s'insurgea contre le roi de France au profit de l'Angleterre. L'industrie textile flamande était tributaire de la laine anglaise.

La plus brève des guerres opposa, le 27 août 1896, la Grande-Bretagne à Zanzibar (aujourd'hui en Tanzanie). La flotte britannique bombarda le palais d'un sultan rebelle jusqu'à sa reddition, ce qui demanda trente-huit minutes.

DES SOLDATS QUI N'ONT RIEN À PERDRE

La Légion étrangère, havre des réfugiés solitaires

Romantique et fanfaronne, d'une loyauté sans faille, terrible aux yeux de ses ennemis et sans peur devant la mort – telle est, dans l'imagerie populaire, la Légion étrangère française. Où la réalité rejoint-elle la légende ?

La naissance de la Légion (1831) n'eut rien de romantique et ses premiers engagements furent désastreux. Louis-Philippe la fonda pour deux raisons. Il espérait d'abord qu'une force à dominante étrangère absorberait la masse de réfugiés que la France avait vue affluer les années précédentes. Mais, surtout, la Légion pourrait mener la guerre coloniale d'Algérie et libérer ainsi l'armée régulière, dont le fragile trône de France avait grand besoin.

Piètres débuts

À l'arrivée du premier bataillon de cette armée sans pareille en Algérie, un témoin crut voir débarquer un cirque dont la troupe, âgée de seize à soixante ans, arborait tout un assortiment d'uniformes surannés.

Lorsqu'un deuxième bataillon arriva quelques mois plus tard, 35 de ses hommes désertèrent sur-le-champ et une compagnie se mutina au cours d'une

Fondée il y a cent soixante ans, la Légion étrangère française compte environ 8 500 hommes aujourd'hui. Chacun jure de servir, non la France, mais la Légion elle-même.

soûlerie ; les meneurs furent aussitôt exécutés. Au premier combat de la Légion, 28 hommes eurent à défendre une position proche d'Alger – un seul survécut.

C'est sur ces débuts peu prometteurs que la Légion étrangère édifia pourtant sa gloire. Les autorités traitèrent en héros les légionnaires morts – victimes surtout de leur incompétence – tout en chargeant officiers et sergents de l'armée française d'inculquer discipline et combativité à la Légion.

Nulle part où aller

Tout au long de son histoire, des hommes sont entrés dans la Légion à défaut d'autres points d'ancrage. Criminels, nobles déchus, soldats de métier préférant le combat au maintien de la paix y ont été admis ; à une époque, on les invitait même à choisir une identité de substitution dans une liste officielle. La plupart gardaient leur vrai nom, mais on met encore un point d'honneur à ne pas s'enquérir du passé d'un camarade légionnaire.

La discipline et le combat apprenaient aux hommes à ne compter que sur eux-mêmes durant les cinq années de leur premier contrat. Les légionnaires recevaient les missions les plus impossibles de l'armée française : ils étaient remplaçables et le savaient. Ainsi, n'ayant nulle part où aller ni rien à perdre, ils

combattaient en effet jusqu'au dernier.

Leur action la plus héroïque eut lieu en 1863 à Camerone, après que Napoléon III les eut envoyés défendre le nouvel empereur du Mexique, Maximilien de Habsbourg. Là, 65 légionnaires tinrent tête à 2 000 Mexicains, jusqu'à ce qu'ils ne soient plus que 3 en vie ; 300 Mexicains furent tués et 500 autres blessés.

En 1954, la Légion fut chargée d'assurer la défense du site nord-vietnamien de Diên Biên Phû, contre les communistes du Viêt-minh. Sur un total de 16 500 soldats, la garnison comptait près de 10 000 légionnaires. Encerclés, ils endurèrent huit semaines de pilonnages d'artillerie avant l'assaut final. Lors d'un accrochage de la dernière heure, 400 légionnaires en furent réduits à combattre à la baïonnette ; seuls 70 y survécurent.

Défaite victorieuse

Pour l'armée française, Diên Biên Phû était un désastre qui décida de la guerre. Pour la Légion, c'était une victoire. La réalité rejoignait la légende : ces hommes-là étaient morts pour ne pas se rendre. Mais la réalité, c'est aussi que les hommes de la Légion avaient pour unique sujet de fierté de savoir mourir avec courage.

Cette farouche indépendance a failli détruire la Légion. En 1961, après d'âpres combats contre les nationalistes algériens, le 1er régiment parachutiste de la Légion s'insurgea contre l'ordre d'évacuation de la colonie d'Afrique du Nord, qui lui servait de base depuis plus d'un siècle. Rapatriée dans le déshonneur, elle mit des années à retrouver le moral.

Cette unité d'élite, aujourd'hui réconciliée avec elle-même, regroupe une centaine de nationalités (la citoyenneté française est accordée aux retraités). La légende a survécu, mais la Légion est désormais un foyer plus calme, mieux réglé et moins fantasque pour les hommes sans feu ni lieu.

CRIMES ET CHÂTIMENTS
Un code pénal de quatre mille ans

Le principe biblique du châtiment égal au crime commis – œil pour œil, dent pour dent, main pour main – jouait un rôle capital dans la Loi juive, que transmit Moïse, de même que dans le Code d'Hammourabi, roi de Babylone de 1793 à 1750 avant J.-C. Les Babyloniens disposaient d'un éventail de châtiments, certes draconiens à nos yeux, mais qui limitaient réellement la vengeance individuelle : un fils qui frappait son père avait les doigts amputés, et l'on arrachait les yeux à celui qui avait rendu quelqu'un aveugle. Les Babyloniens ne croyaient pas du tout à l'efficacité des sanctions clémentes – tout comme la plupart des peuples antiques. Il y eut toutefois une exception notable. Vers 2050 avant J.-C.

Cette tablette de pierre du XVIIIᵉ siècle avant J.-C. est le plus ancien recueil de lois connu. Sur le fragment ci-contre, le roi babylonien Hammourabi (debout) reçoit les conseils juridiques du dieu Marduk.

– presque trois cents ans avant le règne d'Hammourabi et peut-être sept cent cinquante ans avant Moïse –, le roi sumérien Ur-Nammu édicta des lois d'une modernité frappante sur le plan pénal.

Ces lois fixaient une série d'indemnités que les auteurs de délits devaient verser à leurs victimes. L'homme qui avait coupé le pied à quelqu'un devait lui remettre dix mesures d'argent ; le responsable d'une fracture s'acquittait d'une mesure. Le Code d'Ur-Nammu est le premier système où l'amende monétaire remplace le châtiment.

TRAVAILLEURS DE LA MER

L'envoi aux galères fut, de l'époque romaine au XVIIIᵉ siècle, une punition couramment infligée aux criminels d'Europe. Et, dans le monde entier, les prisonniers de guerre devenaient souvent, eux aussi, des galériens.

En 1602, Élisabeth Iʳᵉ d'Angleterre chargea une commission de veiller à ce que les criminels, « sauf ceux coupables d'homicide volontaire, de viol ou de pillage », ne fussent pas exécutés mais envoyés aux galères – « notre désir est que justice soit tempérée de clémence et de miséricorde... et que les coupables soient corrigés et punis de sorte qu'ils puissent rendre service à la chose publique ».

Mais la vie à bord d'une galère n'avait rien de miséricordieux. Les esclaves, aux avirons par tous les temps, restaient enchaînés l'un à l'autre. Ils ne survivaient pas plus de trois ans. Une fois morts, on les jetait à la mer.

Durant des siècles, criminels et prisonniers de guerre furent voués aux travaux forcés.

LE SAVIEZ-VOUS ?

Les deux tiers des juristes du monde vivent aux États-Unis. Il y a plus de juges à Los Angeles que dans toute la France et, à Washington, capitale fédérale, on compte un juriste pour 25 habitants.

Le pilori et les chaînes étaient jadis choses familières sur les places publiques d'Europe. On y lançait fruits et légumes sur les petits délinquants. Les auteurs de délits plus graves – éditeurs de pamphlets scandaleux ou autres – étaient parfois cloués par les oreilles, qu'on leur coupait ensuite et qu'on laissait pendiller seules. L'homme de loi anglais William Prynne, auteur d'un livre discuté en 1633, dut payer 5 000 livres d'amende, renoncer au métier de juriste et subir « la perte des deux oreilles sur le pilori ». Le célèbre écrivain Daniel Defoe, auteur de Robinson Crusoé, fut condamné trois fois au pilori pour avoir défendu les dissidents religieux dans un opuscule. Mais la foule, ralliée à sa cause, lui lança des fleurs.

ESCALIER POUR L'ENFER

Le tourniquet victorien, machine à briser le corps et l'esprit

Une, deux, trois marches... quatre cents, cinq cents, six cents marches. Les tourniquets de l'Angleterre victorienne imposaient une montée sans fin aux prisonniers, qui les grimpaient jusqu'à huit heures par jour – avec une pause de cinq minutes tous les quarts d'heure et d'une heure pour le déjeuner – sans jamais quitter leur point de départ.

L'appareil était fait d'un énorme cylindre de 2 m de haut, entouré de marches qui tournaient sous le poids des détenus. Les plus grands modèles permettaient d'aligner trente-six personnes à la fois sur la roue, chacune isolée dans un compartiment de 60 cm de large.

Vains efforts

Le premier « escalier perpétuel » fut conçu par William Cubitt, en 1818, pour un travail forcé à la monotonie épuisante : le corps et la volonté brisés, les prisonniers y réfléchiraient à deux fois avant d'enfreindre à nouveau la loi. Nul condamné n'y échappait : des femmes enceintes et des enfants durent affronter l'interminable escalier.

Les prisonniers étaient à la merci des gardiens, qui pouvaient compliquer l'épreuve en réglant à leur guise les pales d'un énorme ventilateur actionné

par la roue ; ce faisant, ils augmentaient ou diminuaient la résistance de l'air. Quand la machine leur semblait tourner trop vite, ils accroissaient la résistance, et donc la difficulté.

Pire encore était la manivelle, inventée en 1846 pour les détenus au secret. À la différence du tourniquet, qui servait parfois de moulin ou de pompe à eau, elle ne visait qu'à punir. Le prisonnier, adulte ou enfant, devait la faire

Lorsque les juges anglais du XIXe siècle condamnaient les prisonniers à de lourdes peines, ils ne plaisantaient pas. Cette gravure française illustre le barbarisme du système pénal britannique de l'époque.

tourner 1 800 fois pour gagner son petit déjeuner, 4 500 pour son déjeuner et 5 400 pour son souper (2 700 tours de plus incombaient ensuite aux adultes). Pour manquements répétés à cette règle, un homme ne reçut que neuf repas en trois semaines. Le compte-tours de la manivelle était souvent défectueux, ce qui rendait parfois la tâche impossible aux détenus. Certains perdirent la raison, d'autres, désespérés, se suicidèrent.

Sous la pression des réformateurs, le tourniquet et la manivelle furent interdits à la fin du XIXe siècle.

LES PÉRILS DU VICE

Quand le tabac menaçait la plante des pieds

Chacun sait que boire et fumer sont des habitudes pernicieuses et qu'il faut éviter de faire faillite si on le peut. Mais il est rare aujourd'hui, en Occident, de voir assimiler buveurs et fumeurs à des criminels ou de prôner l'humiliation publique d'un homme en faillite.

Il n'en a pas toujours été ainsi. Dans l'Angleterre du XVIIe siècle, les faillis non réhabilités devaient porter un uniforme brun et jaune distinctif jusqu'à l'effacement de leurs dettes – cela pour les empêcher d'obtenir crédit de marchands sans défiance. Mais la loi s'appliquait surtout aux banqueroutiers doublés de fraudeurs.

Les ivrognes n'étaient alors guère mieux lotis. En Europe du Nord, on les

promenait parfois dans un tonneau percé d'où émergeaient leur tête et leurs mains. Ce « manteau » d'ivrogne était censé faire honte à la victime. On espérait ainsi la détourner à tout jamais de son vice.

Les fumeurs du XVIIe siècle étaient plus maudits encore en certains lieux. Le tsar Michel de Russie exécrait tant leur manie qu'il décréta la bastonnade (série de coups de bâton donnés sur la plante des pieds) au premier délit, la mutilation du nez au deuxième et la mort au troisième. À la même époque, le sultan de Turquie, Murat IV, autre farouche ennemi du tabac, ordonnait qu'on fende les lèvres aux priseurs et qu'on pende les fumeurs, une pipe plantée dans le nez !

LE SAVIEZ-VOUS ?

Vers 1685, on fouetta de belle manière la cloche de l'église protestante de La Rochelle, vieux bastion huguenot, pour le crime d'assistance à hérétique. La cloche était coupable en vertu d'une loi française qui rendait les objets inanimés ainsi que les animaux susceptibles de conduite criminelle. On enterra la cloche pour la déterrer ensuite, ce qui marquait sa renaissance au service de l'Église catholique.

UN TRAIN À PRENDRE

Après une collision entre deux locomotives où avait péri l'un des conducteurs, la justice anglaise de 1838 désigna sans ambiguïté le responsable. La machine fautive fut confisquée en vertu de la vieille loi du *deodand*.

Le précepte saxon du *Deo dandum* (offrande à Dieu) exigeait que l'on remît au roi – qui l'affecterait à un bon usage – tout bien meuble ayant causé mort d'homme. Une veuve dont le mari avait été écrasé par une charrette pouvait la recevoir à titre d'indemnisation. Si un paysan se tuait en tombant sur sa faux, celle-ci était parfois donnée aux pauvres.

Mais, à l'époque victorienne, cette loi devint une arme puissante pour les ennemis des chemins de fer naissants. Après la collision de 1838 et un autre accident du même ordre, le Parlement finit par abolir la loi en 1846.

UNE HISTOIRE À RUMINER
Les procès d'animaux

La culpabilité de l'accusé ne faisait pas le moindre doute. Il avait délibérément tué un homme dans le Valois, en l'an 1314, et plusieurs personnes pouvaient témoigner de la sauvagerie de son crime. Il fut, comme de juste, condamné à mort et pendu peu après. L'accusé était un taureau.

Le droit moderne ne retient pas l'idée qu'un animal puisse commettre un crime. Mais, dans l'Europe médiévale, il était courant de traduire en justice des animaux accusés de magie noire, de sorcellerie ou d'homicide.

Le bétail et les porcs en étaient les principales victimes, mais nullement les seules. En Suisse, les vers étaient poursuivis pour destruction de récoltes et, dans le duché de Savoie, on constitua en 1487 un dossier contre des coléoptères pour atteinte au vignoble local. Au siècle suivant, les rats d'Autun furent convoqués en justice pour avoir infesté maisons et granges. Leur avocat justifia leur non-comparution par le danger que représentaient les nombreux chats du voisinage, ajoutant que le tribunal devait garantir la sécurité de chacun de ses clients durant leur trajet. Le procès fut ajourné sine die.

Au XVe siècle, un coq de Bâle (Suisse) eut moins de chance. Il était accusé d'avoir pondu un œuf, ce que la superstition ambiante tenait pour un signe certain de sorcellerie. Après un procès en règle, le coq fut lié à un poteau et brûlé avec l'œuf. En 1457, à Lavegny, une truie qui avait en partie dévoré un enfant fut pendue pour meurtre. On acquitta ses six porcelets, complices trop jeunes pour avoir compris la portée d'un tel acte.

Dans l'Europe médiévale, les animaux pouvaient être convaincus de crime. Le corps judiciaire prenait au sérieux ces affaires, qui sombraient souvent dans le ridicule, comme le montre cette gravure du XIXe siècle, où sont jugés une truie et ses porcelets.

POUR COURONNER LE TOUT
Un voleur audacieux

Le 9 mai 1671 à 7 heures du matin, quatre hommes firent une visite annoncée à Talbot Edwards, gardien des joyaux de la Couronne à la Tour de Londres. Edwards, qui les connaissait, n'hésita pas à leur ouvrir, croyant qu'ils venaient prendre des dispositions pour le mariage de sa fille. Mais il comprit bientôt qu'ils avaient l'intention moins pure de dérober les joyaux.

Sitôt les portes refermées sur eux, les voleurs jetèrent une cape sur la tête d'Edwards et le bâillonnèrent. Comme il tentait encore d'appeler au secours, on l'assomma d'un coup de maillet et on le poignarda.

Pris sur le fait

Le chef du groupe était le colonel Thomas Blood, un risque-tout irlandais. Laissant Edwards pour mort, il saisit la couronne du roi et l'aplatit pour qu'elle tienne sous son manteau. L'un de ses complices fourra le globe royal dans sa culotte pendant qu'un autre prenait le sceptre. Ils tentaient de le scier en deux quand le fils d'Edwards rentra inopinément, vit son père blessé et donna l'alerte.

Blood s'enfuit avec la couronne et se serait échappé si son cheval n'avait glissé. Il fut bientôt maîtrisé par le jeune Edwards et ses hommes. Quand on vint l'arrêter, Blood lança : « C'était audacieux, mais que ne ferait-on pour une couronne ! »

Emprisonné à la Tour, Blood n'accepta de répondre qu'au roi en personne. Intrigué, Charles II le fit quérir. Blood expliqua alors qu'il avait combattu la Couronne durant la guerre civile et reçu en récompense des domaines irlandais, qu'il avait dû céder au retour de Charles sur le trône. Il avait résolu de se venger en dérobant les joyaux. Déguisé en pasteur, il avait forgé des liens d'amitié avec le gardien des joyaux. Le projet de mariage entre son « neveu » et la fille d'Edwards n'était qu'une ruse pour opérer le vol. L'audace du propos de Blood amusa tant le roi qu'il le fit libérer en veillant à ce qu'on lui restituât ses domaines.

JEFFREYS, LE JUGE SANGLANT

Sa fidélité au roi causa la perte de ce juge impitoyable

Dame Alice Lisle, veuve douce et bienveillante, était aimée et respectée de tous. Mais en 1685, après le complot manqué du duc de Monmouth contre Jacques II d'Angleterre, elle fut décapitée pour avoir hébergé un rebelle blessé.

Les preuves retenues contre elle étaient à vrai dire fragiles, mais dame Alice fut la proie de l'infâme juge George Jeffreys, à qui le roi catholique avait confié le procès des partisans protestants de Monmouth – parodie de justice qui reçut le nom d'Assises sanglantes. Jeffreys intimida les témoins à décharge et tourna la loi pour complaire au roi. Au terme des assises, il avait condamné 200 rebelles au gibet, 800 à l'esclavage et quantité d'autres au fouet ou à la prison.

La bourse ou la corde

Ces peines ne furent pas toutes mises à exécution, Jeffreys tirant fortune de la vente des grâces. Il n'est pas étonnant qu'il passe pour le juge le plus détesté de l'histoire d'Angleterre.

Si Jeffreys se montra cruel et corrompu dans la persécution des protestants, la plupart de ses collègues le jugeaient très compétent professionnellement. Esprit aiguisé, maîtrisant le droit comme personne, il pouvait, en effet, faire preuve de grande dignité et de bonnes dispositions.

Mais son dévouement au roi lui fut fatal. Entièrement acquis à la cause de Jacques II, il ne s'embarrassait pas de scrupules pour la défendre. Attache-

ment qui n'allait pas sans arrière-pensées : l'espoir d'obtenir en récompense le titre de lord chancelier le stimulait à coup sûr. Il l'obtint d'ailleurs, mais sa fortune ne dura pas.

La chute de Jacques II, en 1688, entraîna celle de Jeffreys. Il eut beau raser ses sourcils broussailleux et se déguiser en marin pour essayer de gagner la France, on le démasqua dans une rue de Londres ; arrêté, il fut aussi-

Après l'échec d'un complot contre Jacques II en 1685, le juge Jeffreys, célèbre pour sa cruauté, condamna environ 200 personnes à mort et des centaines d'autres à l'esclavage dans les colonies.

tôt conduit à la Tour de Londres sous les huées d'une foule rageuse. Il mourut quatre mois plus tard en prison, laissant un souvenir de cruauté plus que de compétence.

JUSTICE ET WHISKY

Le juge Roy Bean, de Langtry (Texas), savait à quoi s'en tenir sur l'homme qui comparaissait devant lui pour le meurtre d'un travailleur chinois. « Y a pas une sacrée ligne dans tout ça qui rende illégal de tuer un Chinois, tonna-t-il en brandissant son Code pénal. L'accusé est acquitté. »

Les Mexicains ne s'en tiraient pas mieux : « Ça a servi de leçon au défunt, il n'avait qu'à pas se trouver devant le fusil. » Quant aux couples qui se présentaient à lui pour se marier, il leur déclarait : « Dieu ait pitié de vos âmes. »

On aura deviné que Bean n'avait rien d'un juge orthodoxe. Né vers 1825, il tua plusieurs hommes dans sa jeunesse et se livra à la traite des Noirs avant de se rallier aux Confédérés durant la guerre de Sécession. Il créa une bande armée, les Vagabonds de la liberté – qu'on appelait aussi les Quarante Voleurs – et fut trafiquant de coton, chasseur d'Indiens, boucher, crémier et escroc de bas étage avant d'arriver à Langtry. La ville portait le nom d'un

cheminot, mais Bean, très coureur de jupons, appela son tribunal aux allures de cabaret *le Jersey-Lily,* en hommage à l'actrice Lillie Langtry. (Le nom fut mal orthographié du fait de l'ignorance du peintre de l'enseigne, condamné à ce travail pour ivrognerie.)

Bean dispensa longtemps la justice et le whisky à parts égales. Il était parvenu à se faire élire juge de paix en prétendant connaître le monde judiciaire de fond en comble pour s'être maintes fois trouvé en prison et en liberté.

LE POIDS DE LA FAUTE
Le recours au bouc émissaire, privilège royal

Pour se défaire de leurs tourments, les Yorubas d'Afrique de l'Ouest sacrifiaient aux dieux un être humain. Après avoir désigné leur victime, ou *oluwo,* les habitants d'un village veillaient à satisfaire tous ses désirs avant son exécution, rapporte sir James Frazer dans *le Rameau d'or.*

Le jour convenu, on cachait aux villageois l'identité de l'*oluwo* en le couvrant de cendres et de craie. Puis on le faisait circuler dans les rues où les habitants accouraient pour le toucher, croyant lui faire endosser leurs soucis et leurs fautes. On le décapitait enfin, et tous les maux de la communauté s'éteignaient avec lui.

Le bouc émissaire chargé des fautes de tous les autres est sans doute aussi vieux que la civilisation. L'expression elle-même remonte à une ancienne pratique juive : chaque année à Yom Kippour, jour du Grand Pardon, un grand prêtre absolvait les péchés des enfants d'Israël en posant les mains sur la tête d'un bouc vivant. Puis on abandonnait l'animal à son sort dans le désert. En Europe, de jeunes princes coupables d'inconduite eurent l'idée d'employer des boucs émissaires de leur âge qui étaient punis à leur place. Lorsqu'il était étudiant, Édouard VI d'Angleterre eut pour souffre-douleur Barnaby Fitzpatrick. Mais, quand le futur Jacques Ier fit une faute de latin indigne de lui, son professeur, George Buchanan, épargna le bouc émissaire et punit le prince – en jurant de recommencer si celui-ci ne mettait pas plus d'ardeur au travail.

Henri IV employa des boucs émissaires même à l'âge adulte. Ainsi, lorsqu'il renia la foi protestante pour le catholicisme en 1593, il dépêcha deux ambassadeurs à Rome pour y être fouettés

Le bouc émissaire d'Édouard VI déboutonne sa tunique et s'apprête à recevoir une correction à la place du prince. Ce dernier s'était trompé en récitant sa leçon.

symboliquement par le pape, en expiation de son hérésie passée. Peu après, on fit d'eux des cardinaux en signe de bonne foi.

LE SAVIEZ-VOUS ?

Chaque année, les insulaires grecs de Leucade sacrifiaient aux dieux un criminel condamné à mort en le précipitant du haut d'une falaise. Pour « alléger » sa chute, on lui attachait à ses vêtements des plumes et des oiseaux vivants. S'il survivait, on le repêchait en mer pour lui rendre la liberté, mais il devait alors quitter l'île dans les meilleurs délais.

DÉLIT DE RESSEMBLANCE

Ottilie Meissonier arpentait une rue de Londres un soir des années 1890 quand elle aperçut soudain, à la lueur des réverbères, un homme d'âge moyen qu'elle n'eut aucune peine à reconnaître aussitôt : c'était l'escroc qui lui avait dérobé deux montres et des bijoux de valeur quelques semaines plus tôt.

L'homme rejeta l'accusation en se présentant comme un Norvégien nommé Adolph Beck à qui cette dame était inconnue. Mais les témoignages étaient accablants. Dix femmes le désignèrent lors de séances d'identification et la police en conclut que c'était bien John Smith, criminel notoire. Le tribunal de l'Old Bailey lui infligea alors sept ans de prison.

Il continua de clamer son innocence en prison, mais toutes ses demandes de disculpation auprès du ministre de l'Intérieur échouèrent. Trois ans après sa relaxe, il fut à nouveau accusé de vol par une autre femme et se retrouva au tribunal, en butte aux mêmes accusations qu'auparavant.

Alors qu'il attendait le verdict, survint une extraordinaire coïncidence. Un autre homme fut arrêté alors qu'il gageait des bagues volées. C'était Wilhelm Meyer, un Autrichien qui ressemblait de façon frappante à Beck et se faisait parfois appeler John Smith. Il avait subtilisé les bagues de plusieurs femmes selon une méthode tout à fait identique à celle des vols antérieurs.

Ce n'était pas tout. Meyer était juif et, comme tel, circoncis – ce qui, d'après les documents de police, était aussi le cas de John Smith. Or, Beck ne l'était pas et l'avait d'ailleurs souligné à son procès. De plus, l'écriture de Beck différait totalement des échantillons attribués à Smith. Les experts y avaient vu de sa part une ruse destinée à brouiller les pistes. Mais, à présent, l'erreur judiciaire sautait aux yeux. Meyer finit par plaider coupable de toutes les charges et Beck fut officiellement disculpé en 1904. Il ressortit libre avec 5 000 livres (soit plus de 24 000 dollars) de dédommagement.

Mais ces épreuves l'avaient complètement brisé. Il dépensa tout son argent sans compter et mourut bientôt dans un quasi-dénuement. L'affaire eut néanmoins une conséquence positive : peu après la mort du malheureux Adolph Beck, on institua la cour d'appel afin de prévenir de telles erreurs.

SEUL LE CHARME OPÈRE

Ces objets aux pouvoirs magiques

Les équipes de football ont leurs mascottes. Voyageurs, soldats et amants chérissent des porte-bonheur, et les sédentaires clouent au-dessus de leur porte un fer à cheval. Le mot provençal *masco*, qui a donné mascotte, signifie sorcière ; car c'est la sorcellerie que l'on invoque pour conjurer le mal et attirer la chance.

Il existait à l'origine deux sortes de mascotte. Les talismans – du grec *telesma*, rite religieux – étaient supposés apporter la bonne fortune ; les amulettes – du latin *amuletum*, ou de l'arabe *hamala*, porter – devaient soustraire le sujet au mauvais œil, démon qui exerçait un ascendant néfaste sur ceux que rencontrait son regard.

Primauté de la croyance

Talismans et amulettes sont communs à toutes les sociétés, qui ne diffèrent que par le choix des objets et des symboles. Certaines amulettes ont un aspect repoussant qui vise à horrifier les plus ardents démons. D'autres, perles et bijoux notamment, sont l'élégance même, et leur pouvoir s'exprime par les symboles qu'on y représente.

Le chat figure souvent sur les talismans. Dans l'Égypte antique, c'était un animal sacré et vénéré. Mais au Moyen Âge européen, on prêtait aux sorcières la faculté de prendre l'apparence d'un chat.

Ces visions contradictoires d'un même symbole montrent que la magie tient moins au talisman lui-même qu'aux différents pouvoirs dont veut bien l'investir son propriétaire.

Les talismans peuvent tenir lieu de messages codés aux adeptes d'une confession : le poisson, symbole christique, servait de signe de reconnaissance aux chrétiens persécutés par Rome.

Talismans et amulettes ne consistent pas qu'en ornements gravés. Il peut s'agir aussi de membres ou d'organes d'animaux. Les Inuit (Esquimaux) du Groenland, par exemple, cousaient une tête de faucon sur les vêtements d'un garçon pour en faire un meilleur chasseur.

Au fil du temps, il arrive que les symboles changent totalement de sens. Ainsi en est-il du svastika, dont le nom signifie littéralement « de bon augure » en sanskrit et qui symbolise le bonheur dans nombre de cultures. Depuis son adoption comme emblème du nazisme, la croix gammée représenterait plutôt, en Occident, le malheur.

*Ce fétiche égyptien en ivoire
est vieux de trois mille cinq cents ans.
Il passait pour éloigner
les animaux dangereux.*

MAGIE IRLANDAISE

Les visiteurs du château de Blarney (Irlande) se livraient jadis à un exercice aussi périlleux qu'irrationnel : ils en gravissaient le donjon, haut de 37 m, puis se penchaient à l'extrême par-dessus le parapet. Tandis qu'on les retenait par les chevilles, ils embrassaient une pierre fixée dans la paroi qui était censée leur conférer le don d'éloquence.

Plusieurs légendes racontent comment on en vint à prêter des pouvoirs magiques à cette pierre. Selon l'une d'elles, Cormac MacCarthy, qui bâtit le château au XVe siècle, était préoccupé par une affaire judiciaire imminente. Il rêva que,

s'il embrassait la première pierre offerte à sa vue le matin, l'éloquence lui serait donnée et qu'il triompherait en justice. À son éveil, il vit une pierre qu'il alla embrasser. Brusquement doué de verve, il gagna son procès.

Toutefois, pour que toute l'Irlande ne vienne pas embrasser la pierre, il l'inséra dans le parapet du château, hors de portée des intrus.

Au siècle suivant, Élisabeth Ire d'Angleterre fit pression sur Dermot MacCarthy, descendant de Cormac, pour qu'il cède le château en signe d'allégeance. Dermot, à l'évidence éloquent, ne ces-

sait de tenir la reine en échec sous les prétextes les plus ingénieux. De guerre lasse, Élisabeth finit par déclarer : « C'est tout Blarney. Pas une parole sincère. » Le mot *blarney* entra dès lors dans la langue anglaise comme synonyme de boniment.

Aujourd'hui, les bonimenteurs en herbe peuvent atteindre la pierre de Blarney sans risquer leur vie. Mais s'il n'est plus dangereux de l'embrasser, cela reste inconfortable : il faut s'étendre sur le dos, saisir une poignée de fer et renverser la tête jusqu'à toucher des lèvres le roc de l'éloquence.

TABOUS ALIMENTAIRES

Le délice des uns fait le dégoût des autres

Commencez par déguster une demi-douzaine d'huîtres puis une assiette de bœuf bourguignon. Arrosez le tout d'un bon vin, et votre repas, en apparence inoffensif, se heurte d'emblée à quatre grandes religions.

Les hindous ne mangent de bœuf à aucun prix, les juifs orthodoxes refusent tous les coquillages, l'alcool est interdit aux musulmans et les bouddhistes, quant à eux, ne mangent aucune chair animale.

Si l'on apporte le meilleur rôti de chien à un Français et à un Anglais, leur dégoût sera le même. Mais, en Chine, le chien – appelé « chèvre sans corne » – est un mets de choix, comme il l'était chez les Phéniciens, les Grecs, les Romains, les Aztèques et, voici encore peu, chez les peuples du Pacifique

Un plat du Sud-Est asiatique est préparé à base de poudre de scarabées écrasés.

Sud. Les Tahitiens réservaient une race de chien à la table et, au XVIIIe siècle, le capitaine Cook la trouva aussi savoureuse que l'agneau anglais.

Les Britanniques donnent la viande de cheval aux chiens alors que les Français en mangent volontiers.

Toutes les sociétés jugent certains aliments intouchables. Peu d'Européens ou d'Américains du Nord feraient leurs délices de fourmis, de chenilles, de sauterelles, de pattes de canard crues et de larves de libellule, pourtant consommées chaque jour dans le monde : les fourmis en Amérique du Sud, en Asie et en Afrique ; les chenilles chez les aborigènes d'Australie ; les sauterelles chez les Navajos nord-américains et en Afrique du Nord ; les pattes de canard crues en Chine et les larves de libellule au Laos.

Ce mille-pattes géant est ajouté à un alcool de riz thaïlandais, pour lui assurer du piquant.

À L'ABRI DU BOUCHER

La vache sacrée des hindous

Le tiers des vaches du monde se trouve en Inde – pays d'une pauvreté extrême et aux famines chroniques –, mais nul n'ose leur faire le moindre mal, a fortiori les tuer et les manger. Les vaches sont sacrées pour la communauté hindoue et, comme telles, protégées par la loi.

Aux yeux des hindous, les vaches symbolisent la fécondité et la maternité. Objets de culte et d'affection, elles vagabondent librement, retardant parfois des trains durant des heures sans qu'on les écarte de la voie. Les hindous leur accrochent des guirlandes au cou à leurs fêtes et prient pour elles quand elles sont malades.

Si cela paraît étrange aux non-hindous, ce l'est encore plus quand on sait que les brahmanes – caste sacerdotale hindoue – supervisaient à l'origine l'abattage du bétail. Mais cela avait cours avant qu'un gigantesque accrois-

sement de la population réduise les aires de pâture au profit des cultures maraîchères, plus économiques.

Ce changement d'économie radical date du VIe siècle avant J.-C. Et le siècle suivant vit se propager dans toute l'Inde la religion bouddhiste, qui professait une forte aversion pour l'abattage à but alimentaire. La raréfaction du bœuf et le fait que les brahmanes se réservaient le peu qui en restait contribuèrent sans doute à étendre cet interdit alimentaire. Après neuf siècles de luttes pour la domination religieuse de l'Inde, les hindous finirent par adopter une position inverse.

Des paysans indiens conduisent leur vache à une fête.

Il n'a pas échappé aux sages hindous que les vaches vivantes sont plus productives que les mortes. Elles fournissent du lait, des veaux dont on fait commerce, des bœufs pour tirer les charrues, du fumier servant d'engrais, de carburant et de matériaux de construction et, une fois mortes de vieillesse, du cuir. Qui ne vouerait un culte à un animal aussi utile ?

PORC ET POLITIQUE EN PAPOUASIE

Une viande que l'on partage pour souder une alliance

En bien des régions de Papouasie-Nouvelle-Guinée, le cochon gouverne. Non pas directement, mais comme symbole de richesse et de pouvoir. Certaines tribus, notamment les Ebeis, élèvent des porcs de la taille de poneys des Shetland et les traitent comme des animaux familiers en signe de prospérité. Sur les hautes terres de l'Ouest et du Sud, les pourceaux scellent des alliances politiques – sans autre choix que de se laisser manger.

Les fêtes du cochon rassemblent des tribus amies qui affirment à cette occasion leur solidarité, pour faire comprendre à d'éventuels ennemis qu'ils se heurteraient à forte partie en cas d'hostilités. Ces fêtes exigeant une énorme préparation, chaque tribu n'en organise qu'une par décennie environ.

Préparatifs de longue haleine

En prévision d'une telle fête, le clan hôte construit plusieurs grandes habitations où logeront les invités. Une fois ce travail accompli, on envoie des invitations aux communautés voisines. Les hôtes réunissent argent et coquilles de nacre destinés aux futurs visiteurs et confectionnent des parures de plumes et coquillages.

Quand le matériel de la fête est rassemblé, on engraisse les cochons. Si le clan n'en possède pas assez, il en achète à crédit à ses voisins. Et lorsque tous les cochons sont prêts, les invités se présentent. La fête se déroule en trois temps. Les hôtes exposent d'abord leurs cadeaux d'argent et de coquillages ainsi que leurs cochons à la vue de tous.

Une fois découpé, le porc est cuit en commun par des tribus soucieuses de préserver leurs alliances dans les hautes terres de Papouasie.

Aux fêtes du cochon en Nouvelle-Guinée, le porc est traditionnellement cuit dans des fours en terre, trous profonds remplis de pierres. La nourriture est placée sur des pierres chauffées à l'avance et couvertes d'un mélange de feuilles et de terre.

Les porcs, dont le nombre peut atteindre 2 000, sont ensuite abattus, dépecés et pendus à des perches pour qu'on les compte. Viennent enfin la préparation et le festin.

Pendant plusieurs heures, on procède en commun à la cuisson des porcs dans de longs fours de terre. Puis chaque hôte mâle répartit sa viande entre ses parents et ses invités, en servant d'abondantes rations aux visiteurs dont il a lui-même reçu du porc aux fêtes passées. Les invités emportent la viande chez eux, et la distribuent en petites portions à leurs proches et amis. Souvent, les villages voisins organisent alors des fêtes plus modestes pour souligner leur union politique avec le clan hôte. Ainsi conforté, chacun peut attendre la grande fête suivante en étant sûr de ses alliés. Les hôtes savent aussi que l'on n'oubliera pas leur générosité en cas de péril. Quant aux ennemis en puissance, ils ont sans doute l'eau à la bouche à longueur d'année.

L'Impopularité du Cochon
Pourquoi interdit-on la viande de porc ?

Les cuisines française et cantonaise comptent parmi les plus renommées du monde. La viande de porc est l'une des viandes les plus consommées par les Français et entre dans la composition de nombreuses recettes. Dans un restaurant chinois, le menu propose pratiquement toujours un plat à base de porc. En France, les villages ont souvent leur charcutier, qui apprête et vend du porc. En Chine, le cochon est omniprésent et sa chair consommée par tous. Pourtant, le judaïsme et l'islam jugent le porc impur et interdisent d'en manger.

Dans l'Ancien Testament, le Lévitique range parmi les animaux purs ceux qui ruminent et ont le pied fourchu. Le porc a bien la corne fendue mais ne rumine pas ; il est donc impur et ne doit pas être mangé. Parmi les autres animaux impurs sont cités certains oiseaux comme le faucon, la mouette, le corbeau... et des créatures d'eau sans nageoires – comme les crustacés.

Outre le porc, les musulmans s'abstiennent de manger les animaux carnivores, les oiseaux qui enserrent leur proie et la chair de l'âne domestique. Islam et judaïsme partagent bon nombre de lois et de rituels dont plusieurs ont sans doute été empruntés aux juifs par leurs voisins musulmans. Mais ceci n'explique pas l'origine de l'interdiction de la viande de porc.

Selon une théorie, le tabou tiendrait au fait que les porcs sont, à la lettre, sales et de consommation risquée. Ils se vautrent dans la fange, absorbent quantité de déchets et peuvent donc transmettre à l'homme des maladies parasitaires s'il n'apprête pas leur viande correctement. Mais lorsque fut rédigé le Lévitique, vers 450 avant J.-C., le porc était domestiqué et consommé au Moyen-Orient depuis 4 500 ans. Pareil scrupule hygiénique semble donc un peu tardif.

Pour certains ethnologues, la véritable explication est liée aux habitudes alimentaires du porc. Les ruminants – bovins, chèvres, moutons – observent un mode de digestion adapté à un régime riche en cellulose, en l'occurrence aux herbages. Or, l'herbe n'assure pas la subsistance du porc, qui tend à se nourrir des mêmes légumes que l'homme. Et les nomades hébreux ne pouvaient se permettre d'élever des bêtes qui leur auraient fait concurrence sur le plan alimentaire.

De plus, les porcs ont besoin de beaucoup d'eau s'ils ne peuvent disposer de leur cher bain de boue, car ils ne transpirent pas. La fange contribue à réduire la chaleur de leur organisme, qu'ils dissipent mieux en se vautrant dans la boue qu'en prenant des bains. Les Hébreux, établis sur des terres arides, ne pouvaient s'offrir le luxe d'un animal aussi avide d'humidité.

L'islam est né dans un milieu naturel très similaire. Les deux religions avaient de bonnes raisons économiques de décourager l'élevage du porc – et d'excellentes raisons religieuses d'isoler leurs communautés. Pour l'une et l'autre, de strictes prescriptions diététiques étaient un moyen simple et sûr de rappeler leur spécificité à leurs ouailles.

LE SAVIEZ-VOUS ?

Caraïbes et Zoulous partageaient jadis l'aversion des juifs et des musulmans pour le porc, mais pas pour les mêmes raisons : les Caraïbes craignaient d'avoir des yeux porcins et les femmes zouloues d'enfanter des êtres semblables à des cochons.

PARTAGE DES MONDES

Les Inuit (Esquimaux) de l'Alaska chassent le caribou au printemps et la baleine en hiver. Ils pensent que les animaux terrestres et marins éprouvent une répugnance mutuelle. Par respect des préjugés qu'ils leur attribuent ou pour mieux déjouer leur vigilance, les Inuit éliminent toute trace des poursuites qu'ils lancent contre une espèce quand ils traquent l'autre.

Au printemps, avant de partir à la recherche des caribous, le chasseur inuit se nettoie le corps des traces de graisse de baleine accumulées en hiver. De même, au mois d'avril, avant de chasser la baleine, il se débarrasse de toute odeur de caribou.

Il évitera aussi d'emporter en mer les armes qu'il utilise contre les caribous. Il peut lui arriver d'employer sur terre celles qui lui servent en mer, mais il doit procéder à leur nettoyage rituel entre les saisons, sous peine de compromettre la chasse.

Comme les saisons dictent le gibier, d'autres circonstances conditionnent l'alimentation des Inuit. Ainsi, après l'accouchement, la femme se voit interdire la viande crue et doit manger des aliments supposés être bénéfiques au nourrisson – par exemple les ailes de canard, qui, selon les Inuit, le rendront bon coureur ou pagayeur.

Un Inuit fait glisser son fusil de chasse sur la banquise dans l'espoir de surprendre sa proie. Le fusil est fixé sur un traîneau-écran appellé utoq.

LA REPRÉSENTATION DU TEMPS

Quelques manières de consigner le passage des saisons

Le monde a des motifs de reconnaissance envers la Révolution française. En plus des principes égalitaires qui ont triomphé grâce à elle, on lui doit notamment l'adoption du système métrique, utilisé aujourd'hui par les scientifiques du monde entier ainsi que par les habitants de nombreux pays. Le système métrique est décimal – tout y est fondé sur le nombre 10 – et possède par conséquent une logique interne aisément compréhensible. Les révolutionnaires français, enclins à rompre tout lien avec l'Ancien Régime, furent si séduits par le principe décimal qu'ils l'employèrent dans toute la mesure possible pour découper le temps.

Le 22 septembre 1792, date de l'instauration de la république, devint le premier jour de l'an I du calendrier républicain. L'année restait divisée en 12 mois, mais ceux-ci avaient tous 30 jours, et la semaine était remplacée par une période de 10 jours, ou décade.

Le dernier jour d'une décade était exclusivement consacré au repos ; 5 autres jours (6 en année bissextile) étaient parsemés dans l'année sans se rattacher à aucun mois et marquaient des fêtes. Il fut également question de diviser la journée en 10 heures, mais l'on finit par y renoncer.

Le calendrier républicain fonctionna relativement bien, mais il fut abandonné au bout de treize ans. Son année bissextile ne coïncidant pas avec celle du calendrier classique, le passage de l'un à l'autre était incommode et perturbait les relations diplomatiques et autres avec l'étranger.

Notre calendrier actuel est issu de la modification du calendrier julien (de Jules César), par le pape Grégoire XIII, au XVIᵉ siècle. S'étant rendu compte que

celui-ci avait atteint 10 jours de retard sur les saisons, depuis son adoption en 45 avant J.-C., le pape décida de retrancher ces 10 jours à l'année 1582. Le 4 octobre de cette année fut ainsi suivi du 15 octobre.

Un système parfaitement décimal est impossible, car nous employons deux unités très différentes, le jour et l'année, pour mesurer le temps. Une année représente le nombre de jours nécessaires à la Terre pour accomplir un tour complet autour du Soleil. Mais un jour (24 heures) est le temps que met la Terre à opérer une rotation complète sur son axe, ce qu'elle effectue 365,24219878 fois par an. Le jour supplémentaire des années bissextiles corrige le calendrier classique de 365 jours ; mais la semaine comptant 7 jours, le 1ᵉʳ janvier tombe chaque année un jour différent.

Plusieurs projets visent à rationaliser ce système. Le calendrier fixe international diviserait l'année en 13 mois de 28 jours chacun, en la terminant par un jour de l'an. Tous les mois débuteraient par un dimanche et finiraient par un samedi. Les années bissextiles auraient un jour de plus en leur milieu.

Le calendrier mondial découperait l'année en trimestres de 91 jours chacun, en ajoutant un jour à la fin de l'année et un jour « bissexte » en son milieu tous les quatre ans. Chaque trimestre commencerait un dimanche et son premier mois aurait 31 jours.

Ces projets n'ont pas eu d'impact notable, et l'avenir du calendrier grégorien ne paraît pas menacé. Du reste, nous ne voyons pas l'année qu'en chiffres, mais peut-être d'abord en saisons, solstices et équinoxes, comme en témoignent coutumes et fêtes.

Ce tableau français, imprimé après l'adoption du calendrier républicain, aidait à passer du nouveau système au calendrier grégorien en vigueur dans les autres pays d'Europe.

UNE MOISSON SYMBOLIQUE
La fête juive des Tabernacles, évocation du temps de l'errance

À l'aide des matériaux les plus simples, certains juifs pratiquants construisent en automne un refuge appelé *soukkah*, devant leur maison ou près de la synagogue. La *soukkah* est un simple abri de branchages et de feuilles orné de fruits et de fleurs. Ceux qui ne disposent pas d'espace extérieur décorent parfois chez eux un treillage symbolique à l'occasion de la fête des Tabernacles (Soukkot).

Il s'agit de l'une des trois fêtes agraires du calendrier juif, avec la Pâque et la Pentecôte. Elle débute cinq jours après Yom Kippour et dure sept jours. C'est une période de réjouissances et de contemplation. Soukkot coïncide avec la récolte des fruits et les vendanges et célèbre une année agricole fructueuse.

Mais, plus profondément, la fête renvoie au long passé dramatique d'Israël. C'est un moment où les juifs se souviennent du séjour au désert de leurs aïeux, qui vivaient sous la tente et tiraient espoir de leur seule foi en Dieu et en sa miséricorde.

Soukkot est donc une expression de reconnaissance pour la protection accordée par Dieu aux israélites et un élan de solidarité envers ceux qui restent sans abri. Il fut un temps, surtout dans les pays chauds, où beaucoup de familles juives passaient sept jours dans la *soukkah*, priant, mangeant et célébrant le passé. Aujourd'hui encore, certaines familles y prennent leurs repas pendant la fête.

La fête des Tabernacles est imprégnée de symbolisme. Les abris de fortune sont agencés en sorte que leurs toits légers laissent voir les étoiles, rappel de la fragilité humaine et de l'immensité de la création.

Quatre arbres revêtent alors une importance particulière : cédratier, palmier, myrte et saule, dont les différences évoquent la diversité et la parenté du genre humain. Le cédratier, qui réunit saveur et parfum, symbolise les personnes instruites et bienfaisantes. Celles qui agissent bien sans posséder d'instruction sont représentées par le myrte, dont la fragrance ne s'accompagne d'aucune saveur.

Continuité de la foi

Aussitôt après Soukkot intervient une autre fête, Simchat Torah, « Réjouissances en l'honneur de la Loi ». À chaque sabbat, les juifs lisent un morceau choisi des livres de Moïse. Au bout d'un an, ils les ont lus intégralement.

Le jour de la Simchat Torah, ils recommencent le cycle annuel des lectures en récitant ensemble les derniers versets (du Deutéronome) et les tout premiers (de la Genèse). C'est là un symbole de la foi juive – selon laquelle il n'y a, en Dieu et dans sa Loi, ni commencement ni fin.

LES FLUCTUATIONS DE PÂQUES
Comment fixer la date d'une fête mobile

Bien que la fête de Pâques soit l'une des grandes dates du calendrier chrétien, elle peut intervenir l'un des dimanches compris entre le 22 mars et le 25 avril. Sa détermination exacte prête à controverse jusque dans les milieux ecclésiastiques.

La date de Pâques, qui commémore la résurrection du Christ trois jours après la Crucifixion, relève du calendrier lunaire et pouvait à l'origine tomber n'importe quel jour de la semaine. Les premiers chrétiens la célébraient durant la Pâque juive, qui s'étend sur huit jours à partir de la pleine lune de l'équinoxe de printemps (c'est-à-dire le 21 mars).

C'est pendant la Pâque juive, commémoration de la libération des Hébreux de l'esclavage d'Égypte, que l'on crucifia le Christ. Toutefois, les chrétiens montrant peu à peu le souci de différencier leurs fêtes de celles du judaïsme, il fut décidé que Pâques tomberait toujours un dimanche, jour de la Résurrection, et qu'on célébrerait la fête après la Pâque. Le concile de Nicée entérina la règle en 325.

En Israël, des pèlerins portent des bougies pascales rituelles en cire d'abeille.

Dans les pays où l'Église adhère au calendrier grégorien, la fête de Pâques intervient donc le premier dimanche suivant la pleine lune qui a lieu le 21 mars ou après. Si la pleine lune tombe un dimanche, Pâques est repoussé au dimanche suivant. Mais les Églises orthodoxes de Grèce et de Roumanie situent encore Pâques d'après le calendrier julien, tout en adoptant les fêtes fixes du calendrier grégorien. Les deux systèmes présentent une différence de treize jours environ.

Au XXᵉ siècle, on a tenté plusieurs fois d'assigner à Pâques une date unique – soit en en faisant une fête fixe, soit en adoptant un nouveau calendrier. L'Église catholique a recommandé la première solution en 1963, mais sous réserve que les autres Églises chrétiennes l'acceptent – ce qu'elles n'ont pas fait.

Le projet de calendrier fixe international ne s'est pas mieux imposé jusqu'ici. Dans ce système, chaque date correspondrait au même jour de la semaine d'année en année, Pâques tombant toujours le dimanche 8 avril.

On est donc encore loin de fêter Pâques à date fixe. À moins de porter une attention vigilante aux lunaisons, le seul moyen de savoir quand acheter des œufs en chocolat reste un bon agenda.

UN NEWTON ORIENTAL
Les observatoires de pierre du maharadjah Sawai Jai Singh

Dans l'enceinte du palais royal de Jaipur, capitale de l'État indien du Rājasthān, les touristes parcourent aujourd'hui ce qui ressemble au décor abandonné d'un spectacle de science-fiction, un ensemble impressionnant d'édifices de pierre aux étranges formes géométriques. Le visiteur non averti aurait peine à deviner qu'il est en présence d'instruments astronomiques de précision pour l'étude de la mécanique céleste.

Dans l'hindouisme, comme en bien d'autres confessions, le calendrier des fêtes et cérémonies religieuses est lié à la connaissance de l'astronomie. Nombre de fidèles se rendent aux sanctuaires du Gange dès qu'a lieu une éclipse solaire, par exemple, ce qui suppose qu'ils la sachent imminente. Au début du XVIIIᵉ siècle, le maharadjah Sawai Jai Singh constatait avec dépit que les hindous n'avaient pas fait d'observations astronomiques précises depuis des centaines d'années.

Importance de l'astronomie
Jai Singh entreprit de ranimer l'astronomie hindoue et de perfectionner le calendrier et les tables indiquant les mouvements des corps célestes. C'était un homme aux ressources exception-

nelles – son second titre, Sawai, signifie « un et un quart de plus », car il dépassait à tous égards ses contemporains. Mais il avait ses singularités, notamment une méfiance marquée envers les petits instruments de cuivre qu'utilisaient les astronomes de son temps. Persuadé qu'on n'obtiendrait les observations les plus exactes qu'à une très grande échelle, il fit construire de gigantesques instruments d'astronomie en pierre.

On édifia cinq observatoires à l'instigation de Jai Singh. Les plus importants s'élevèrent à Delhi, Jaipur et Ujjain. À Jaipur, on trouve notamment le plus grand cadran solaire du monde, avec un gnomon (tige verticale projetant une ombre) de 27 m de haut. Il indique l'heure à quelques minutes

Ce cadran solaire de Delhi aux contours modernes, élément du premier observatoire, dû au maharadjah Jai Singh, date de 1724. On détermine l'heure de la journée en notant les ombres que projettent les murs droits du centre sur des marques graduées couvrant les murs intérieurs courbes.

près, imprécision due au fait que l'ombre colossale s'estompe sur ses bords. L'observatoire de Jai Singh, précurseur des stations météorologiques modernes, est toujours en activité ; ses prévisions à long terme figurent dans les calendriers et almanachs hindous.

Prestige technique
Sans avoir l'exactitude des moyens modernes, les observatoires du prince indien captaient l'évolution des corps célestes avec une précision remarquable pour l'époque. Leurs indications s'inscrivaient sur sa table astronomique, en persan et en sanskrit.

Jai Singh parvint à améliorer des observations sur la Lune et les planètes dues à ses contemporains d'Europe occidentale, dont les travaux lui étaient familiers. Les hindous orthodoxes appellent encore Ujjain le Greenwich de l'Inde, et l'on se réfère à Jai Singh comme au Newton de l'Orient.

269

DRÔLES DE MONNAIES

Une langue de tigre pour payer son dû

En 1642, l'assemblée générale de Virginie adopta solennellement une loi qui faisait du tabac la seule monnaie valable dans la colonie. Pour éviter aux habitants d'avoir à transporter de grands ballots de feuilles, on mit en circulation du papier-monnaie appelé billets-tabac. Mais, pendant plus d'un siècle, le tabac resta la valeur de référence de la monnaie virginienne. C'était moins aberrant qu'il n'y paraît : l'histoire enseigne que presque tout produit rare, durable et recherché peut servir de moyen de paiement.

À l'âge de la pierre, les têtes de hache en silex poli tenaient lieu de monnaie – de toute évidence parce que la hache était l'objet le plus utile aux hommes de l'époque. Les anciens Chinois allèrent plus loin : au lieu d'échanger des biens réels, ils leur substituaient des imitations. De petits morceaux de bronze en forme de chemise, de couteau, de pelle ou de houe étaient des « pièces » de même valeur que l'objet qu'ils représentaient. Une chemise de bronze miniature s'échangeait contre une vraie chemise ou tout autre article estimé au même prix.

La quête des dents de baleine

En des temps plus proches, les objets les plus divers ont fait office de moyens d'échange – dents de chien en Nouvelle-Guinée, dents de baleine dans les îles du Pacifique, fers de lance en Afrique, tambours en Bir-

En Afrique, toutes sortes de verroterie et de bracelets servent parfois de moyens d'échange lors de transactions locales.

manie et sur l'île indonésienne d'Alor. En Thaïlande, presque toutes les parties d'un tigre pouvaient servir à cet effet, y compris griffes, queue, dents et langue. Au fil du temps, on a remplacé, comme en Chine, l'objet réel par une réplique. Voici quelques années, des langues de tigre en argent s'échangeaient encore en Thaïlande.

En Chine et au Tibet, le thé a joué le rôle de monnaie pendant environ neuf cents ans. La brique de thé, agrégat de thé et de copeaux de bois, pesait un peu plus de 1 kg. En 1800, elle valait 1 roupie indienne. On la rompait pour produire de la petite monnaie. Les banques d'Asie ont mis des briques de thé en circulation jusqu'au dernier tiers du XIXe siècle. Mais en matière d'étrangeté monétaire, la plus grande épopée a indiscutablement été celle du cauris, coquillage accepté durant des siècles dans les transactions d'une grande partie de l'Afrique et de l'Asie. Dans l'ancien Soudan français (actuel Mali), le paiement d'impôts en cauris resta autorisé jusqu'en 1907, date à laquelle pièces et billets de banque l'emportèrent.

Cette pelle miniature chinoise en bronze (450-400 avant J.-C.) remplaçait les objets de troc.

Les disques calcaires de l'île d'Yap étaient les plus grandes pièces de monnaie. Leur diamètre variait de 23 cm au double de la taille d'un homme.

L'APPÂT DU DAIM

Cent ans avant la naissance du Christ, l'empereur Wudi régnait sur la Chine. Voyant ses caisses désespérément vides, ce représentant de la dynastie des Han chercha un moyen astucieux de dépouiller ses nobles vassaux de leur trop-plein de richesses.

Le stratagème qui sauva les finances impériales fut l'œuvre de son ingénieux Premier ministre. Pour commencer, l'empereur s'appropria tous les daims blancs de son domaine en les enfermant dans le parc impérial. Puis il décida que tous les princes et courti-sans désireux d'accéder à sa personne devaient, par nécessité protocolaire, porter un masque de daim blanc. On ne pouvait bien sûr acheter la peau de daim qu'a l'empereur lui-même.

Pour ne pas se laisser ruiner par le nouveau décret impérial, un noble ayant acheté l'une de ces peaux dispendieu-ses la proposa à l'un de ses pairs en échange de biens et de services. C'est ainsi que les peaux de daim finirent par constituer une sorte de moyen de paie-ment — et l'un des exemples de mon-naie de cuir les mieux attestés.

LE NAUFRAGE DU MARK

Quand l'inflation galope, le temps n'a plus de prix

Au début des années 1920, un habitant de Berlin entra dans un bistrot et commanda un café, dont le prix était de 5 000 marks. Lors-qu'il voulut payer, le tarif était passé à 8 000 marks. Les prix augmentaient de 60 % par heure !

L'effondrement de la monnaie alle-mande après la Première Guerre mon-diale est le plus célèbre exemple d'hy-perinflation. Au plus fort de la crise, l'argent ne valait pas le papier qui lui servait de support. Les Allemands s'in-quiétèrent à la fin de 1922, quand le dollar fut coté à 18 000 marks. Mais en août 1923, 1 dollar valait 1 mil-lion de marks et, en novem-bre, 130 milliards...

Toute monnaie métalli-que disparut de la circula-tion. On stockait les pièces que l'on possédait, sachant que la valeur du métal dépasserait la valeur nomi-nale de la pièce. Le gouver-nement créa des pièces en porcelaine bon marché, puis l'on imprima des billets sur tout matériau disponible – cuir de soulier, tissu, car-ton ou vieux papier journal.

L'hyperinflation était cause d'énormes difficultés de vie. Les salariés recevaient d'énormes liasses de billets qu'ils devaient se hâter de dépenser avant que leur pouvoir d'achat ne s'éva-nouisse. Beaucoup faisaient leurs cour-ses en poussant dans les rues des brouettes débordant d'argent.

Le record d'inflation appartient à la Hongrie. En 1946 circulaient des billets hongrois de 100 000 000 000 000 000 000 de pengös. Lorsqu'on adopta une nouvelle unité monétaire, le forint, celui-ci ne valait pas moins de 200 000 000 000 000 000 000 000 000 000 de pengös !

Dans l'Allemagne du début des années 1920, la dévaluation de la monnaie obligeait les marchands de journaux à entasser leur recette dans de grands paniers.

LE BŒUF EN BANQUE

Les créanciers ont toujours eu bon appétit

Nos banques modernes tirent leur nom du banc (banco) où s'as-seyaient en place publique les prêteurs d'argent de la Renaissance ita-lienne. Mais certains historiens n'hési-tent pas à faire remonter les premières banques à l'Égypte d'il y a six mille ans. On y tenait le compte d'un client en têtes de bétail, bœufs et vaches tenant lieu de monnaie locale.

Les emprunteurs semblent avoir tou-jours accusé les banques de percevoir des intérêts excessifs. Vers 700 avant J.-C., une tablette d'argile babylo-nienne mentionne que les banquiers Egibi et Fils ont accordé un prêt de « deux tiers de manne d'argent [...] à un intérêt d'un shekel par mois sur la manne ». Une manne valant alors 60 shekels, cela impliquait un taux d'inté-rêt annuel d'environ 20 %.

LE SAVIEZ-VOUS ?

Le Gizzi penny, mince tige de fer de la longueur d'un bras, a servi de monnaie dans certaines régions ouest-africaines jusqu'aux années 1930. On l'appelait souvent « le penny qui a une âme » – mais il la perdait si on l'abîmait : un sorcier devait alors « réanimer » l'argent. Avec deux Gizzi pennies, on achetait 20 oranges, mais cette monnaie avait aussi une valeur pratique : on pouvait porter ses pennies au forgeron, qui en faisait une lance ou un outil.

En 1810, la banque galloise Aberystwyth & Tregaron émit des billets à l'effigie d'ovins pour que les bergers illettrés en discernent aisément la valeur. Le billet de 10 shillings représentait un agneau, celui de 1 livre, un mouton, et celui de 2 livres, deux brebis. Mais ils ne circulèrent que peu de temps, faute de succès.

La Russie fut en 1700 le premier État moderne à adopter le système décimal. Un rouble valait 100 kopecks. La France s'est dotée d'un système décimal le 18 germinal an II (soit le 2 avril 1792) : le franc remplaça la livre de 20 sols et devint l'unité monétaire du système.

LE PRIX DU BILLET

Du billet imprimé au verso d'une carte à jouer à la monnaie comestible

L'invention du papier est traditionnellement attribuée au ministre chinois T'sai Lun, en l'an 105 de notre ère. Il n'est donc pas étonnant que la Chine ait aussi créé la première monnaie de papier, vers 650.

Les Chinois appellent alors « argent volant » leurs billets au maniement si aisé. Aux abords du XII⁰ siècle, il en circule une quantité suffisante pour créer une inflation grave. Le célèbre voyageur italien Marco Polo, qui visite la Chine de 1275 à 1292, sous le règne du grand khan Koubilaï, s'émerveille entre autres des subtilités de l'usage de la monnaie de papier sur toutes les terres de l'empereur.

L'Europe rattrapera lentement les méthodes financières perfectionnées de la Chine. À partir de 1400, des banquiers de Barcelone, de Gênes et de Florence se mettent à honorer des « lettres de change », sorte de monnaie de papier privée. Mais c'est aux Suédois que revient apparemment le mérite d'avoir émis les premiers billets de banque européens. Johan Palmstruch, banquier de Stockholm, en imprime à partir de 1661. Mais sa tentative originale fait malheureusement faillite au bout de six ans.

Il faut attendre 1694 pour que la jeune Banque d'Angleterre indique la bonne manière de procéder. En France, les assignats émis en 1790 sont à l'origine de notre papier-monnaie.

Monnaie libératoire

Le papier n'est pas la seule matière utilisée pour l'impression de billets. Bien avant les coupures chinoises, les Égyptiens, les Romains et les Chinois eux-mêmes ont produit de la monnaie sur papyrus et peaux d'animaux.

Une curieuse émission de billets a lieu au Canada français en 1685. En manque de fonds pour payer ses soldats, l'administrateur de la garnison du Québec, Jacques de Meulles, leur établit des avoirs au verso de cartes à jouer. L'expédient se révélera si efficace que des cartes-billets circuleront encore légalement au Canada plus d'un siècle après. Ce pays ne restera pas le seul à voir les cartes à jouer se métamorphoser en argent : l'opération sera renouvelée en France, en 1790.

Sans lendemain

Au XX⁰ siècle apparaît le premier billet de banque comestible. C'est le srang tibétain, imprimé à la main sur papier de riz, mais sans doute impropre à combler tous les gourmets : son encre d'impression est, en effet, un savant mélange de substances végétales et d'excréments de yak.

Pour finir, c'est Panamá qui détient à coup sûr le record de l'émission de billets la plus éphémère. La monnaie qui a cours dans le pays est le dollar américain ; mais, en octobre 1941, le président Arnulfo Arias met en circulation le balboa, en billets de divers montants. Aussitôt après avoir eu cette audace, Arias est renversé et le dollar reprend ses droits. Les balboas n'auront circulé qu'une semaine.

LE SAVIEZ-VOUS ?

La première pièce de monnaie émise aux États-Unis fut le cent Fugio de 1787. Le métal provenant des cercles de cuivre entourant les tonneaux de poudre de la guerre d'Indépendance. Le mot latin Fugio (« je fuis »), inscrit sur une face de la pièce, a le Temps pour sujet. On lisait sur l'autre face : « Mêlez-vous de ce qui vous regarde », formule attribuée à Benjamin Franklin, dont le nom a aussi été donné à la pièce.

* * *

Le premier florin d'argent anglais, pièce de 2 shillings émise en 1849, était surnommé florin sans Grâce ou sans Dieu parce qu'il ne portait pas les inscriptions traditionnelles D G (Dei gratiâ à la grâce de Dieu) et F D (Fidei defensor défenseur de la foi). Cette année-là, une virulente épidémie de choléra fut imputée à l'influence du florin, que l'on dut retirer. Le maître de la Monnaie, qui était catholique, démissionna sous la pression publique.

* * *

Au milieu du XIX⁰ siècle, les habitants du Siam (Thaïlande) utilisèrent pour leurs transactions des jetons de porcelaine issus des maisons de jeu, qui remplacèrent la monnaie métallique officielle durant plusieurs années.

Des cartes à jouer ont acquis valeur de monnaie au Canada en 1685, avant qu'on utilise des cartes vierges (à gauche). En France, le procédé a eu cours pendant la Révolution (ci-dessous, à gauche et à droite).

CHAPITRE NEUF

VOYAGES ET MOYENS DE COMMUNICATION

Pendant la Seconde Guerre mondiale, un jeune marin chinois nommé Poon Lim, seul survivant d'un navire britannique torpillé dans l'Atlantique, dériva pendant cent trente-trois jours sur son radeau *(page 278)*. Il survécut en buvant de l'eau de pluie et en mangeant du poisson et des mouettes crus. Son lot avait été celui de plus d'un grand voyageur : faire face à toutes les circonstances malgré l'absence de repères et se découvrir des aptitudes largement supérieures aux exigences de la vie quotidienne. En dépit de son exploit, il fut plus tard réformé pour pieds plats par la marine américaine !

QUESTION DE NŒUDS

La course du thé

Début octobre 1869, le clipper *Sir Lancelot* arriva en vue de Falmouth, en Angleterre, environ deux semaines plus tôt que prévu. En quatre-vingt-cinq jours de mer, il venait de parcourir 26 000 km depuis le port chinois de Fou-tcheou. Le record de la course du thé était battu.

L'objectif était d'arriver en tête pour pouvoir débarquer le premier en Europe le thé de l'année, venu directement d'Extrême-Orient. La denrée était payée si cher que l'armateur amortissait parfois son navire en un seul voyage.

Les clippers, qui transportaient des cargaisons de grande valeur, légales, dans le cas du thé, ou illégales, dans celui de l'opium, devaient aller le plus vite possible. C'est pourquoi leur construction différait tant des normes traditionnelles.

La vitesse d'abord

Depuis des siècles, les bâtiments de commerce, lourds et trapus, franchissaient les vagues en force. Légers et fuselés, les clippers fendaient l'eau grâce à leur étrave effilée et à leur carène concave. Leur gigantesque mâture portait jusqu'à 5 500 m² de toile, ce qui leur permettait d'avancer même par temps calme.

En 1849, la ruée vers l'or en Californie leur valut leur réputation : pour relier New York à San Francisco, ils étaient plus rapides et plus sûrs que la route. À 20 nœuds de moyenne (c'est-à-dire environ

Pendant la ruée vers l'or de 1849, le Flying Cloud *transportait des chercheurs d'or, des outils, de la nourriture et même des danseuses de beuglant, depuis New York jusqu'en Californie, via le cap Horn. Au retour, il était chargé de thé et d'épices de Chine.*

37 km/h), ils allaient deux fois plus vite que les autres embarcations, battaient tous les records de vitesse. En 1851, le *Flying Cloud* relia New York à San Francisco en neuf jours. En 1868, à son premier voyage, le *Thermopylae* ne mit que cinquante-neuf jours à faire le voyage Londres-Melbourne, record toujours inégalé par les voiliers modernes !

Cependant, une nouvelle machine à vapeur avait été mise en service quatre ans avant le triomphe du *Sir Lancelot*. Elle sonnait le glas des grands voiliers. En effet, en 1865, les premiers navires qui en furent dotés ne mirent que soixante-quatre jours pour relier la Chine à l'Europe, avec trois fois plus de cargaison que les bateaux à voiles. Puis, en 1869, l'ouverture du canal de Suez permit un raccourci de 8 000 km. C'est pourquoi dès 1875, la construction des navires à gréement carré cessa. Mais on les vit encore naviguer pendant un demi-siècle et ils figurent parmi les plus beaux navires du monde.

Les marins du Garthsnaid *à l'œuvre : ils ferlent la misaine en pleine tempête.*

LE VOYAGE DU *MAYFLOWER*
Le calvaire des fondateurs de l'Amérique

Imaginez une centaine d'hommes, de femmes et d'enfants entassés pendant des jours et des jours dans une seule cabine, avec juste assez de place pour s'asseoir. La hauteur n'est que de 1,50 m. Il n'y a ni installation sanitaire, ni lumière, ni aération correcte. Telle était la vie dans l'entrepont du *Mayflower*, le navire à bord duquel les Pèlerins, fondateurs de l'Amérique, appareillèrent en 1620.

Ces puritains avaient fui l'Angleterre en 1609 pour échapper aux persécutions religieuses et s'étaient réfugiés à Leyde, aux Pays-Bas. Ils avaient rejoint leur pays onze ans plus tard, afin de quitter l'Europe pour de bon, dans l'espoir de trouver un monde dégagé de l'influence – qu'ils jugeaient corruptrice – des autres religions et modes de vie.

Navigation dangereuse

Selon les critères actuels, le *Mayflower* était minuscule : 27 m de long pour un peu plus de 180 t. Il traversa pourtant l'Atlantique pendant la saison la plus mauvaise.

Naviguer n'était pas facile en 1620. On utilisait le compas pour se diriger (il y en avait deux à bord), mais les cartes étaient très peu fiables. Si un navire dérivait, l'équipage n'avait aucun moyen de savoir exactement où il se trouvait.

Le *Mayflower* mit à la voile le 16 septembre 1620, par beau temps. Mais il ne tarda pas à rencontrer de terribles tempêtes et une mer déchaînée. On verrouilla les écoutilles sur les infortunés émigrants serrés les uns contre les autres, souffrant du mal de mer, et livrés au froid, à l'humidité et à une puanteur abominable.

Après cinquante-cinq jours de mer, la vigie signala enfin la terre. Le lendemain, le *Mayflower* vira au niveau de la pointe nord du cap Cod, dans le Massachusetts, et mouilla dans une large baie, devant ce qui est aujourd'hui le port de Provincetown.

Le calvaire des Pèlerins n'était pas terminé. Il leur fallut plus d'un mois pour trouver où s'établir. Ils choisirent un endroit, qu'ils appelèrent Plymouth, et y constituèrent une colonie.

Une terre inhospitalière

Si un seul d'entre eux avait succombé pendant la traversée, quarante-quatre autres périrent pendant leur quatre premiers mois au Nouveau Monde : exténués par le voyage, les malheureux ne pouvaient résister au dur hiver local.

Les Mémoires de William Bradford, un des fondateurs de la colonie, se passent de commentaires : « Ils n'avaient maintenant ni amis pour les accueillir, ni auberge pour reconstruire les forces de leurs corps affaiblis par le mauvais temps. [...] Que pouvaient-ils d'ailleurs voir, à part une contrée inculte, hideuse et désolée, pleine de bêtes sauvages ? » Par ailleurs, les Pèlerins, citadins d'origine, étaient bien peu habitués au travail de la terre. Ils ne durent leur survie qu'aux Indiens. Ce sont eux qui leur apprirent à pêcher et à planter le maïs. Après la première récolte, Indiens et immigrants célébrèrent ensemble un jour d'action de grâce (*Thanksgiving Day*). Instituée en 1621, cette fête nationale est, depuis lors, célébrée le quatrième jeudi de novembre et constitue une date importante pour tous les Américains.

MAL DE MER

Lord Horatio Nelson, vainqueur de la flotte napoléonienne à Trafalgar, fut le plus grand amiral de l'histoire britannique, mais paya cher sa bravoure. Il perdit un œil, un bras et finalement la vie au service du royaume. Mais le plus étrange pour un marin de sa trempe est qu'il fut pendant toute sa vie en butte au mal de mer.

Il en souffrit pendant cinq mois dès son premier voyage, ce qui ne découragea pas sa vocation. Trente ans plus tard, en 1801, il écrivait encore dans son journal de bord qu'une mer forte le rendait « malade à en mourir ». Les marins de l'époque, du mousse à l'amiral, affrontaient constamment privations, malnutrition et maladie. Pendant un voyage aux Caraïbes, en 1780, Nelson et quatre-vingt-sept de ses hommes contractèrent la fièvre jaune. Il y eut moins de dix survivants. Nelson souffrit aussi du scorbut, de paralysie temporaire et peut-être de tuberculose. Sans parler de fréquents accès de dépression, ce qui n'est pas étonnant avec un pareil dossier médical.

Au sommet de sa gloire, l'amiral Nelson fut mortellement blessé en écrasant la flotte franco-espagnole à Trafalgar, en 1805.

UN PORT EN MONTAGNE ?

Sur la piste de l'arche de Noé

« Le vent souffla pendant six jours et six nuits, et inondations et tempêtes submergèrent le monde. » Cette citation n'est pas tirée du récit biblique du Déluge (Genèse, VII), mais de l'épopée de Gilgamesh. Rédigée à Sumer (région correspondant à la Basse-Mésopotamie) au troisième millénaire avant notre ère, celle-ci est la plus ancienne des légendes écrites. Les grands mythes de l'humanité sont les mêmes dans bien des cultures : face au Déluge, censé punir l'humanité de sa perversité, un seul homme – Noé, dans la Bible – parvient à éviter la catastrophe en construisant une arche gigantesque.

Le mont Ararat

Depuis des siècles, on cherche l'arche de Noé à l'endroit où la Bible situe son échouement : sur le mont Ararat, dans la Turquie actuelle. En 1876, l'Anglais James Bryce affirma y avoir découvert un madrier issu de l'arche. Mais il n'y a plus d'arbres sur le mont depuis des siècles, et si les bergers avaient trouvé le moindre morceau de bois, ils l'auraient brûlé. Aujourd'hui, la quête se poursuit, le plus souvent menée par des intégristes chrétiens soucieux de démontrer la véracité de la Bible.

Un radeau de papyrus

En 1984, l'explorateur américain Marvin Steffins annonça avoir découvert l'arche de Noé à 1 500 m d'altitude, toujours sur le mont Ararat. D'après lui, les vues aériennes révélaient la présence d'une épave aux dimensions correspondant à celles que donne la Bible. Il s'est rendu sur place et en a rapporté les fragments d'une sorte de ciment dont Noé aurait revêtu son arche. Les analyses ont révélé qu'il s'agissait en fait de calcaire, mais Steffins espère toujours que des fouilles viendront un jour confirmer ses dires.

Selon certains historiens, Noé n'aurait jamais pu trouver assez de bois pour construire l'arche décrite dans la Bible. Il aurait fabriqué un radeau de papyrus sur lequel il aurait édifié des abris en bois. Or, une telle embarcation n'aurait jamais pu résister aux siècles.

LE VENT DU CHANGEMENT

Une bouffée d'air pour l'industrie navale

Les trois « ailes » Walker du cargo Ashington *servent de voiles. Elles sont tendues d'un textile synthétique avec lequel on fabrique aussi des ailes d'ULM.*

La hausse des prix pétroliers et le souci de préserver l'environnement ressusciteront peut-être un jour la marine à voiles. En 1984, l'*Atlantic Clipper,* un cargo de 33 m de long à deux mâts, a été lancé en Grande-Bretagne. Ses 420 m² de voilure lui donnent assez de puissance pour filer une moyenne de huit nœuds lorsqu'il traverse l'Atlantique.

Si le pétrole redevient un jour aussi cher qu'au début des années 1980, ce type de navire risque de s'avérer très rentable, car ses machines ne sont actionnées que pendant 15 à 18 % du voyage. L'économie de carburant serait nettement supérieure aux frais de salaires entraînés par un voyage plus long.

Aujourd'hui, le plus grand paquebot à voiles du monde est un bateau de plaisance construit au Havre et achevé en 1989. Long de 147 m et large de 20 m, le *Club Med I* a fière allure avec ses cinq mâts en acier de 50 m de haut qui supportent 2 500 m² de voilure en Dacron entièrement actionnés par ordinateur.

Pour ces bateaux, la technologie s'affine de jour en jour. Ainsi, différentes sociétés ont envisagé la construction de voiles ressemblant à des ailes d'avion, reliées à un ordinateur de bord. Les précurseurs dans ce domaine sont les Français Marc Philippe et Marcel Coessin (auteurs du projet Phicoe) et la société anglaise Walker Wingsail.

À QUI PROFITENT LES NAUFRAGES ?

Le malheur des uns...

Devant l'église du village de Cornouailles retentit soudain un cri : « Naufrage ! » Les fidèles se levèrent comme un seul homme et le pasteur arrêta net son sermon en leur criant d'attendre. Le salut des marins, expliqua-t-il, n'en était pas à une minute près. Le temps de dire une prière ? Mais non : celui qu'il fallait au saint homme pour se changer. En bon Cornouaillais, il voulait lui aussi sa part du butin.

Pillards et naufrageurs

Cette légende a la vie dure, même si la cupidité du pasteur paraît bien profane. Avant l'invention des aides à la navigation, les naufrages étaient innombrables sur cette dangereuse pointe sud-ouest de l'Angleterre. Les Cornouaillais, du misérable mineur d'étain à l'aristocrate, avaient une réputation de pilleurs d'épaves, comme en témoigne une prière dite au XVIIIᵉ siècle dans les toutes proches îles Sorlingues : « Nous Te prions, Seigneur, non de provoquer des naufrages, mais, s'ils doivent arriver, de les diriger vers les Sorlingues pour le bénéfice de leurs habitants. »

Dès qu'un navire en détresse était repéré, il était suivi le long de la côte par des foules d'hommes et de femmes munis de haches, de pieds-de-biche, de sacs et même de charrettes. Cela pouvait durer plusieurs jours. À tel point que certains marins en vinrent à penser que, pour aider le destin, les Cornouaillais n'hésitaient pas, parfois, à éteindre les vrais phares et à en allumer de faux sur les récifs. Les preuves de tels agissements sont rares, mais le cas s'est réelle-ment produit en décembre 1680, lorsqu'un bâtiment virginien fit côte parce qu'un gardien de phare n'avait pas allumé ses feux. Défaillance humaine ou préméditation, l'homme n'hésita pas ensuite à piller la cargaison du vaisseau naufragé.

Quand les pillards faisaient main basse sur une épave, or, argent, bijoux et fûts de vin disparaissaient en moins de temps qu'il n'en faut pour le dire. Certains allaient même jusqu'à enlever les planches du bordé. Le butin était ensuite caché dans des mines ou des cavernes, voire au fond des mares.

S'il est arrivé à des pilleurs d'épaves de détrousser les marins survivants et même de leur ôter leur chemise, les Cornouaillais prenaient aussi des risques fous pour sauver des vies humaines. Experts dans l'art de la navigation côtière, ils étaient connus pour l'héroïsme de leurs sauvetages et leur générosité envers les naufragés.

Le douanier était l'ennemi juré du pilleur d'épaves. Peu après le naufrage

Des pilleurs d'épaves dépouillent de ses vêtements le cadavre d'un naufragé, au XVIIIᵉ siècle.

du bateau hollandais *Lady Lucy,* près de Porthleven, en 1739, la douane retrouva quatre tonnelets de cognac provenant de la cargaison dans une cave des environs. Fait surprenant et qui fit grand bruit : c'était la cave du pasteur !

NAVIGUER SUR UN TRONC D'ARBRE

La plus ancienne embarcation connue est un simple tronc d'arbre évidé, fabriqué entre 6590 et 6040 avant J.-C. L'utilisation du bois n'est pas étonnante : les troncs flottent bien et il était facile de leur donner la forme requise, éventuellement par étuvage. Certaines peuplades ajoutaient des bordés, une proue et une poupe, voire des dames de nage et un banc, ou une figure de proue en forme de tête d'animal, avec des trous pour les yeux.

D'autres trous dans les bordés ser-

Conservé dans la tourbe, ce tronc de pin évidé de 3 m de long est peut-être le plus vieux bateau du monde. Il a été découvert en 1955 en Hollande.

vaient sans doute à l'amarrage ou permettaient de fixer une ligne de pêche. Le raffinement suprême était d'installer sous la ligne de flottaison un petit compartiment percé de trous où l'on pouvait garder le poisson vivant.

Le plus vieux bateau connu — découvert en 1955 à Pesse, en Hollande, et actuellement conservé au musée d'Assen —, très étroit, ne possède aucun de ces luxes. Ne s'agissait-il pas plutôt d'un cercueil, d'une auge ou d'un traîneau ?

CENT TRENTE-TROIS JOURS À LA DÉRIVE

Le 23 novembre 1942, le cargo britannique *Benlomond* fut torpillé en plein Atlantique par un sous-marin allemand. Poon Lim, jeune marin chinois seul survivant, se retrouva par miracle sur un radeau de sauvetage chargé de provisions, à bord duquel il devait dériver pendant cent trente-trois jours. Il avait cinquante jours d'eau et de vivres. Mais son ingéniosité et son instinct de survie lui permirent d'affronter les quatre-vingt-trois jours suivants. Grâce à un clou, arraché à un débris flottant, il se confectionna avec les dents un hameçon, qu'il appâta d'abord avec du biscuit pour attraper des petits poissons, lesquels servirent à leur tour d'appât pour des prises plus grosses. Quand il n'eut plus de biscuit, il fabriqua un leurre de pêche avec le filament d'une lampe. Pendant trois mois, il ne mangea que du poisson

cru, et parfois une mouette. Il but de l'eau de pluie qu'il recueillait dans des boîtes de conserve.

Ces quatre mois et demi seul en mer n'eurent raison ni de sa vie ni de sa santé mentale. Le plus terrible était de voir des navires ou des avions passer sans le repérer. Le 5 avril 1943, il fut enfin secouru par un chalutier au large du Brésil, près de Salinopolis. Il était très faible, mais pouvait encore marcher et ne souffrait que de crampes d'estomac. On le décora peu après de la médaille de l'Empire britannique, mais il fut réformé par la marine américaine... pour pieds plats.

Seul, Poon Lim survécut en plein Atlantique en se nourrissant de poissons et d'oiseaux, qu'il faisait sécher.

UN ÉCHEC ATOMIQUE
L'histoire éphémère des cargos nucléaires

Le cargo américain *Savannah*, lancé en 1959, fut le premier navire civil dont les turbines étaient actionnées par l'énergie nucléaire. Lorsqu'il fut désarmé, en 1970, il avait parcouru plus de 800 000 km avec un réacteur nucléaire totalement opérationnel pendant les 99,9 % du temps passé en mer et un réapprovisionnement en combustible tous les deux ans seulement. Malgré ces atouts, ce type de navire n'eut pourtant pas le succès escompté.

Le *Savannah* fit cependant plusieurs émules : l'*Otto Hahn* et le *Mutsu* par exemple, construits respectivement en 1968, en RFA, et en 1973, au Japon. Le célèbre armateur grec Aristote Onassis avait prévu d'installer un réacteur nucléaire sur le superpétrolier *Manhattan,* qui était alors le plus grand navire du monde. Mais les coûts d'une telle entreprise étaient si élevés qu'il fut obligé de changer d'avis au profit de machines conventionnelles.

En 1982, tous les pays avaient fait de même et abandonné définitivement la propulsion nucléaire civile pour revenir au diesel, à l'exception de l'URSS et du Japon.

Pendant les années 1980, l'évolution technologique fit baisser les prix. Mais on avait mieux pris conscience des dangers du nucléaire, et les coûts impliqués par le renforcement de la sécurité étaient rédhibitoires.

Les marines militaires n'ont pas le même souci d'économie, et leurs sous-marins à propulsion nucléaire actuels, qui déplacent plus de 8 000 t et plongent à plus de 300 m de profondeur, peuvent parcourir plus de 600 000 km sans refaire le plein.

Le cargo américain Savannah, *ici représenté pendant sa construction au New Jersey en 1959, reprenait le nom du premier navire à vapeur ayant traversé l'Atlantique, en 1819.*

ET VOGUE LA GALÈRE

Une trirème athénienne au XXᵉ siècle

À la sortie du Pirée, l'*Olympias* taillait vers le large, propulsé à sept nœuds par la coordination parfaite de ses 170 rameurs. Répartis en trois rangs superposés, ceux-ci devaient souquer ferme pour accomplir un extraordinaire voyage dans le temps : en cette année 1987, ils formaient la chiourme d'une redoutable machine de guerre de 37 m de long. C'était la copie conforme des vaisseaux grecs qui, en 480 avant J.-C., avaient écrasé la flotte perse à la bataille de Salamine.

Débat d'experts

L'*Olympias* était dû aux efforts de deux experts britanniques, l'universitaire John Morrison, professeur de lettres classiques à Cambridge, et l'architecte naval John Coates. En 1975, le courrier des lecteurs du *Times* avait servi de forum à un débat sur les formes et les capacités des trirèmes qui avait passionné les deux hommes.

À Salamine, la chronique raconte que la flotte grecque, forte de seulement 380 trirèmes, avait mis en déroute celle de Xerxès Iᵉʳ, peut-être trois fois supérieure en nombre. Morrison et Coates se fixèrent pour objectif de réaliser une trirème pour la marine grecque, d'après les images figurant sur les vases, monnaies et monuments du siècle de Périclès. Ils devaient mettre douze

ans à concrétiser leur rêve et à faire naviguer le vaisseau avec un équipage gréco-britannique.

Au Vᵉ siècle avant J.-C., un combat naval se gagnait en éperonnant l'ennemi pour le couler. Cet assaut exigeait de l'équipage force et précision : en procédant trop vite, on risquait de coincer le rostre de bronze dans la coque adverse et de couler avec elle ; trop lentement, l'ennemi pouvait fuir.

La manœuvre des trirèmes a longtemps donné lieu à des querelles d'érudits. Selon certains, elles ne comptaient qu'un banc de nage, avec trois rameurs par aviron. Morrison prouva qu'il n'en était rien : il y avait, en fait, trois rangs de rameurs, et chaque homme avait son aviron. Contrairement à ce qu'on

Ramer sur trois rangs sans entrechoquer les avirons exige un entraînement d'autant plus grand que seuls les rameurs du haut ont vue sur la mer.

*En mer Égée, l'*Olympias* devient voilier pour le repos des 170 rameurs. Dans l'Antiquité, voiles et mâts étaient souvent débarqués avant l'assaut : les marins, à force de ramer, se montraient plus vigoureux, et le pont était ainsi dégagé pour les fureurs du combat.*

pourrait penser, la longueur des rames était la même à chaque niveau.

La manœuvre de la trirème toute neuve s'avéra épuisante, compte tenu du poids des « pelles ». Réussir à actionner les trois rangs sans les entrechoquer n'était, en soi, pas une mince affaire. Les 62 rameurs du rang supérieur avaient la tâche la plus difficile. Dans l'Antiquité, ils étaient aussi les mieux payés. Heureusement, on pouvait parfois se reposer : par bon vent, il suffisait de hisser les deux voiles.

Mais l'entraînement permit de surmonter ces difficultés et de rendre l'*Olympias* aussi agile que ses ancêtres.

LE DERNIER SOS

Les signaux radio ont supplanté les traits et les points du morse

En mars 1899, le vapeur *Elbe* heurta un récif, au nord-est de la France. Sa situation aurait été désespérée sans le message de détresse envoyé par un bateau-feu des environs, grâce au tout nouveau matériel radio de Guglielmo Marconi. Cela permit à un canot de sauvetage de secourir à temps les naufragés.

Quelques années auparavant, les innovations de Marconi avaient révolutionné la sécurité en mer. Jusqu'alors, la communication maritime était limitée aux signaux auditifs et visuels : cornes de brume, pavillons et lanternes (toujours employés en complément des méthodes modernes). Après son appareillage, un bâtiment pouvait passer plusieurs semaines en mer sans contacter âme qui vive.

L'alphabet Morse

L'avènement de la radio changea tout. Elle s'accommoda à merveille de l'« alphabet » de traits et de points inventé en 1832 par l'Américain Samuel Morse, et déjà utilisé par le télégraphe et pour les signaux par sifflet ou lanterne.

Aujourd'hui, la radio sauve toujours des vies, mais l'ère du morse touche à sa fin. L'Organisation maritime internationale a mis en place un nouveau système, le Système global de détresse et de sécurité maritimes, désigné en anglais par le sigle GMDSS.

Les traits et les points y sont remplacés par des communications radio-télex, transmises par satellite à d'autres navires ou à des stations côtières.

Des messages de détresse à codage numérique donnent la position exacte du bateau ainsi que la nature et l'heure de l'avarie. On les envoie par simple pression sur un bouton ou grâce à un numéro d'appel simplifié. Le morse disparaîtra officiellement en 1999 : le GMDSS sera alors rendu obligatoire sur tous les navires.

Beaucoup sont déjà pourvus de balises automatiques de détresse : en cas de naufrage, elles se libèrent et émettent toutes seules un signal de détresse capté en tout point du monde par des satellites en orbite polaire. Depuis 1982, ce système a contribué à sauver plus de 1 000 personnes.

Les satellites Inmarsat relient les navires entre eux ou à la terre. Les deux satellites en orbite polaire Cospas-Sarsat captent les messages des balises de détresse, larguées et actionnées automatiquement en cas de naufrage.

EN UN ÉCLAIR

Envoyer un télégramme en 1588

En 1588, la tension qui opposait depuis longtemps Élisabeth Iʳᵉ d'Angleterre à Philippe II d'Espagne laissa place à la guerre. Les 130 vaisseaux de l'Invincible Armada firent voile vers l'Angleterre pour envahir le pays.

Outre-Manche, on les attendait de pied ferme depuis deux ans. Mais l'Espagnol pouvait attaquer en tout point de la côte sud, qu'il était impossible de défendre en totalité. Le sort des armes dépendait donc de la rapidité avec laquelle on pourrait appeler des renforts au secours.

Une bonne vieille méthode

Pour cela, les cavaliers étaient bien trop lents. On recourut à une bonne vieille méthode ayant déjà largement fait ses preuves : il s'agissait d'un réseau de bûchers édifiés sur toutes les collines anglaises.

Le 29 juillet, des guetteurs de Cornouailles aperçurent les premiers les bâtiments espagnols. Ils allumèrent aussitôt leur feu, qui fut lui-même vu de la colline suivante, où un foyer s'enflamma à son tour. Et ainsi de suite vers le nord et l'est, tandis que les églises de tout le pays sonnaient le tocsin à toute volée.

Le lendemain matin, l'arrivée des Espagnols était connue jusqu'à Durham, à 450 km de la Manche, et la mobilisation était générale. Pendant ce temps, les bâtiments de Francis Drake taillaient en pièces un ennemi qui ne réussit jamais à débarquer.

Le 29 juillet 1981, on ralluma les feux aux mêmes endroits. Mais, cette fois, ce fut en signe de joie, à l'occasion du mariage du prince Charles et de lady Diana Spencer.

LE SAVIEZ-VOUS ?

Le célèbre SOS n'a pas de signification précise telle que « sauvez nos âmes » (Save Our Souls en anglais). C'est simplement un message facile à identifier même dans des conditions de réception très mauvaises : « ··· --- ··· ». Les messages radiotéléphonés utilisent aujourd'hui le terme « Mayday », déformation du français « m'aider ».

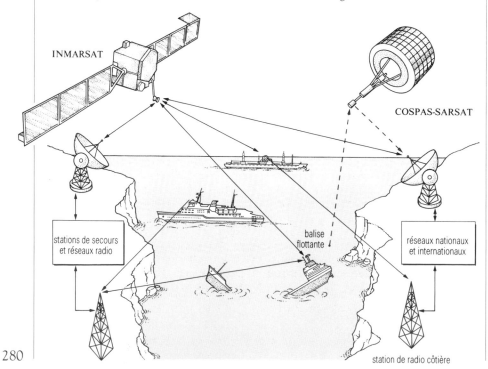

INMARSAT

COSPAS-SARSAT

stations de secours et réseaux radio

balise flottante

réseaux nationaux et internationaux

station de radio côtière

L'HISTOIRE DE LA CARTOGRAPHIE

Des cartes en soie

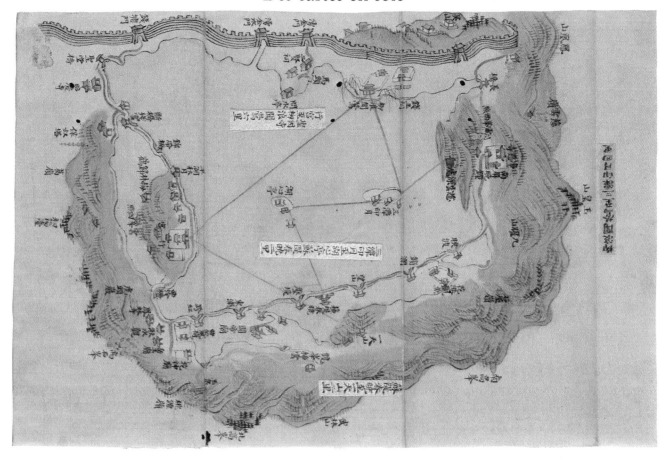

Cette carte de soie chinoise du XVIIIe siècle, presque en grandeur nature, représente la région de Hangzhou. On y voit la Grande Muraille.

En 227 avant J.-C., un visiteur arrive au palais de Zheng, puissant roi de Qin, dans le nord-ouest de la Chine, avec un présent très précieux : une carte de soie. Mais son véritable but est de tuer le monarque avec un poignard empoisonné caché dans celle-ci.

L'attentat échoue. Six ans après, Zheng unifie les six autres « royaumes combattants » en les annexant et reçoit le nom de Shi Huangdi, ou « premier empereur », car il vient de fonder l'empire de Chine (Qin). Les cartes datant de la dynastie Qin n'existent plus. Mais en 1973 on découvrit trois cartes de soie, remontant à 168 avant J.-C., dans une tombe du Hunan. Deux ont été restaurées. L'une montre certains détails topographiques, tels que rivières et montagnes, et l'autre indique l'emplacement des garnisons et leur importance.

Même après l'invention du papier, aux environs de l'an 100 de notre ère, les Chinois continuèrent à tracer des cartes sur soie, ou même sur bambou. On en faisait encore sous la dynastie Qing (1644-1911), la soie étant plus résistante et mieux adaptée à la reproduction de détails précis. De plus, elle semblait pouvoir être tissée pratiquement à n'importe quelle longueur.

La plus ancienne carte connue a été découverte il y a peu, en Irak. C'est une tablette d'argile qui date de mille ans avant J.-C.

L'Europe ne connut la soie et le papier que plusieurs siècles après la Chine. En Occident, on traçait les cartes sur du parchemin, fabriqué avec des peaux d'animaux. La plus ancienne qui nous soit parvenue date à peu près de l'an 260 et mesure 45 cm sur 18. On y reconnaît la rive nord de la mer Noire et le Danube ; les villes étaient représentées par des murs de brique. Ces cartes anciennes donnent bien souvent des distances totalement fausses. Elles ont pourtant permis tant aux Romains qu'aux Chinois d'administrer deux des empires les plus puissants que le monde ait jamais connus.

POUR AMÉLIORER LES PERSPECTIVES

Comment parvient-on à dresser les cartes précises des régions les plus inaccessibles du globe, encore inexplorées ? Grâce à la photogrammétrie, à partir de photographies aériennes. C'est aujourd'hui la méthode de cartographie la plus souple et la plus précise.

La photogrammétrie utilise le même principe que la vision humaine. Grâce à leur léger écartement, nos yeux voient, chacun, le même objet sous un angle légèrement différent et transmettent donc une image différente au cerveau. Plus l'objet est proche, plus les deux images seront dissemblables. Notre cerveau les compare et forme une seule image.

En photogrammétrie, les yeux sont remplacés par un appareil photo qui prend une série de vues de la même région à partir d'un avion ou d'un satellite. Comme celui-ci bouge, le cadrage et donc l'angle des prises de vue sont légèrement différents pour les photos successives d'un même détail topographique. Il n'y a plus qu'à évaluer la hauteur et à combiner le tout pour former une image en trois dimensions. C'est ainsi qu'une carte topographique peut comporter des courbes de niveau et des symboles en couleur qui indiquent l'altitude de chaque point.

Autrefois, ce procédé impliquait des calculs longs et complexes et nécessitait des instruments d'optique très perfectionnés. De nos jours, l'ordinateur a pris le relais.

La photogrammétrie sert non seulement à dresser les cartes de territoires inconnus, mais aussi à suivre l'évolution de la surface terrestre dans le temps. Elle permet, par exemple, d'actualiser les cartes après un séisme.

MONSTRES ET SIRÈNES
Le monde fou, fou, fou des cartes anciennes

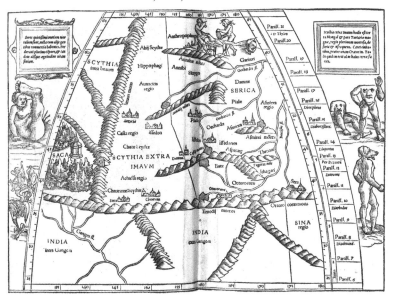

Cette étrange carte de l'Asie fut dessinée au XVIᵉ siècle par Sebastian Münster.

Jusqu'à l'avènement du chemin de fer et de la navigation à vapeur, au XIXᵉ siècle, les grands voyages étaient réservés à une poignée d'aventuriers intrépides, généralement marins ou négociants. L'étranger demeurait quasi mythique pour le commun des mortels, qui n'en connaissait pratiquement rien. Si bien que les premiers cartographes, ne risquant pas d'être pris en flagrant délit d'inexactitude, laissaient parfois libre cours à leur imagination.

Aussi, leurs cartes étaient-elles souvent illustrées de créatures étranges et monstrueuses. En 1493, un an après la découverte de l'Amérique, le cartographe allemand Hartmann Schedel peuplait l'Asie d'hommes cornus, d'hommes-oiseaux ou encore de femmes chauves et barbues.

Des sources antiques

L'un des outils du cartographe de la Renaissance était le *Guide géographique* de Ptolémée, rédigé au IIᵉ siècle après J.-C. Il situait quelque 8 000 lieux et donnait des conseils sur la manière de préparer les cartes. Plusieurs éditions en latin de ses huit volumes furent publiées à la fin du XVᵉ siècle.

D'autres sources étaient moins sérieuses. Le cartographe allemand Sebastian Münster, né en 1489, affubla ainsi l'œuvre de Ptolémée de créatures grotesques décrites par l'auteur romain Pline l'Ancien, au Iᵉʳ siècle après J.-C. : il dessina des hommes avec un seul pied, assez grand pour leur servir de parasol s'ils le levaient au-dessus de la tête, et des individus à tête de chien, censés s'exprimer en aboyant.

Certaines illustrations étaient si fantastiques qu'il est difficile de croire qu'on s'y fiait vraiment. Les Chinois de l'an 350 avant J.-C., par exemple, étaient-ils bien sûrs de partager le monde avec des hommes à l'estomac perforé ? Ce qui, en voyage, permettait à leurs porteurs de faire l'économie d'un palanquin en leur passant une perche à travers le corps. Quant aux cartographes européens du XVIIᵉ siècle, ils n'étaient sûrement pas très convaincus que l'océan Pacifique regorgeait de sirènes batifolant sur les flots ! Münster avait trouvé un argument imparable à opposer aux incrédules : « Dieu est merveilleux dans son œuvre. »

Ces fantasmagories n'étaient pourtant pas toujours sans fondement. Beaucoup de cartes des XVIᵉ et XVIIᵉ siècles montrent ainsi un étrange animal à une ou deux cornes, qui n'est autre que le rhinocéros. Les naturalistes de l'époque se demandaient très sérieusement si la variété à une seule corne ne représentait pas la légendaire licorne. Le débat ne fut clos qu'à la fin du XVIIIᵉ siècle : on découvrit que certaines races de rhinocéros ont une corne et d'autres deux.

Ces erreurs se conçoivent : bien peu d'Européens avaient eu l'occasion de voir un rhinocéros. On ne savait rien du vaste monde. Si un cartographe écrivait sur sa carte « Pays des dragons », il était cru sur parole.

282

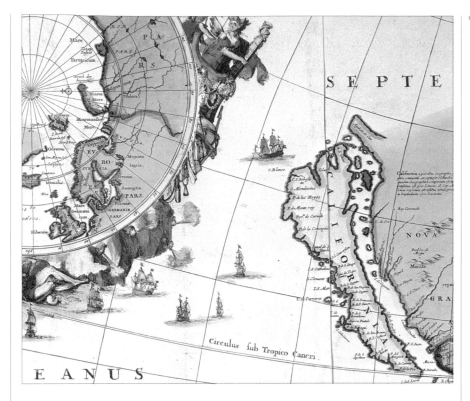

ERREUR DE CARTE

Les conquistadores prenaient la Californie pour une île

En 1533, l'Espagne venait de conquérir l'Empire aztèque. Elle envoya alors une poignée de galions remonter l'océan Pacifique vers le nord, à la découverte de ce qui est aujourd'hui la côte ouest du Mexique et le sud de la Californie. Ses marins prirent pour une île la terre inconnue qu'ils laissaient par tribord, car ils avaient aperçu à sa pointe sud un large bras de mer.

Sept ans plus tard, celui-ci était toujours inexploré et une nouvelle expédition entreprit de le remonter. Après 1 100 km de navigation, il fallut se rendre à l'évidence : le bras de mer se terminait en impasse et la terre que l'on croyait une île était en fait une gigantesque péninsule. Aujourd'hui connue sous le nom de Basse-Californie, elle fait partie du Mexique.

Machine arrière

Cette découverte fut notée sur les cartes de l'époque. Une telle erreur n'avait rien d'extraordinaire et s'était déjà produite dans le cas de la Floride. Pourtant, certains cartographes firent curieusement machine arrière. En 1625, l'éditeur anglais Henry Briggs publia une carte sur laquelle la Californie était

Cette carte du Hollandais Gérard Valck date de 1686. Elle présente la Californie comme une île, perpétuant ainsi l'erreur faite sur la carte anglaise en 1625.

séparée du continent nord-américain. Il y expliquait que cette contrée « était parfois supposée faire partie du continent occidental, mais qu'une carte espagnole – qui aurait été établie depuis – prouvait qu'il s'agissait bel et bien d'une île ».

Récidives

Cette erreur fut répétée par des cartographes tels que le Hollandais Pieter Goos : son *Zee Atlas,* publié pendant les années 1660 à Amsterdam, représente la Californie comme une île en forme de coin. Pour faire bonne mesure, il situe aussi quelques dizaines d'îlots minuscules entre sa côte est et ce qu'on appelait alors la Nouvelle-Grenade.

La vérité ne fut rétablie qu'au début du XVIIIᵉ siècle. Les îlots, qui n'existaient que dans l'imagination de Goos, furent effacés des cartes et la Californie, cette « isle de belle apparence », fut définitivement rattachée au continent nord-américain.

QUAND LA TERRE ÉTAIT PLATE

La Mappa mundi, carte du Moyen Âge

Le doyen de la cathédrale de Hereford, en Angleterre, annonça en novembre 1988 son intention de vendre aux enchères une carte du monde. Ce n'était pas un modèle de précision : on y aurait vainement cherché l'Amérique et l'Australie ! Et pourtant, elle était estimée à quelque 7 millions de livres sterling (soit 70 millions de francs).

Mais il faut reconnaître que la *Mappa mundi* est une carte exceptionnelle. Elle a été tracée vers 1290, époque où les Européens croyaient toujours la terre plate. Dessinée à l'encre noire sur une feuille de vélin de 1,63 m sur 1,37 m, elle est coloriée de rouge et de bleu et dorée à la feuille.

Carte des pèlerinages

Conformément à l'opinion de l'Église médiévale, Jérusalem y est placée au centre du monde. Quant aux autres villes d'Europe et du Proche-Orient, ce ne sont que des étapes dans les pèlerinages vers la Terre sainte. Ce qui n'a pas empêché le copiste d'intervertir, par inadvertance, les noms de l'Europe et de l'Afrique.

Cette carte permet aussi une incursion fascinante dans la pensée médiévale. Dessins et légendes retracent l'histoire de l'humanité et les merveilles de la nature. Le haut de la carte représente l'ascension des bienheureux vers les cieux, tandis que les damnés sont précipités en enfer. Aux extrémités de notre planète, des îles isolées sont occupées par d'étranges peuplades aux grandes oreilles et aux pieds fourchus, et les Norvégiens partagent leur pays avec une race de singes.

On ignore comment la *Mappa mundi* est parvenue jusqu'à la cathédrale de Hereford, mais elle est en très bon état de conservation. Ce n'est pas le cas de la cathédrale elle-même, d'où la décision de vendre la carte pour financer les travaux de restauration. Cette nouvelle suscita un tel émoi en Grande-Bretagne, où l'on craignit de voir une partie de l'héritage culturel s'envoler pour l'étranger, que la vente fut finalement annulée.

RÉCITS DE VOYAGES IMAGINAIRES

En 1726, par une nuit d'été, une main mystérieuse déposa sur le seuil de l'éditeur londonien Benjamin Motte un paquet contenant le manuscrit des *Voyages en plusieurs nations éloignées du monde*. L'auteur, un certain Lemuel Gulliver, se disait « d'abord chirurgien et ensuite capitaine de plusieurs vaisseaux », mais à part une brève préface biographique, on ne savait pas grand-chose de lui.

La narration de ses voyages était extraordinaire. Il décrivait les peuples d'îles totalement inconnues, telles que Brobdingnag, reliée à l'Amérique du Nord par un pont, et Lilliput, censée être proche de Sumatra.

L'ouvrage plut tant à Motte qu'il accepta de le publier sans même avoir rencontré l'écrivain, bien que celui-ci demandât la somme exorbitante de 200 £ de droits d'auteur par un intermédiaire. Sous le titre *les Voyages de Gulliver*, la première édition fut épuisée en moins d'une semaine.

On ne tarda pas à se demander qui était Lemuel Gulliver. L'auteur était injoignable : il avait regagné son Irlande natale dans la crainte du tollé que risquait de susciter son livre. Car *les Voyages de Gulliver*, bien loin d'être une innocente fantaisie humoristique — devenue un classique de la littérature enfantine —, constituaient une critique aussi virulente

que feutrée de la politique et de la société britanniques.

L'auteur de cette violente satire n'était autre que Jonathan Swift, le pamphlétaire le plus illustre de son temps.

Swift ne fut pas le seul écrivain à laisser vagabonder son imagination. À l'aube du XXe siècle, Jules Verne écrivit, lui, une série intitulée *Voyages extraordinaires* ; quatre-vingts romans dont les titres (*Voyage au centre de la Terre, Vingt Mille Lieues sous les mers*, etc.), les personnages, les lieux et les machines de rêve sont entrés dans notre imaginaire. Père de la science-fiction française, il est l'écrivain français le plus traduit dans le monde.

DE L'ESPACE AUX ABYSSES
Un satellite pour explorer les fonds marins

Au fil des siècles, l'homme a laborieusement tracé la carte du monde en mesurant les moindres coteaux, chemins et cours d'eau. Mais il n'avait jamais été possible de dessiner en sa totalité la carte des océans... jusqu'au 26 juin 1978.

Ce jour-là, la NASA lança le satellite *Seasat-A,* conçu pour l'étude des océans. Sa trajectoire évolutive, sur une orbite située à 800 km d'altitude, lui faisait balayer l'ensemble de la surface terrestre en repassant au même point tous les trois jours. Ce qui lui permit d'établir des relevés à la fois de la surface et des fonds marins.

La surface de la mer n'est pas uniforme : sa hauteur varie considérablement en fonction du champ gravitationnel de la Terre. Elle présente aussi des creux ou des boursouflures en fonction des vagues, des marées, des vents et des courants.

Seasat-A avait pour tâche de mesurer ces différences. Il releva la hauteur d'eau tous les 3 km, ce qui représente

des millions de calculs, avec une marge d'erreur d'à peine 10 cm. On put ainsi dresser la carte de la surface des océans tout entière.

Ses données servirent aussi à mieux connaître les grands fonds. On découvrit notamment que les tranchées et les crêtes provoquées par les mouvements de l'écorce terrestre se répercutaient sur l'eau : la surface de la mer se creuse ou se gonfle selon que le fond présente une dépression ou une hauteur. Ainsi, en observant les mouvements de la mer, on peut comprendre en détail ceux de la croûte terrestre.

Malheureusement, le système d'alimentation électrique de *Seasat-A* tomba en panne cent jours après sa mise en orbite, ce qui mit un terme à ses précieuses observations. Mais elles avaient déjà permis, pour la première fois, une étude approfondie de la totalité des profondeurs marines.

Une station de surveillance (ci-dessous à gauche) déterminait l'altitude exacte de Seasat-A. Le satellite pouvait alors calculer avec précision les variations les plus infimes de la hauteur d'eau, révélatrices du relief sous-marin.

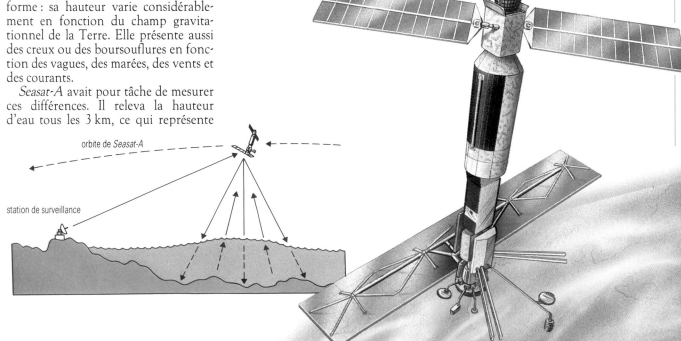

orbite de *Seasat-A*

station de surveillance

ROUTES D'AUTREFOIS
Une chaussée préhistorique

Les tourbières des Somerset Levels, dans le sud-ouest de l'Angleterre, sont exploitées depuis des siècles. En 1970, on y découvrit les restes parfaitement conservés du réseau routier le plus vieux du monde, construit vers le IIIe ou IVe millénaire avant J.-C.

C'était une chaussée de bûches et de branchages assemblés au-dessus de marécages. Elle formait des « ponts » entre les habitations édifiées sur des îlots de terre ferme. Il existe en différents endroits d'autres exemples de cette technique : ainsi les pavés préhistoriques de bois, en Suisse, ou la chaussée médiévale des marais de Pamgola située en Hongrie.

Ces chaussées de bois semblent aujourd'hui bien primitives. Pourtant, la méthode fut encore utilisée en 1942 sur une partie de la route reliant l'Alaska au nord-ouest des États-Unis : c'est une manière rapide et efficace de poser une « dalle flottante » pour se déplacer sur terrain spongieux.

La plupart du temps cependant, nos ancêtres ne construisaient pas de routes du tout : les pistes se créaient d'elles-mêmes, avec l'usure provoquée par le passage continuel des hommes et des animaux. Le

Tout au long de la route de la soie, des forteresses protégeaient voyageurs et marchandises. Celle-ci longe les ruines de la citadelle chinoise de Jiaohe, à l'est de Turpan.

développement du commerce à longue distance les transformait parfois en « axes internationaux ».

Le plus important de ceux-ci était la route de la soie, entre Shanghai et Istanbul. Elle reliait la Chine à l'Occident, à travers l'immensité de l'Asie centrale. Pendant les quelque mille cinq cents ans séparant l'arrivée de la soie chinoise en Europe, au Ier siècle après J.-C., et la fin du Moyen Âge, les caravanes qui s'y risquaient durent affronter tempêtes de neige, vents de sable et pillards. Les échanges s'effectuaient en un lieu appelé « la Tour de pierre », dans la région du Pamir.

La route de la soie, qui a joué un rôle primordial dans la transmission des arts, des philosophies et des religions, mesurait environ 10 000 km. Et aucun ingénieur n'a présidé à sa conception.

L'homme préhistorique a abattu des milliers d'arbres pour construire les chaussées des Somerset Levels.

LE SAVIEZ-VOUS ?

Au Ier siècle après J.-C., quand la soie chinoise apparut à Rome, elle eut un tel succès que l'empereur Auguste prit la décision d'en limiter l'usage par les hommes : on la considérait comme efféminée.

LA PUISSANCE DES INCAS

Un réseau routier sans roues

Pour les 180 conquistadores qui, en 1531, furent les premiers à poser le pied dans l'Empire inca, les chefs indigènes étaient des sauvages puisqu'ils n'avaient ni langage écrit, ni chevaux, ni roues, ni poudre à canon. Pourtant, ce peuple dit primitif s'était bâti un réseau routier digne des Romains.

Des chaussées traversant tout l'empire reliaient ce qui est aujourd'hui le Pérou au Chili. Les deux voies principales étaient une route côtière de 4 000 km de long et la prodigieuse route royale, de 5 200 km de long, témoin de la puissance inca. Ce fut jusqu'à la fin du siècle dernier la plus longue route du monde.

Une prouesse technique

Elle était construite sur un terrain épouvantable, en plein cœur de la cordillère des Andes : un vrai casse-tête pour un ingénieur moderne. Mais les Incas savaient percer des tunnels en pleine roche. Au lieu de contourner les pentes les plus raides, ils y taillaient des marches que leurs bêtes de somme – des

lamas – pouvaient gravir sans difficulté. Et ils jetaient d'extraordinaires ponts suspendus au-dessus de gorges vertigineuses. Le plus impressionnant était celui de San Luis Rey. Construit avec des cordes et des planches de bois sur 45 m de long, il ondulait dangereusement à 90 m au-dessus des eaux tumultueuses de l'Apurimac.

Ces voies de communication étaient empruntées presque exclusivement par des soldats ou des *chasquis,* les messagers du gouvernement, rompus à la course à pied. Formant un véritable

réseau, ces derniers étaient cantonnés tous les 3 km le long des routes principales. Ils se relayaient pour porter les messages de la cour de Cuzco. L'empereur centralisait les informations grâce à un ingénieux système de comptabilité reposant sur l'utilisation du *quipu* (mot qui signifie nœud en quechua), ensemble de cordelettes attachées.

Les équipes de relayeurs pouvaient couvrir jusqu'à 320 km *par jour.* À ce train-là, du poisson pêché sur la côte arrivait deux jours plus tard, encore frais, sur la table de l'empereur, 400 km plus loin et en pleine montagne.

Quant aux soldats, leur rôle était de maintenir constamment les peuples de l'empire sous une poigne de fer. Cet immense réseau était en fait un instrument de puissance jeté sur l'Amérique du Sud par les Incas. Il finit par se retourner contre eux quand les conquistadores l'utilisèrent.

Contre toute apparence, cette procession est chrétienne. La litière y remplace le char romain, ce qui nous rappelle que les Incas ne connaissaient pas la roue.

ENTRE CHIEN ET DIABLE

Une créature terrifiante hante le folklore de la verte Angleterre : le chien-diable. Noir comme l'enfer, et parfois sans tête, il rôde par les chemins herbeux délimitant églises ou propriétés de campagne et disparaît au hasard d'une haie, d'un pont ou d'un portail, points de jonction avec le surnaturel. On le rencontre aussi dans les vieux cimetières, où une coutume ancienne voulait que l'on sacrifie et que l'on enterre un chien peu après la consécration du lieu.

Le nom du chien noir varie selon la région – Trash, Skriker, Barghest, Black Shuck, Moddey Dhoo, Padfoot – mais il a toujours la taille d'un veau, le poil noir et hirsute et l'œil étincelant. Il sévit surtout dans le Sud-Est, où l'on dit que, vers 1800, un homme le prit pour le chien d'un ami, qui avait voulu le mordre. Cherchant à se venger, il lui décocha une taloche et son pied passa à travers le fantôme.

On raconte aussi dans un écrit de l'époque que le chien noir apparut à l'église Sainte-Marie de Bungay, pen-

Selon la légende, le chien noir a laissé la trace de ses griffes sur cette porte d'église du sud-est de l'Angleterre.

dant la terrible tempête du dimanche 4 août 1577. Il « tordit le cou » de deux paroissiens et en laissa un troisième « aussi recroquevillé que pièce de cuir exposée à grand feu ». Le même jour, un autre chien-diable (ou était-ce le même ?) sema la panique à la messe de Blythburg, tout près de là. Il tua trois personnes et laissa la trace de ses griffes sur le portail, où on les voit encore aujourd'hui.

D'après certains, c'est le fantôme du molosse (réminiscence du Cerbère de la mythologie grecque) qui, dans la préhistoire, gardait les sanctuaires disposés par les chemins. Pour d'autres, ce serait Satan lui-même, en quête du passant solitaire et vulnérable. Dans le comté de Norfolk, nul n'est censé survi-

vre à la vision de Black Shuck. « Le chien noir est à ses trousses », y disait-on naguère d'un agonisant. Mais la sinistre créature a aussi son côté brave toutou : en effet, paradoxalement, dans l'Essex, elle était censée protéger le voyageur égaré.

MYSTÈRE À MALTE
D'étranges sillons

L'île de Malte est sillonnée de mystérieuses ornières taillées dans la rocaille, et dont la profondeur atteint parfois 60 cm. Elles vont toujours par paires, traversent la campagne et disparaissent dans des champs, au bord des routes ou des maisons, voire sur la crête des falaises ou même dans la mer. On les trouve souvent à côté des routes actuelles. Un endroit de l'île a même été surnommé Clapham Junction, par analogie avec une grande gare de Londres, tant les dizaines de sillons qui s'y rejoignent et s'entrecroisent font penser à des aiguillages de chemins de fer.

Beaucoup aboutissent à des villages de l'âge de bronze. Ils auraient donc été creusés par leurs habitants il y a quelque quatre mille ans. Mais il nous reste encore à savoir comment et pour quelles raisons.

Selon une théorie, les mystérieuses entailles taillées dans le roc qui sillonnent l'île de Malte auraient été laissées par des travois.

Il a fallu abandonner la théorie selon laquelle les sillons auraient servi à drainer l'eau, car ils ne présentent aucune trace d'érosion par ruissellement.

Le transport semble être l'explication la plus plausible. Mais le passage de charrettes aurait été impossible car l'écartement des sillons varie d'un endroit à l'autre : les roues se seraient donc bloquées ou même auraient été arrachées. Quant à des traîneaux à patins fixes, ils n'auraient certainement pas pu prendre les virages en épingle à cheveux.

Les ornières ont peut-être été creusées par des travois, c'est-à-dire des traîneaux primitifs composés de deux perches entre lesquelles était accrochée une charge : une extrémité était tirée par un animal ou un homme et l'autre râclait le sol, où elle aurait fini par laisser de profondes entailles. Seulement voilà : on ne trouve sur le roc aucune trace d'usure ou de polissage laissée par des sabots ou des pieds qui confirmerait cette hypothèse. À ce jour, l'énigme reste donc entière, tant pour les archéologues que pour les touristes.

LES CHEMINS QUI MÈNENT À ROME

Les voies romaines sont toujours utilisées

La grande aventure des voies romaines a commencé en 312 avant J.-C. avec l'édification de la Via Appia entre Rome et Capoue (soit 210 km). Le réseau a ensuite suivi l'extension de l'empire dans toute l'Europe, en Afrique du Nord, et au Proche-Orient. En l'an 200 de notre ère, il s'étendait sur 85 000 km environ.

Les routes étaient l'œuvre de professionnels – l'*architectus* (architecte), l'*agrimensor* (arpenteur) et le *librator* (niveleur) – et c'était les soldats qui étaient chargés de la réalisation. En transformant le légionnaire en terrassier, on l'occupait entre deux campagnes. Quitte à ce qu'il renâcle parfois, car il y eut plusieurs mutineries.

Les fondations

Les fondations variaient selon le terrain et la circulation prévue. Pour une grand-route, on commençait par mettre le roc à nu. On posait dans la tranchée ainsi obtenue une couche de caillasse damée avec du sable ou du gravier. Venaient ensuite, dans l'ordre, des petites pierres, du gravier et la couche de surface, formée de gros blocs de pierre polygonaux.

En dehors des grandes villes, une voie n'était pavée qu'à l'approche des habitations ou d'un carrefour. Partout ailleurs, sa surface était formée de gravier ou de bois, voire de terre. La largeur variait de 1,50 à 7,50 m.

Les voies romaines ont la réputation d'être rectilignes. Elles l'étaient effectivement parfois sur une quarantaine de kilomètres, mais pouvaient aussi suivre les contours des collines ou tourner pour franchir une rivière à un meilleur endroit.

Un travail de Romain

Avec des outils très simples (pelles, pioches et masses), les Romains accomplissaient des exploits. Ils taillaient des

Nombreuses sont les dalles de la Via Appia à n'être toujours pas usées, plus de deux mille ans après leur pose.

LE SAVIEZ-VOUS ?

Les voies romaines sont d'autant plus impressionnantes qu'elles furent construites sans un outil simple mais très utile : la brouette. Cette invention chinoise ne nous est parvenue qu'au Moyen Âge.

---

pierres énormes, drainaient des marécages et foraient des tunnels. À Terracina, au sud de Rome, ils creusèrent une saignée de 38 m de haut (120 pieds romains) dans un promontoire de roc, pour que la Via Appia file droit le long de la côte. Pour mesurer leur avancée, les terrassiers gravaient tous les 10 pieds la profondeur atteinte. À l'endroit le plus profond, la voie passe au niveau CXX, soit 120 pieds.

La fin de la route

Bâties pour durer des millénaires, les voies romaines survécurent à l'empire, mais résistèrent mal à une invention médiévale ingénieuse quoique toute simple : le collier de trait. Ainsi équipés, les chevaux tiraient de très lourdes charges, pour lesquelles les chaussées n'étaient pas prévues. Peu à peu, les charrois les défoncèrent.

Mais de nombreux axes routiers actuels suivent encore leur tracé. Ainsi la route qui va de Rome à Rimini emprunte un tunnel percé en 77 après J.-C., c'est-à-dire il y a plus de mille neuf cents ans.

FOUETTE, COCHER

Les dangers de la diligence ne rebutaient pas le voyageur pressé

Un jour, le cocher de la diligence Pittsfield-Albany, dans l'est des États-Unis, perdit le contrôle de son attelage dans la descente d'un col. La berline versa dans un virage et seule une souche la retint au bord d'un ravin. Plus morts que vifs, les passagers sortirent les uns après les autres en rampant tandis que leurs bagages tombaient au fond du gouffre.

Cette mésaventure des années 1830 n'était pas exceptionnelle, sans parler des problèmes provoqués par des chevaux rétifs, le mauvais temps ou les inondations. L'hiver, certaines portions de routes étaient quasiment impraticables.

En Angleterre, la malle-poste de Liverpool fut ainsi emportée par le courant au passage d'un pont inondé, en 1829. On perdit trois passagers et quatre chevaux.

D'autres périls guettaient le voyageur : les bandits de grand chemin ou un trajet en étrange compagnie. Il est arrivé à certains passagers de partager leur diligence avec des forçats enchaînés, un cadavre ou même un ours dressé !

Dans ce relais de poste anglais, on s'échange les dernières nouvelles avant de reprendre la diligence.

Malgré ces inconvénients, la diligence offrait l'énorme avantage de la vitesse, avec une moyenne pouvant atteindre les 16 km/h. Plus la concurrence était vive, plus la rapidité devenait une obsession. On réduisit au strict minimum les arrêts nécessaires au changement des che-

vaux et les berlines se mirent à rouler de nuit. Au cours du XVIIIe siècle, les temps de transport furent divisés au moins par dix, sans grand souci de sécurité. Un jour, cinq passagers furent blessés parce que la malle-poste d'Albany faisait la course avec une rivale.

Des cavaliers émérites

Malgré leur inconscience, on respectait les cochers, conducteurs expérimentés et bien rémunérés. La saga du Far West a gardé la mémoire de personnages hauts en couleur, tels que Sage Brush Bill ou Cherokee Bill, qui faisaient parvenir à bon port passagers et courrier dans les pires difficultés.

L'ère des diligences dura au total un peu plus de deux siècles. Les premières liaisons régulières commencèrent vers 1630 dans les pays européens et environ cent ans plus tard en Amérique. Dans les deux continents, elles connurent leur apogée au début du XIXe siècle.

Tout changea, cependant, peu après 1830, avec l'apparition du chemin de fer, qui bouleversa les transports. La diligence resta néanmoins le premier moyen de transport des États-Unis jusqu'à l'ouverture de la voie ferrée Atlantique-Pacifique, en 1869.

Vers 1850, les diligences Concord assuraient à la fois le service postal et le transport de passagers entre les différents ranches du Far West.

MAGIE À L'ÉCURIE
L'art et la manière de parler aux chevaux

Le cheval fou ruait des quatre fers dans l'écurie verrouillée : aussi, personne n'osait approcher. Arriva alors un vieux paysan. Méprisant les conseils de prudence, il ouvrit la porte et jeta sa casquette à l'intérieur en murmurant : « *Sic iubeo* », ce qui signifie en latin : « Je commande ainsi. » Le cheval se calma aussitôt et vint docilement se laisser passer la bride.

En Grande-Bretagne, on colporte de telles histoires depuis au moins le VIe siècle. Ces hommes qui parlaient aux chevaux formaient une confrérie secrète. Leurs étranges pouvoirs restent bien difficiles à expliquer.

On pense qu'ils exploitaient non l'ouïe, mais l'odorat des chevaux : la casquette du paysan était sans doute imprégnée d'un « charme » lui permettant de dominer l'animal.

Drôle de cuisine

Certaines odeurs avaient de grands pouvoirs sur le cheval. Il n'était pas rare d'utiliser un peu du tissu placentaire extrait de la bouche du poulain juste après sa naissance. Parfumé de plantes comme la tanaisie, ou herbe-au-coq, le romarin ou la cannelle, il faisait soi-disant merveille.

Pour repousser le cheval, les recettes étaient bien mystérieuses. On pouvait jeter des os de grenouille ou de crapaud dans un cours d'eau, à minuit, par pleine lune. On choisissait alors l'os qui flottait. Il fallait ensuite le porter sous son aisselle ou dans un sac de cuir, avec un morceau de viande crue. Faute d'os convenable, quelques foies d'hermine ou de lapin et un peu d'urine croupie pouvaient faire l'affaire. Avec une telle préparation, un bon maquignon pouvait arrêter net un cheval et maintenir son bétail tranquille, comme s'il était ensorcelé !

Les foires aux chevaux comme celle de Skirling, en Écosse, étaient le rendez-vous de ceux qui savaient « parler » aux bêtes. Ils y faisaient étalage de leurs talents.

La crainte d'être accusés de sorcellerie explique en partie le secret dont s'entouraient ces spécialistes, qui se reconnaissaient mutuellement à une poignée de main particulière et à des mots de passe. Mais ils voulaient surtout garder le monopole de leur activité. Ils y ont si bien réussi qu'il ne reste peut-être aujourd'hui plus personne capable de vraiment la comprendre.

LA FIÈVRE DE L'OR

Pendant la seconde moitié du XIXe siècle, le Far West ne constituait pas un modèle de respect de la loi. Les attaques à main armée étaient la hantise de la société Wells Fargo, dont les diligences transportaient poudre d'or et pépites de Californie jusque dans les banques de l'Est. Entre 1870 et 1884, le montant des vols atteignit 400 000 dollars, et seize cochers et gardes y laissèrent leur vie.

Le transporteur se donnait énormément de mal pour mettre la main sur les bandits. Il eut recours aux services privés. Le détective le plus célèbre, J.-B. Hume, se fit fort de retrouver Black Bart, pour la capture duquel la Wells Fargo promettait 800 dollars de récompense. Nanti d'un mouchoir retrouvé sur les lieux d'un hold-up, il rendit visite à quatre-vingt-dix blanchisseries avant d'identifier son homme. C'est ainsi que Black Bart, un mineur prospère, de son vrai nom C. E. Bolton, se retrouva sous les verrous.

De tels succès n'étant pas légion, les prospecteurs rivalisaient d'astuce pour protéger leurs trésors. L'un d'eux plaça même des serpents à sonnette vivants dans la malle contenant sa poudre d'or, qui arriva à bon port intacte.

À titre dissuasif, les cochers et les gardes exhibaient fièrement leur arsenal.

AU GRAND GALOP

L'épopée du Pony Express

« Avons décidé d'établir un Pony Express pour Sacramento, Californie, à dater 3 avril – délai dix jours. » Ce télégramme laconique envoyé le 27 janvier 1860 annonçait la création du Pony Express, un service postal par cavaliers reliant en deux cent quarante heures Saint Joseph (Missouri) à Sacramento (Californie). Soit 3 165 km dans l'une des parties les plus sauvages de l'Amérique. En un peu plus de deux mois furent mis en place tout au long de l'itinéraire des relais où l'on changerait chevaux et cavaliers.

« Le courrier doit passer »

De jeunes risque-tout tentèrent aussitôt l'aventure, d'autant plus alléchante que le salaire était élevé (50 dollars par mois, plus le gîte et le couvert). Ces excellents cavaliers devaient pouvoir rester 160 km en selle, avec de brefs arrêts tous les 25 km pour changer de monture. Parmi eux figuraient des personnages de légende, tels Buffalo Bill Cody et Wild Bill Hickok. Leur devise était simple : « Le courrier doit passer. » Et, malgré les impondérables, ils respectèrent presque toujours le délai fatidique des deux cent quarante heures.

Un mois à peine après la création du Pony Express, les ennuis commencèrent : les Indiens Pah Ute du Nevada incendièrent les relais isolés et attaquèrent les cavaliers. On

Une volonté de fer et un courage frisant l'inconscience caractérisaient les cavaliers du Pony Express, qui assuraient une liaison postale bihebdomadaire du Missouri à la Californie.

perdit en tout 7 relais, 150 chevaux et 16 hommes. Mais pourtant, le courrier passa.

L'aventure ne dura cependant que dix-huit mois. Ce ne fut ni à cause des Indiens, ni du terrible hiver 1860-1861 : avec plus de 80 cavaliers et 500 chevaux, le Pony Express coûtait trop cher.

Ses hommes venaient de le faire entrer dans la

légende en ayant parcouru au total 985 000 km, ce qui représente 24 fois le tour du monde, et en n'ayant perdu qu'un seul sac de courrier.

PONY EXPRESS !

CHANGE OF
TIME!

NEWS!!!

REDUCED
RATES!

10 Days to
LETTERS
WILL BE REC...
OFFICE, 84 ...WAY,

Up to 4 P...
Up t...

LE SAVIEZ-VOUS ?

Parmi toutes les histoires de la saga du Far West, celle de Charlie Pankhurst le Borgne est l'une des plus étonnantes. Ce dur des durs chiquait gaillardement, buvait sec et jurait comme un charretier (qu'il était d'ailleurs). Quand il mourut en 1879, les amis qui se chargèrent de ses obsèques eurent le choc de leur vie : Charlie était une femme !

MOUVEMENTS DE FOULE

Braver les dangers des grands chemins pour s'approcher de Dieu

Au Moyen Âge, les voyages étaient longs et dangereux. Qu'ils soient riches ou pauvres, beaucoup de chrétiens étaient pourtant prêts à se risquer sur les routes pendant six mois, voire un an, au nom de leur foi. Au printemps, les grands chemins grouillaient de pèlerins, pour la plupart à pied, en route vers le Saint-Sépulcre de Jérusalem, Saint-Pierre de Rome ou Saint-Jacques-de-Compostelle, dans le nord-ouest de l'Espagne.

Comme le tourisme moderne, le pèlerinage médiéval avait ses professionnels : guides, marchands de souvenirs, hôteliers ou organisateurs de voyages. Le confort était rarement au rendez-vous, mais le pèlerin moyen n'en avait cure : on lui saurait gré dans l'au-delà de la dureté de son pèlerinage en ce bas monde.

Il pouvait aussi choisir bien d'autres destinations. La plus étrange était sans doute le purgatoire de saint Patrick, dans le nord-ouest de l'Irlande, aux confins du monde connu. C'était une grotte exiguë, sur une île désolée du Lough Derg, dans le Donegal. Au Ve siècle, saint Patrick y aurait jeûné quarante jours pour bouter le diable hors d'Irlande. Les pèlerins passaient quelque

Le pèlerinage au sanctuaire cubique de la Kaaba à La Mecque est obligatoire pour tout musulman qui en a les moyens. Les pèlerins affluent, revêtus d'une tunique blanche, symbole de purification. À la fin du siècle, il devrait attirer quatre millions de fidèles par an.

temps à jeûner et à prier avant d'entrer dans la caverne. On leur y promettait des visions du purgatoire et de l'enfer à condition d'y rester vingt-quatre heures. Et ils étaient effectivement nombreux à en faire état, même si beaucoup ne voyaient rien, si bien que les visiteurs venaient de loin. Aujourd'hui, le Lough Derg est toujours un lieu de pèlerinage, mais plus personne n'y recherche un tel spectacle.

Les pèlerinages de Lourdes, dans les Hautes-Pyrénées, attirent beaucoup plus de fidèles, mais sont bien plus récents : c'est en 1858 que Bernadette Soubirous, la fille du meunier, déclara y avoir vu la Vierge apparaître dix-huit fois. La fréquentation de Lourdes ne cesse de croître, mais c'est une exception : depuis cinq cents ans, les pèlerinages chrétiens sont en chute libre.

Des pèlerins prêts à tout

Ce n'est pas le cas des autres religions. Chaque année, près de deux millions de musulmans font le voyage de La Mecque, en Arabie Saoudite, pour venir se recueillir autour de la Kaaba, petit édifice cubique considéré comme le plus sacré de l'Islam et au sein duquel est renfermée la Pierre noire.

Quant aux hindous, ils parcourent des distances extraordinaires, à pied s'il le faut, jusqu'à leurs sanctuaires, afin d'obtenir une vision du paradis avant leur prochaine réincarnation. Et leurs ablutions dans le Gange sont sacrées et purificatrices.

Chaque année, les hindous vont par milliers prier Shiva dans la grotte d'Amarnath, dans l'Himalaya, à 3 800 m d'altitude.

LA GRANDE MIGRATION

Périple en Australie à l'âge de la pierre

En débarquant à Botany Bay en 1770, les marins britanniques de James Cook étaient les premiers Européens à fouler le sol d'Australie. Pourtant, ils avaient été devancés de soixante mille ans par des explorateurs bien plus étonnants : les ancêtres des actuels aborigènes.

L'Australie n'a pas toujours été une île. Il y a environ deux cents millions d'années, elle était soudée à l'Antarctique, l'Afrique et l'Amérique du Sud au sein du gigantesque continent du Gondwana.

Un continent à la dérive

Peu à peu, le mouvement des plaques tectoniques a disloqué cette énorme masse. Alors que l'homme faisait son apparition d'abord en Afrique, puis sur l'ensemble de la planète, l'Australie se trouvait isolée en plein océan. Et pourtant, soixante mille ans avant notre ère, quelques aventuriers de l'âge de la pierre émigrés d'Asie y débarquèrent.

Ces premiers arrivants, les plus anciens navigateurs connus, venaient probablement soit de Chine via les Philippines, soit du Sud-Est asiatique via l'Indonésie. Sillonnant les eaux, ils allè-

rent d'île en île jusqu'au nord de la Nouvelle-Guinée ou de l'Australie. Leurs traversées les plus longues durent atteindre quelque 400 km.

Avec de simples outils de pierre, comment ont-ils pu construire une pirogue ou un radeau de haute mer ? Qu'est-ce qui les a poussés à se risquer au-delà des limites étroites de leur univers ? Cela demeure une énigme.

Ces aborigènes ligaturent les extrémités d'une pirogue d'écorce. Ils descendent des navigateurs qui, venus d'Asie il y a quelque soixante mille ans, sont passés d'île en île jusqu'à la Nouvelle-Guinée.

Une fois en Nouvelle-Guinée, les aborigènes n'avaient plus besoin de bateaux. En effet, comme le niveau de la mer était beaucoup plus bas qu'aujourd'hui, la Nouvelle-Guinée et l'Australie ne formaient qu'une seule masse continentale, connue des géologues sous le nom de Sahul. Ils mirent des dizaines de millénaires à se répandre dans toute l'Australie en couvrant d'immenses distances à pied jusqu'à la côte sud. Ils avaient alors atteint le chiffre d'environ un demi-million.

VOYAGE À LA MECQUE

Chaque année, au début du dernier mois du calendrier musulman, près de deux millions de personnes affluent sur la côte est de l'Arabie Saoudite pour le *hadjdj*, c'est-à-dire le pèlerinage à La Mecque, que tout bon musulman doit faire au moins une fois s'il le peut. Cette marée humaine venue du monde entier constitue un étonnant mélange de nationalités.

Le prophète Mahomet, fondateur de l'islam, est né à La Mecque en 570. C'est lui qui en a fait un lieu de pèlerinage. Le centre est la Kaaba, une construction cubique bâtie, selon la tradition islamique, par Abraham (Ibrahim dans la religion musulmane). C'est vers la Kaaba que tout musulman, où qu'il soit dans le monde, se tourne pendant ses cinq prières. Le cœur de ce sanctuaire est une pierre noire posée dans son mur sud-est par Mahomet. Le pèlerinage commence et se termine par le

tawaf, qui consiste à faire sept fois le tour de la Kaaba, en principe en baisant ou en touchant la pierre noire au passage. Mais l'affluence est telle que la plupart des pèlerins ne peuvent qu'agiter la main dans sa direction. L'essentiel des cérémonies, prières et méditations a lieu du septième au dixième jour du mois. Tous les pèlerins sont alors rassemblés au même endroit.

Le *hadjdj* exige une organisation parfaite, car une telle foule pose d'énormes problèmes d'hébergement, de transport et de sécurité. La population habituelle de La Mecque est multipliée par quatre et il faut monter une véritable cité de tentes pour pouvoir loger tous les pèlerins. Ils sont pourtant toujours plus nombreux.

De retour au pays, le pèlerin est considéré avec respect, car il a accompli un des commandements les plus sacrés de l'islam.

LE SAVIEZ-VOUS ?

Le début de l'ère musulmane correspond, dans le calendrier chrétien, au 7 juillet 622, date de l'Hégire, c'est-à-dire de la fuite de Mahomet de La Mecque à Médine. Pour les musulmans, nous sommes actuellement au XVe siècle.

Leur année ne dure que 354 ou, parfois, 355 jours, car elle est divisée en 12 mois de 29 ou 30 jours. C'est pourquoi le hadjdj n'a pas toujours lieu à la même saison, bien que le mois n'en change pas : s'il tombe en hiver une année donnée, il tombera en été 16 ans plus tard.

LA RUÉE VERS L'OR
Plus de misère que de richesse

Le 24 janvier 1848, James Marshall découvrit de l'or à Sutter's Mill, dans la vallée du Sacramento, en Californie. Sa trouvaille déclencha dans le monde entier la plus gigantesque ruée vers l'or de l'histoire.

Des dizaines de milliers d'hommes se découvrirent aussitôt une vocation de prospecteurs. Sur la côte est et le long du golfe du Mexique, on se pressait dans de médiocres rafiots en partance pour la Californie via le terrible cap Horn. Certains préféraient se joindre à de pauvres caravanes de chariots bâchés pour franchir les Rocheuses ou le désert de l'Arizona. Beaucoup périrent en mer ou succombèrent à la maladie ou à la soif sur les pistes de l'Ouest. En 1849, 80 000 aventuriers, enfin parvenus en Californie, s'égaillèrent dans la montagne pour creuser dans les mines d'or et ensuite passer leurs trouvailles au tamis le long de rivières.

Ces prospecteurs tamisent la terre sans relâche dans l'espoir d'y apercevoir l'éclat de l'or.

Si certains des premiers pionniers firent fortune, la plupart de leurs successeurs subsistaient à grand-peine. Leurs maigres revenus servaient à acheter le minimum vital à prix scandaleux. Un œuf, par exemple, coûtait la somme énorme d'un dollar. Les seuls à vraiment s'enrichir furent les négociants qui faisaient ainsi valser les étiquettes.

Mais rien ne décourageait les prospecteurs. Cette première ruée vers l'or fut suivie de bien d'autres jusqu'à la fin du siècle. Les principales furent celles de Pike's Peak (Colorado, 1859), de Deadwood (Dakota du Sud, 1876) et du Klondike (territoire canadien du Yukon, 1897).

À chaque fois, des villes-champignons surgissaient en l'espace d'une nuit. C'étaient des coupe-gorge où les aventuriers de tout pays buvaient, jouaient et réglaient leurs comptes sans retenue. L'influence civilisatrice des femmes et du droit ne parvenait guère jusqu'à eux. San Francisco en est un exemple. Le minuscule village de Yerba Buena s'y transforma presque du jour au lendemain en une ville de 55 000 habitants. On y signala 1 400 meurtres entre 1850 et 1856. Deadwood ne valait pas mieux. C'est dans un saloon que, pendant une partie de poker, Jack McCall y tua par derrière le fameux Wild Bill Hickok, éclaireur devenu policier fédéral, le 2 août 1876.

Après la ruée vers l'or, Deadwood fut abandonnée. En quelques semaines, la ville-champignon devint ville-fantôme. Dans d'autres cas, l'homme s'installa pour de bon dans des régions inhospitalières non seulement en Amérique du Nord, mais aussi en Australie et en Afrique du Sud, où on découvrit de l'or respectivement en 1851 et en 1884.

C'est la ruée vers l'or qui créa Denver, capitale du Colorado, ou Johannesburg, principale ville d'Afrique du Sud. Et pourtant, les prospecteurs intrépides de jadis ne furent qu'une infime minorité à découvrir le filon de leurs rêves.

Wild Bill Hickok, réputé le tireur le plus rapide de l'Ouest, fut tué par-derrière en 1876 pendant une partie de poker. Son assassin, Jack McCall, fut pendu.

L'Origine des Langues
Qui étaient les Indo-Européens ?

Mère se dit *madre* en italien, *Mutter* en allemand, *matka* en polonais et *madar* en persan et en hindi. Pourquoi ce mot est-il presque le même dans des langues aussi différentes et réparties sur la moitié du globe ?

Cette question passionne les universitaires européens depuis la fin du XVIIIe siècle. Ils ont été frappés par les ressemblances entre le sanskrit, langue antique de l'Inde, le grec et le latin classiques. D'où l'hypothèse d'un peuple indo-européen préhistorique dont le parler aurait été à l'origine de langues aussi diverses que le russe, le persan, l'hindi et l'anglais. Depuis lors, des générations de linguistes et d'archéologues ont tenté de retrouver les traces de ces mystérieux ancêtres.

En comparant les vocabulaires de différentes langues, les linguistes ont isolé les racines communes à bon nombre de mots, et provenant donc de la langue indo-européenne mère. Ils ont alors établi plusieurs éléments quant au peuple qui la parlait. Les Indo-Européens disposaient de mots désignant la neige et l'arbre, le loup et l'ours, mais ne semblaient pas en avoir pour la mer. On a donc supposé qu'ils venaient des forêts profondes d'Europe centrale ou d'Asie.

D'autres indices linguistiques font penser à une race guerrière munie de chariots de combat tirés par des chevaux.

La plupart des chercheurs privilégient aujourd'hui l'hypothèse d'un peuple semi-nomade habitant la région de Kourgan, au nord de la mer Noire. Il aurait commencé autour de l'an 3000 avant J.-C. sa migration vers l'Europe et peut-être aussi vers l'est, en direction de l'Iran et finalement de l'Inde. Sa langue se serait alors étendue au rythme de ses conquêtes.

Mais il n'y a pas assez de preuves archéologiques pour assurer qu'il s'agissait bien des premiers Indo-Européens. En 1987, l'universitaire britannique Colin Renfrew a battu en brèche la théorie d'une race guerrière. La langue indo-européenne viendrait selon lui de Turquie, d'où elle aurait rayonné par contacts pacifiques entre communautés rurales.

La science risque d'enrichir bientôt le dossier. Les techniques modernes de la génétique permettent d'établir des filiations historiques entre des peuples maintenant disséminés de par le monde. Les chercheurs estiment aussi pouvoir à l'avenir dresser le profil génétique de restes humains découverts dans des nécropoles antiques. Si aucun indice génétique ne vient prouver l'existence d'ancêtres communs indo-européens, il faudra probablement en déduire que c'est le langage qui a été véhiculé d'Asie en Europe par des contacts pacifiques entre les populations, sans déplacement de peuples eux-mêmes.

L'OR BLEU

En 1850, un immigrant bavarois de vingt et un ans nommé Levi Strauss arriva à San Francisco, où il comptait profiter de la ruée vers l'or en vendant des toiles de tente et des bâches de chariot aux prospecteurs. Il se rendit vite compte que les mineurs manquaient de pantalons solides et que son stock de grosse toile serait mieux rentabilisé s'il y taillait des vêtements. Très vite, les « Levi's » eurent la réputation d'être inusables.

Quelques années plus tard, Strauss abandonna la toile à bâche pour celle de Nîmes, appellation contractée en denim outre-Atlantique. Ses premiers pantalons étaient bruns. En les teignant à l'indigo, on créa le blue-jean, dont le style actuel est dû à Jacob Davis, tailleur du Nevada : il les renforça avec des rivets de cuivre, car il en avait assez de recoudre sans cesse les pantalons des mineurs, qui bourraient leurs poches d'échantillons de minerai. Davis et Levi Strauss déposèrent en 1874 le brevet définissant la « fixation des coins de poches de vêtements afin d'en empêcher la déchirure ».

Quand Levi Strauss mourut en 1902, l'invention du blue-jean l'avait rendu millionnaire. Mais il n'aurait pu imaginer que, soixante-dix ans plus tard, ses vêtements d'ouvrier seraient à la mode pour tous.

Les premiers jeans étaient étiquetés waist overalls, *c'est-à-dire « pantalons de travail ».*

LE SAVIEZ-VOUS ?

Entre 500 et 250 avant J.-C., les Celtes constituaient le peuple indo-européen le plus nombreux et le plus largement disséminé en Europe, bien avant les Grecs, les Romains ou les tribus germaniques. Sans autre alliance que leur langue et leur culture, les communautés celtiques s'étendaient du nord de l'Irlande à la Turquie. Leur influence sur la culture européenne fut immense, en particulier dans le travail des métaux, la ferronnerie et l'utilisation de chariots à quatre roues munies de bandages de fer.

AU BOUT DU MONDE

Comment une bulle du pape divisa la Terre en deux

Vous êtes-vous jamais demandé pourquoi les Brésiliens parlent portugais et tout le reste de l'Amérique latine, espagnol ? L'Espagne était-elle plus hardie dans ses velléités coloniales, à l'époque des grandes découvertes ?

Pas du tout. Au XVᵉ siècle, les Portugais étaient à la pointe de l'exploration maritime. Après avoir reconnu toute la côte ouest de l'Afrique, ils avaient atteint le cap de Bonne-Espérance en 1488 et ouvert la route de l'océan Indien. Mais c'est sous pavillon espagnol que Christophe Colomb mit cap à l'ouest en 1492 pour atteindre les Indes et qu'il découvrit en fait le Nouveau Monde. Au retour, le gros temps le força à mouiller à Lisbonne. Jean II, roi du Portugal, apprit donc la découverte du Génois avant les Espagnols et fit aussitôt valoir ses droits sur tous les territoires situés à l'ouest de l'Afrique.

L'Espagne demanda au pape Alexandre VI d'intervenir. Celui-ci était ambitieux, âpre au gain… et espagnol. Il promulgua deux bulles donnant à l'Espagne autorité sur toutes les terres à découvrir au-delà de la « ligne alexandrine », tracée 100 lieues à l'ouest des Açores. Sa décision souleva un tollé au Portugal, où Jean II menaça d'entrer en guerre, ce qui incita l'Espagne à la prudence.

En 1494, les deux pays signèrent le traité de Tordesillas. Celui-ci déplaçait la ligne de démarcation de 370 lieues à l'ouest et augmentait donc, à l'est, la part du Portugal. Cependant, même ainsi modifiée, celle-ci traversait à peine l'Amérique du Sud. Rétrospectivement, cette division paraît injuste pour le Portugal, qui ne pouvait en effet coloniser que la côte nord-est du Brésil. Mais à l'époque, nul ne connaissait les limites exactes des Amériques, dans quelque direction que ce fût. De plus, le partage lui laissait tout le continent africain. Cela explique, à partir du XVIᵉ siècle, la présence de colonies portugaises en Afrique et en Inde.

Le pape était autorisé à diviser le monde par un écrit du VIIIᵉ siècle, la *Donation de Constantin*, dont on découvrit par la suite que c'était un faux. De toute façon, la ligne alexandrine ne dissuada pas Français, Anglais et Hollandais de mener leurs expéditions au siècle suivant pour s'implanter en Amérique, en Afrique et en Asie.

Sur cette carte portugaise de 1535, la ligne alexandrine est figurée par un pointillé vertical. Elle délimite les droits de l'Espagne et du Portugal sur les terres découvertes. Celui-ci n'obtient que la pointe nord-est de l'Amérique du Sud, mais reçoit toute l'Afrique.

AU PAYS DES MERVEILLES

Un marchand vénitien dans la Chine du XIIIᵉ siècle

Dans la pénombre enfumée de la salle des banquets, Marco Polo, fasciné, regardait des magiciens murmurer des incantations à toute une série de hanaps d'or déposés sur le sol. À dix pas de là, sur une estrade, était assis l'empereur lui-même : Kubilay Khan, maître absolu de toute la Chine et de la majeure partie de l'Asie. Les hanaps s'élevèrent par magie, flottèrent dans l'air vers la table du khan et se posèrent tout seuls devant lui, sans qu'une seule goutte soit renversée. Les magiciens avaient fait en sorte qu'aucun être inférieur ne vienne toucher sa coupe.

Voyage en famille

Ce prodige est raconté par Marco Polo, voyageur vénitien du XIIIᵉ siècle, dans son ouvrage *Il Milione,* plus connu sous le titre *le Livre des merveilles du monde.* Il n'était pas le premier Européen à atteindre la Chine, car il avait été précédé par son père Niccolo et son oncle Maffeo. Mais ce fut lui qui révéla à l'Occident les merveilles de Cathay, comme on nommait alors cette terre mystérieuse. Il accompagna son père et son oncle dans leur second voyage à la cour du grand khan, dont il fut ensuite

l'émissaire dans l'immense empire. L'épisode des hanaps volants résultait sans doute d'un numéro d'illusionniste bien au point, rendu plus crédible encore par une consommation immodérée de koumis, redoutable mélange fermenté de lait de jument et de chamelle. D'après Marco Polo, les magiciens avaient bien d'autres menus talents. Il leur arrivait d'écarter les nuages du palais impérial, même s'il pleuvait à verse tout autour.

Un pays modèle

Tout cela amusait sans doute beaucoup Kubilay Khan. Ce grand maître était à la tête d'un État étonnamment moderne. Le papier-monnaie, par exemple, avait cours en Chine depuis le VIIᵉ siècle. Il était fabriqué avec de l'écorce de mûrier aplatie et collée en feuilles, dont l'authenticité était garantie par une succession compliquée de sceaux. Tout faux-monnayeur était mis à mort, ainsi que ses enfants et petits-enfants.

Le khan se tenait informé des événements de son vaste empire grâce à un système postal que peu d'États pourraient s'offrir aujourd'hui. D'après Marco Polo, le monarque entretenait sur toutes les grandes routes, à l'usage

À leur deuxième visite à Kubilay Khan, les frères Polo apportèrent en présent une fiole d'huile sainte et une lettre du pape réclamée dix ans plus tôt. Marco (ici en robe verte) avait alors dix-sept ans.

de ses messagers, de somptueuses résidences et des écuries hébergeant jusqu'à 400 chevaux. Ces relais étant installés au moins tous les 50 km, on en comptait quelque 10 000, disposant de plus de 200 000 chevaux, sans parler d'un nombre encore plus impressionnant de messagers à pied.

Avec de telles ressources, les nouvelles arrivaient à Kubilay Khan au moins six fois plus vite que ne l'aurait fait un voyageur normal. En cas d'urgence, un cavalier pouvait parcourir au grand galop jusqu'à 400 km par jour, vitesse inégalée jusqu'à l'avènement du chemin de fer.

Marco Polo exagérait-il ? Peut-être, mais rien ne permet d'affirmer qu'il le faisait délibérément. Au contraire, quand il a dicté ses Mémoires, il était prisonnier des Génois, grands rivaux des Vénitiens, qui l'avaient capturé en Méditerranée. Il avait peu d'espoir de revoir son pays ou de recouvrer la liberté, et n'avait rien à gagner à ne pas dire la vérité.

LE SAVIEZ-VOUS ?

Sous Kubilay Khan, tout paysan chinois dont les récoltes étaient frappées par la foudre était dispensé d'impôts pendant trois ans. Charité ? Non : pour les Chinois, la foudre était la manifestation de la colère divine. Accepter l'argent d'un homme frappé par les dieux, c'était s'exposer au mauvais sort.

✳ ✳ ✳

D'après Marco Polo, les Chinois croyaient aux vertus médicinales de la bile de crocodile contre la rage et les douleurs de l'accouchement.

✳ ✳ ✳

Kubilay Khan, toujours selon Marco Polo, avait un étrange pouvoir sur les bêtes féroces. En sa présence, le plus grand des lions se couchait « avec toute apparence d'une profonde humilité » et devenait doux comme un agneau.

« DOCTEUR LIVINGSTONE, JE PRÉSUME ? »

Le voyage de Stanley

Henry Morton Stanley ne pouvait détacher les yeux du vieillard malade qui se dressait devant lui, parmi la foule des indigènes du village d'Ujiji, dans ce qui est aujourd'hui la Tanzanie. Il n'était pas lui-même en grande forme et, pendant un instant, ne sut que dire. Puis il leva son chapeau et demanda : « Docteur Livingstone, je présume ? » L'homme hésita et donna la réponse qui scellait la réussite de Stanley : « Oui. »

Cet échange demeuré célèbre a eu lieu le 10 novembre 1871. La longue quête engagée pour retrouver David Livingstone était terminée. Ce missionnaire et explorateur écossais, parti cinq ans plus tôt à la recherche des sources du Nil, avait disparu dans la région du lac Tanganyika. En octobre 1869, Stanley, reporter au *New York Herald,* fut envoyé à sa recherche et prié de rapporter un article exclusif. Il atteignit l'île de Zanzibar en janvier 1871 et y organisa son expédition. Deux mois plus tard, accompagné d'une petite armée de porteurs, de soldats et de bêtes de somme, il quittait le port de Bagamoyo, face à Zanzibar, pour marcher vers l'ouest. La progression fut difficile, dans une brousse ravagée par les guerres tribales. Parmi ses hommes, beaucoup désertèrent. D'autres furent tués ou succombèrent à la maladie. Stanley, que celle-ci n'avait pas épargné, était sur le point de renoncer lorsqu'il entendit parler d'un homme blanc dans le village d'Ujiji.

Il y arriva quelques jours après. Soucieux de montrer aux paysans que ses hommes n'étaient pas des pillards, il entra dans Ujiji à son de trompe. Livingstone fut heureux d'avoir des nouvelles du pays.

Accueil mitigé

Les deux hommes passèrent quatre mois à explorer ensemble la rive nord du lac Tanganyika. À son départ, en mars 1872, Stanley supplia Livingstone de l'accompagner. Déjà très malade, celui-ci refusa. Aucun Blanc ne devait le revoir vivant.

Avant son retour aux États-Unis, Stanley reçut un accueil mitigé en Angleterre. Parfois traité en héros, il

En 1871, au bord du lac Tanganyika, Stanley et ses porteurs apportent à Livingstone vivres et médicaments dont il a grand besoin. Le drapeau américain symbolise le soutien financier des États-Unis à l'expédition.

fut aussi brocardé par la presse et ridiculisé par la Société royale de géographie. Son histoire était si extraordinaire que beaucoup en doutèrent. On raconta qu'il n'avait pas trouvé Livingstone, que celui-ci l'avait en fait secouru, ou même que Stanley n'avait jamais été en Afrique.

Mais justice lui fut rendue par la famille de Livingstone, grâce aux lettres et aux documents ramenés de la brousse. La reine Victoria le félicita et lui offrit une tabatière en or. La Société royale de géographie elle-même finit par reconnaître son exploit.

En apprenant la mort de Livingstone en 1873, Stanley retourna en Afrique, pour y trouver les sources du Nil. Il n'y parvint pas, mais, de 1874 à 1884, découvrit le Congo, qu'il descendit sur 2 400 km jusqu'à son embouchure.

UN EXPLORATEUR EN JUPONS

La carte de visite d'une femme au sommet du mont Cameroun

Bien que peu soucieuse des conventions, Mary Kingsley ne troqua jamais ses jupons contre des vêtements masculins. Bien lui en prit : ils lui évitèrent un jour d'être empalée en tombant dans un piège à fauves.

Afrique occidentale, 1893. On surnommait « tombe de l'homme blanc » une vaste région de forêt tropicale et de mangrove, en grande partie inexplorée, où sévissaient paludisme, fièvre jaune et béribéri. Les rares Européens qui s'y risquaient, avec des cohortes de porteurs indigènes et d'énormes quantités de matériel, devaient se garder des cannibales et des bêtes féroces.

Pourtant, Mary Henrietta Kingsley, une Anglaise de trente ans, osa s'aventurer dans cette jungle hostile et malsaine, à pied ou en pirogue, avec juste quelques porteurs.

Sa première expédition en Afrique, en 1893, la mena en Angola, au Nigeria et sur l'île de Fernando Po. Ses longs jupons victoriens ne l'empêchèrent pas de patauger jusqu'au cou dans des marigots fétides infestés de crocodiles, de sangsues et de moustiques. Elle eut son lot d'émotions fortes en éloignant à coups de pagaie les crocodiles qui menaçaient de retourner sa pirogue. Un jour, elle chassa même un léopard de sa tente en lui lançant un broc d'eau.

Sa deuxième expédition, en 1894, lui fit explorer le Congo. Elle fut la première personne européenne à pénétrer en certains points du Gabon. Ayant appris à diriger seule une pirogue, elle descendit l'Ogooué, ce que nul n'avait

Mary Kingsley (à gauche du drapeau) descend le Congo.

fait avant elle, tant les rapides et les tourbillons en étaient dangereux.

Mary Kingsley, attirée par l'Afrique depuis l'enfance, effectuait ses voyages à des fins scientifiques. Elle rapporta d'ailleurs des échantillons de flore et de faune auparavant inconnus, notamment trois variétés de poissons qui portent son nom.

Une mauvaise chute

Mais elle voulait surtout étudier les us et coutumes des Fangs, tribu de cannibales qui, pour la plupart, n'avaient jamais vu de Blancs. En observant l'un de leurs villages, elle glissa un jour d'une falaise et traversa le toit d'une hutte. Peu soucieuse de finir dans leur marmite, elle combla les habitants éberlués de tabac et de mouchoirs, leur donna son couteau et s'en sortit avec une simple écorchure au coude.

Mary Kingsley devait vite revenir chez les Fangs. Elle y troqua des produits occidentaux contre des informations, des vivres et un toit. Elle dut manger des préparations répugnantes, notamment des escargots écrasés sur une feuille de plantain, qu'elle qualifia d'« abomination grise et visqueuse ».

Le gîte était encore pire. Une nuit, trouvant insupportable la puanteur de petits sacs pendus au plafond de sa hutte fang, elle les vida dans son chapeau. Elle découvrit, à sa grande hor-

reur, « une main humaine, trois gros orteils, quatre yeux, deux oreilles et d'autres portions de carcasse humaine ».

Malgré leurs manies détestables, Mary Kingsley passa beaucoup de temps chez les Fangs et fut la première à étudier dans le détail leur mode de vie. À la fin de cette expédition, elle fut la première femme blanche – voire la première femme tout court – à gravir le mont Cameroun, qui culmine à 4 070 m, sur la côte orientale du golfe de Guinée. Elle fit la majeure partie de cette ascension seule et, comble du panache, déposa sa carte de visite au sommet.

De retour en Angleterre, elle publia deux ouvrages au succès immédiat, *Voyages en Afrique occidentale* et *Études ouest-africaines*, et donna de nombreuses conférences.

Mais son goût de l'aventure lui fut fatal : elle mourut de la typhoïde le 3 juin 1900, en soignant des prisonniers de guerre boers à Simonstown, en Afrique du Sud.

CONSERVÉS DANS LA GLACE

Ils ont fait progresser la médecine cent quarante ans après leur mort

En août 1984, par un froid glacial et un vent de 15 nœuds, un petit groupe de chercheurs dirigé par le docteur Owen Beattie, de l'université de l'Alberta, exhuma avec soin un corps inhumé sur l'île Beechey, dans le Grand Nord canadien et bien au-dessus du cercle polaire. C'était celui de John Torrington, officier marinier mort à vingt ans en 1846.

Le cadavre était presque intact, grâce au froid intense de l'Arctique. Les chercheurs purent donc pratiquer une autopsie complète, cent trente-huit ans après la mort du marin. Ils l'inhumèrent ensuite à nouveau et remirent la tombe en état.

Beattie revint deux ans après et exhuma deux autres corps, ceux des matelots John Hartnell et William Braine. Morts la même année, les trois hommes avaient figuré parmi les premières victimes de la funeste expédition du Britannique sir John Franklin. Celui-ci avait voulu découvrir le passage du Nord-Ouest, reliant Atlantique et Pacifique entre la calotte glaciaire et les terres désolées de la côte nord du Canada.

Les deux navires de l'expédition Franklin, l'*Erebus* et le *Terror,* avaient appareillé le 18 mai 1845. Ils avaient assez de vivres pour trois ans, mais ni Franklin ni aucun de ses hommes ne revinrent. La cause exacte du drame et le sort des équipages ne seront sans doute jamais connus.

Souches résistantes

L'autopsie des trois corps de l'île Beechey a peut-être contribué à résoudre une énigme de la médecine : la résistance de l'organisme aux antibiotiques. L'explication la plus courante est la suivante : certains antibiotiques ne tuent que les microbes les plus faibles et laissent proliférer les plus forts. C'est pourquoi, dans l'élevage, on attribue parfois à l'utilisation généralisée d'antibiotiques le développement de souches bactériennes plus robustes.

Le docteur Kinga Kowalewska-Grochowska, également de l'université de l'Alberta, découvrit que certaines bactéries prélevées sur le tissu cellulaire des marins résistaient aux antibiotiques. Or, elles avaient hiberné pendant cent quarante ans, et les antibiotiques ne sont utilisés que depuis la Seconde Guerre mondiale.

Par ailleurs, Beattie et son équipe trouvèrent dans l'organisme des marins une concentration en plomb extrêmement élevée. Ils en déduisirent que les trois hommes avaient peut-être été empoisonnés par du plomb venant de la soudure utilisée pour fermer leurs boîtes de conserve. Jusqu'à la découverte des corps, on avait toujours attribué le décès des hommes d'équipage au scorbut ou à la faim.

L'étude du docteur Kowalewska-Grochowska les incita à penser que la concentration en plomb était peut-être responsable de la résistance des bactéries aux antibiotiques.

Pollution et antibiotiques

Les chercheurs en conclurent que notre capacité de résistance aux antibiotiques résulte peut-être de la présence de plomb et autres métaux lourds dans notre environnement, plutôt que d'un usage excessif des antibiotiques eux-mêmes.

Or, le plomb de notre atmosphère provient surtout des pots d'échappement des voitures qui roulent au carburant plombé. Donc, si cette théorie était vérifiée, le message écologique transmis par les immensités polaires serait clair : passez au super sans plomb, vos médicaments seront plus efficaces.

Les trois corps découverts sur l'île Beechey sont ceux de marins morts pendant le premier hiver de l'expédition arctique de Franklin, partie en 1845. Les deux navires poursuivirent leur route, mais furent bloqués par les glaces. Les cent six membres d'équipage restants continuèrent à pied et moururent de froid.

LE SAVIEZ-VOUS ?

Le navigateur John Ross, qui explora l'Arctique en 1818, suscita l'incrédulité en déclarant avoir vu de grandes étendues de « neige rouge ». Explication : une plante monocellulaire (Protococcus), commune dans l'Arctique et les Alpes, donne à la neige un ton cramoisi très vif.

Le Français Jean-Louis Étienne fut le premier à arriver seul au pôle Nord, sans l'aide de chiens de traîneau, le 11 mai 1986. En 1987, le Japonais Fukashi Kazami utilisa une moto de 250 cm³. En 1989, le Britannique Robert Swan fut le premier à rallier les deux pôles à pied.

Le passage du Nord-Ouest, but d'innombrables expéditions depuis la fin du XVᵉ siècle, ne fut totalement franchi qu'entre 1903 et 1906 par le Norvégien Roald Amundsen.

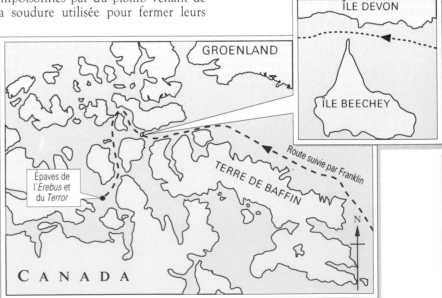

Une Rivalité qui Jette un Froid
Qui fut le premier à atteindre le pôle Nord ?

La soirée avait été passionnante. À Copenhague, les invités du banquet donné au Tivoli avaient frissonné d'aise en écoutant le docteur Frederick Cook leur raconter comment, le 21 avril 1908, il avait été le premier à atteindre le pôle Nord. Mais un télégramme avait troublé la fête : Robert Peary, capitaine de frégate dans la marine américaine et ancien collègue de Cook, revendiquait la conquête du Pôle. Ce qui sous-entendait que son rival était un menteur.

Peary avait à son actif vingt ans d'exploration polaire. Cook était adulé des foules, grâce à son ascension en 1906 du mont McKinley, point culminant de l'Amérique du Nord. Mais son expérience de l'Arctique se limitait à deux ans et demi. Peary le défia de prouver qu'il avait bien atteint le Pôle.

Déshonneur et triomphe

La polémique qui suivit passionna l'Amérique. En octobre 1909, les deux Esquimaux ayant survécu à l'expédition de Cook lui portèrent un coup terrible : ils certifièrent n'avoir jamais perdu la

Il est certain que Peary atteignit le cercle polaire arctique. Mais parvint-il vraiment au pôle Nord ?

terre de vue tout au long du périple. Or, la calotte glaciaire qui constitue le pôle Nord recouvre un océan, et non la terre ferme, et se déplace constamment. Cook leur opposa un démenti. Son livre de route aurait pu prouver ses dires, mais il avait été laissé dans l'Arctique. Sa crédibilité fut à nouveau mise en cause quand Ed Barrille, son guide dans l'ascension du McKinley, déclara, sous serment, que Cook s'était arrêté à 23 km du sommet. Plus grave encore : il s'avéra que les photos présentées par Cook à l'appui de ses deux exploits étaient sujettes à caution.

Cook déshonoré, Peary triomphait. La conquête du Pôle lui valut le grade de contre-amiral et vingt-deux médailles d'or, décernées par les sociétés géographiques du monde entier.

Mais l'affaire rebondit en 1985. L'explorateur britannique Wally Herbert, qui avait lui-même atteint le Pôle, examina soigneusement le livre de route de Peary. Ce document capital atteste au jour le jour la position atteinte. Mais à l'endroit correspondant au Pôle et à ses abords, Herbert ne trouva que neuf pages blanches. Le triomphe de Peary n'était attesté que par une feuille volante, peut-être ajoutée ultérieurement. En outre, la navigation de Peary semblait bien peu rigoureuse. Le seul moyen d'évaluer la dérive des glaces, et donc la route à suivre pour la compenser, est de faire régulièrement un point solaire pour déterminer latitude et longitude.

Erreur d'évaluation

Or, Peary ne tenait pas compte du déplacement de la banquise. Il suivait les indications de sa boussole en marchant en ligne droite vers le Pôle jusqu'à la distance requise. En chemin, il ne releva que trois fois sa latitude et jamais sa longitude. Il n'avait donc aucun moyen de connaître sa position précise.

Quand Peary estima avoir couvert la bonne distance, il établit son bivouac et

Sur cette caricature française de 1909, Cook et Peary se disputent la gloire de la conquête du pôle Nord. Leur querelle passionna le monde entier.

fit le point sur le soleil pour confirmer qu'il était bien au Pôle. Wally Herbert pense que son sextant lui apprit alors que la distance avait été correcte, mais pas la direction. Si bien qu'il se trouvait en fait à 80 km à l'ouest du Pôle. D'après Herbert, les membres de l'expédition étaient si épuisés que Peary n'eut pas le courage de leur dire la vérité et falsifia son livre de route pour prouver ses dires.

La controverse n'est toujours pas terminée. En décembre 1989, la National Geographic Society annonça que, après examen attentif des photos de Peary, les experts estimaient qu'il avait bien atteint son but. Cette conviction est étayée par ses relevés de sonde près du pôle : les hauteurs d'eau qu'ils indiquent sont comparables à celles des cartes modernes. Avec plus de quatre-vingts ans de retard, c'est un nouvel élément à verser au dossier de la défense de Peary.

HISTOIRES DE RAILS

Qui inventa la locomotive ?

Du 6 au 14 octobre 1829, cinq machines lourdaudes participèrent, dans le nord-ouest de l'Angleterre, à une joute qui devait entrer dans l'histoire du rail. L'enjeu était de choisir la locomotive de la nouvelle Société ferroviaire de Liverpool et Manchester. Les différents engins étaient tous à la pointe de la technique.

Parmi les concurrents figuraient George Stephenson et son fils Robert. Leur modèle *Rocket* (fusée) s'imposa le troisième jour en atteignant 47 km/h, grâce à sa chaudière d'avant-garde. Ce succès valut à George Stephenson le surnom de « père de la locomotive ». Or, malgré son originalité, la *Rocket* résultait en fait de travaux antérieurs.

Problème de rails

L'invention de la locomotive, en effet, revient de droit à Richard Trevithick, ingénieur de Cornouailles. Un quart de siècle avant la victoire de la *Rocket,* il avait déjà construit une machine à vapeur assez puissante pour tracter un train. Dès 1804, sa locomotive pouvait mouvoir une charge de 20 t à 8 km/h. La machine était au point, mais la voie ferrée de l'époque était trop fragile pour en supporter le poids. Dépité, Trevithick abandonna ses recherches.

En 1829, le coup de maître de Stephenson fut de trouver une complémentarité parfaite entre locomotive et rails. Trevithick avait utilisé des jantes à base plate reposant sur des rails profilés en L. Le poids de la locomotive assurait une adhérence suffisante pour que les roues « mordent » sur la voie. Mais les rails étant trop faibles, il fallait trouver mieux. En 1812, dans le Yorkshire, l'inspecteur des mines John Blenkinsop élabora une locomotive légère pourvue d'une roue dentée s'accrochant sur une crémaillère parallèle à la voie. Il pensait, en effet, que des roues lisses patineraient sur les rails.

Ce procédé, qui annonçait les innombrables chemins de fer de montagne, ne convenait pourtant pas au transport de charges lourdes à grande vitesse. En 1813, William Hedley construisit la *Puffing Billy*, dont les roues à friction ne fatiguaient pas trop les rails.

Mais Stephenson eut l'idée de déplacer le profil en L sur la face interne des jantes, afin de soulager la voie. Il déposa aussi un brevet de rails en fonte, à surface plane et section adaptée aux charges lourdes. Et pour transmettre le mouvement du piston aux roues motrices, il préféra aux engrenages de ses concurrents des bielles rigides, bien plus efficaces.

Pour sa locomotive – son chef-d'œuvre –, Stephenson fut le premier à utiliser le principe des « tubes à feu » (la *Rocket* en avait vingt-cinq) breveté en 1827 par le Français Marc Seguin : les gaz de combustion passaient dans un faisceau de tubes traversant l'eau de la chaudière, d'où une multiplication de la surface de chauffe et une pression de vapeur plus élevée. Ce procédé, particulièrement ingénieux, fut exploité tout au long de l'histoire de la traction à vapeur.

Voici une copie de la Rocket *de Stephenson, qui atteignit 47 km/h au concours de Rainhill, en 1829.*

DES AVIONS SUR RAILS
Quand le train bat des records

Le 18 mai 1990, le TGV-Atlantique a battu son propre record mondial de vitesse sur rails en atteignant la vitesse fantastique de 515,3 km/h sur un parcours d'essai entre Courtelain et Tours. Pour mesurer cet exploit, il faut se souvenir qu'un gros avion à hélices, comme le Transall C-160 militaire, vole à 480 km/h, et que c'était aussi la vitesse d'un Lockheed Super-Constellation civil au début des années 1960.

Pour l'instant, il n'est pas question de telles vitesses en service normal. Mais cela viendra. Certaines techniques, comme celles de l'Aérotrain français (428 km/h dès mars 1974) sont un peu oubliées. Mais d'autres, très futuristes, permettront sans doute de faire encore mieux.

Les techniques de demain

Les procédés magnétiques sont très prometteurs. Le principe est simple. Il s'agit d'utiliser l'attraction ou la répulsion provoquée par des aimants. S'ils

Au Japon, ce train HSST à répulsion électrodynamique atteint 500 km/h, soit un peu moins que le TGV français.

sont assez puissants, ils soulèveront un train, qui se déplacera pratiquement sans friction, sur un coussin d'air au-dessus des rails, grâce à des réacteurs.

Les trains expérimentaux japonais Maglev (pour lévitation magnétique) utilisent le principe de la répulsion électrodynamique. Le train est pourvu d'une série de bobines supraconductrices, et la voie aussi. Chacune d'entre elles génère un champ magnétique identique, ce qui provoque leur écartement et soulève le convoi de 10 cm. Mais il est nécessaire que le train atteigne, sur roues, la vitesse de 100 km/h pour que la répulsion électrodynamique soit suffisante.

En douceur

Le train peut alors foncer à 500 km/h en consommant deux fois moins d'énergie qu'un avion. Son système de freinage est électrique, hydraulique et mécanique. Sa hauteur lui permet d'absorber en douceur les variations de voies, qui peuvent atteindre 20 mm, provoquées par les nombreux tremblements de terre du Japon.

Le Transrapid allemand fonctionne sur le principe différent de la sustentation magnétique. Le train est équipé d'« ailes » qui passent sous la voie et contiennent des électroaimants. Ceux-ci attirent les ailes vers les rails, ce qui soulève le train. Ce procédé encore expérimental a permis d'atteindre 400 km/h.

LA VITESSE PAR LE VIDE
Les trains « atmosphériques » des années 1840

L'ingénieur Isambard Kingdom Brunel, sommité de l'Angleterre victorienne, était catégorique : « Je n'ai aucune hésitation, disait-il, à prendre la responsabilité pleine et entière de recommander l'adoption du système atmosphérique sur les chemins de fer du Sud-Devon. » L'histoire du rail prouve qu'il aurait sans doute mieux fait de se taire.

L'idée des trains « atmosphériques » rapides, sans fumée et silencieux, faisait fureur vers 1840. Le principe consistait à poser entre les rails un tube de fer continu, percé d'une fente à son sommet. Sous le wagon de tête pendait un bras relié, à travers la fente, à un piston coulissant dans le tube. Le long de la fente, une valve de cuir assurait l'étanchéité. Des pompes à vapeur placées à intervalles réguliers au bord de la voie faisaient le vide dans le tube, devant le train. Celui-ci était alors propulsé par la poussée de l'air restant derrière le piston.

Mais ce système, adopté au milieu des années 1840, connut bien des vicissitudes. Les pompes n'étaient pas fiables et les passagers devaient parfois descendre pour pousser. De plus, on ne parvint jamais à résoudre le problème posé par le maintien du vide aux croisements et aux aiguillages.

Mais le pire était que la valve de cuir se détériorait rapidement avec la chaleur ou le froid, et que les rats en raffolaient. Il suffisait d'un seul défaut pour rendre le vide impossible, et donc arrêter le train. En 1848, les joints de cuir étaient hors d'usage sur toute la longueur de la ligne, et Brunel dut jeter l'éponge.

George Stephenson considérait le procédé atmosphérique comme « une vaste blague ». Mais peut-être n'était-ce qu'une idée en avance sur son temps ? Dix ans plus tard en effet, le caoutchouc vulcanisé aurait très bien remplacé le cuir... et les problèmes d'étanchéité auraient été résolus.

LE SAVIEZ-VOUS ?

Le Monorail n'a rien de moderne. En mars 1888, le Français Charles Lartigue mit en service un monorail à vapeur sur 14 km, de Listowel à Ballybunion, dans le sud-ouest de l'Irlande. Un chevalet triangulaire soutenait le rail unique, sur lequel étaient suspendus des trains jumelés. La ligne fut fermée en 1924.

* * *

La plupart des trains suisses fonctionnent en fait à l'eau, puisque l'électricité leur est fournie par les gigantesques centrales hydroélectriques des vallées alpines.

LE TRAIN DU RÊVE
Le train le plus luxueux du monde

Depuis son inauguration, à Paris en 1883, l'Orient-Express n'a cessé d'inspirer des écrivains comme Graham Greene (*Orient-Express,* 1932) ou Agatha Christie (*le Crime de l'Orient-Express,* 1934).

Mais quel roman peut égaler la réalité ? L'histoire de ce train est surprenante. Pendant la Grande Guerre, il vit la belle Mata Hari partir espionner pour le Kaiser. Durant un voyage, peu auparavant, le général Baden-Powell y avait camouflé le schéma de la défense navale turque en le dessinant sur des ailes de papillon. Pendant la Seconde Guerre mondiale, ce fut à son bord que le roi Charles II fuit la Roumanie.

Si l'Orient-Express fut le train le plus luxueux du monde, c'est grâce à un confort sans égal, une décoration splendide, une table de rois et un service exceptionnel. Au début, on devait descendre à Giurgiu, en Roumanie, pour traverser le Danube en bateau. Il fallait ensuite reprendre le train pour Varna, sur la côte bulgare de la mer Noire. En quelques encablures de steamer, Istanbul vous ouvrait les portes de l'Orient.

En 1921, l'élargissement du tunnel du Simplon, entre la Suisse et l'Italie, permit un parcours direct plus au sud, via Venise, Trieste, Zagreb et Belgrade. L'ère du Simplon-Orient-Express avait commencé. Elle dura près de vingt ans.

Quand la Seconde Guerre mondiale éclata, on remplaça les wagons de luxe par des voitures ordinaires. En 1970, le parcours de l'Orient-Express n'était plus emprunté que par différents trains locaux qui faisaient grise mine à côté de leur prestigieux ancêtre !

Mais en 1982 refleurit la légende, avec le Venise-Simplon-Orient-Express. Pendant cinq ans, le magnat du transport maritime James Sherwood avait acheté plus de trente wagons d'origine, qui dataient souvent des années 1920, et fait restaurer dans le moindre détail leurs lambris de bois verni.

Aujourd'hui, le voyage se fait à partir de Londres, en trois étapes : les voyageurs gagnent Folkestone, traversent la Manche pour arriver à Boulogne, et prennent le train qui, en vingt-sept heures de rêve, les mène à Venise.

DES TRAINS SANS CHAUFFEUR

Le premier service de chemin de fer sans chauffeur a été ouvert dès 1910, à Munich. Ce convoi postal sans passagers fut considéré comme une innovation révolutionnaire, riche de promesses pour le transport ferroviaire tout entier.

Aujourd'hui, malgré la technologie moderne — contrôle des mouvements des passagers à bord et à quai par des caméras de télévision, microprocesseurs pour remplacer les hommes —, il n'y a dans le monde entier qu'une vingtaine de trains de voyageurs totalement automatiques. Et ceux qui fonctionnent sans aucun personnel sont rarissimes : le plus souvent, un employé reste à bord pour contrôler les portières et parer aux cas d'urgence.

Pourquoi ce faible succès, malgré les économies qu'implique le procédé ? Parce que les passagers ne se sentent pas en sécurité dans un train sans chauffeur. Cette crainte paraît pourtant injustifiée. Le premier métro totalement automatisé du monde est le Val (Véhicule automatique léger) à Lille. Inauguré en 1983, il relie le centre hospitalier régional au domaine universitaire de Villeneuve-d'Ascq sur 12,5 km. Il dessert dix-sept stations et s'avère aussi — voire plus — sûr qu'un réseau classique. Ainsi, lorsque le système de sécurité informatisé repère un objet sur la voie, il actionne les freins plus vite que le conducteur le plus attentif.

Comme le Val à Lille, ce métro londonien, inauguré en 1987, parcourt 12 km sans chauffeur.

UN MODÈLE DE PERFECTION
L'admirable précision des modèles réduits

Les fabricants de trains miniatures ont toujours eu le souci du réalisme. Pendant la guerre des Boers, en Afrique du Sud, la société allemande Märklin fabriquait des trains blindés, avec canon à cadence rapide, mortier automatique et tir d'amorces, mais aussi un wagon-ambulance. Il y avait même un bloc opératoire et des soldats de plomb sur des civières.

Une société française vendit vers 1890 un fourgon à bagages qui se disloquait s'il déraillait. En 1901, Märklin fit mieux : un train entier explosait sous l'action de ressorts. Le remontage était censé être « un jeu amusant » pour les enfants. Grues et dépanneuses étaient prévues.

L'art du détail

On reproduisait une foule de détails du monde ferroviaire. À la fenêtre d'un minuscule wagon, on apercevait parfois un passager en train d'agiter son mouchoir. Pendant la prohibition, entre 1919 et 1933, la réglementation américaine imposa d'ôter le mot « bière » de certains fourgons de marchandises. Les locomotives des années 1890 crachaient de la vraie fumée, grâce à une cigarette cachée dans la cheminée, ou sifflaient de manière très réaliste. En 1936, American Flyer sortit un modèle électrique dont le sifflet était branché sur un quatrième rail.

La miniaturisation n'empêchait pas l'authenticité : après la Seconde Guerre mondiale, Jean Damery fabriqua à Paris un train en état de marche dont la locomotive ne mesurait que 8 mm de long.

Des records

Certains modèles réduits peuvent parcourir des distances considérables. Le record, pour une locomotive à vapeur, est de 232 km en 27 h et 18 min. Il est détenu par la *Winifred*, construite par un Anglais en 1974. Elle fonctionnait au charbon sur une voie à 184 mm d'écartement. Les trains électriques font mieux : en 1978, un marchand de jouets du Yorkshire fit rouler une locomotive et six wagons pendant trente-sept jours ; elle parcourut un total de 1 091 km.

LE TRANSSIBÉRIEN
Une ligne géante ouverte par le dernier des tsars

La ligne du Transsibérien est la plus longue du monde. Elle s'étend sur 9 297 km de Moscou à Nakhodka, près de Vladivostok, sur le Pacifique. C'est une artère commerciale vitale pour toute l'ex-URSS, ainsi reliée au Japon, via la liaison maritime Nakhodka-Yokohama, et à Pékin, par la bifurcation du Transmongolien. C'est aussi une attraction touristique : les amoureux du rail y affluent du monde entier pour traverser sept fuseaux horaires en huit jours.

La ligne traverse des régions très accidentées. Elle contourne la Mandchourie, franchit de grands fleuves tumultueux, comme l'Ob et l'Amour, longe une partie du lac Baïkal – le plus profond du monde –, suit la lisière du désert de Gobi et coupe la taïga (forêt sibérienne). Le train s'arrête aussi bien dans des grandes villes industrielles, comme Irkoutsk et Novossibirsk, que dans des gares de rondins fréquentées par d'humbles moujiks.

Le premier coup de pelle du Transsibérien a été donné en 1891 par le futur tsar Nicolas II, à Vladivostok. La Sibérie n'était alors qu'une contrée lointaine et inexploitée, et il fallait au moins six semaines de navire pour relier l'Europe occidentale à Vladivostok ou au Japon.

Auparavant, on traversait l'immense Russie assis sur ses bagages, dans des malles-poste non suspendues et sur des pistes défoncées. L'hiver, les traîneaux découverts étaient bien lents. Toute l'année, on pouvait voir forçats et déportés cheminer péniblement sur la route de l'exil.

Les maladies et les tigres

La ligne fut construite en huit tronçons, au prix d'une lutte permanente contre les marécages de la forêt, le gel, les insectes et la maladie. Les ouvriers, pour la majorité des forçats russes, mais aussi des Chinois, des Turcs, des Italiens, des Perses ou des Coréens, étaient décimés par la peste bubonique et le choléra, attaqués par des bandes armées ou des tigres de Mandchourie ou emportés par des inondations catastrophiques. Pendant la rébellion chinoise des Boxers et la guerre russo-japonaise, l'artillerie lourde sema la mort et la destruction dans cette légion de miséreux.

L'une des principales difficultés fut de contourner le lac Baïkal, dans le sud-est de la Sibérie. C'était le point culminant de la ligne, à 1 025 m d'altitude. Il fallait tailler dans des falaises tombant à pic dans les eaux du lac. Cela prit cinq ans. Dans le même temps, on créa une ligne de ferry d'une rive à l'autre du lac. Le *Baïkal* fut construit en Grande-Bretagne, démonté et transporté à travers la Russie à bord de trains, de péniches et de traîneaux. Les 7 000 pièces furent ensuite remontées, et le navire, qui transportait un train et tous ses passagers, entra en service en 1900.

Les 1 930 km du dernier tronçon, le long de l'Amour, furent terminés en 1916. En vingt-cinq ans, la construction du Transsibérien avait coûté l'équivalent de 585 millions de dollars, soit plus de trois fois l'estimation initiale. Quant aux pertes humaines – que le voyageur bien installé dans son compartiment oublie aujourd'hui si facilement –, on ne pourra jamais les évaluer.

Pendant la guerre russo-japonaise (1904-1905), les soldats de l'armée russe posèrent 40 km de rails sur la glace du lac Baïkal, dans le sud-est de la Sibérie, pour faire passer des trains militaires.

305

UNE VILLE DANS LA VILLE
Visitez la plus grande gare du monde

Grand Central Station, à New York, a été conçue comme une vraie ville. Cette gare s'étend sur 20 ha, et on disait jadis qu'il était possible d'y passer plusieurs jours : on y trouve coiffeurs, cireurs de chaussures, bains publics, cabinets de toilette individuels, des dizaines de boutiques, des restaurants, une poste, un cinéma, un centre de premiers soins et même un commissariat de police.

Des dimensions exceptionnelles

En 1871, le magnat des chemins de fer Cornelius Vanderbilt avait ouvert une gare sur la 42ᵉ Rue. Mais comme il fallait constamment l'agrandir, on entreprit en 1903 de la remplacer par Grand Central, qui ouvrit ses portes en 1913.

Dans cette immense caverne taillée dans le roc, une soixantaine de voies réparties sur deux niveaux mènent à la salle des pas perdus, qui mesure 114 m de long pour 38 m de hauteur sous plafond. Sa capacité d'accueil est estimée à 30 000 personnes. Elle a déjà servi plusieurs fois d'auditorium et de salle d'exposition, de concert ou de bal.

En dessous, un entrelacs de tunnels, de voies et d'échangeurs permet la circulation des trains, des rames de métro et des voyageurs. Le chantier fut l'un des plus audacieux de son temps, et on raconte qu'il suscita plus d'intérêt professionnel que celui du canal de Panamá. De grandes boucles permettent aux convois de faire demi-tour sans marche arrière, et la position exacte de tous les trains figure sur les cadrans électroniques de la tour de contrôle, dès leur entrée dans le tunnel de la 96ᵉ Rue.

Une centrale électrique

Sous le niveau inférieur, une centrale électrique géante alimente les trains et assure le chauffage et l'éclairage de la gare et de ses tunnels de service.

L'immeuble principal compte six étages, qui ont abrité entre autres une station de radio, un gymnase, des courts de tennis, un studio photographique, une galerie d'art. Une série de loges privées permettaient aux banlieusards de se changer pour sortir le soir, ou pour dîner au bar à huîtres de la gare, qui sert encore quelque 12 000 huîtres par jour. À l'époque où Grand Central était le terminus de deux compagnies ferroviaires, le niveau supérieur était réservé aux grandes lignes et aux express de luxe comme le 20ᵗʰ Century Limited. Le niveau inférieur, lui, accueillait les trains de banlieue et les marchandises.

La gare new-yorkaise ne dessert plus aujourd'hui que les banlieues et est fréquentée chaque jour par 180 000 voyageurs. Mais ses lustres géants et les constellations peintes sur ses immenses voûtes bleues perpétuent encore le souvenir de sa gloire passée.

Pendant les années 1950, la gare de New York Grand Central accueillait 54 millions de personnes par an, soit une moyenne de 500 trains par jour.

CLASSE ROYALE
Quand les chemins de fer menaient grand train

Au milieu du XIXᵉ siècle, les têtes couronnées étaient aussi fascinées par le chemin de fer que l'homme de la rue. Mais quand les grands de ce monde prenaient le train, ils ne lésinaient pas sur le luxe.

La décoration reflétait les goûts du monarque. Le roi Louis II de Bavière créa ainsi une version roulante de ses châteaux de contes de fées. Il alla jusqu'à faire garnir de duvet de cygne les sièges des toilettes et était si fier de son train qu'il lui fit, dit-on, parcourir le royaume à vide pour que ses sujets l'admirent. Plus extravagant encore était celui de Saïd Pacha, vice-roi d'Égypte sous l'Empire ottoman. Une extrémité du wagon-salon abritait ses appartements et l'autre ceux de son harem. La locomotive avait une « livrée » pourpre et argent incrustée d'or.

Transport de reine

La reine Victoria prit le train pour la première fois en 1842, non sans grand décorum. Un wagon du train royal était tendu de soie cramoisie et blanche, et meublé de sofas style Louis XIV. Le voyage fut particulièrement lent, car le bon plaisir de Sa Majesté était que le convoi ne dépassât 70 km/h sous aucun prétexte.

Le roi Louis-Philippe (à droite) est reçu par la reine d'Angleterre Victoria et son mari, le prince Albert, dans un somptueux wagon.

Bien d'autres chefs d'État connurent la même opulence. François-Joseph, empereur d'Autriche, avait dans son train personnel une salle de banquet de seize places, une autre réservée au service et un wagon-office équipé de couchettes pour les cuisiniers. Le dernier de ces trains royaux fut construit pendant les années 1930 pour Victor-Emmanuel III d'Italie. C'était un petit palais Renaissance avec une salle de banquet rouge et or et des wagons garnis de cuir doré, de soieries, et décorés de tapisseries et de bois exotiques.

Les trains de grand luxe n'étaient pas l'apanage de la royauté. En 1859, le wagon du pape Pie IX avait une salle du trône tendue de velours blanc, avec un dôme soutenu par les allégories de la Foi, de l'Espérance et de la Charité. Quant aux milliardaires américains de la fin du siècle dernier, leur statut social exigeait au moins un wagon avec salle de bains en marbre et robinetterie en or, de l'argenterie, un orgue, des tableaux de maître et quelques peintures murales.

UNE LOCOMOTIVE AÉRODYNAMIQUE
Le développement du chemin de fer en France

Le développement des chemins de fer en France connaît sa phase la plus active de 1837 à 1875. Avant le second Empire, les lignes existantes sont pour la plupart locales. Sous Napoléon III, de grandes compagnies émergent et raccordent peu à peu les tronçons jusqu'à constituer un véritable réseau, vaste étoile autour de Paris. À partir de 1860, il ne reste plus à desservir que les Alpes, le Massif central et la Bretagne. C'est chose faite en 1875. Dans les Alpes, notamment, d'énormes travaux sont mis en chantier. Le percement du tunnel du Mont-Cenis, qui inaugure l'ère des grands tunnels alpins, aura demandé treize années de travaux. En moins de cinquante ans, le réseau français sera donc passé de 50 km (en 1830) à 19 913 km (en 1875) !

Vapeur, toute !

Les progrès techniques ne sont pas en reste. L'ingénieur français Anatole Mallet invente un procédé, le compoundage, qui repose sur un principe de récupération de la vapeur. Dans ce procédé, habituellement en usage sur les bateaux, la vapeur sert deux fois : tout d'abord à haute pression dans de petits cylindres, puis à basse pression dans des cylindres plus gros. La locomotive de Mallet, munie de deux cylindres, accomplit de belles performances. Elle figurera à l'Exposition universelle de 1878. Son procédé sera encore amélioré et donnera naissance à la locomotive compound, à quatre cylindres. Construite à partir de 1887, la « série C », connue sous le nom de Coupe-vent, sera l'une des locomotives les plus célèbres du monde. Son avant muni d'une étrave et sa cabine aérodynamique étaient destinés à couper le mistral de la vallée du Rhône, ce vent qu'on prétendait capable d'arrêter les trains. Ces locomotives Coupe-vent, très performantes, remorquèrent les trains les plus prestigieux, comme le Côte d'Azur Rapide, à plus de 100 km/h. Le trajet Paris-Marseille ne prenait plus que treize heures trente... On était encore loin des records du TGV !

DRÔLES D'ENGINS

Comment ne pas voyager comme tout le monde

Nombreux sont ceux qui se plaignent d'avoir à se déplacer tous les jours de la semaine, mais qui, une fois le week-end arrivé, continuent à bouger. Ils troquent alors la voiture ou le train contre un vélo de course, un VTT, un voilier... Les plus aventureux préfèrent le hors-bord, le planeur, la montgolfière, voire le char à voile ou l'ULM.

Ces moyens de transport peu conventionnels font souffler un vent de liberté dans leur vie. Et aussi dans celle des inventeurs, ravis de quitter les sentiers battus pour innover sans vergogne.

N'ont-ils pas imaginé, par exemple, une voiture en bois ou un avion plat comme une soucoupe volante ? Les moyens de transport présentés ci-dessous n'ont – il est vrai – pas bouleversé notre existence, mais ont été la source de joies et de défis énormes. Quoi de plus passionnant, en effet, que de tenter de traverser le Sahara en char à voile, ou de pédaler comme un fou sur un tricycle ultra-léger pour battre le record du monde ? Se faire prendre en stop par une dizaine d'aigles ? Pourquoi pas ? Malheureusement, aucun aigle assez obligeant pour cela ne s'est encore fait connaître !

Économique *L'Africar, robuste et bon marché, a été conçu par Anthony Howarth pour circuler dans les pays où les routes sont mauvaises, le climat rude et où il est difficile d'importer des pièces. La carrosserie et presque tout le châssis sont en bois renforcé de polyester. Ce véhicule a parcouru sans problème 16 000 km de l'Arctique à l'Équateur, en 1984. Pourtant, aucun pays en développement ne l'a encore adopté.*

Voilier des sables *Ce char à voile français n'est pas une invention moderne. L'Égypte et la Chine anciennes l'avaient déjà imaginé, de même qu'un mathématicien hollandais du XVIᵉ siècle, Simon Stevin. La propulsion à voile, bien plus efficace sur terre qu'en mer, permet d'atteindre 130 km/h sur terrain ferme. Ce sport donne lieu à bon nombre de régates sur les plages de sable ou même dans le désert.*

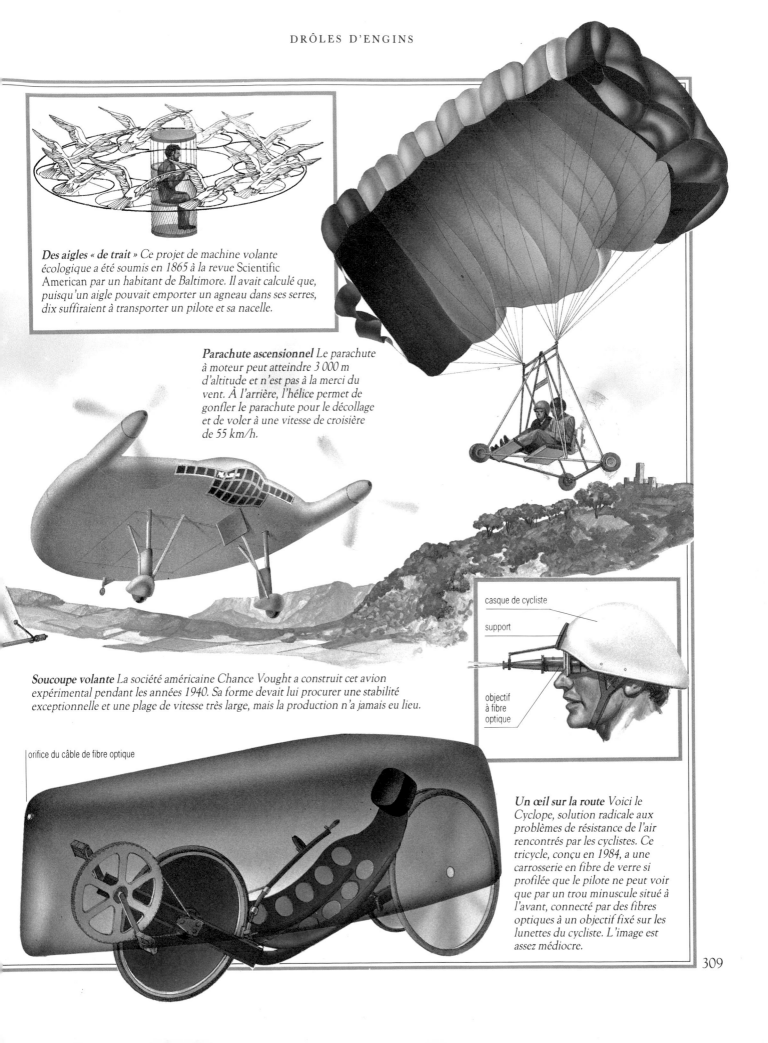

Des aigles « de trait » *Ce projet de machine volante écologique a été soumis en 1865 à la revue Scientific American par un habitant de Baltimore. Il avait calculé que, puisqu'un aigle pouvait emporter un agneau dans ses serres, dix suffiraient à transporter un pilote et sa nacelle.*

Parachute ascensionnel *Le parachute à moteur peut atteindre 3 000 m d'altitude et n'est pas à la merci du vent. À l'arrière, l'hélice permet de gonfler le parachute pour le décollage et de voler à une vitesse de croisière de 55 km/h.*

Soucoupe volante *La société américaine Chance Vought a construit cet avion expérimental pendant les années 1940. Sa forme devait lui procurer une stabilité exceptionnelle et une plage de vitesse très large, mais la production n'a jamais eu lieu.*

casque de cycliste

support

objectif à fibre optique

orifice du câble de fibre optique

Un œil sur la route *Voici le Cyclope, solution radicale aux problèmes de résistance de l'air rencontrés par les cyclistes. Ce tricycle, conçu en 1984, a une carrosserie en fibre de verre si profilée que le pilote ne peut voir que par un trou minuscule situé à l'avant, connecté par des fibres optiques à un objectif fixé sur les lunettes du cycliste. L'image est assez médiocre.*

LE GOÛT DU RISQUE

Défier la mort

Pour adhérer au Club des sports dangereux, à Oxford, il faut faire preuve de « courage dans un monde timoré et surprotégé ». Courage rime alors avec folie ! David Kirke, l'un des membres fondateurs du club, fut un des premiers adeptes du saut en élastique. En 1982, il s'est jeté du pont de la gorge Royale, à 320 m au-dessus de l'Arkansas. L'élastique, qui reliait ses chevilles au pont, a atteint son étirement maximal à 260 m. Kirke, pratiquement inconscient, s'est balancé dans le vide pendant plus de deux heures avant de pouvoir être hissé sur le pont.

Prendre le taureau par les cornes

L'Histoire, ancienne ou récente, fourmille de récits de telles prouesses. Dans l'Antiquité, par exemple, les Crétois attrapaient par les cornes un taureau qui les chargeait et faisaient un saut périlleux sur son dos. Au début du XXe siècle, l'acrobate de cirque Hugo Zacchini se faisait propulser par un canon à air comprimé à 40 m de haut, à la vitesse de 130 km/h. Il accomplissait parfois son numéro avec son frère. Dans les années 1870, l'Américain John Holtum, lui, attrapait à mains nues des boulets de canon tirés à bout portant.

Parfois, cependant, l'exploit tournait au drame. Pendant son numéro, Harry Houdini, roi de l'évasion, bandait ses muscles et invitait les spectateurs à le frapper au ventre de toutes leurs forces. Le 22 octobre 1926, il fut touché sans avoir eu le temps de se préparer et mourut dix jours après d'une péritonite.

Ces folles entreprises ont souvent le goût du risque pour seul motif. C'est ainsi qu'en 1977 George Willig gravit sans cordes le gratte-ciel du World Trade Center, qui s'élève dans le ciel de New York, et qu'en 1980 le Tchèque Jaromir Wagner eut l'audace de franchir l'Atlantique attaché au fuselage d'un petit avion.

En 1934, au cirque Barnum à New York, l'acrobate Hugo Zacchini et son frère se faisaient éjecter, à la vitesse de 130 km/h, par le même coup de canon à air comprimé.

L'ENFER VERT

Des cochons plus dangereux que des jaguars

Le 9 juin 1972, deux Range Rover parvinrent au cap Horn, pointe méridionale de l'Amérique du Sud. Leurs passagers épuisés venaient de réussir une expédition fantastique. Partis d'Alaska 188 jours plus tôt, ils étaient les premiers à avoir traversé par la route les deux Amériques sur toute leur longueur, par les 22 000 km de l'autoroute panaméricaine. Mais leur vrai triomphe était d'avoir réussi à franchir, à force de ténacité, les 400 km de l'isthme de Darien, entre Panamá et Colombie, surnommé en espagnol *el tapon* (le bouchon).

Cette région de jungle, de rivières et de marécages coupe l'autoroute en deux : les constructeurs l'ont jugée infranchissable, et l'expédition a vite compris pourquoi.

Soutien logistique

Six de ses membres parcoururent en 40 jours la première partie du voyage, d'Anchorage (Alaska) à Canitas (Panamá), où s'arrête la section nord de l'autoroute. Ils y furent accueillis en janvier 1972 par une équipe d'ingénieurs et de médecins, ainsi que par des ethnologues et des spécialistes de la jungle, de la faune et de la flore locales. Ce groupe logistique disposait de treuils électriques et de réservoirs d'eau. Tout était prévu en cas d'obstacle : dispositif pour passer les gués, gros radeau pneumatique pour naviguer en eau profonde et échelles d'aluminium pour

Rivières et marécages furent franchis sur ce radeau de fortune.

jeter des passerelles au-dessus des ravins.

L'expédition repartit le 17 janvier, précédée par des pisteurs, qui lui frayaient un chemin à la machette. Ce fut un enfer : rivières en crue, jungle impénétrable, ravins et marécages imposèrent une vitesse d'escargot. Les hommes durent subir des agressions en tout genre : frelons, fourmis, scorpions, moustiques, serpents venimeux, et plantes vénéneuses. Plus encore que les jaguars, ils redoutaient les cochons sauvages, qui déferlaient parfois par groupes de trois cents et ravageaient tout sur leur passage. L'équipe souffrit terriblement de la chaleur et fut en butte aux maladies provoquées par les marécages et les insectes.

L'intendance était assurée régulièrement par des largages aériens. L'équipe sut faire preuve d'une détermi-

Pendant la traversée à gué des rivières, il fallait constamment se protéger des insectes et des alligators.

nation folle en toute circonstance. Sa cohésion parfaite lui permit même de garder le moral au passage des monts Crève-Cœur et des ravins du Diable, noms qui se passent de commentaires. Les défaillances mécaniques furent un souci constant. Un jour, une des Range Rover du convoi disparut presque totalement dans les eaux tumultueuses d'un torrent : il fallut la sortir au treuil. Et on dut faire sauter les derniers obstacles à la dynamite.

Cette odyssée dura 96 jours, au terme desquels l'expédition sortit enfin de son enfer vert en atteignant la ville de Barranquilla, située au nord de la Colombie, avec la joie que l'on devine.

SUR LA CORDE RAIDE
Une omelette au-dessus des chutes du Niagara

Le 30 juin 1859, le Français Jean-François Gravelet, plus connu sous le nom de Blondin, franchit les 335 m séparant les deux rives des chutes du Niagara sur une corde tendue à 50 m au-dessus des flots bouillonnants. Il atteignit son but en vingt minutes sous les applaudissements de milliers de spectateurs. Blondin avait alors trente-cinq ans : depuis l'âge de cinq ans, il jouait au funambule, sous la houlette de son père, acrobate de métier.

Par la suite, la traversée du Niagara devint presque pour lui une promenade de santé. Pour corser l'aventure, il se mit à l'effectuer les yeux bandés ou en poussant une brouette, voire les pieds dans un sac ou sur des échasses. Il porta même son imprésario, Harry Colcord, sur son dos. Pour celui-ci, ce fut un véritable cauchemar, car Blondin faillit perdre l'équilibre six fois. Il eut également l'idée – pour le moins inattendue – d'emporter un petit réchaud pour préparer et manger une omelette au beau milieu du parcours !

Blondin ne se limita pas au Niagara. En 1861, il stupéfia les spectateurs du Crystal Palace, à Londres, en faisant des sauts périlleux à 52 m de haut, avec des échasses et sans filet. Pendant sa cinquantième année, il marcha sur un fil tendu entre les mâts de deux navires, alors que la tempête faisait rage en mer. C'est à soixante-douze ans qu'il donna son dernier spectacle. Il mourut un an plus tard... dans son lit !

En 1859, le Français Blondin fit traverser les chutes du Niagara à son imprésario.

LE SAVIEZ-VOUS ?

Les danseurs de corde qui se jouent du vertige ont de lointains ancêtres. En effet, les Romains et fort probablement les Grecs de l'Antiquité avaient déjà leurs funambules. Ce mot vient du latin funambulus, contraction de funis, « corde », et ambulare, « marcher ».

SEUL SUR L'EVEREST
Un homme aux prises avec le toit du monde

Le 18 août 1980, Reinhold Messner, un alpiniste italien de trente-cinq ans, entreprit la première ascension en solo de la face nord du mont Everest, à la frontière du Tibet et du Népal. Avec trois compagnons, il avait alors déjà atteint son camp de base supérieur, à 6 500 m d'altitude. Mais il voulait gagner seul le sommet du « toit du monde » (8 848 m), sans sherpa pour préparer son bivouac ou porter son matériel.

Nécessaire de survie

Son sac à dos contenait assez de vivres pour une semaine, mais le reste était limité au strict minimum. Il n'avait ni corde pour retenir sa chute dans une crevasse, ni radio de secours, ni même de masque à oxygène. Il n'emportait, au total, que deux bâtons de ski, un piolet, un sac de couchage, une tente et un appareil photo. Avec les vivres, le tout pesait 18 kg, ce qui est beaucoup dans l'atmosphère raréfiée de l'Himalaya.

Cette expédition soigneusement préparée faillit tourner au drame dès le début. Parti dans l'obscurité, Messner glissa dans une crevasse de 500 m de profondeur. Il aurait été tué s'il n'avait eu la chance d'être arrêté dans sa chute 8 m plus bas par une petite corniche de neige. Il parvint à se dégager et à reprendre son ascension.

Des efforts surhumains

Pendant les deux jours suivants, le temps empira. Ne respirant qu'un air très pauvre en oxygène, Messner perdait son souffle au moindre effort. Le simple fait de monter sa tente devenait une tâche herculéenne. Son cerveau était insuffisamment irrigué, et il commença à entendre des voix. Mais sa volonté le maintint en chemin, dût-il ramper pour cela. Il atteignit enfin le sommet, l'après-midi du 20 août, mais il lui fallut encore une journée d'efforts pour redescendre jusqu'à son camp de base.

En 1986, Messner avait gravi tous les sommets du monde supérieurs à 8 000 m. Sa motivation ? Il se borne à dire que « l'inexplicable donne un sens à la vie ».

SURVIE EN PLEIN CIEL

Un passager clandestin miraculé

Le 4 juin 1969, Armando Socarras Ramirez et son condisciple Jorge Pérez Blanco quittèrent Cuba pour Madrid par un vol Iberia. À la différence des 143 autres voyageurs, les deux étudiants cubains n'étaient pas à bord, mais cachés dans la cavité non pressurisée du train d'atterrissage du DC-8.

Quand, après neuf heures de vol, les mécaniciens espagnols ouvrirent le compartiment pour le réviser, un seul des passagers clandestins roula sur la piste. Pérez avait eu le malheur de tomber de l'avion près de Madrid. Par miracle, Socarras, lui, vivait encore. Hospitalisé d'urgence, il fut soigné pour refroidissement et état de choc.

Simplement vêtu d'une chemise et d'un pantalon, il avait subi une température de – 40 °C, avec une pression quatre fois inférieure à celle du niveau de la mer, et était resté inanimé pendant presque tout le vol, faute d'oxygène. Une seule de ces circonstances aurait pu suffire à le tuer.

À 8 800 m, Socarras avait affronté des conditions qu'on ne rencontre que sur les sommets himalayens. Mais un alpiniste gagne de telles altitudes progressivement et s'habitue à la baisse de pression atmosphérique, alors qu'un avion monte de 455 à 610 m/min.

D'après les médecins, la survie de Socarras est un exemple remarquable d'hibernation humaine. Quand la température du corps diminue, il a moins besoin d'oxygène. Il semble que celle de l'étudiant ait atteint exactement le niveau souhaitable : il n'a pas gelé, mais il lui fallait alors si peu d'oxygène qu'il a réussi à survivre.

Le jeune Socarras stupéfia ses médecins : après son vol transatlantique clandestin, il ne souffrait que de refroidissement et d'état de choc.

LE GRAND PLONGEON

L'après-midi du 24 octobre 1901, devant plusieurs milliers de spectateurs, une barrique de bois descendait à toute vitesse les rapides en amont des chutes du Niagara. Elle bascula par-dessus la crête et réapparut quelques secondes après, 54 m plus bas, en aval des énormes cascades. Elle était miraculeusement intacte. Sa passagère aussi, pour la première fois dans l'histoire des chutes.

Cette institutrice de quarante-trois ans, Anna Edson Taylor, n'avait rien trouvé de mieux pour fêter son anniversaire que de tenter le grand saut. Malgré les sangles et le capitonnage qui la protégeaient, elle était blessée à la tête et très éprouvée. Mais elle n'avait pas perdu conscience et se rétablit rapidement.

Sa témérité ne lui apporta pas la fortune escomptée. Elle mourut sans un sou, en 1921, et fut inhumée dans le cimetière d'Oakwood, près des autres casse-cou des chutes. C'est la première personne et la seule femme à avoir survécu à cette folie. Elle n'eut qu'un conseil à donner à ses éventuels émules : « N'essayez pas ! »

Anna Edson Taylor, une institutrice de quarante-trois ans, descendit les chutes du Niagara dans un tonneau, le 24 octobre 1901. Elle sortit très éprouvée de cette aventure, mais... vivante !

LA CONQUÊTE DU CIEL
Voler comme Icare

Étude d'aile artificielle par Léonard de Vinci

A 18 h 03, le 25 avril 1937, Clem Sohn, un Américain du Michigan surnommé l'homme-oiseau, sauta d'un petit avion à 3 000 m au-dessus d'un aérodrome de la région parisienne. Porté par des ailes de toile tendues entre son corps, ses bras et ses jambes, il contrôla parfaitement jusqu'à 300 m les larges boucles de sa descente, à la grande admiration de ses 200 000 spectateurs. Et soudain, il tomba comme une pierre, parachute en torche. Le rêve multimillénaire du vol d'Icare venait de faire une nouvelle victime.

Avant l'invention du ballon et de l'avion, il semblait évident que l'homme ne réussirait à voler qu'en battant des ailes. Tous les savants qui avaient étudié le vol de l'oiseau et de la chauve-souris, et notamment Léonard de Vinci, en étaient persuadés. Ils avaient donc élaboré d'extraordinaires dispositifs à bras ou à pédales. Mais malheureusement, à chaque fois en vain. Cette obsession du battement d'ailes aboutit à une impasse. À l'époque de Léonard de Vinci, on disposait déjà des matériaux et de la technologie nécessaires à la construction d'un planeur, mais personne n'y avait pensé. Il faudra attendre 1856 pour qu'ait lieu le premier vol d'un homme sur planeur. L'exploit sera réalisé par le Français Jean-Marie Le Bris.

Depuis lors, le deltaplane a prouvé qu'on pouvait parvenir à un résultat très proche de la nature. Pour se diriger, le pilote exploite les ascendances thermiques qu'il rencontre près des collines ou des falaises.

Si Léonard de Vinci s'était intéressé à la manière dont l'oiseau utilise les courants aériens pour planer, la conquête du ciel aurait gagné du temps.

Quelques minutes avant son dernier vol, en avril 1937, près de Paris, Clem Sohn déploie fièrement ses ailes.

LE SAVIEZ-VOUS ?

Le 9 octobre 1890, le Français Clément Ader (1841-1925) réalisa le premier vol sur un appareil plus lourd que l'air. À bord de l'Éole, il vola sur une distance de 50 m. Le 14 octobre 1897, il parcourut 300 m à bord d'une machine à vapeur dont le nom allait faire fortune : l'Avion.

MOTEUR À AIR

Y a-t-il un moteur dans l'avion ?

Aux vitesses subsoniques, un avion à réaction avance grâce à la poussée des gaz de combustion chauds éjectés vers l'arrière par les moteurs. Mais quand il dépasse la vitesse du son, la poussée propulsive vient moins du moteur proprement dit que de l'écoulement de l'air entre son admission, à l'avant, et son éjection par les tuyères, à l'arrière. C'est le principe du statoréacteur.

Prenons l'exemple du Concorde. Au décollage, la poussée de chaque moteur est d'environ 17,5 t. La contribution de l'entrée d'air et de la tuyère est négligeable. Mais au fur et à mesure que l'avion prend de la vitesse, l'afflux d'air s'accélère à l'intérieur des moteurs. À Mach 2 (deux fois la vitesse du son), les moteurs n'assurent plus que 30 % de la poussée. Le reste est fourni par la compression de l'air à l'admission et par son évacuation à la tuyère, dont le profil a été calculé à cet effet.

Record du monde

Quant au DR-71 Blackbird de l'armée de l'air américaine, il détient le record du monde de vitesse, à 3 509 km/h. À vitesse maximale (Mach 3,2), ses deux moteurs ne fournissent plus que 17,6 % de la poussée totale. Si l'avion volait plus vite, leur apport serait nul, et il vaudrait mieux s'en débarrasser.

Serait-il possible de construire un avion propulsé uniquement par un statoréacteur ? Certes, non, car il ne pourrait jamais décoller.

Comme ce SR-71 vole à trois fois la vitesse du son, sa silhouette risque d'être déjà hors de vue quand on commence à l'entendre arriver.

LE SAVIEZ-VOUS ?

Le 14 décembre 1986, le monoplan Voyager, conçu et piloté par Dick Rutan et Jeana Yeager, décolla de la base aérienne Edwards, en Californie, pour le premier tour du monde aérien sans escale et sans ravitaillement en vol. La distance exigeait d'emporter 3 181 kg de carburant. Même avec un moteur d'appoint pour le décollage, il ne parvint à s'envoler qu'au bout de 4 300 m de piste, soit plus qu'un Boeing 747. Quand Voyager revint à bon port, il avait parcouru 40 244 km en 9 jours 3 min 44 s.

VOL À VOILE

Le physicien suédois du XVIIIe siècle Emmanuel Swedenborg, qui était aussi philosophe et théologien (il s'est rendu célèbre avec sa doctrine dite de la Nouvelle Jérusalem), légua à la postérité les plans d'une machine volante particulièrement ingénieuse.

L'idée lui en était venue dans la ville suédoise de Skara, où il avait vu un étudiant tomber du clocher de l'église sans se faire mal, sa cape s'étant gonflée comme un parachute.

Swedenborg s'était alors mis à calculer la dynamique du vol. Posant comme principe qu'une « voile » assez grande pouvait soulever un homme, il dessina sa machine en 1714. Une voile était déployée au-dessus de la nacelle, qui avançait grâce à des ailes en forme de rame. Pour décoller, il fallait partir d'un toit ou compter sur un vent violent.

Swedenborg avait compris l'importance des matériaux légers, comme le liège ou l'écorce de bouleau, et la néces-sité d'équilibrer la machine. Mais celle-ci tenait plus du planeur que de l'avion et était si irréaliste qu'il n'essaya même pas d'en construire un prototype tant il était persuadé qu'elle était incapable de vraiment voler.

Pour Swedenborg, le ballon était contre nature. Il ne vécut pas assez longtemps pour voir l'aérostat des frères Montgolfier lui donner tort, en 1783. Comme la réalité a rattrapé sa fiction, on peut sûrement lui pardonner son erreur.

LE COCHER AVIATEUR

L'inventeur du planeur garda les pieds sur terre

Sir George Cayley (1773-1857) était inventeur et gentleman jusqu'au bout des ongles. Mais s'il n'avait pas été si influent, il aurait sans doute passé pour un fou !

Car sir George avait une obsession insensée en cette première moitié du XIXᵉ siècle : voler. En 1804, à l'âge de trente et un ans, il réalisa le tout premier dessin d'un avion moderne, avec aile unique et empennage.

À la fin de sa vie, il avait tiré de sa longue étude de l'aérodynamique toutes les conclusions nécessaires à la construction d'un aérodyne (machine volante plus lourde que l'air). Il avait compris que la portance, force verticale qui soutient la machine volante, ne suffisait pas. Il fallait aussi une force motrice, la poussée, pour contrer la résistance de l'air, et des commandes. Hélas, il n'existait pas encore de moteur permettant de parvenir à ses fins : le moteur à explosion, breveté par le Français Nicéphore Niepce en 1807, et dont Cayley avait préconisé l'emploi, s'était révélé décevant. Faute de mieux,

il construisit d'abord un petit planeur, à bord duquel prit place un enfant.

En 1853, il réalisa un modèle plus grand. L'idéal eût été qu'il le pilotât lui-même, mais il avait alors quatre-vingts ans. Il poussa donc son cocher à bord, avec moult instructions.

Le planeur, qu'on ne pouvait pas vraiment contrôler, vola et atterrit en un seul morceau, mais il ne décolla plus. Le cocher rendit son tablier sitôt débarqué. « Sir George, expliqua-t-il, vous m'avez engagé pour mener vos chevaux, pas pour voler. »

DEUX AVIONS EN UN

Transport du carburant

Aujourd'hui, un avion gros porteur peut emmener plusieurs centaines de personnes sans escale de l'Europe à l'Australie. Mais avant la Seconde Guerre mondiale, aucun avion de ligne ne pouvait traverser l'Atlantique : le carburant nécessaire pour un tel voyage aurait pris trop de place.

Pour résoudre le problème, le major britannique Robert Mayo, expert en aéronautique, imagina de placer un petit hydravion lourdement chargé sur le dos d'un appareil beaucoup plus important et pratiquement à vide. Grâce à ses moteurs puissants et à son envergure, ce dernier pouvait soulever des charges énormes, mais sur une courte distance, car il épuisait vite son carburant. En revanche, le petit hydravion consommait peu une fois en vol, et pouvait donc aller loin s'il n'avait pas à décoller tout seul.

C'est ainsi que naquit l'avion composite *Short-Mayo*. Il était formé

des hydravions *Maia* (porteur) et *Mercury* (porté). Son premier décollage eut lieu le 4 janvier 1938, et la première séparation en vol le 6 février. Le *Mercury* gagna alors Montréal d'une traite, avant d'établir un fantastique record du monde de vol direct en reliant l'Écosse à l'Afrique du Sud.

Malgré ce succès technologique incontestable, l'avion composite ne fut jamais mis en service régulier : il coûtait beaucoup trop cher.

Il y eut d'autres cas similaires. Après la Seconde Guerre mondiale, l'armée américaine plaça un mini-chasseur X-F 85 Goblin, ailes repliées, dans la soute à bombes d'un bombardier lourd B-36.

Le Goblin ne mesurait que 4,6 m de long. Il était censé être largué exactement comme une bombe, déployer ses ailes et foncer. Mais il devait aussi revenir s'accrocher au B-36 pour le voyage de retour, ce qui présentait des difficultés insurmontables.

LE SAVIEZ-VOUS ?

En 1935, l'ingénieur soviétique Vladimir Vakhmistrov imagina de faire transporter cinq avions de chasse par un bombardier TB-3 : deux I-5 sur les ailes, deux I-16 sous les ailes et un I-Z sur un trapèze accroché sous le fuselage. Les cinq avions devaient être largués simultanément en vol.

Avant les années 1940, les pistes d'envol étaient trop courtes pour les avions long-courriers, d'où le succès des hydravions. Mayo imagina de faire décoller un gros hydravion portant sur son dos un appareil plus petit. Celui-ci était largué en vol, avec une charge de carburant bien plus lourde que s'il avait dû décoller par ses propres moyens.

Un hydravion transportant des passagers (à gauche) est fixé sur un appareil « porteur ».

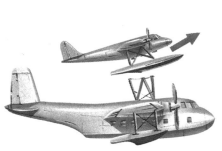

La séparation (ci-dessus) a lieu en vol.

Dès lors, l'hydravion long-courrier peut poursuivre son chemin.

LES ÉTATS-UNIS D'EST EN OUEST

Le premier avion à avoir franchi les États-Unis de l'Atlantique au Pacifique, en 1911, était un biplan. Il eut tant d'accidents après son départ de New York que, lorsqu'il arriva en Californie, les seules pièces d'origine étaient la gouverne de direction et le carter d'huile.

Le magnat de la presse William Randolph Hearst avait promis 50 000 dollars de récompense au premier aviateur qui traverserait le continent en trente jours. Calbraith Rodgers releva le défi. Fort de son expérience en régate et en compétition automobile et hippique, il acheta un avion et décolla le 17 septembre 1911, suivi par un train spécial chargé de pièces détachées, que lui avait fourni son sponsor.

Il n'avait pas mesuré l'ampleur d'une telle odyssée, et l'immensité des États-Unis dut lui paraître décourageante dans son frêle biplan de bois et de toile. À chaque atterrissage, l'avion capotait dans des nids-de-poule ; des curieux en volaient des morceaux. Quand Rodgers ne se perdait pas – c'était un piètre navigateur –, des vents violents le faisaient dériver ou le ralentissaient à l'extrême, et

endommageaient l'appareil. Il fut, entre autres, pourchassé par un aigle, faillit s'écraser dans un précipice des Rocheuses et fut blessé au bras droit par l'explosion de son moteur.

Après d'innombrables réparations, Rodgers atterrit enfin à Pasadena, dans la banlieue de Los Angeles. Il eut droit à un accueil triomphal, avec bannière étoilée et gerbe de fleurs... mais pas aux 50 000 dollars : le vol avait duré cinquante jours. Le malheureux trouva la mort cinq mois plus tard dans une cascade aérienne.

Au Gré du Vent
La plus grande course de ballons

James Gordon Bennett est le fondateur du *New York Herald*, mais son nom est surtout associé à la coupe Gordon-Bennett, qui sanctionne une course d'aérostats organisée depuis 1906. La coupe était décernée au pilote du ballon qui franchissait la plus grande distance, le point de départ étant situé dans le pays du vainqueur précédent. Comme l'aérostation dépend de la direction et de la force des vents, les résultats étaient imprévisibles.

Péripéties

Le 30 septembre 1906 eut lieu la première course, au départ de Paris ; les seize ballons en lice furent emportés vers le nord-ouest, en direction de l'Angleterre. Le vainqueur fut un Américain, Frank Lahm, qui se posa dans le Yorkshire, à 647 km de son point de départ. Deux autres équipages seulement avaient réussi à franchir la Manche. L'année suivante, on ne risqua plus guère la chute en mer : le départ fut donné de Saint Louis, dans le Missouri, bien à l'intérieur du continent nord-américain.

Après une interruption due à la Première Guerre mondiale, la course reprit en 1920. Les caprices du temps occasionnèrent bien des péripéties. En 1923, le décollage eut lieu en plein orage. Le bilan fut de cinq morts et cinq blessés. Deux ans plus tard, un ballon heurta un train et un autre se posa sur le pont d'un navire en pleine mer. En 1935, le départ fut donné de Varsovie et le vent emporta les équipages de tête en Union soviétique, dans

une région si écartée que l'on mit deux semaines à les retrouver.

La dernière coupe Gordon-Bennett eut lieu en 1938, mais le record absolu de l'épreuve avait été établi en 1912 par le Français A. Bienaimé, avec un vol de 2 191 km reliant Stuttgart à un village proche de Moscou. L'aérostation moderne fait beaucoup mieux : du 9 au 12 novembre 1981, l'énorme ballon

Un des ballons de la coupe Gordon-Bennett qui eut lieu en 1925 heurta un train près de Boulogne, heureusement sans faire de blessés graves.

Double Eagle V parcourut 8 383 km entre Nagashima, au Japon, et Covelo, en Californie. Mais les équipages actuels retrouveront-ils jamais les folles griseries de leurs prédécesseurs ?

UN AVION À PÉDALES

La traversée de la Manche à vélo

En 1960, l'industriel britannique Henry Kremer offrit une récompense de 5 000 livres sterling à la première « aviette » (avion mû par la seule force musculaire d'un homme) qui effectuerait un parcours en huit entre deux pylônes éloignés d'au moins 800 m. Personne ne parvint à relever le défi pendant les dix-sept ans qui suivirent, tandis que la récompense était régulièrement actualisée en fonction de l'inflation.

Le prix Kremer fut enfin remporté le 23 août 1977 par le *Gossamer Condor*, conçu aux États-Unis sous la direction de l'ingénieur aéronautique Paul MacCready. Comme la plupart de ses concurrents de l'époque, l'appareil avait une envergure immense, était

ultra-léger et disposait d'une hélice. Celle-ci était actionnée par les coups de pédales du pilote Bryan Allen, installé comme sur un vélo.

Pour faire progresser cette nouvelle technique, Kremer fit monter les enjeux en offrant 100 000 livres sterling. Mais cette fois, il fallait traverser la Manche. *Gossamer Albatross,* conçu par la même équipe, y parvint le 12 juillet 1979 : Bryan Allen décolla de Folkestone et atterrit au cap Gris-Nez, soit une distance de 36 km.

MacCready pensa qu'on pouvait faire mieux encore avec un copilote particulièrement brillant : le Soleil. Son engin suivant, le *Solar Challenger,* avait, en plus des pédales, des

panneaux solaires fixés sur les ailes. Grâce à cette énergie d'appoint, Steve Ptacek réussit le 7 juillet 1981 à parcourir 262 km, de Cormeilles-en-Vexin, près de Paris, à Manston, en Grande-Bretagne.

Depuis quelques années, des « aviettes » pourvues de batteries électriques auxiliaires atteignent régulièrement les 50 km/h, et les performances sont en progrès constant.

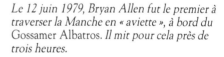

Le 12 juin 1979, Bryan Allen fut le premier à traverser la Manche en « aviette », à bord du Gossamer Albatros. *Il mit pour cela près de trois heures.*

DE QUOI PRENDRE LA MOUCHE

Le plus petit avion du monde a décollé le 24 juin 1977 à Kirkland, dans l'État de Washington. Il avait une carcasse de balsa, des ailes en film transparent et ne pesait qu'un dixième de gramme, car propulsion et pilotage étaient assurés par une simple mouche.

Son inventeur, Don Emmick, ingénieur dans une société aéronautique, n'innovait pas vraiment : le physicien yougoslave Nikola Tesla avait déjà étudié la force motrice des insectes à la fin du XIXe siècle.

La collaboration de la mouche avait exigé un peu d'astuce. Il avait fallu la capturer sous un verre, l'endormir à l'éther et la coller sur le fuselage. Au réveil, elle n'avait plus eu qu'à battre des ailes pour faire décoller le micro-avion. On dut essayer plusieurs « insectonautes » avant de trouver le bon. Le candidat

retenu vola cinq minutes en plein air, en décrivant des cercles et en manœuvrant pour éviter les obstacles. Pour ne pas encourir les foudres de la SPA, Emmick la décolla avec soin après l'atterrissage.

Avec son envergure de 76 mm, cet avion poids mouche (un dixième de gramme) est le plus petit du monde.

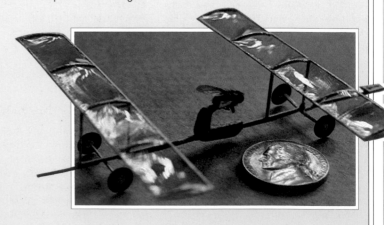

LE VOL DE DÉDALE

Un épisode de la mythologie au XXᵉ siècle

D'après la mythologie grecque, Dédale, inventeur de génie, est le premier aviateur de l'humanité. Emprisonné dans le fameux labyrinthe crétois, il y a quelque 3 500 ans, il s'évada en s'envolant dans les airs avec son fils Icare, grâce à des ailes formées de plumes collées par de la cire. Mais le pauvre Icare, grisé par l'aventure, s'approcha trop près du Soleil : ses ailes fondirent et il s'abîma dans les flots tandis que Dédale parvenait à bon port.

Cap sur Santorin

En 1984, des chercheurs de l'institut de technologie du Massachusetts (MIT) se mirent en tête de reproduire l'exploit antique avec un avion à pédales. Comme la légende ne dit pas où parvint Dédale, ils choisirent l'île volcanique de Santorin, située à 117 km de la Crète.

L'entreprise était extraordinaire. À l'époque, le record du vol musculaire appartenait au *Gossamer Albatross*, qui avait traversé la Manche en 1979. Mais cela ne représentait que 36 km, alors que le vol Crète-Santorin demandait le même effort que deux marathons consécutifs.

Dessiné par ordinateur, *Daedalus 88*,
l'avion du MIT, était très aérodynamique. Constitué de matériaux de pointe, il ne pesait que 31 kg, soit moins de la moitié du poids de son pilote. Mais avec 34 m d'envergure, il était plus large qu'un Boeing 727.

Après quatre ans d'efforts et un million de dollars d'investissements, l'équipe arriva en Crète au printemps 1988. Le 23 avril, peu après 7 heures du matin, son étrange machine rose et argent, aux allures de libellule, décolla silencieusement de l'aéroport d'Héraklion. Aux commandes, le champion cycliste grec Kanellos Kanellopoulos mit cap sur le nord, droit vers la mer. Suivi par une flottille de bateaux d'assistance, il pédalait à environ 5 m au-dessus des vagues, en buvant constamment une solution de glucose pour remplacer le litre d'eau qu'il perdait en une heure, en transpirant.

Vent favorable

On avait prévu au moins cinq heures de vol, mais le vent favorable permit une moyenne de 30 km/h, et Kanellos Kanellopoulos atteignit Santorin en moins de quatre heures.

Le seul incident se produisit au tout dernier moment. Alors que *Daedalus 88* se préparait à atterrir, une rafale de

Dans l'habitacle minuscule du Daedalus 88, Kanellos Kanellopoulos, trente ans, reproduisit en avril 1988, le vol de Dédale en pédalant vers Santorin.

vent le fit capoter à 7 m du rivage, mais Kanellopoulos en sortit sans une égratignure : le fameux mythe de Dédale était devenu réalité !

LE SAVIEZ-VOUS ?

Le premier chasseur à réaction conçu pour être lancé d'un porte-avions est le Phantom XFD-1 du constructeur américain McDonnell. Lors de son vol initial, le 25 janvier 1945, il manquait toujours un des deux moteurs. Le pilote d'essai ne se laissa pas intimider et décolla avec un seul réacteur.

✳ ✳ ✳

En 1929, l'hydravion Dornier Do X était le plus gros du monde et avait 12 moteurs – record demeuré inégalé à ce jour. Alors que peu d'avions pouvaient à cette époque accueillir plus de 12 personnes, il en transporta un jour 169 : 10 membres d'équipage, 150 voyageurs... et 9 passagers clandestins.

LA VITESSE D'ABORD

De plus en plus vite... mais sur terre

La première voiture à essence vraiment opérationnelle fut présentée au public en 1886 à Mannheim (Allemagne). Son créateur, Karl Benz, n'en était pas peu fier. Dans un grand bruit de ferraille, le véhicule parcourut 1 km à 15 km/h.

Comment Benz aurait-il pu prévoir que, moins d'un siècle plus tard, une voiture britannique porterait le record du monde de vitesse sur terre à plus de 1 019 km/h ? Richard Noble a réussi cette performance le 4 octobre 1983 à Black Rock, dans le désert du Nevada, aux commandes de *Thrust 2*. Cet engin, conçu en 1980 par John Ackroyd, était propulsé par un réacteur d'avion Rolls-Ryce Avon 302.

Mais le pilote de vitesse le plus célèbre de tous les temps demeure sir Malcolm Campbell. De 1924 à 1935, il a battu grâce à ses Bluebird le record du monde à neuf reprises, le portant de 219 à 485 km/h. Le 17 juillet 1964, c'est encore aux commandes d'une

Thrust 2, qui a permis à Richard Noble de battre le record mondial de vitesse au sol en 1983, a été conçu en 1980 par John Ackroyd. Cet engin futuriste est mû par un réacteur Rolls-Royce Avon 302.

Bluebird que son fils Donald atteignit les 690 km/h. Ce record est toujours celui des voitures à propulsion classique : il n'a été dépassé que par des modèles à réaction. Le record du monde de vitesse sur terre a été battu six fois au cours du deuxième semestre 1964 et quatre fois en 1965, année où l'Américain Craig Breedlove le porta à 966 km/h.

Il fallut attendre octobre 1970 pour que la barrière des 1 000 km/h soit franchie : Gary Gabelish atteignit 1 001 km/h à bord de *Blue Flame*.

Ce nouveau record dura treize ans, ce qui est déjà, en soi, un bien bel exploit.

MACADAM

La révolution routière

Quand John Loudon McAdam fut nommé en 1783 administrateur des routes du Ayrshire, en Écosse, il fut horrifié par l'état des chaussées et décida d'en fabriquer de meilleures. Cela lui prit presque trente ans de recherches, dont il paya la majeure partie de sa poche, mais on n'avait rien inventé de mieux depuis les voies romaines.

Sa technique consistait à construire les routes sur une assise de caillasse de 25 cm d'épaisseur, dont chaque pierre faisait environ 5 cm de diamètre. Une deuxième couche, constituée de pierres anguleuses et plus petites, s'emboîtait par damage sur ces fondations. La couche finale était formée de petits cailloux. Le poids des véhicules les réduisait en gravier, qui venait lui-même combler les interstices : le compactage se faisait tout seul, grâce à la circulation

routière. Le procédé McAdam fut appliqué en Angleterre en 1815. Il porta la vitesse moyenne des malles-poste de 8 à 13 km/h, soit un gain de plus de 50 %.

McAdam n'est pourtant pas le créateur du revêtement qui porte aujourd'hui son nom dans le monde entier : le tarmacadam (ou macadam) n'a été découvert, à la suite d'un hasard, qu'en 1854, dix-huit ans après sa mort.

Un géomètre britannique nommé E. P. Hooley remarqua que du goudron accidentellement renversé sur une surface rugueuse s'était solidifié en un revêtement lisse et dur. Il ajouta donc aux chaussées de McAdam une couche de goudron (*tar* en anglais), qui servait à la fois de liant et d'imperméabilisant. Hooley donna à son procédé le nom de tarmacadam, en hommage à son illustre inspirateur.

LE SAVIEZ-VOUS ?

La vitesse prodigieuse de 1 190 km/h a été atteinte en 1979 sur la base aérienne Edwards, en Californie, par le pilote Stan Barnet, à bord de Budweiser Rocket. Grâce à un missile Sidewinder, le véhicule disposait de 2 700 kg supplémentaires de poussée. Mais la vitesse ne fut pas maintenue assez longtemps pour que ce record soit homologué.

TIN LIZZIE

Une voiture pour l'homme de la rue

« Ma Ford n'a pas besoin de compteur : à 10 km/h, le pare-chocs fait un bruit de ferraille ; à 20, je claque des dents ; à 30, la transmission lâche ! » La Ford T a suscité bien des plaisanteries de ce genre. Mais il est indéniable qu'Henry Ford a tenu la promesse qu'il avait formulée en 1908, en annonçant la naissance de cet étonnant véhicule : « Je construirai, avait-il dit, la voiture de M. Tout-le-Monde. »

Le modèle T était pourtant si difficile à conduire que certains États américains imposaient un permis spécial à ses propriétaires. La boîte n'avait que deux rapports avant. Il y avait des pédales séparées pour engager marche avant et marche arrière, le frein à main actionnait aussi l'embrayage et la manivelle était capable de vous déboîter le poignet.

La voiture faisait peu de concessions à la mode. De 1914 à 1925, il fallut même suivre la célèbre formule de Ford : « Elle est disponible dans n'importe quelle couleur, pourvu que ce soit le noir. » Pourtant, lors de la sortie

en 1927 de l'ultime modèle T, le rêve du constructeur s'était réalisé depuis longtemps : la voiture avait été vendue à plus de 15 millions d'exemplaires aux États-Unis et à 1,5 million au Canada et en Grande-Bretagne.

La Tin Lizzie, comme la surnommaient les Américains, tirait avantage de nombreux progrès technologiques : la carrosserie était en acier au vanadium, plus solide et plus résistant aux chocs que l'acier ordinaire ; les vitesses passaient en douceur et sans craquement ; le moteur suspendu permettait d'affronter les innombrables nids-de-poule de l'époque sans trop de dégâts. C'était aussi la toute première voiture

La Ford T a été construite à la chaîne dès 1913. Les ouvriers contrôlent ici la pose de la carrosserie, avant boulonnage final sur le châssis.

américaine à conduite à gauche. Le secret de construction de Ford était l'adoption de la chaîne de montage : elle permettait de produire un châssis en 93 minutes, au lieu de 728 auparavant. À l'apogée du modèle T, un châssis sortait de chaîne toutes les 24 secondes. En 1922, la voiture fut construite à un million d'exemplaires. Deux ans plus tard, la production monta à plus de deux millions – un record qui dura trente-deux ans.

LE SAVIEZ-VOUS ?

Le prototype Américain, Sir Vival (1960) était équipé d'un compartiment moteur autonome, de pare-chocs en caoutchouc, d'un siège surélevé pour le chauffeur et d'un troisième phare orientable.

PARE-CHOCS CONTRE PARE-CHOCS

Vous êtes-vous jamais demandé ce qui se passerait si toutes les voitures d'un pays donné circulaient en même temps ? Divisez la longueur du réseau routier par le nombre de véhicules immatriculés : le résultat est terrifiant.

Le 2 août 1975 est une date mémorable dans l'histoire de la circulation routière : 600 km de bouchons paralysèrent l'ensemble du réseau français, créant ainsi un embouteillage national.

Pour pallier ce type de situation, on mit au point un plan de coordination de la circulation durant les périodes de vacances, couramment appelé Bison futé.

À Paris circulent chaque jour 2 600 000 véhicules qui se répartissent tant bien que mal sur les 1 245 km des 6 253 rues. La vitesse moyenne pour traverser la capitale n'excède généralement pas les 14,3 km/h.

LA VOITURE DU SIÈCLE

Rolls-Royce, un nom qui fait rêver

En 1904, la première Rolls-Royce avait un moteur bicylindre de 1,80 l. À peine trois ans plus tard, la marque sortit la Silver Ghost, mue par un six-cylindres de 7 l et considérée comme un summum de fiabilité et de confort. Pour démontrer sa qualité, les constructeurs lui firent parcourir 23 127 km d'affilée sans aucune panne, ce qui était un record mondial. Depuis 1987, la Rolls-Royce Phantom VI est la voiture de série la plus chère du monde : sa version « de base » coûte environ 3,5 millions de francs.

La « Flying Lady »

L'emblème des Rolls-Royce, surnommé Flying Lady, ou encore Spirit of Ecstasy, n'a jamais été en argent massif, comme le veut la légende. À sa création sur les Phantom en 1910, il était en plaqué argent. Depuis lors, il a été constitué de divers alliages de cuivre, zinc et nickel, et plus récemment d'acier inoxydable. Ce symbole date d'une époque où la mode des bouchons de radiateur atteignait des proportions délirantes : chaque automobiliste avait le sien, et il pouvait aussi bien représenter un chat noir qu'un policier ou un génie oriental. Depuis 1911, pratiquement toutes les Rolls-Royce arborent le Spirit of Ecstasy. Sauf, toutefois, la voiture d'apparat de la reine Élisabeth, ornée d'une figurine de saint Georges terrassant le dragon.

Le moteur tourne-t-il ?

La publicité Rolls-Royce la plus célèbre date de la sortie du modèle Silver Cloud, pendant les années 1950. « À 100 km/h, disait-elle, le bruit le plus élevé de cette nouvelle voiture provient de la montre électrique. » Dès 1910, deux expériences significatives avaient déjà prouvé la douceur remarquable des moteurs de la marque. La première avait consisté à poser sur le capot d'une Rolls-Royce une feuille de papier et trois verres

Pour éviter les blessures graves en cas d'accident, les Rolls-Royce Silver Spirit et Silver Spur disposent depuis 1980 d'un mécanisme qui rétracte la Flying Lady dans la carrosserie au moindre choc.

remplis d'encre à ras bord. On fit tourner le moteur quatre minutes à 1 150 tr/min, en prenant une photo en pose. Il n'y eut pas une goutte d'encre renversée, et la netteté du cliché témoi-

gna de l'absence totale de vibrations. Pour la deuxième expérience, on posa sur le radiateur une pièce en équilibre sur la tranche. Le moteur tourna deux minutes, mais la pièce ne tomba pas.

La Belle et la Bête

En marge des Rolls-Royce, l'homme d'affaires anglais John Dodd créa à la fin des années 1970 un engin monstrueux dénommé la Bête. Son capot de 4,30 m de long abritait un moteur d'avion Rolls-Royce Merlin 61 de 27 000 cm³, prélevé sur un Spitfire de la Seconde Guerre mondiale.

Bien qu'on ne dispose pas de preuves formelles, la Bête était censée pouvoir dépasser les 320 km/h, ce qui en faisait la voiture la plus rapide à circuler sur la voie publique.

Mais Dodd avait affublé le bolide du Spirit of Ecstasy et d'un radiateur de Rolls. Outrée par ce crime de lèse-majesté, Rolls-Royce porta plainte. La Bête, qui ne présentait aucune fiabilité, ne cessa de tomber en panne sur le chemin du tribunal, où Dodd, qui adorait la publicité, arriva un jour à cheval. Mais il perdit son procès et s'enfuit en Espagne en 1983, non sans emmener sa voiture d'apocalypse, désormais dépourvue de ses blasons.

Le constructeur automobile Charles Rolls est au volant d'un des trois modèles conçus en 1904 par l'ingénieur Henry Royce. Enthousiasmé par la qualité de la voiture, Rolls accepta de commercialiser toute la production de Royce sous leurs deux noms.

UNE DRÔLE DE PETITE VOITURE

Le succès mondial de la Coccinelle

En 1938, le Führer admire une des premières Volkswagen, dont la production civile ne commença qu'après la guerre.

« Ce véhicule ne correspond pas aux exigences techniques de base [...]. Ses performances et ses qualités ne présentent aucun intérêt pour l'acheteur moyen. Il est trop laid et trop bruyant. Une telle voiture ne peut, tout au plus, avoir du succès que pendant deux ou trois ans. » Telle était l'opinion de la commission britannique qui se pencha, à la fin de la Seconde Guerre mondiale, sur la Volkswagen, principal produit de l'industrie automobile allemande. « Cela ne vaut rien », dirent quant à eux les Américains. Vingt-sept ans après, la Coccinelle était la voiture la plus vendue au monde et avait dépassé le record de 15 millions de véhicules détenu par la Ford T.

Le projet de la Volkswagen (voiture du peuple) est né en 1934 au cours d'une rencontre entre Adolf Hitler et Ferdinand Porsche, surtout connu aujourd'hui pour ses voitures de sport. Hitler, que les voitures passionnaient, concevait le futur véhicule comme un instrument de propagande : il devait pouvoir accueillir un couple et trois enfants, ne pas consommer plus de 8,3 l aux 100 km et rouler à 100 km/h. Son prix devait être de 1 000 Reichsmarks (environ 400 dollars de l'époque), chiffre ridiculement bas qui supposait que d'importantes subventions soient versées à l'industrie automobile, de toute façon à la botte de Hitler.

Le Führer ne vit jamais son rêve se réaliser : les voitures ne furent pas livrées aux acheteurs, dont les mensualités allèrent directement aux caisses de l'État. À la mort de Hitler, en 1945, l'usine était en ruine. Elle n'avait jamais fabriqué que des véhicules militaires.

Un succès tardif

Tout en relançant sa production, les alliés jugèrent inutile d'investir dans la Volkswagen, qui revint de ce fait aux Allemands. Son vif succès sur le marché intérieur contribua à la reconstruction de leur économie, mais son passé hitlérien et sa silhouette fort inhabituelle nuisaient aux exportations.

Le déclic eut lieu en 1959, avec le choix du nom de « coccinelle » pour la publicité aux États-Unis. Les slogans vantaient la petitesse du véhicule (auparavant perçue comme un inconvénient en Amérique) et la fiabilité de son moteur refroidi par air. La Coccinelle connut enfin le succès, elle arriva en tête des importations et y resta longtemps, ce qui permit à Volkswagen de conquérir d'autres marchés.

En un demi-siècle d'existence, la voiture a été vendue à 21 millions d'exemplaires, et est toujours produite au Mexique. Qui dit mieux ?

ROIS DE LA ROUTE

En roulant vingt-quatre heures sur vingt-quatre et sept jours sur sept dans son camion à dix-huit roues, un routier américain pourrait théoriquement parcourir 800 000 km par an, soit plus de vingt fois le tour du monde. Mais la vitesse est limitée à 90 km/h aux États-Unis. Aussi, pour traverser le pays de l'Atlantique au Pacifique sur 5 000 km, les routiers travaillent souvent en duo : pendant que l'un conduit, l'autre dort. Il n'est pas rare de voir un chauffeur faire équipe avec son épouse.

Très modernes, les camions sont pour la plupart équipés d'une studette (située derrière la cabine), avec télévision, coin-cuisine, douche, toilettes et couchette. La consommation du véhicule est énorme : jusqu'à 30 l de gazole aux 100 km.

Les camionneurs forment une caste à part. Pour se distraire sur la route, loin de leur famille, ils ont fini par constituer une communauté bien distincte, bavardent par CB et se rencontrent sur leurs parkings. Leur jargon est assez particulier : un agent de police est un « ours », les freins sont des « ancres » et les petites voitures des « patins à roulettes ». Si l'une d'elles est doublée par un camion transportant des produits dangereux, les routiers disent qu'« un jockey-suicide arrache les portières d'un patin à roulettes ».

LE COMBLE DU LUXE
Des palaces roulants faits pour rester au garage

Si vous avez de l'argent à jeter par les fenêtres, vous pouvez toujours passer commande à l'un des nombreux carrossiers de Los Angeles spécialisés dans la voiture ultralongue : il vous fabriquera sur mesure un palace roulant, avec piscine dans le coffre si bon vous semble.

La mode des voitures personnalisées fait partie de la culture américaine depuis la fin de la Seconde Guerre mondiale. Moyennant un peu d'habileté, il n'est pas trop difficile de donner au véhicule de M. Tout-le-Monde un air de dangereux bolide. Mais c'est du bricolage : les automobilistes les plus fortunés préfèrent, eux, des limousines extravagantes. Se concrétisent alors les rêves les plus fous du tout-Hollywood.

Record du monde

Le grand chic est de posséder le modèle le plus long du monde, même si la réglementation américaine interdit de faire rouler sur la voie publique les voitures de plus de 13 m de long. Le record appartenait naguère à l'*American Dream,* construite à Newport Beach (Californie) par la société Jay Ohrberg Show Cars. C'était une Cadillac de 18 m à cinquante places, équipée d'une piscine.

Depuis, la *Hollywood Dream* a fait mieux : une Cadillac de 20 m de long. L'homme d'affaires japonais Kenji Kawamuda, propriétaire d'un centre médico-sportif près d'Osaka, l'a achetée d'occasion en 1988, moyennant quelque 750 000 dollars US, au hasard d'un voyage en Australie. Il a fallu la couper en deux pour l'expédier au Japon. Dûment ressoudée, elle est maintenant exposée chez son propriétaire, qui est rentré dans ses frais en vendant des billets d'entrée aux curieux.

Le monstre a vingt-deux roues, un moteur de 8 l de cylindrée, un cinéma, une salle de télévision, un bar et une chambre à coucher de quatre personnes. On y trouve aussi une piscine, une baignoire et un « parcours » de golf à un seul trou.

Cette monstrueuse Cadillac à seize roues, l'American Dream, a un héliport, une antenne parabolique, une chambre à coucher, un bar, un bain à remous et une piscine. En bref, tout pour plaire. Sauf l'espace.

UNE VOITURE RÉVOLUTIONNAIRE

Trop belle pour être vraie

La malheureuse histoire de la Tucker, star d'un film de Francis Ford Coppola en 1988, a commencé en juin 1947 par une déclaration tonitruante de Preston Tucker, industriel à Ypsilanti (Michigan) : son futur modèle 1948, disait-il, serait la première voiture totalement nouvelle. L'homme devait sa fortune à la fabrication d'armement, mais il connaissait bien l'automobile, pour avoir construit en 1934-1935 les voitures de course Miller-Tucker.

La Tucker 48 serait très fuselée par rapport aux monstres d'alors : elle ne mesurerait que 1,5 m de haut pour un empattement de 3,3 m et une longueur supérieure de 3 cm à la plus grande des Cadillac.

La conception mécanique devait être révolutionnaire : moteur à l'arrière et en travers, transmission automatique directe bien plus douce que chez la concurrence et sécurité très soignée, grâce à des freins à disque (qui n'apparurent que pendant les années 1950), habitacle indéformable et tableau de bord capitonné.

La voiture aurait aussi trois phares, dont un couplé à la direction, censés passer automatiquement en feux de croisement à l'approche d'un autre véhicule. Elle afficherait une vitesse de croisière de 160 km/h et une consommation d'à peine 8,3 l aux 100 km. Le tout pour 1 800 dollars, soit moins qu'une Cadillac. Si bien que Tucker reçut vite 300 000 commandes et réunit plus de 25 millions de dollars.

Enquête

Mais on se rendit bientôt compte que malgré toutes ces promesses, la production ne suivait pas. La Commission

La Tucker innovait en matière de sécurité, bien avant que cela devienne un argument de vente. Témoin, entre autres, son phare central orientable actionné par le volant.

américaine des finances ordonna donc une enquête. Or, fin 1948, il ne restait que 2 millions de dollars du pactole avancé par les investisseurs.

Les quelques modèles en cours de fabrication sur les chaînes n'avaient absolument rien d'original : beaucoup d'éléments de la carrosserie et de la mécanique venaient, en effet, de marques rivales, notamment de Cord et d'Olsmobile.

Rêve brisé

La commission conclut à une fraude, la voiture étant très différente du modèle annoncé (surtout par le moteur). La société fut mise en liquidation judiciaire.

Quatre mois plus tard, Tucker fut acquitté en appel. Mais son rêve était brisé. Aujourd'hui, il ne reste qu'une poignée des cinquante Tucker effectivement fabriquées. Elles font toujours tourner les têtes. Pas étonnant : la construction de chacune d'elles a coûté 510 000 dollars en 1948.

LE PHÉNIX DE LA FORMULE 1

Mars 1977 : sur le circuit de Kyalami, l'Autrichien Niki Lauda, champion du monde en titre, gagne le grand prix d'Afrique du Sud de formule 1.

Cela fait à peine huit mois qu'on l'a extrait de sa monoplace en feu sur le Nürburgring, pendant le grand prix d'Allemagne. À l'époque, il était si grièvement blessé et brûlé qu'on le croyait mourant et que les derniers sacrements lui avaient été administrés.

Lauda doit sa survie à une volonté de fer. Six semaines après l'accident, il était déjà au volant d'une formule 1, en tirant un trait sur ses blessures physiques et morales. Sa saison 1977 est remarquable : il remporte une victoire en Allemagne (cette fois sur le circuit de Hockenheim). Il est vainqueur du championnat du monde avant de déserter les circuits l'année suivante, pour revenir en 1982.

Consécration suprême du pilote miraculé : il réalisera un formidable triplé en 1984, avec de nouveau un titre mondial.

LA ROUTE DE DEMAIN

Comment remplacer l'essence ?

Le 1er novembre 1987, vingt-cinq véhicules aux allures de sauterelle entrèrent dans la ville australienne de Darwin pour disputer la première course transcontinentale de voitures solaires. Cinq jours après, la *Sunraycer* gagnait l'épreuve en arrivant en tête à Adélaïde, à 3 060 km de là. Elle puisait toute son énergie dans 9 500 capteurs, répartis sur une surface d'environ 27 m².

Le groupe américain General Motors n'avait pas hésité à investir 15 millions de dollars dans cet engin aérodynamique, très futuriste. Il faut dire que l'industrie automobile rêve de remplacer l'essence par une énergie « propre » : la diminution des ressources naturelles de la Terre et la pollution provoquée par les gaz d'échappement en illustrent d'ailleurs chaque jour la nécessité.

Le prix du soleil

L'énergie solaire, par définition inépuisable, semble, de prime abord, la plus propre et la moins chère. Mais sa technologie est encore beaucoup trop coûteuse : les batteries de la *Sunraycer* pesaient 27 kg et valaient à elles seules 10 000 dollars. De plus, l'ensoleillement joue un rôle tout à fait primordial : les performances en course de l'engin dépendaient beaucoup de la capacité de stockage des batteries pendant leurs deux heures de recharge, chaque matin. S'il avait fait moins beau, la *Sunraycer* aurait vraisemblablement moins bien roulé.

Les voitures électriques, elles, ne datent pas d'hier. La *Jamais-Contente*, du Belge Camille Jenatzy, fut la première à dépasser 100 km/h dès 1899. Plus silencieuses et moins polluantes, elles doivent toutefois recharger leurs batteries à peu

Extrêmement aérodynamique, la Sunraycer *puisait son énergie solaire dans 9 500 capteurs répartis sur une surface de 27 m².*

près tous les 80 km. De plus, les accumulateurs plomb-acide actuels sont si lourds que leur poids représente environ 50 % de celui d'un petit véhicule électrique. Aussi la recherche s'efforce-t-elle actuellement de concilier des procédés beaucoup plus légers et l'électricité d'origine solaire.

Carburants divers

Les autres carburants ne sont pas oubliés pour autant. L'hydrogène est propre et abondant, mais sa production (à partir du gaz naturel, du charbon ou de l'eau) coûte cher et sa grande inflammabilité rend son emploi difficile.

Quant aux carburants oxygénés, comme l'éthanol ou le méthanol, ils risquent moins de provoquer des pluies acides que les combustibles fossiles. Mais les gaz qu'ils dégagent contribuent à l'effet de serre, qui, en réchauffant progressivement l'atmosphère de la Terre, risque de mettre sérieusement en péril notre fragile écosystème. De plus, le méthanol ronge les cordons de soudure des réservoirs.

Il semble donc aujourd'hui que l'essence, malgré ses inconvénients majeurs, ait encore de beaux jours devant elle !

Tout en pesant moins de 7 kg, le châssis d'aluminium de la Sunraycer *était assez solide pour soutenir les 270 kg du véhicule.*

L'OGRE ET L'OISEAU
Du plus gourmand au plus frugal

La navette spatiale est le véhicule le plus puissant au monde. La poussée de ses trois moteurs principaux pourrait faire décoller plus de sept Boeing 747 ! Elle exige une quantité énorme de carburant (laquelle est une des causes du terrible accident de *Challenger*. Le 28 janvier 1986, cette navette décolle pour aller observer la comète de Halley. Soixante-treize secondes après le décollage, c'est l'explosion qui cause la mort des sept astronautes à bord). L'hydrogène et l'oxygène liquides qui alimentent les moteurs sont stockés dans un réservoir externe de deux millions de litres. Chacun des moteurs est plus puissant que la fusée *Atlas* qui, en 1962, permit à John Glenn d'être le premier astronaute américain mis en orbite autour de la Terre. Assistés de deux fusées d'appoint, ils propulsent la navette à 45 km d'altitude en deux minutes. Le vaisseau spatial fonce alors à 4 800 km/h et engloutit plus de 234 000 l de carburant toutes les soixante secondes. Huit minutes après le décollage, la navette est en orbite. Son réservoir externe, pratiquement vide, est largué et détruit en entrant dans l'atmosphère.

Petit appétit

Le Boeing 747, roi des gros porteurs civils, a pratiquement la même taille que la navette pour un appétit dix fois moindre. Cet avion, qui pèse 340 t et peut emporter près de cinq cents passagers, se contente de 203 900 l de carburant : il n'en consomme « que » 207 l à la minute, à une vitesse de croisière maximale de 920 km/h.

La modération même

Au sol, même les plus goulus des camions – comme les énormes Peterbilt américains – sont la modération même par rapport à leurs cousins du ciel. Tout en transportant l'équivalent du tiers d'un Boeing 747 à pleine charge, ils brûlent à peu près 30 l aux 100 km.

Tout à fait au bas de l'échelle, on trouve les véhicules de recherche des constructeurs automobiles, comme l'*Okopolo*, de Volkswagen. Pour consommer le moins possible, le moteur Diesel de cette petite voiture s'arrête automatiquement quand le conducteur ôte son pied de l'accélérateur, ou quand l'électronique de bord estime qu'il n'y a pas besoin de davantage de puissance. Il se remet en route tout seul lorsque le pilote accélère à nouveau. La consommation d'une telle voiture ? 1,7 l de gazole aux 100 km.

Dans un nuage de gaz d'échappement, une navette américaine vient de décoller du centre spatial Kennedy, en Floride. Dans huit minutes, elle sera en orbite.

LE RALLYE LE PLUS DUR DU MONDE

Le 1er janvier 1988, sur l'esplanade du château de Versailles, 603 voitures, motos et camions prennent le départ du rallye Paris-Dakar, dixième du nom. Devant eux, 12 876 km de parcours, dont la majorité en Algérie, au Niger, au Mali, en Mauritanie et au Sénégal. On brûlera plus de 60 000 l de gazole et 40 000 l d'essence.

Pour son dixième anniversaire, les organisateurs ont voulu rendre le Paris-Dakar encore plus dur que d'habitude. Les conséquences en seront terribles : avant la victoire du Finlandais Juha Kankkunen le 22 janvier sur la plage de Dakar, le rallye fera six morts (trois concurrents et trois spectateurs) et de nombreux blessés. Seule la terrible année 1986 a vu un bilan aussi lourd, avec l'écrasement de l'hélicoptère transportant notamment Thierry Sabine, fondateur de l'épreuve, et le chanteur Daniel Balavoine.

Les pièges du désert

Malgré un luxe de précautions, le Paris-Dakar a toujours été dangereux : les concurrents affrontent des dunes culminant à 18 m, des tempêtes de sable et une température moyenne de 27 °C dans la journée. L'un des pièges du Sahara est le *fech-fech*, une croûte de sable dur sur du sable mou. Conduire dessus revient à patiner sur de la glace trop mince. En 1988, c'est lui qui a contraint cent cinquante concurrents à l'abandon dès le quatrième jour.

Parfois, le sable bloque le radiateur des véhicules et provoque une surchauffe du moteur. Il est aussi très difficile de trouver des repères quand on conduit pendant des heures en plein désert. Mais le pire, ce sont les tempêtes : un pilote a déclaré avoir conduit plusieurs minutes d'affilée les yeux fermés à 190 km/h.

Un changement d'itinéraire en 1992 – Paris-Le Cap – n'a pas atténué les difficultés. Des avions sanitaires et des radios de détresse ont continué d'assurer une sécurité maximale.

AUTOGUIDAGE
La conduite automobile de demain

Vous êtes au volant de votre voiture et vous traversez une grande ville. À l'approche d'un carrefour, votre tableau de bord vous précise où vous devez tourner pour arriver à destination, il vous présente un plan des lieux, vous signale un embouteillage et vous indique le meilleur moyen de l'éviter. C'est l'Autoguide, système d'autoguidage des automobilistes de demain.

Ce procédé, en cours d'expérimentation à Berlin et à Londres, pourrait équiper toute l'Europe à la fin du siècle. Les voitures d'essai sont pourvues d'un ordinateur de bord qui reçoit des informations constamment réactualisées sur les itinéraires et les conditions de circulation. Le tout est transmis par un réseau de balises électroniques disposées le long du parcours. Elles fournissent une « carte » à l'ordinateur, qui la décode et indique au chauffeur, sur un écran à affichage digital, la meilleure route à suivre et les changements de direction. Un prototype donne même des instructions orales par synthèse vocale. L'automobiliste se contente de donner sa destination à l'Autoguide en début de parcours : il n'a plus après qu'à suivre ses conseils. Ce système pourrait être très utile aux réseaux de transport en commun pour localiser constamment chaque bus.

Selon ses partisans, l'Autoguide améliorera la sécurité routière, économisera le carburant en évitant les détours inutiles et permettra surtout aux banlieusards de perdre beaucoup moins de temps dans les embouteillages.

L'utilisateur de l'Autoguide n'a qu'à indiquer sa destination grâce à une télécommande. Un émetteur de bord donne constamment la position de la voiture – établie à l'aide d'un capteur magnétique –

à des balises reliées à un centre de circulation routière. En retour, celles-ci transmettent les informations reçues à un micro-ordinateur qui les décode. La route à suivre apparaît sur un écran fixé au tableau de bord.

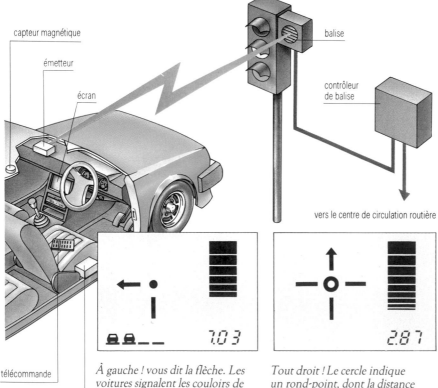

capteur magnétique

émetteur

écran

balise

contrôleur de balise

vers le centre de circulation routière

télécommande

micro-ordinateur

À gauche ! vous dit la flèche. Les voitures signalent les couloirs de circulation à emprunter et les chiffres la distance restant à parcourir.

Tout droit ! Le cercle indique un rond-point, dont la distance est symbolisée par les barres noires. Il vous faudra alors continuer tout droit.

OUVRAGES D'ART
Des arches à couper le souffle

L'origine des ponts se perd dans la préhistoire : en jetant un tronc d'arbre sur un cours d'eau, nos lointains ancêtres ont tout simplement inventé le principe du tablier, toujours largement utilisé. Quant à l'arche circulaire romaine, elle a inspiré des structures aussi élaborées que le pont de Sydney, en Australie : sa largeur record de 49 m permet le passage de huit voies routières, deux voies ferrées, une piste cyclable et une voie piétonnière.

Le viaduc le plus long du monde est le second pont du lac Pontchartrain, achevé en 1969. Il relie Mandeville à Métairie (Louisiane), soit une distance de 38,4 km.

La section centrale du pont de la Humber, dans le nord-est de l'Angleterre, détient le record mondial des ponts suspendus. Elle est accrochée à deux piliers de 162 m de haut séparés de 1 410 m à la base... et de 36 mm de plus au sommet pour tenir compte de la courbure de la Terre. La travée est suspendue à deux câbles géants, chacun long de 2,3 km et pesant 5 500 t.

À la fin du siècle, le pont Akashi-Kaikyo, au Japon, fera encore mieux. Ce pont suspendu aura une travée centrale de 1 980 m. Ce qui n'est rien en comparaison des 3 320 m de celle du viaduc projeté sur le détroit de Messine, entre la Sicile et le reste de l'Italie.

Un pont intercontinental

D'autres projets donnent le vertige, notamment la liaison Europe-Afrique par-dessus le détroit de Gibraltar. Conçue par l'ingénieur suisse Urs Meier, cette immense structure serait entièrement composée de plastique renforcé, avec une prodigieuse travée centrale de 8 400 m.

LE SAVIEZ-VOUS ?

Le plus long tunnel ferroviaire du monde est celui de Seikan, entre les îles japonaises de Honshu et d'Hokkaido. Il mesure 54 km et a été foré à 100 m sous les fonds du détroit de Tsugaru. Le plus long tunnel routier (16 km) est celui du Saint-Gothard, ouvert en 1980 dans les Alpes suisses. Les travaux, commencés en 1969, ont coûté 686 millions de francs suisses.

CHAPITRE DIX

LES MAÎTRES
DE L'ART

Andrea Mantegna, peintre, graveur et dessinateur italien de la seconde moitié du XVe siècle, serait sans doute ébahi aujourd'hui : des touristes des quatre coins du monde affluent par cars entiers pour admirer les célèbres trompe-l'œil de la chambre des Époux du palais ducal de Mantoue, en Lombardie *(page 367)*. Ce chef-d'œuvre de 1474 est caractéristique de la Renaissance : une reproduction minutieuse de la réalité pour célébrer les merveilles du monde. Aujourd'hui, l'œuvre de Mantegna et des artistes, écrivains, musiciens, danseurs, artisans et sportifs de toutes les époques continue de nous distraire et de nous surprendre.

LE MONDE SUR UNE SCÈNE

L'illusion théâtrale : des mots et un décor

Dans la salle, les murmures s'apaisent. Le rideau se lève sur une scène lumineuse. Cela peut être une rue de Venise à la Renaissance, ou le salon d'un appartement parisien. Dès les premières répliques, le public est sur place, tant le décor crée l'illusion de la réalité.

Le théâtre occidental a plus de deux mille cinq cents ans d'existence, mais la notion de décor est relativement récente. Dans l'Antiquité grecque et romaine, l'arrière-plan, stylisé, était invariablement constitué d'un mur de scène percé de portes. Les décors adaptés à chaque pièce sont apparus à la cour des princes de la Renaissance italienne. Au XVIe siècle, ils contribuèrent à développer la mode des représentations en intérieur ainsi que la scène moderne : une boîte ouverte sur le devant, dont le fond et les côtés étaient peints pour donner l'illusion de la profondeur.

Dans d'autres pays, les comédiens ont cependant continué à jouer en plein air. Dans le théâtre du Globe, par exemple, où se déroulaient les représentations des pièces de Shakespeare, la scène avançait

Le théâtre de Dionysos a été construit vers 330 avant J.-C. au pied de l'acropole d'Athènes. Un espace semi-circulaire, l'orkêstra, où évoluait le chœur, séparait la scène des gradins, où se tenait le public.

Cette mise en scène moderne d'un théâtre londonien tente de recréer le contact entre les acteurs et les spectateurs, comme au temps de William Shakespeare.

parmi le public. Pour que l'on puisse bien voir les acteurs, les décors étaient limités aux costumes et à quelques accessoires simples, tandis que les répliques précisaient clairement le lieu de l'action.

Ce n'est que pendant la seconde moitié du XVIIe siècle, plusieurs décennies après la mort de Shakespeare, survenue en 1616, que le théâtre anglais suivit l'exemple italien. Pourtant, l'auteur de *Macbeth* avait connu la gloire de son vivant. La qualité du texte et de l'interprétation de cette pièce de 1605 suffisait, à elle seule, à introduire les spectateurs dans l'univers du dramaturge.

LE SAVIEZ-VOUS ?

La pièce la plus ancienne connue à ce jour est un drame religieux égyptien écrit en 3200 avant J.-C. Elle narre le meurtre du dieu Osiris par son frère, le maléfique Seth. Le cadavre du dieu fut taillé en pièces et dispersé sur la terre d'Égypte. Mais l'épouse d'Osiris, Isis, et la sœur de celle-ci, Nephtys, le ressuscitèrent en reconstituant le corps. Le dénouement voit le couronnement d'Horus, fils d'Osiris et Isis, devenu roi d'Égypte. Ce texte sur papyrus a été découvert en 1895 par des archéologues sur le site de l'ancienne Thèbes, à Louksor.

FAIRE LE GUIGNOL
La naissance des marionnettes

Les farces de Guignol émerveillent tous les enfants : quoi de plus drôle pour eux que de le voir duper le gendarme, rosser le filou et se jouer du diable lui-même ? Guignol, né au début du XIXe siècle à Lyon de l'imagination de Laurent Mourguet, soulageait alors la misère des ouvriers soyeux, les canuts. Il tirerait son origine de Girolamo, paysan lombard un peu simplet apparu quelques décennies auparavant à Milan, dont le nom se serait d'abord altéré en Chignol, lors d'un passage à Lyon.

D'autres marionnettes sont beaucoup plus anciennes, notamment Pulcinella, créée vers l'an 1600 par le comédien italien Silvio Fiorillo. Elle est devenue Polichinelle en France et Punch en Angleterre.

Le théâtre de marionnettes était naguère très en vogue. Punch s'est ainsi produit en 1662 à Covent Garden, avant d'être convié la même année à la cour du roi Charles II.

Une origine religieuse

Les exploits de Polichinelle sont d'une rare violence : il bat Judy, sa femme, comme plâtre et étrangle ses enfants sans vergogne. Certains érudits leur ont donné une explication chrétienne : Polichinelle aurait représenté Ponce Pilate et Judy Judas l'Iscariote.

Cette interprétation semble tirée par les cheveux, mais l'origine religieuse des marionnettes est bien réelle : le mot marionnette est dérivé de mariolette (petite Marie), terme désignant au Moyen Âge des poupées représentant la Vierge.

Pulcinella, créé au début du XVIIe siècle en Italie par la commedia dell'arte, est l'inspirateur du Français Polichinelle, dont il a déjà le nez crochu.

LE SAVIEZ-VOUS ?

Le mot tragédie, issu des noms grecs tragos, bouc et ôdê, chant, signifie littéralement « chant du bouc ». Cette éthymologie fait référence soit au sacrifice d'un bouc, qui était pratiqué sur scène dans une lointaine Antiquité, soit aux peaux de bouc portées par les satyres des rites dionysiaques, précurseurs du théâtre grec.

UN ONE MAN SHOW ÉPOUSTOUFLANT...
Ou l'art de la métamorphose

À Paris, en l'an 1900, un jeune artiste italien triomphe pendant dix mois à l'Olympia. En faisant salle comble 300 fois, il décroche un record absolu. Le secret de son succès ? Leopoldo Fregoli, le fantaisiste, né à Rome en 1867, réalise, le premier, le rêve de tout acteur professionnel : il interprète, seul sur scène, non pas un personnage mais une centaine ! 800 costumes et 1 200 perruques lui permettent de se démultiplier. Il a continuellement à sa disposition une équipe de vingt-trois personnes, des électriciens aux habilleurs.

Si Paris marque l'apogée de sa carrière, il a déjà sillonné le monde, de Rome à Buenos Aires et New York, de Lisbonne et Londres à Saint-Pétersbourg et Berlin. En tournée, son matériel occupe 370 caisses rangées dans quatre wagons, qui pèsent 30 t. Un incendie détruit un jour tous ses effets ; il embauche alors 500 personnes qui lui reconstituent tout en six jours. Chaque soir, ses allées et venues entre la scène et les coulisses lui font parcourir près de 24 km. Comme il travaille 300 jours par an, il accomplit un trajet de 7 000 km par an..., soit en quinze ans presque trois fois le tour du monde ! Sa carrière, qui lui fait gagner 75 000 francs par mois alors qu'un ministre de l'époque n'en gagne que 60 000 par an, se terminera au Brésil, en 1924.

COMME DANS UN SOUFFLE

Si vous voulez assister à la pièce la plus courte du monde, veillez à ne pas arriver en retard : *Souffle*, de Samuel Beckett (1906-1989), ne dure que trente-cinq secondes.

Vous n'y trouverez ni dialogue, ni intrigue, ni acteurs : les indications scéniques se limitent à 120 mots. Le rideau se lève sur une scène jonchée de détritus, qui n'est animée que par quelques effets d'éclairage et une bandeson : des pleurs de nouveau-né, une inspiration et une expiration de dix secondes chacune, un cri d'agonie, et c'est déjà la fin.

Beckett a écrit cette « pièce » en 1969, en contribution au spectacle à scandale *Oh ! Calcutta*, de Kenneth Tynan. Mais ce dernier modifia la mise en scène sans le dire à l'auteur, qui, furieux, le traita de menteur et d'escroc. Pourquoi ce courroux ? parce que Tynan avait mis des acteurs sur scène. Nus comme des vers, de surcroît. Mais nous ne saurons probablement jamais si c'est ce détail qui choqua Beckett.

SHAKESPEARE : LE CHANTRE DES MOTS

Dire ou ne pas dire ? Telle est la question

Si vous passez devant une affiche de *Hamlet*, la plus longue pièce de Shakespeare datant de 1600, pensez à l'acteur qui interprète le prince du Danemark : sur un total de 3 931 vers, il doit en déclamer 1 530, ce qui représente 11 610 mots dans le texte original. Par comparaison, la *Comédie des erreurs*, pièce la plus courte du répertoire shakespearien de 1592, ne compte, elle, que 1 778 vers. De 1590 à 1610, Shakespeare a écrit plus de 100 000 vers de théâtre ; 1 277 personnages s'y expriment dans une langue prodigieusement riche : plus de 30 000 mots, soit le double du vocabulaire moyen actuel d'une personne ayant fait des études.

Pratiquement la moitié de ses pièces ont été éditées de son vivant en format in-quarto, mais souvent dans des versions pirates : rédigées à partir de notes prises au spectacle, elles étaient bourrées d'erreurs. Le vers le plus célèbre de *Hamlet* y devient ainsi : « Être ou ne pas être, c'est là qu'est le problème. » Fort heureusement, les amis du dramaturge publièrent en 1623, sept ans après sa mort, le premier recueil intégral de son œuvre, référence indiscutable des éditions suivantes.

Un usurpateur ?

Certains critiques refusent encore d'admettre qu'un modeste acteur, éduqué dans une école des Midlands et sachant peu de latin, et encore moins de grec, ait pu écrire une œuvre d'une telle ampleur. À les en croire, il n'aurait servi que de prête-nom à de grands personnages : le comte d'Oxford, le philosophe Francis Bacon ou le dramaturge Christopher Marlowe (mort vingt-trois ans avant lui...).

Si l'on ne s'en tient qu'au texte, on verra que l'œuvre de Shakespeare est bourrée d'anachronismes

Hamlet, interprété ici par sir Laurence Olivier dans un film de 1948, rumine de sombres pensées sur la destinée humaine.

Cette caricature du début du siècle montre Francis Bacon assistant Shakespeare, qui aurait été son prête-nom.

ou d'erreurs. Par exemple, une horloge sonne dans la Rome antique, dix siècles avant son invention, et Cléopâtre joue au billard. Dans *le Conte d'hiver* (1610), un navire vient accoster en Bohême, pays sans aucune bordure maritime. Et dans *le Roi Lear* (1606), dont l'intrigue est censée se dérouler avant l'ère chrétienne, le duc de Gloucester parle de « lunettes », qui ne sont apparues en Grande-Bretagne que vers 1400.

Mais quelle importance ? Shakespeare résiste à tout : il est plus joué que n'importe quel autre auteur au monde et ses pièces sont toujours aussi célèbres depuis quatre cents ans. De son vivant, son ami et rival Ben Jonson disait déjà de lui qu'il était « non d'une époque, mais de tous les temps ».

LE TESTAMENT DE SHAKESPEARE

À sa mort, survenue à Stratford le 23 avril 1616, jour de son 52e anniversaire, William Shakespeare était riche : son testament lègue à sa fille aînée, Suzanne, tous ses « granges, étables, vergers, terres, immeubles de rapport et héritages ».

Son épouse, Anne Hathaway, n'est que brièvement mentionnée. « Je donne à mon épouse, écrit-il, le deuxième meilleur lit avec le mobilier. » Manque d'amour conjugal ? Probablement non : le veuvage d'Anne lui garantissait un héritage important qu'il était inutile de préciser. Et le « deuxième meilleur lit » était sans doute celui du couple, le meilleur étant réservé aux invités. Il s'agissait donc peut-être d'une touchante preuve d'amour.

En revanche, on ne trouve dans le testament nulle trace de l'immense œuvre théâtrale et poétique du dramaturge. Mais elle n'avait alors absolument aucune valeur monétaire, car à l'époque la notion juridique de droits d'auteur n'existait pas.

LE SAVIEZ-VOUS ?

Jouer Macbeth est censé porter malheur, car la tradition veut qu'un sort ait été jeté sur la pièce. Aussi, les acteurs superstitieux évitent de la nommer ; ils l'appellent précautionneusement « la pièce écossaise » et n'en citent jamais de réplique dans leur loge.

LA ROSE ET LE GLOBE

La prospérité des théâtres à l'époque de Shakespeare

En 1599, peu avant la fin du règne d'Élisabeth Iʳᵉ, un voyageur allemand s'émerveillait du foisonnement des théâtres à Londres : « Chaque jour, à 2 heures de l'après-midi, écrivait-il, Londres compte en divers endroits deux et parfois trois pièces, rivales l'une de l'autre, et la mieux jouée attire le plus de public. » La concurrence devait être rude : en 1605, environ 21 000 Londoniens se rendaient au théâtre chaque semaine, soit à peu près un habitant sur dix.

Comme nous-mêmes avec la télévision, ils s'attendaient à des spectacles variés ; les dramaturges avaient donc du pain sur la planche. Shakespeare était alors à la fois auteur à succès, acteur et copropriétaire du prestigieux théâtre du Globe. Pourtant, sa production de 37 pièces en un peu plus de vingt ans, chiffre impressionnant de nos jours, faisait pâle figure face aux plumitifs de l'époque, comme Thomas Heywood, qui prétendait avoir participé à la rédaction de quelque 220 œuvres.

Comme les autorités londoniennes ne voyaient pas les histrions d'un bon œil, les théâtres se concentrèrent en dehors de la City, près de Southwark, sur la rive sud de la Tamise. C'est là que s'établirent le théâtre de la Rose, en 1587, et celui du Globe, douze ans plus tard.

Une question de prix

Comparés aux autres constructions de l'époque, les théâtres étaient d'énormes bâtisses – le Globe pouvait accueillir 2 000 spectateurs –, mais comme la majeure partie de la scène était à ciel ouvert, la pluie pouvait interrompre le spectacle. Le public avait le choix entre des places assises réparties sur trois niveaux ou des places debout, devant la scène. C'était une question de prix : « Quiconque reste debout, relate le même voyageur allemand, ne verse que 1 penny anglais, mais s'il souhaite s'asseoir, il entre par une autre porte et paie 1 penny de plus. » Les tarifs montaient ainsi jusqu'à 6 pence, pour une place dans la galerie des lords.

La magie des mots

Avec la populace qui s'entassait dans le parterre et les gens de condition répartis dans les galeries, l'atmosphère du théâtre shakespearien était très différente de celle de nos salles de spectacles modernes. Pour retenir l'attention d'un auditoire aussi disparate, les comédiens ne disposaient que d'un nombre limité d'accessoires ou d'effets spéciaux. Le succès ou l'échec dépendait donc presque totalement de la magie des mots. Fort heureusement, même si la majeure partie du parterre était illettrée, elle appréciait cependant les mots d'esprit et le beau langage.

Le théâtre pouvait aussi réserver d'autres émotions fortes. En 1613, le Globe fut détruit par un incendie allumé par un canon utilisé pour les effets spéciaux : celui-ci avait mis le feu au toit de chaume de la scène. Il n'y eut qu'un blessé : les flammes lui avaient dévoré les chausses, mais il avait réussi à les éteindre tant bien que mal avec une chope de bière.

LE SAVIEZ-VOUS ?

En 1787, le théâtre de Richmond, près de Londres, donna une représentation de Hamlet, *sans Hamlet : l'acteur avait trop le trac. D'après le romancier sir Walter Scott, qui était dans la salle, la plupart des spectateurs trouvèrent que la pièce en était plutôt améliorée.*

✴ ✴ ✴

Le metteur en scène Herbert Beerbohm Tree monta en 1900 à Londres une version très réaliste du Songe d'une nuit d'été de Shakespeare. Le décor comportait des arbustes en fleurs, une vraie pelouse et des lapins qui gambadaient sur la scène.

Cette vue éclatée du théâtre du Globe, à Londres, en cours de reconstruction montre la scène en partie couverte, le parterre à ciel ouvert et les galeries.

LE MONDE DANS UN ÉVENTAIL
Les arcanes du théâtre japonais traditionnel

La culture japonaise a produit deux formes de théâtre profondément originales : le nô et le kabuki. Le nô, forme la plus ancienne, est pratiquement figé depuis six cents ans. Ses fondateurs avaient orienté leur conception du théâtre selon les goûts de l'aristocratie japonaise pour la mise en scène, notamment autour d'activités aussi banales que boire le thé ou composer un bouquet.

En conséquence, le nô est un spectacle minimal : plus qu'une représentation, c'est un rituel dont chaque mouvement et chaque intonation sont fixés pour l'éternité. Il y a peu de dialogues, de mise en scène ou d'effets spéciaux. Par la simple manipulation d'un éventail, les acteurs sont censés évoquer la pluie, le murmure d'un ruisseau ou un lever de lune. Tous des hommes, ils portent des masques pour évoquer leurs personnages : une femme, un dieu, un démon ou un vieillard. Durant la majeure partie de la représentation, le texte est chanté par un chœur, pendant que le comédien exécute les mouvements rituels de la danse.

Le nô compte cinq catégories : les pièces consacrées aux dieux ; aux

Le kabuki utilise le maquillage, et non les masques, pour caractériser ses personnages : bons ou mauvais, hommes ou femmes, tragiques ou comiques.

guerriers ; aux femmes ; les œuvres diverses, généralement sur la folie ; et celles qui concernent monstres, démons et autres créatures surnaturelles. D'après la tradition, chacune de ces catégories doit être présente dans un même spectacle, mais de nos jours, on se contente le plus souvent de deux ou trois d'entre elles.

Le ton du kabuki est très différent. Fondé sur le style tragi-comique du spectacle de marionnettes, il a toujours plu davantage au peuple qu'à l'aris-

tocratie. Ses origines remontent aux spectacles érotiques organisés en 1603 par la danseuse Okuni, à Kyoto. Ces spectacles licencieux ayant entraîné un phénomène de prostitution, en 1629 les femmes n'ont plus eu le droit de monter sur scène. Mais le théâtre populaire était né, et devait être repris par des troupes masculines.

On est acteur de kabuki de père en fils, et les familles de comédiens sont les gardiennes de la tradition. Les spectacles excessivement longs (douze heures d'affilée à l'origine, maintenant cinq), les maquillages fort lourds et l'action stylisée sont très éloignés du théâtre occidental. Comme dans le nô, la danse et les chants ont plus d'importance que le dialogue.

Généralement, un spectacle de kabuki propose l'alternance d'un drame historique, d'une ou deux danses, d'une pièce sur la vie quotidienne et d'un impressionnant ballet.

Grâce à de nombreuses tournées en Occident, le nô et le kabuki ont exercé une influence évidente sur le théâtre minimaliste. Mais ces contacts ont aussi fait perdre une partie de sa pureté au kabuki.

Les costumes somptueux du nô contrastent étrangement avec la sobriété du décor.

LA SOURICIÈRE

Un secret partagé par huit millions de spectateurs

Un seul critique était venu assister à la millième de *la Souricière*, (*The Mousetrap*) d'Agatha Christie, le 22 avril 1955 au théâtre des Ambassadeurs, à Londres. « Le principal mystère de la soirée, c'est la durée de cette pièce à l'affiche », écrivit-il dans son journal. En décembre 1970, on atteignit la 7 511ᵉ. Un record mondial. Et *la Souricière* est toujours à l'affiche : elle a fêté sa 15 000ᵉ en 1988 et a été vue par huit millions de spectateurs.

La pièce débuta en octobre 1952 au théâtre royal de Nottingham. En novembre, elle passait à celui des Ambassadeurs. À partir du 25 mars 1974, lors de la 8 862ᵉ représentation, c'est le théâtre Saint-Martin de Londres qui l'accueillit. La critique fut bonne, mais ne laissait pas présager d'un tel avenir. Agatha Christie elle-même ne croyait pas que sa pièce tiendrait plus de six mois.

Au fil des ans

Le décor a changé bien moins souvent que les acteurs. Depuis 1952, il n'a été totalement refait qu'une seule fois : on en remplace les éléments quand ils sont usés, et il ne reste du décor d'origine qu'une horloge et un fauteuil de cuir.

En janvier 1985, l'arme du crime utilisée à la première (un colt 38) fut adjugée au prix de 700 dollars environ dans une vente aux enchères, soit six fois sa valeur. On avait dû l'abandonner en 1962, à la suite d'une loi interdisant les armes véritables sur scène.

La clef du succès

Pourquoi un tel succès ? Peut-être grâce à la publicité faite par l'imprésario sir Peter Saunders. Au 10ᵉ anniversaire de la pièce, on découpa à l'hôtel Savoy un gâteau de plus de 500 kg. Une des actrices se maria sous une haie d'honneur faite de vraies souricières. Le summum fut atteint lors d'une représentation à la prison de Wormwood Scrubs, où deux détenus en profitèrent pour s'évader. Et la publicité faite à chaque anniversaire attire un public encore plus nombreux.

Traduite dans 22 langues, la pièce a été jouée dans 41 pays. Le plus étonnant est que ses millions de spectateurs mettent un point d'honneur à taire l'identité du coupable. À une exception près : un chauffeur de taxi, furieux de ne pas avoir reçu de pourboire de clients conduits au théâtre. « C'est le majordome qu'a fait le coup ! » leur cria-t-il. Ce n'était pas bien méchant : il n'y en a pas dans la pièce !

En France, *la Cantatrice chauve*, d'Eugène Ionesco, détient le record du

Depuis la première en 1952, avec Richard Attenborough et Sheila Sim en vedettes, 230 acteurs et actrices ainsi que 180 doublures ont joué la Souricière.

nombre de représentations. Créée aux Noctambules en 1950, cette pièce est jouée au théâtre de la Huchette, à Paris, depuis le 16 février 1957, sans aucune interruption.

LINCOLN MORT OU VIF

Comment un jeune acteur a modifié l'histoire

Washington, le 14 avril 1865. Au théâtre Ford, le jeune acteur sudiste John Wilkes Booth se prépare au plus grand rôle dramatique de sa vie : assassiner le président des États-Unis.

Booth parvient sans difficulté jusqu'à la loge où Abraham Lincoln et son épouse assistent au dernier acte de *Notre cousin d'Amérique*. Il attend une réplique qui ne manque jamais de déclencher un tonnerre d'applaudissements, ouvre sans faire de bruit la porte de la loge, vise la nuque du président et tire. Dans la confusion qui suit, il plonge sur la scène, bondit sur le cheval qui l'attend derrière le théâtre et s'enfuit à bride abattue.

Abraham Lincoln, grièvement touché, mourra le lendemain matin des suites de ses blessures. Booth a changé le cours de l'histoire. Mais qui est-il, et pourquoi a-t-il commis ce meurtre ? C'est un acteur connu : ses cachets dépassent 20 000 dollars par an. Mais c'est aussi un adversaire acharné de la proclamation d'émancipation, par laquelle Lincoln a promis la liberté à tous les esclaves des États-Unis sudistes.

Enlever Lincoln

Un mois plus tôt, Booth voulait enlever Lincoln et le remettre au gouvernement confédéré sudiste, afin de l'échanger contre des prisonniers de la guerre de Sécession. Avec des complices, il intercepte la voiture du président le 17 mars, sur le chemin d'un théâtre. Mais Lincoln n'y est pas. Booth prépare une deuxième tentative, au théâtre Ford. Las : quand tout est prêt, le gouvernement confédéré est déjà tombé. L'acteur joue son va-tout : en tuant Lincoln, il espère déclencher aussitôt dans le Nord une révolution qui servira et sauvera le Sud.

Après sa fuite, il franchit le Potomac et passe en Virginie, où il semble pouvoir éviter l'arrestation. Mais le 26 avril, des soldats nordistes parviennent à le cerner dans une grange remplie de tabac. Ils décident d'y mettre le feu pour le débusquer. Il sera abattu en tentant d'échapper aux flammes.

CITÉ DE RÊVES

Une orangeraie nommée Hollywood

Si un nom évoque le cinéma, c'est bien celui de Hollywood, si fier qu'il s'étale sur les hauteurs de Los Angeles en lettres aussi grandes qu'un immeuble de cinq étages. Au départ, Hollywood ne groupait qu'une série d'orangeraies poussiéreuses.

L'endroit fut acheté vers 1880 par le promoteur immobilier Horace H. Wilcox et nommé Hollywood par son épouse, Daeida, d'après la résidence d'un ami de Chicago. Wilcox, chaud partisan de la prohibition, voulait y établir une communauté religieuse d'où l'alcool serait banni. La réalité fut tout autre. Quand Hollywood fut intégré à Los Angeles, en 1910, les premiers cinéastes y étaient déjà grâce aux conditions de tournage idéales du Sud californien : soleil généreux et richesse des décors naturels, du désert à la forêt en passant par l'océan et la montagne.

En 1913, Cecil B. De Mille rencontra un succès immédiat avec *le Mari de l'Indienne*, que des histoires du cinéma retiendront, à tort, comme le premier film tourné à Hollywood. Sous sa houlette, la jeune société Paramount se mit à prospérer. De nombreux autres studios hollywoodiens voient le jour : Vitagraph, Universal, Lubin, Fox, Triangle, Famous Players Lasky, Warner, Chaplin et Pickford Fairbanks. En 1920, Hollywood était devenue la capitale incontestée du cinéma mondial.

Une renommée internationale

Pendant les trente ans qui suivirent, son prestige et ses cachets attirèrent la crème mondiale des scénaristes, producteurs, réalisateurs et acteurs. Cinq grandes compagnies dominèrent dès lors le marché : Paramount, MGM, Fox, Warner Bros et RKO.

Pourtant, cette ville de stars n'est qu'un faubourg de l'énorme agglomération de Los Angeles, qui, pour citer Raymond Chandler, maître du roman noir, « a autant de personnalité qu'un gobelet en carton ».

Le cinéaste américain Cecil B. De Mille (assis) tourna le Mari de l'Indienne en 1913. La plupart des histoires du cinéma feront à tort de ce long-métrage le premier film hollywoodien.

ARCHÉOLOGIE ET CARTON-PÂTE

Le réalisateur de documentaires Peter Brosnan et l'anthropologue Brian Fagan ont un grand projet de fouilles archéologiques : ce n'est pas une véritable cité antique qu'ils souhaitent découvrir, mais ils veulent en reconstruire une en bois et en carton-pâte à Hollywood.

S'ils parviennent à réunir un budget suffisant, il ne leur restera plus qu'à passer au peigne fin les dunes de Guadalupe dans la baie de Californie, au Mexique. C'est là que Cecil B. De Mille tourna la version muette des *Dix Commandements* en 1923.

Cette année-là, le metteur en scène et une équipe de 2 500 acteurs, techniciens, extras s'établirent sur le site où allait être reconstruite la ville de Ram-

sès II. Un groupe de 1 000 ouvriers s'attela à la construction de quatre statues du pharaon — aussi hautes que des immeubles de trois étages —, de sphinx mesurant jusqu'à 30 m de haut, et d'une large avenue menant au palais du maître de l'Égypte.

Après le dernier tour de manivelle, Cecil B. De Mille trouva un moyen économique et rapide de faire disparaître ces énormes décors : les enterrer dans le sable. Mais il avait aussi prévu les travaux de Brosnan et Fagan, comme en témoigne son autobiographie : « Si, dans mille ans, des archéologues se mettent à fouiller les sables de Guadalupe, y écrit-il, j'espère qu'ils ne vont pas aussitôt écrire noir sur blanc que la civilisation égyptienne, loin de se limiter à la vallée du Nil, s'étendait jusqu'à la côte pacifique de l'Amérique du Nord. »

DÉCORS ET DÉCORUM
De fidèles reconstitutions

D e tous les films historiques tournés par Douglas Fairbanks, *Robin des bois* (1922) eut sans doute les décors les plus imposants. La pièce maîtresse, bâtie à Pasadena (Californie), était une reconstitution fidèle du château de Nottingham. Cette énorme bâtisse de plâtre reste à ce jour la structure la plus impressionnante jamais construite pour le cinéma. Dessinée par Wilfred Buckland, elle mesurait 140 m de long sur 30 de haut et fut érigée en deux mois à peine par une équipe de 500 hommes.

Robin des bois fut un triomphe, grâce aux batailles échevelées et aux plans à grand spectacle tournés sur les murailles.

Folie des grandeurs

En 1989, *Batman* se distingua lui aussi par l'ampleur de ses décors. Le chef décorateur Anton Furst construisit une ville entière dans les studios anglais de Pinewood : Gotham City, métropole futuriste inspirée des quartiers les plus

pauvres de New York. Le tout s'étendait sur quelque 38 ha et exigea plus de 90 km d'échafaudages. On bâtit à la fois une ville grandeur nature et une maquette de 1,5 m de haut.

Plus récemment, le tournage du film français *les Amants du Pont-Neuf* (1991) de Leos Carax nécessita la reproduction du célèbre pont parisien et des deux rives de la Seine, en pleine campagne. Il était en effet impensable de bloquer pendant des mois la circulation de tout un quartier de Paris. Les décors grandioses – ils s'étendaient sur 15 ha et ont exigé 10 000 m² de contreplaqué –, construits à Lansargue près de Montpellier, furent commencés en 1988 et coûtèrent 35 millions ! Mais l'illusion fut totale : la réplique fidèle des bords de Seine trompa l'œil du plus averti des spectateurs.

Mais le plateau le plus grand de tous les temps reste celui de *la Chute de l'Empire romain*, produit en 1964 par Samuel Bronston : on reconstruisit carrément le forum de la Rome antique

Le plus grand plateau de l'histoire du cinéma est celui du Forum, conçu en 1964 par Veniero Colosanti et John Moore pour la Chute de l'Empire romain.

sur 9 ha, près de Madrid. En sept mois, 11 000 ouvriers y érigèrent plus de 350 statues, posèrent 6 700 m d'escaliers et construisirent 27 immeubles.

LE SAVIEZ-VOUS ?

Le film américain Autant en emporte le vent (1939), réalisé par Victor Fleming, d'après le roman de Margaret Mitchell, a été vu par 120 millions de spectateurs du monde entier, touchés par les aventures de Scarlett O'Hara (Vivien Leigh) et Rhett Butler (Clark Gable) !
En France, le film qui a remporté le plus vif succès en salle est la Grande Vadrouille (1966), de Gérard Oury, avec pour acteurs principaux Bourvil et Louis de Funès. Il a été vu par plus de 17 millions de spectateurs.

COURSE-POURSUITE

Compte tenu de l'amour des Américains pour l'automobile, il n'est pas étonnant que les poursuites en voiture tiennent une telle place dans les films hollywoodiens. L'un des grands spécialistes de ces cascades est Carey Loftin, qui régla avec Steve McQueen les douze minutes de poursuite de *Bullitt* (1968), la référence du genre. À l'époque, les scènes de voiture se filmaient en studio : la voiture ne bougeait pas et la projection d'un film à l'arrière-plan créait l'illusion du mouvement.

Mais pour *Bullitt*, qui fut un très grand succès commercial, l'innovation majeure fut de tourner les filatures sur le vif, avec des caméras boulonnées à l'intérieur des voitures.

Steve McQueen, qui n'était pas doublé, poursuivait à près de 200 km/h des tueurs dans les rues abruptes de San Francisco. Les voitures partaient souvent en vol plané et il fallut les renforcer pour qu'elles résistent à ce régime d'enfer. Pour tourner le dernier plan, où le véhicule des tueurs explose en une gerbe de feu, on utilisa une voiture téléguidée. Aujourd'hui encore, un seul adjectif convient pour qualifier le tournage de ce film policier de Peter Yates : terrifiant.

LE RISQUE EST LEUR MÉTIER
Quand les casse-cou sont de grands professionnels

Les scènes d'action, des rixes de bar aux voltiges aériennes les plus audacieuses, ont toujours tenu une place importance au cinéma. Le septième art a, dès ses origines, fait appel à des cascadeurs.

À l'époque héroïque du muet, après la Première Guerre mondiale, les casse-cou de Hollywood formaient une bande d'anciens cow-boys, d'ex-aviateurs militaires, de pilotes de course ou d'acrobates. Chacun avait sa spécialité.

Plaies et bosses

Pendant les années 1920, le cinéma devint affaire de stars. Les studios confièrent alors de plus de plus à des cascadeurs les scènes jugées trop dangereuses pour leurs vedettes. Les acteurs de films d'action racontaient volontiers qu'ils tournaient sans doublure, ce qui était rarement vrai. Douglas Fairbanks lui-même, pourtant très sportif, avait parfois recours à ses cascadeurs attitrés.

À part plaies et bosses, ou au pis une fracture, les accidents graves ont été rares : les cascadeurs ont eu tôt fait d'élaborer des techniques permettant des séquences spectaculaires dans une sécurité maximale. Une catastrophe reste néanmoins possible, et cette seule raison justifie le respect et les cachets dont jouit la profession.

Dans le petit monde du cinéma, certains professionnels sont des légendes, notamment Paul Mantz. Aux commandes d'une forteresse volante B-17, il réalisa un extraordinaire atterrissage sur le ventre en 1949 dans *Un homme de fer*, où il doublait Gregory Peck. Cet exploit lui fut payé 6 000 dollars, somme considérable à l'époque. La chance finit hélas par l'abandonner : il trouva la mort seize ans plus tard en tournant une scène similaire dans *le Vol du Phénix*.

Dans *Highpoint* (1979), on voit Dar Robinson réussir une chute libre de 360 m du haut d'un gratte-ciel de Toronto, pour laquelle il aurait touché 150 000 dollars. Robinson avait préparé sa cascade en sautant d'un avion et fit le calcul suivant : six secondes de chute libre, trois secondes pour ouvrir le parachute, une seconde pour atterrir en douceur.

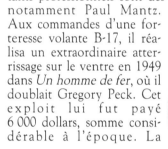

Les stars du muet telles que Monty Banks – ici, accroché à la voiture – se chargeaient souvent des cascades.

UN SUCCÈS FRACASSANT
Course de chars en toute sécurité

Yakima Canutt, qui avait souvent doublé John Wayne, abandonna la cascade en 1945 pour se consacrer à la préparation et au tournage de scènes d'action.

Ce cavalier émérite tenait absolument à ce que les cascades très spectaculaires soient réalisées en toute sécurité. Pour *Ivanhoé* (film de Richard Thorpe datant de 1952), il apprit à ses cascadeurs l'art de tomber de cheval sans se faire mal ni blesser l'animal, grâce à un truc simple et efficace : la chute devait avoir lieu dans des fosses de sable bourrées d'herbe, à la fois pour les camoufler et pour amortir le choc.

Canutt dirigea aussi l'équipe des effets spéciaux de *Ben Hur*, en 1959. Le morceau de bravoure en est une course de chars de douze minutes gagnée par Charlton Heston sous les acclamations

de 8 000 figurants. Canutt acheta 78 chevaux pour l'occasion et apprit à Heston ainsi qu'aux autres acteurs la conduite du quadrige. L'épisode le plus spectaculaire est le moment où le char de Heston-Ben Hur bondit par-dessus les débris de deux chars accidentés. Ce plan fut confié à une doublure : Joe Canutt, propre fils de Yakima. La cascade ne se déroula pas au mieux : Joe Canutt tomba et se blessa le menton. Mais la scène, très impressionnante, a été conservée au montage et suscite un enthousiasme général. Il n'y eut pas d'autres blessés pendant son tournage : ni hommes, ni chevaux.

Le talent de Canutt fut consacré en 1967. Il reçut un prix récompensant à la fois ses résultats à l'écran et les systèmes de sécurité qu'il avait conçus pour ses cascadeurs.

Dans Ben Hur, *de William Wyler, Charlton Heston n'est doublé que pour la scène où son char bondit par-dessus les débris de deux autres chars.*

LE SAVIEZ-VOUS ?

The Junkman (le Brocanteur), réalisé en 1982 par H.B. Halicki, est le film le plus destructeur du grand écran : 150 véhicules y finissent à la ferraille. Le feuilleton télévisé Shériff, fais-moi peur a, avec plus de 300 voitures, fait encore pis.

Le premier cascadeur, l'Américain Frank Hanaway, fut embauché en 1903 dans l'Attaque du Grand Rapide parce qu'il pouvait tomber de cheval sans se blesser.

FLOPS EN STOCK
De la superproduction au bide monumental

La face cachée d'une production à très gros budget peut être aussi passionnante que le film lui-même, surtout si c'est un flop commercial. Avec ses stars, ses milliers de figurants et ses décors somptuaires, *Cléopâtre*, tourné en 1963, est le type même de la superproduction. Son budget, d'abord estimé à 2 millions de dollars, atteignit vite des sommets. Elizabeth Taylor coûtait excessivement cher. Elle exigeait un cachet de 1 million de dollars, deux appartements de luxe et une Rolls-Royce pour aller de l'hôtel au studio. Les 65 costumes de Cléopâtre, par exemple, revenaient à eux seuls à 130 000 dollars.

Le prix du succès

On embaucha des vedettes et des réalisateurs pour les licencier aussitôt. On tourna d'abord en Californie, puis à Rome et à Londres. On abandonna plusieurs scènes. On dut reconstruire des décors. Si bien que, huit mois après le début de cette odyssée, on n'avait tourné que dix minutes du film définitif. Quand *Cléopâtre* sortit enfin en salles, il avait coûté la somme extravagante de 40 millions de dollars.

Heureusement, son succès permit de réaliser des bénéfices. Ce n'est pas le cas de *la Porte du paradis*, de Michael Cimino (1980), western considéré comme le bide le plus somptueux de l'histoire du cinéma. Sa réalisation coûta 57 millions de dollars, mais son exploitation en Amérique du Nord ne rapporta que 1 million et demi.

Authenticité d'abord

Michael Cimino avait décidé que rien ne serait trop cher pour dépeindre fidèlement l'Amérique des pionniers. Il reconstitua toute une ville, entreprit des recherches pour que les costumes soient authentiques et fit apprendre le patinage, la valse et le maniement des armes d'époque à des centaines de figurants. On tourna deux cents heures de rushes, soit 400 km de pellicule, pour en tirer un film de deux heures commercialement viable. Au montage, Cimino sortit une version de cinq heures 25. Mais le film définitif fut encore réduit à deux heures et demie.

Tous ces efforts furent vains, car *la Porte du paradis* fut éreinté par la critique américaine et boudé par les spectateurs. Il valut pendant plusieurs années à Cimino le surnom de « l'homme qui a tué le western », et ce genre fut abandonné par les studios pendant près de dix ans.

Mais la leçon n'a pas suffi. En 1989, le réalisateur Terry Gilliam filma une nouvelle version des *Aventures du baron de Münchhausen*. Le climat de la production fut empoisonné par les querelles, les changements de lieux de tournage et le départ des principaux acteurs juste avant le premier tour de manivelle. Gilliam reconnaît que le film a « coûté moins de 40 millions de dollars. Disons peut-être 1 dollar de moins », ce qui donne une idée de l'énormité des budgets cinématographiques. La rapidité avec laquelle le film est sorti en vidéo-cassette est par ailleurs révélatrice de son échec en salles.

Cette scène somptueuse de la Porte du paradis *a coûté une fortune en costumes et en leçons de danse.*

LE CINÉMA À LA POINTE DE LA TECHNIQUE
Comment « rentrer dans le film »

Le procédé IMAX, mis au point par une société canadienne, est une véritable révolution dans le monde cinématographique de ces dernières années.

Dans les fauteuils très inclinés d'une salle IMAX (pour « Image maximale »), les spectateurs regardent des documentaires, comme *les Nomades des profondeurs* (1979), où ils accompagnent des baleines en plongée, ou encore *Le rêve a pris corps* (1985), qui les fait participer à un vol d'une demi-heure en orbite basse dans la navette spatiale. Ces films sont projetés sur écran plat avec un objectif à grand angle (IMAX) ou sur un écran en forme de dôme avec un objectif en « œil de poisson » (OMNIMAX).

Écran géant

L'écran peut être aussi haut qu'un immeuble de sept étages, soit dix fois plus qu'un modèle classique. L'image remplit presque le champ visuel du spectateur, ce qui lui donne l'impression d'être dans le film. L'IMAX et l'OMNIMAX ont un succès énorme : 25 millions de spectateurs en 1987. Pourtant, aucun long métrage n'a encore été tourné avec ces procédés : par rapport à une production habituelle, le surcoût serait de plusieurs millions de dollars.

L'IMAX utilise la pellicule 70 mm, qui est la plus large, mais avec un cadrage trois fois supérieur et donc une

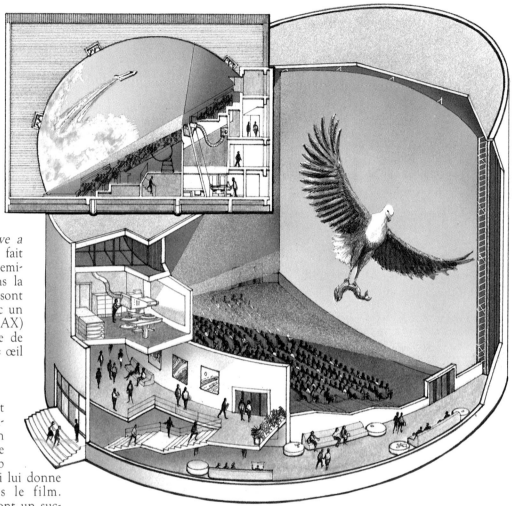

forte capacité d'agrandissement. Dans le format habituel, chaque image est guidée par cinq perforations (disposées sur les bords de la pellicule, elles permettent son entraînement par des roues dentées). L'image IMAX en compte quinze, ce qui lui donne une grande stabilité. La pellicule est à la fois guidée dans le projecteur et plaquée par aspiration contre le dernier élément de l'objectif, pour un maximum de clarté. Pour parfaire le tout, l'enregistrement numérique sur six pistes donne une bande sonore particulièrement réaliste.

Les origines de l'IMAX remontent au succès rencontré par la projection multi-écrans à l'Exposition internationale de Montréal, en 1967. Certains professionnels reçurent commande, pour l'exposition d'Osaka, en 1970, d'un format d'écran différent.

Dans le procédé IMAX (ci-dessus), l'écran plat emplit tout le mur. Avec l'OMNIMAX (cartouche), il s'agit d'une vaste surface concave sur laquelle les images sont projetées avec un objectif en œil de poisson.

Les projections IMAX exigent des salles spéciales. Celle de la Géode, à la Cité des sciences et de l'industrie à La Villette, dans le nord de Paris, possède le plus grand écran sphérique. Il a une surface de 1 000 m² et un diamètre de 26 m. En 1989, la Géode, avec ses 357 places, avait déjà accueilli plus d'un million de spectateurs. En 1990, il y avait plus de 90 salles dans 14 pays. Bien que peu susceptible de remplacer le cinéma classique, le procédé n'en donne pas moins au spectateur des sensations plus fortes que les meilleurs effets spéciaux de Hollywood.

L'ESPRIT SPORTIF

L'essentiel est de participer

Tout a commencé en 776 avant J.-C. par une course à pied d'environ 200 m, disputée en un seul jour sur le stade d'Olympie, dans le Péloponnèse. Athlètes, poètes et artistes s'y retrouvèrent ensuite tous les quatre ans en l'honneur du dieu Zeus. Les jeux, d'abord limités au stade (course à pied sur 192,27 m) furent bientôt portés à cinq jours pour inclure notamment la lutte, le pugilat et le pentathlon (stade, saut, disque, javelot et lutte). Tout vainqueur devenait un héros, et les jeux rythmaient la vie des Grecs, qui nommaient « olympiade » l'intervalle de quatre ans les séparant.

Ils durèrent quelque 1 200 ans, jusqu'à leur interdiction pour paganisme par l'empereur chrétien de Rome Théodose Ier, en 393. Il fallut attendre un millénaire et demi pour que le baron français Pierre de Coubertin (1863-1937) parvienne à recréer leur esprit de fête et de compétition. Sa famille aurait voulu qu'il fût officier. Mais le baron, convaincu de mieux servir la cause

de la paix en organisant des rencontres régulières d'athlètes amateurs, consacra toute son énergie à réaliser ce rêve. Pendant les années 1890, il s'employa à obtenir des associations sportives internationales qu'elles ressuscitent le nom et l'esprit des jeux Olympiques. Sa ténacité fut récompensée : en 1896, le roi Georges Ier de Grèce ouvrit les premiers Jeux modernes à Athènes.

À la différence de leurs ancêtres, ils n'ont pas permis de surmonter les inimitiés entre États, et il a fallu les suspendre pendant les deux guerres mondiales. Les réalités économiques aussi ont mis à mal le principe de l'olympisme amateur. Et la politique a maintes fois dicté le choix des participants. Mais grâce à Pierre de Coubertin, auteur de la formule célèbre : « L'essentiel n'est pas de vaincre, mais de participer », gagner une épreuve olympique a retrouvé son prestige.

Le marathon des premiers Jeux modernes, en 1896, fut gagné en un peu moins de trois heures par le Grec Spiridon Louis.

RECORDS À BATTRE

Les Grecs d'Olympie feraient encore bonne figure

Il y a quelque 2 600 ans, deux athlètes grecs particulièrement entraînés établirent des records olympiques tellement exceptionnels qu'ils ne furent battus qu'au XXe siècle !

Les deux hommes, Protiselaus et Chionis, se distinguèrent respectivement au lancer du disque et au saut en longueur aux jeux Olympiques de 656 avant J.-C. Protiselaus lança le disque à la distance prodigieuse de 46,32 m. Ce record olympique ne fut battu qu'en 1928 par l'Américain Clarence Houser, qui lança son disque à 47,32 m. Un autre Américain, Alvin C. Kraenzlein, avait surpassé les 7,05 m de Chionis dès 1900. Mais de 115 mm à peine.

Les performances de Protiselaus et de Chionis avaient dû paraître extraordinaires à l'époque, car les chroniques grecques ne mentionnaient d'ordinaire que les vainqueurs des épreuves de course à pied. Tout ce qui comptait pour les athlètes était de gagner la compétition : peu importait de faire mieux que des concurrents des jeux précédents.

Les tout premiers jeux Olympiques ne comprenaient que très peu d'épreuves d'athlétisme. Il n'y avait, en effet, que trois courses à pied : une longueur de stade, soit 192,27 m, appelée *stadion*, deux longueurs (*diaulos*) et une course de fond d'un peu moins de 5 km (*dolichos*), plus le saut en longueur, le disque et le javelot.

De sérieux concurrents

Si une machine à voyager dans le temps pouvait transporter nos deux athlètes sur un stade olympique moderne, susciteraient-ils encore l'admiration ? Sans doute que oui.

Protiselaus battrait facilement son propre record avec un disque moderne de 2 kg, plus aérodynamique et sans doute plus léger que le sien, d'après les archéologues.

Par ailleurs, il devait réaliser ses lancers presque sans bouger. La technique actuelle de lancer par rotation du corps lui ferait sûrement faire des merveilles.

Le cas de Chionis est plus problématique. Il semble très probable qu'il sautait en tenant dans chaque main des sortes d'haltères, dont il utilisait le balancement au moment voulu pour se propulser en avant. Pour bizarre que soit cette méthode, sa performance reste impressionnante, et la plupart des athlètes modernes verraient en lui un concurrent très sérieux.

La plupart, sauf trois Américains qui battraient à plate couture tous leurs concurrents antiques. C'est d'abord le

Aux jeux de Berlin, en 1936, Jesse Owens établit à 8,05 m un record du monde. Son saut de 1935, plus long, n'était pas encore homologué.

Le record de Mike Powell (8,95 m) est d'autant plus remarquable qu'il n'a pas été réalisé en altitude, à la différence de celui de Bob Beamon (8,90 m, ci-dessus), obtenu aux jeux de Mexico, à près de 2 500 m d'altitude.

légendaire Jesse Owens qui, le 25 mai 1935, fut le premier à franchir la barre des 8 m par un bond phénoménal de 8,13 m. Ce record fantastique tint trente-trois ans, quatre mois et dix-huit jours, pas moins (ce qui est aussi un record de durée).

Il ne fut battu que le 13 octobre 1968 par l'athlète Bob Beamon aux jeux Olympiques de Mexico, qui fit un saut de 8,90 m si magique que les experts de l'époque le crurent pratiquement imbattable. Ils se trompaient : en effet, le 30 août 1991, Mike Powell a fait encore mieux en parvenant à sauter 8,95 m aux championnats du monde d'athlétisme, à Tōkyō.

Désormais, l'objectif est d'atteindre 9 m. Qui est le Chionis qui l'atteindra et quand réalisera-t-il une telle performance ? Les paris sont ouverts.

À QUEL JEU JOUEZ-VOUS ?
L'origine des sports nationaux

Prétendre que le base-ball vient des États-Unis est une ânerie : il n'est pas plus américain que le football n'est anglais ou le golf écossais. Et les origines d'autres sports sont tout aussi douteuses.

Golf chinois

La première référence au golf en Écosse est son décret d'interdiction, prononcé en 1457 par le Parlement : le peuple l'aimait tant qu'il en négligeait le tir à l'arc, essentiel à la défense du royaume.

Mais le golf n'est pas né en Écosse. On trouve la trace d'un sport similaire en Chine, le *Ch'ui Wan*, dès le IIIe siècle avant J.-C. En débarquant en Grande-Bretagne, quelque deux cents ans après, les légions romaines apportèrent la *paganica*, qui se jouait avec une canne recourbée et une balle de cuir bourrée de plumes. Le nom du golf vient peut-être du hollandais *kolf*, canne. Il se jouait certes aux Pays-Bas, au XVIIe siècle, mais avec une balle grosse comme un pamplemousse. De plus, les Anglais aiment agacer les Écossais en assurant que le golf vient de chez eux, comme en témoignerait un vitrail de la cathédrale de Gloucester – ville à l'ouest de l'Angleterre –, datant de 1350, dont un personnage ressemble à un golfeur.

Basket précolombien

Le basket-ball est censé être d'origine canadienne. Cependant, les Olmèques, qui peuplaient une partie du Mexique actuel au Xe siècle avant J.-C., n'auraient sûrement pas eu de mal à en apprendre les règles. Leur *pok-ta-pok* y

ressemblait beaucoup, mais c'était un rite religieux de fertilité.

Aztèques et Mayas avaient eux aussi leur version du basket, jouée avec une balle de caoutchouc dur. Le terrain était délimité par de hauts murs. Deux anneaux de pierre étaient scellés dans les angles. La première équipe parvenant à faire passer la balle dans l'un des anneaux gagnait la partie. Cela devait être rare : les anneaux étaient petits, fixés à 6 m du sol et il était interdit de toucher la balle avec les mains. Les passes se faisaient à coups de genoux, de coudes et de hanches. Mais cela valait la peine de se donner du mal, car le vainqueur avait droit aux vêtements et bijoux du public !

Partie de Kegelspiel (jeu de quilles) en Allemagne au XVIIe siècle. Ce jeu symbolisait alors pour l'Église la lutte du bien et du mal.

Des prisonniers nordistes jouent au base-ball dans un camp de Caroline du Nord, en 1862. Règles et clubs avaient été constitués avant la guerre de Sécession, pendant laquelle ce sport ne fut guère pratiqué.

Si les Canadiens disent avoir inventé le basket, c'est que sa version actuelle a été définie en 1891 par l'un d'eux, le docteur James A. Naismith. Mais il habitait Springfield, dans l'État américain du Massachusetts, où fut disputée la première partie.

Parties et paris

Le bowling à neuf quilles a été importé en Amérique au XVIIe siècle par des immigrants allemands. Lorsqu'il fit son

LE SAVIEZ-VOUS ?

L'Allemagne médiévale a inventé le jeu de quilles. Celles-ci étaient alors à la fois des armes et des instruments de culture physique, pour développer bras et poignets. On les emportait partout, même à l'église. Aussi le clergé déclara-t-il qu'elles symbolisaient le paganisme. Les renverser avec une boule représentait la victoire du bien sur le mal. Ce symbolisme religieux est oublié depuis longtemps, mais le jeu, devenu bowling, est toujours très prisé outre-Rhin. Jusqu'au XVIe siècle, le nombre de quilles importait peu. C'est Luther qui, d'après la tradition, l'aurait fixé à neuf. En France, l'apparition du jeu de quilles daterait du XIVe siècle.

entrée dans la littérature en 1819, avec le roman *Rip van Winkle*, de l'essayiste et historien américain Washington Irving, on y jouait dans tous les États-Unis. En 1830, il donnait lieu à des paris importants.

La pègre s'en mêla et truqua parties et paris, qui furent les unes et les autres interdits par plusieurs États pendant les années 1840. Pour tourner la loi, les adeptes du jeu ajoutèrent une quille, créant ainsi un nouveau sport.

Mystification

L'histoire du base-ball a donné lieu à une superbe mystification. En 1907, le fabricant d'articles de sport Albert Spalding créa une commission chargée de retrouver les origines du jeu. Celle-ci fut formelle : le base-ball avait été inventé en 1839 à Cooperstown, dans l'État de New York, par Abner Doubleday. Sur la foi de ces conclusions, on ouvrit un musée du base-ball et on aménagea un terrain à Cooperstown, qui devint un centre touristique important.

À la veille des cérémonies du centenaire, en 1939, un historien découvrit le pot aux roses : le rapport de la commission était surtout dû à l'imagination de son président, Abraham G. Mills. Il avait bien connu Abner Doubleday, mais celui-ci n'avait sans doute jamais entendu parler du base-ball, ni même mis les pieds à Cooperstown en 1839 !

C'est à un pasteur anglais du Kent qu'on doit, en 1700, la première référence à un jeu nommé base-ball. Le saint homme s'indignait qu'on y jouât le dimanche. Il s'agissait tout simplement de la « balle au camp », pratiquée en Angleterre depuis le Moyen Âge, surtout par les enfants.

Intervillages

À la différence du cricket, le football n'est pas anglais : apporté par les légions romaines, il est lui aussi originaire de Chine, où on y jouait depuis au moins l'an 200 avant J.-C.

Les premiers matches de football anglais, toujours pratiqués dans certaines bourgades, devaient être un cauchemar d'arbitre : ils opposaient des équipes de villages voisins pouvant atteindre 500 joueurs, et les buts étaient parfois éloignés de 5 à 6 km.

En France, on jouait à un jeu très semblable au football, depuis le Moyen Âge. Connu sous le nom de « soule », il était surtout pratiqué en Bretagne et en Picardie.

DES MONTAGNES DE CHAIR
Le rituel du lutteur de sumo

Le choc qui a lieu entre deux lutteurs de sumo est si violent qu'il y a de quoi se demander comment ils y survivent. À l'origine, les combats étaient d'ailleurs souvent mortels. Aujourd'hui, le but des quelque 800 lutteurs professionnels du Japon – les *rikishi* – est de devenir *yokozuna*, ou champion suprême, ce qui est un très grand honneur.

Les lois du sumo, premier art martial japonais, sont si strictes qu'il n'y a eu que 62 *yokozuna* en deux mille ans d'existence. Elles ont peu varié pendant ce temps et sont indissociables du shintoïsme : le vainqueur a la faveur des dieux, ce qui explique le rituel compliqué des combats.

Enceinte sacrée

En entrant sur le ring d'argile, enceinte sacrée de 4,6 m de diamètre, le *rikishi* frappe dans ses mains pour attirer l'attention des dieux et montrer la pureté de son cœur. Il secoue le tissu qui lui ceint les hanches pour chasser les mauvais esprits et lève les bras pour montrer qu'il n'est pas armé.

Vient ensuite la posture la plus impressionnante, le *shiko*. Main gauche sur le cœur et bras droit tendu vers l'est, le lutteur lève la jambe droite le plus haut possible puis frappe le sol de toutes ses forces. Même chose avec la jambe gauche.

Il peut alors procéder à sa purification et à celle du ring en jetant du sel,

en s'essuyant et en se rinçant la bouche avec de l'eau, avant deux ou trois minutes de grimaces et de poses menaçantes pour effrayer l'adversaire.

Choc de géants

Le combat est bref et brutal. Il est interdit de frapper avec le poing, de tirer les cheveux, de viser les yeux ou l'estomac, d'attraper le pan du cache-sexe recouvrant les parties génitales ou d'étouffer l'adversaire. Tout le reste est permis. Il en résulte un choc énorme excédant rarement dix secondes. Les *rikishi* se ruent l'un contre l'autre, et le combat se termine par la projection de l'un d'eux sur le sol ou hors du ring.

Le lutteur doit être rapide, souple et très lourd, ce qui est un avantage essentiel. Il engloutit donc d'énormes portions de ragoût hyperprotéiné pour déplacer son centre de gravité vers le bas du corps. Le *rikishi* moyen pèse environ 135 kg. Mais le plus lourd, Konishiki, est parvenu en 1988 à 252 kg, soit plus de trois fois le poids d'un homme normal.

LE SAVIEZ-VOUS ?

Tous les lutteurs de sumo doivent faire partie d'une « écurie », ou heya. À l'exception des plus performants, ils vivent en célibataires dans des sortes de casernes.

* * *

Après leur carrière professionnelle, les rikishi maigrissent rapidement et parviennent en quelques mois à retrouver un poids normal pour leur taille. Mais toutes ces années de surcharge pondérale se paient très cher : leur espérance de vie n'est que de soixante-quatre ans.

Ce geste très impressionnant, appelé shiko, *est censé chasser les mauvais esprits.*

LA MAGIE DE LA DANSE

Le rythme des dieux peut apporter pluie et guérison

Là où il y a l'homme, il y a la danse. Pour la plupart des peuples dits « civilisés », ce n'est qu'un agréable passe-temps pour jeunes et moins jeunes. Mais dans bien des sociétés, c'est toujours un rituel qui définit les étapes de la vie et permet de communiquer avec les dieux.

On danse alors pour que les récoltes soient bonnes et que la chasse soit abondante, pour faire venir la pluie, pour vaincre la maladie, pour écraser l'ennemi... Selon la circonstance, la danse est prière, la danse est magie.

Elle peut imiter l'animal. C'est ainsi que les chasseurs aborigènes de la tribu Kemmirai, en Australie, amusent et apaisent les esprits du gibier en bondissant de tous les côtés, en se grattant et en reproduisant les gestes des kangourous qu'ils sont sur le point de tuer. Et les Indiens Tewa du Nouveau-Mexique imitent le galop, les frissons et les mouvements de tête du daim qu'ils pourchassent.

Ces danseurs de l'île de Bali entrent en transe et pressent sur leur poitrine leur poignard à lame ondulée appelé kriss.

Des motivations variées

Les Indiens des grandes plaines d'Amérique du Nord dansent pour faire venir la pluie : les Sioux remplissent d'eau un pot, en font quatre fois le tour et se jettent sur le sol pour venir y boire. On danse pour la survie d'un homme ou d'une tribu tout entière. Comme les Esquimaux, les Indiens d'Amazonie ont des chamans, ou prêtres, qui dansent frénétiquement pour entrer dans le monde des esprits et en ramener l'âme du mourant. Au Sri Lanka, les « danseurs du diable » sont des exorcistes. Dans l'État de New York, les Iroquois

abordent la maladie avec bonne humeur : le sorcier détermine d'abord d'où vient l'affection ; ensuite, il prescrit une danse rituelle pour apaiser le coupable, qui est souvent l'esprit d'un animal. La danse reproduira le comportement de la bête, les danseurs allant jusqu'à manger sa provende favorite, et se terminera par de bruyantes effusions auprès du patient.

Une immuable chorégraphie

Dans ces sociétés, la danse marque toutes les phases critiques de la vie : la naissance, la puberté, le mariage et la mort. Le plus frappant pour un Occidental, c'est que cette chorégraphie rituelle associe rarement hommes et femmes. De plus, les gestes sont immuables. À tel point que, dit-on, les vieillards de Gaua, dans les îles Vanuatre, en surveillent jalousement le respect. Malheur à qui ferait un faux pas : ils le transperceraient aussitôt d'une flèche.

BAL, PETIT BAL
L'Europe médiévale et la danse de Saint-Guy

Comme chaque année, toute l'Allemagne était venue fêter la Saint-Jean à Aix-la-Chapelle. Mais la fête fut inhabituelle : les badauds se mirent à danser sans raison apparente, jusqu'à épuisement, l'écume aux lèvres. Et cet étrange emportement se répandit par toute la ville, où tout le monde finit par sauter et virer à qui mieux mieux, dans les rues peu à peu jonchées de corps inertes.

La sarabande

Quelques danseurs acharnés eurent assez de forces pour porter leurs pas dans d'autres villes, une fois la fête terminée. Une poignée de gredins les suivirent, guettant le moment où ils pourraient profiter de la situation. La sarabande connut partout la même contagion qu'à Aix-la-Chapelle, y compris auprès des plus raisonnables.

Au début du XVᵉ siècle, des événements similaires eurent lieu dans toute l'Europe. En 1418, à Strasbourg, un groupe de danseurs impénitents furent conduits à la chapelle dédiée à saint Guy, réputé guérir les convulsions. Cette affliction fut dès lors connue sous le nom de « danse de Saint-Guy » (ce terme désigne aujourd'hui une affection nerveuse du nom savant de chorée de Sydenham). Le phénomène dura jusqu'au XVIIIᵉ siècle : il y eut des épidémies en France, en Belgique, en Hollande, en Italie et en Écosse.

Historiens et psychologues y ont fourni plusieurs explications. La Saint-Jean était une version à peine christianisée de la fête païenne de la mi-été. L'année 1374 correspond à la dernière grande épidémie de peste noire, qui fit perdre à l'Europe près du tiers de sa population. Les festivités furent peut-être l'occasion, pour la population d'Aix-la-Chapelle, d'exorciser ces années épouvantables. La « folie » et le soulagement qu'apportait la fête étaient contagieux, car toute l'Europe avait subi ce fléau.

Ergot de seigle

Il y a peut-être une explication plus prosaïque. Il est possible que certains danseurs aient été atteints de convulsions. Il faut aussi penser à une intoxication par l'ergot de seigle. Cette moisissure mortelle, qui se développe sur les céréales humides, peut provoquer des spasmes et des crampes, symptômes caractéristiques des victimes de la danse de Saint-Guy. L'été 1374 avait été humide et on avait certainement vendu du seigle ergoté à Aix-la-Chapelle. Mais cela ne permet pas d'expliquer la durée du phénomène.

LE PLUS GRAND DANSEUR DU MONDE
Nijinsky défiait les lois de la pesanteur

Vaslav Nijinsky avait seize ans quand il dansa pour la première fois seul sur scène, en 1907 à Saint-Pétersbourg. Le résultat fut prodigieux : le public lui fit une ovation et le qualifia de « huitième merveille du monde ».

Ce jeune danseur russe d'origine polonaise fut adulé des foules pour sa beauté, son style léger et expressif et son talent dramatique. Non content de sauter haut, il semblait défier les lois de la pesanteur en marquant un temps d'arrêt dans l'espace avant de redescendre sur terre, au ravissement des spectateurs. Comme le disait l'un d'eux, Nijinsky s'envolait « comme une fusée et retombait comme une plume ».

La rose et le faune

Son talent n'a jamais été mieux exploité que dans le *Spectre de la rose*, ballet spécialement créé pour lui à Paris en 1911. Vêtu d'un costume couvert de pétales de roses, il y faisait un bond spectaculaire à partir d'une fenêtre donnant sur la scène. On dit que l'habilleuse a fait fortune en vendant les pétales aux admiratrices.

Nijinsky connut aussi la polémique. En 1912, l'érotisme discret de sa chorégraphie, dans *l'Après-midi d'un faune*, fut jugé choquant par la critique. Elle évoqua « les mouvements crus et répugnants d'un faune lubrique », mais le ballet fit salle comble. Et la police refusa de l'interdire pour obscénité, comme le réclamaient ses détracteurs.

En 1913, Nijinsky donna au *Sacre du printemps* la chorégraphie avant-gardiste qui seyait à la musique d'Igor Stravinsky. Le ballet fut étouffé par les injures, les sifflets et les pugilats, et plusieurs danseuses fondirent en larmes. Aujourd'hui, c'est un classique.

La carrière de Nijinsky fut brève. Atteint de dépression nerveuse en 1916, il fut soigné pour schizophrénie. Il donna encore un récital privé en 1919, et abandonna la danse pour toujours. Il mourut en 1950, à Londres, mais sa légende est éternelle.

Dans le Spectre de la rose, *Nijinsky avait pour partenaire la ballerine Tamara Karsavina.*

ON ACHÈVE BIEN LES CHEVAUX

Les marathons de danse, ou la fortune par l'humiliation

En 1932, un jeune Américain tomba mort après avoir participé quarante-huit heures d'affilée à un marathon de danse. Au cours de ces marathons, certains concurrents se faisaient arracher des dents, se mariaient ou devenaient fous. Le premier marathon fut organisé en 1923 en Angleterre. Il dura neuf heures et demie. La même année, à New York, Alma Cummings tint vingt-sept heures et épuisa six cavaliers. Pendant les années 1930, ces concours, véritables jeux du cirque, devenus une grosse affaire, inspirèrent à Horace McCoy le roman *On achève bien les chevaux* (ce drame fut porté à l'écran par Sydney Pollack en 1969). On s'affrontait pour toucher le gros lot et obtenir jusqu'à huit repas gratuits par jour. Gagner ou arriver en finale garantissait la célébrité, fût-ce au prix de sa dignité et de sa santé. Le règlement était strict : chaque heure comportait quarante-cinq minu-

Cette concurrente s'effondre d'épuisement. Les marathons de danse fascinaient le public, qui payait pour voir les danseurs souffrir.

PHOTOS SOLD HERE MADE BY 'Rdm' Studio OPEN DAY & NIGHT.

tes de danse ininterrompue. Le reste était réservé au repos (pas au sommeil), aux premiers soins et aux besoins naturels. Et ce vingt-quatre heures sur vingt-quatre.

Au début, les concurrents dansaient vraiment le tango, le fox-trot ou la valse. Mais ils y renonçaient peu à peu et se contentaient de bouger.

Le public pouvait aller jusqu'à 5 000 spectateurs. Il apportait des cadeaux à ses concurrents favoris, lançait des paris et passait au crible tout ce qui arrivait aux danseurs – on allait jusqu'à s'enquérir des pansements qu'on leur posait aux pieds ou aux chevilles !

Si l'intérêt s'émoussait, les juges de piste imposaient aux concurrents épuisés des sketches comiques, des simulacres de mariage et même des combats de lutte dans la boue. Ils éliminaient sans pitié les plus faibles en accélérant la musique ou en leur donnant des coups de serviette mouillée dans les jambes.

Passer professionnel

Malgré ces humiliations, bien des concurrents devenaient professionnels. L'un d'eux, un ex-livreur de journaux nommé Stan West, « dansa » deux mille heures de suite en 1933.

D'après *le Livre Guinness des records*, le marathon le plus long eut lieu à Chicago en 1930 et dépassa trente semaines. Les pauses horaires, d'abord de vingt minutes, furent progressivement réduites à dix, puis à cinq minutes avant d'être supprimées. Le prix était de 2 000 dollars.

Les marathons de danse mêlaient le combat de gladiateurs, le sport et le radio crochet. Les États-Unis les interdirent en 1933, mais il y avait encore des tournois clandestins à la fin des années 1940.

LE SAVIEZ-VOUS ?

Quand la police new-yorkaise voulut interdire un championnat du monde de marathon de danse, au Roseland Ballroom, les organisateurs transférèrent les concurrents – qui dansaient toujours – dans un camion, puis dans un bateau qui quitta les eaux territoriales, hors de portée de la loi. Ils avaient tout prévu. Sauf le mal de mer des danseurs !

L'Ordinateur qui Danse
La chorégraphie de demain

Comment le très célèbre *Lac des cygnes*, de Tchaïkovsky, fut-il dansé à sa création en 1877 ? Si surprenant que cela puisse paraître, nul ne le sait. Il n'existe pas, en effet, de chorégraphie écrite pour l'essentiel du répertoire moderne ou classique. Elle se transmet uniquement par l'exemple donné aux danseurs par le chorégraphe lui-même, ou par d'autres danseurs familiers de l'œuvre.

Les systèmes actuels de transcription sont encore peu utilisés, même pour les ballets très courts : la danse est une activité en trois dimensions qu'il est par là même très difficile de coucher sur le papier. Ainsi, une minute de danse peut exiger jusqu'à six heures de transcription.

L'image de synthèse ouvre cependant des perspectives de simplification et de rapidité. Depuis le début des années 1980, les informaticiens ont mis au point des systèmes de simulation de pas, de mouvements du corps et même

de positions du danseur sur la scène. Le tout sur un écran d'ordinateur. D'autre part, il est parfois plus facile de préparer et d'apprendre une chorégraphie en travaillant sur ordinateur qu'en répétant pendant des mois.

Jusqu'à présent, les logiciels exigent des ordinateurs puissants, hors de prix – certains coûtent jusqu'à 100 000 dollars ! –, qui dépassent les moyens de la plupart des corps de ballet. Les chorégraphes commencent donc à peine à utiliser ces techniques. Mais comme les danseurs les connaissent de mieux en mieux et que leur coût diminue, elles risquent fort de s'imposer.

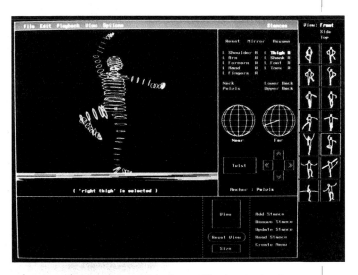

Le logiciel de danse utilise le principe du cinéma d'animation : les mouvements des différents intervenants sont décomposés en une série d'instantanés assemblés pour simuler le mouvement. Tous les angles peuvent ainsi être étudiés.

TAMBOURS DE GUERRE

Le battement frénétique des tam-tams accompagne une étrange incantation et les flammes projettent des ombres grotesques sur le totem, autour duquel des guerriers peinturlurés tournent sans cesse en agitant au-dessus de leur tête leur tomahawk. C'est ainsi que Hollywood voit les danses de guerre indiennes. Est-ce une caricature ? Oui, mais elle contient un brin de vérité.

Les danses guerrières ont, en général, un caractère hypnotique et frénétique. Leur but est double : il s'agit à la fois de solidariser les guerriers et de galvaniser les troupes face à l'ennemi, en les enivrant de musique et de danse.

Danses, peintures de guerre, tam-tams et simulacres de combat ne sont pas l'apanage des Indiens d'Amérique. En effet, les chasseurs de têtes de l'île du Prince-de-Galles, dans le détroit de Torrès (entre l'Australie et la Nouvelle-Guinée), par exemple, se peignaient eux aussi le visage et dansaient autour d'un feu au son des tambours. Ils terminaient leur rituel immuable en mimant la décapitation des ennemis avec leur couteau de bambou.

Le *haka*, cri de guerre des Maoris de Nouvelle-Zélande, a fait le tour du monde : il est poussé avant chaque match de rugby par l'équipe nationale des All-Blacks.

Il n'est certes plus question de bataille à mort : mais ce cri a des vertus stimulantes sur les joueurs. Les spectateurs le trouvent peut-être amusant ; pourtant, les Néo-Zélandais ne plaisantent pas du tout avec le rugby.

L'équipe néo-zélandaise des All-Blacks pousse le haka *avant un match.*

LES SONS DE LA TERRE

La musique, langage universel de l'ère spatiale

Comment donner une perception de l'homme à de lointains extraterrestres ? La question fut posée à un comité d'experts en 1977, avant de lancer les sondes Voyager 1 et 2 dans l'infini du cosmos. Le comité souhaitait transmettre un message d'amitié aux êtres intelligents que les sondes pourraient rencontrer.

Il opta finalement pour la musique plutôt que pour les mots ou l'image. On plaça alors sur chacune des sondes un disque spécial comportant au total quatre-vingt-sept minutes et demie des « plus grands succès de la Terre ».

Pourquoi la musique ? D'abord parce que sa structure – du blues le plus simple à la fugue de Bach la plus complexe – est fondée sur des chiffres, et qu'il est facile d'analyser son harmonie en termes mathématiques. Les mathématiques étant le plus universel des langages, les chercheurs ont pensé que des extraterrestres seraient susceptibles de comprendre notre structure musicale mieux que toutes nos autres réalisations. Mais ils ont aussi considéré que la musique était le meilleur moyen pour l'homme d'exprimer ses sentiments (tristesse, peine ou bonheur, quiétude), et qu'elle pouvait représenter la culture humaine dans toute sa diversité.

Le comité choisit de mélanger tous les styles. Il sélectionna des mélopées aborigènes d'Australie, la *Chanson de la nuit* des Indiens Navajos et un chant de mariage péruvien. Avant d'ajouter des airs de gamelan javanais, de flûte de Pan des îles Salomon et du Pérou, de raga indien et de musique qin chinoise, de cornemuse d'Azerbaïdjan, de flûte de bambou du Japon et de percussions du Sénégal. Il y avait aussi des chansons de Géorgie, du Zaïre, du Mexique, de Nouvelle-Guinée et de Bulgarie. Ou encore *Dark was the night,* par le chanteur de blues Blind Willie Johnson, *Melancholy Blues,* interprété par Louis Armstrong, et *Johnny B. Goode,* par le rocker Chuck Berry. Pour représenter le classicisme occidental, on choisit, dans le répertoire des morceaux célèbres, des airs de flûte à bec de la Renaissance, trois pièces de Bach, deux de Beethoven, une aria tirée de *la Flûte enchantée,* de Mozart, et *le Sacre du printemps,* d'Igor Stravinsky.

Étaient-ce bien, au bout du compte, les plus grands succès de la Terre ? Rien n'est moins sûr, le choix ayant été évidemment très subjectif, mais ce seront du moins les plus durables : le disque, en cuivre plaqué or, est conçu, en effet, pour résister un milliard d'années.

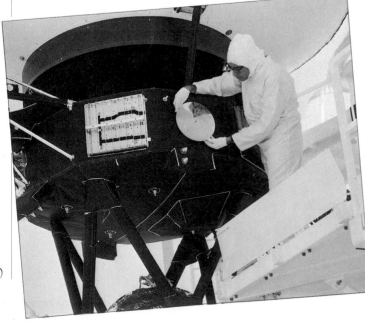

Le disque des Sons de la Terre (ci-dessus), emboîté dans un bouclier d'aluminium plaqué or, a été fixé (à gauche) sur la sonde Voyager 2 et envoyé dans l'espace.

DRÔLES DE COMPOSITEURS
Quand musique rime avec comique

La musique classique est généralement une affaire sérieuse. Mais certains compositeurs ont démontré qu'elle n'était pas incompatible avec un peu d'humour.

Le Français Erik Satie est du nombre. Né en 1866, il fut des années pianiste dans les cabarets de Montmartre et composait pendant ses loisirs. Satie avait un humour bien à lui, tant dans la vie que dans ses œuvres, aux noms étranges, comme *Trois Morceaux en forme de poire*. Il les parsemait souvent d'instructions à l'interprète aussi bizarres qu'inattendues. Il lui demandait par exemple de jouer « comme un rossignol qui aurait mal aux dents ».

Satie manifestait la même excentricité dans la vie. On ne l'a jamais vu sans parapluie – il en possédait des centaines. Il vécut trente ans à Arcueil, en banlieue parisienne, dans une seule pièce, où il ne reçut jamais personne. Quand ses amis y entrèrent enfin, après sa mort, en 1925, ils trouvèrent un lit, une chaise, une table, un piano brisé... et douze complets de velours gris iden-

Cette caricature d'Erik Satie le représente devant le manuscrit de la Première Gymnopédie, *œuvre d'une beauté étrange et envoûtante.*

tiques, achetés le même jour et jamais portés. Malgré ces étrangetés, sa musique fut appréciée à sa juste valeur par les plus éclairés de ses contemporains. Son influence sur la musique et son prestige sont immenses.

Le compositeur américain Charles Ives, né en 1874 et décédé en 1954, est lui aussi l'auteur d'une œuvre très originale. Après une éducation musicale, il décida qu'il gagnerait mieux sa vie dans les assurances. En fait, elles le rendirent milliardaire. Ives consacrait presque tout son temps libre à la musique, que ce soit dans les transports en commun ou le soir, chez lui. Il ne songeait guère à faire publier ou jouer ses œuvres, qui, pour la plupart, ne furent connues qu'après sa mort.

Ives s'inspirait de la vie quotidienne. Sa musique mêle en une glorieuse cacophonie les cloches d'église à l'éclat des fanfares et les sifflets des garçons de course aux accents des cantiques. En véritable excentrique, il faisait ce qu'il voulait quand il le voulait. Ce qui a donné une musique d'une énergie et d'une originalité incomparables.

LE SAVIEZ-VOUS ?

Aux répétitions de Don Juan, Mozart n'obtenait pas un cri assez aigu de la cantatrice interprétant Zerlina quand elle résiste aux avances de Don Juan. Il se glissa derrière elle et la saisit par la taille au moment voulu. Elle hurla. « C'est ainsi, dit-il, que crie une jeune fille innocente quand on en veut à sa vertu. »

Pendant sa jeunesse, Brahms jouait du piano dans un beuglant pour marins. Pour distraire ses pensées de la foule bruyante, il posait un livre de poésie devant lui et le lisait tout en jouant, car il interprétait tout de mémoire.

Quand il était jeune, Schubert n'avait pas un sou, mais il était capable d'écrire jusqu'à huit lieder par jour. L'inspiration n'avait pas d'heure : il gardait même ses lunettes pour dormir, au cas où il devrait noter une idée en pleine nuit.

DES INSTRUMENTS EXTRAVAGANTS

Le serpent qui ronfle comme un buffle

Il était une fois, à l'âge de pierre, un homme qui attacha un os à une liane et le fit tournoyer autour de sa tête pour le plaisir du son qu'il provoquait. Depuis lors, ses descendants ont compris que ce qui faisait du bruit pouvait aussi servir à jouer de la musique.

Aussi l'homme a-t-il inventé un nombre incroyable d'instruments de toute sorte pour égrener ses notes. L'un des plus étranges est le serpent, un engin noir et sinueux fabriqué au XVIe siècle et qui, si on l'étirait, atteindrait 2 m de long.

Ève et le serpent

D'après un de ses inconditionnels, le serpent a l'allure de boyaux d'éléphant et le son d'un ronflement de buffle. En l'entendant jouer, Haendel aurait déclaré : « Ce n'est sûrement pas le serpent qui a tenté Ève. » Il l'utilisa néanmoins dans sa *Music for the Royal Fireworks*.

En 1761, l'Américain Benjamin Franklin eut l'idée de fabriquer un « harmonica de verre » à partir du principe du verre que l'on fait siffler en y frottant un doigt mouillé. De grands compositeurs s'y intéressèrent, à commencer par Mozart, qui lui consacra un quintette. Pendant les années

1980, l'Américain Jim Turner s'efforça de dépoussiérer cette technique en interprétant l'œuvre de Mozart et divers classiques du jazz sur 60 verres à liqueur.

Les compositeurs du XXe siècle ont souvent cherché l'inspiration au-delà des instruments traditionnels, en créant de nouveaux sons avec les objets les plus divers, fussent-ils ceux de la vie

Le serpent doit son nom à sa forme longue et sinueuse. Cet instrument d'accompagnement au son grave et voilé fut utilisé jusqu'à la fin du XIXe siècle.

quotidienne. *Parade*, d'Erik Satie, utilise des machines à écrire, des pistolets et des sirènes d'usine. Quant au *Ballet mécanique* de l'Américain George Antheil, il est écrit pour huit pianos, un piano mécanique, huit xylophones, deux sonneries de porte et une hélice d'avion. Et *Acustica*, du compositeur argentin Mauricio Kagel, comporte le bruit d'une planche couverte de gonds.

Le succès de ces instruments d'un nouveau genre ne s'est jamais démenti. Dans l'un des concerts de l'humoriste et musicien anglais Gerard Hoffnung donnés pendant les années 1950, on joua ainsi une *Ouverture grandiose pour aspirateurs, fusils, canon, orgue et grand orchestre*.

MÉLODIE SILENCIEUSE

Le 29 août 1952, David Tudor s'assit devant son piano à queue, au Maverick Concert Hall de Woodstock, dans l'État de New York, et ne bougea pas. Il n'effleura même pas le clavier mais surveilla sa montre. Exactement quatre minutes et trente-trois secondes après, il se leva et quitta la scène. Il venait d'interpréter en première mondiale *4' 33''*, de l'Américain John Cage.

Pour ce compositeur, ce n'était qu'un début. En 1959, il créa *Fontana Mix* à partir de bruits anodins amplifiés à l'enregistrement : tousser, déglutir, mettre ses lunettes et même laisser tomber des cendres dans un cendrier. Suite à cette réalisation, Cage disait : « Maintenant, quand je vais à un cocktail, ce n'est pas du bruit que j'entends, c'est de la musique. » Ses œuvres pour « piano préparé » sont

sans doute les plus connues. Avant le concert, l'instrument est bourré de toutes sortes d'objets usuels : boulons, cuillères, pinces à linge, morceaux de papier ou de bois. Le jeu du pianiste est normal, mais le son, imprévisible, ne l'est pas du tout : il exerce une étrange attraction et ressemble un peu à celui de certains instruments à percussion orientaux.

John Cage a transformé en musique des interférences radio, des bruits de robinet, le rugissement d'un lion, ou même des notes choisies au hasard, sur un coup de dés. On mettra ce qu'on voudra dans son *0' 0''*. Mais de toutes ses expériences, *4' 33''* est sa grande fierté. « Mon morceau préféré, écrivit-il un jour, est celui que nous entendons tout le temps si nous ne faisons pas de bruit. »

LE SAVIEZ-VOUS ?

L'instrument le plus grand et le plus puissant du monde est l'orgue de l'auditorium municipal d'Atlantic City, sur la côte est des États-Unis. Conçu par le sénateur Emerson L. Richards et terminé en 1930, il comporte 2 consoles, 1 477 jeux et 33 112 tuyaux, dont la longueur varie de 5 mm à 19,5 m.

LA GUERRE EN KILT

La cornemuse et l'Écosse

Depuis au moins quatre cents ans, les régiments de Highlanders écossais partent en guerre au son nasillard de la cornemuse. Elle donne du cœur au ventre à ces rudes montagnards et glace le sang de leurs ennemis. À la bataille de Pinkie, en 1549, la chronique relate que « les sauvages Écossais stimulaient leur ardeur au combat au son de leurs cornemuses ». Elles étaient toujours là pour aider les soldats à franchir les champs de mines d'El-Alamein, en 1942, et à affronter l'Afrikakorps de Rommel.

De la Suède à la Tunisie

La cornemuse symbolise autant l'Écosse que le whisky. Elle n'y est pourtant pas née et existait sûrement déjà d'une manière ou d'une autre sous l'Empire romain, dès le Ier siècle de l'ère chré-

tienne. Néron en aurait joué. Peut-être même l'a-t-il fait en regardant brûler Rome, bien que la tradition lui prête un luth en la circonstance. En 1300, il en existait toutes sortes de versions, de l'Angleterre à l'Inde et de la Suède à la Tunisie. Presque partout, en fait, sauf en Écosse. Elle mit encore un siècle à y parvenir : quand le reste du monde commença à se lasser de la cornemuse, les Écossais l'adoptèrent.

Son succès est en partie dû aux matériaux qui la composent, faciles à trouver dans une société rurale. Il suffit d'une peau de mouton ou de la panse d'une vache pour fabriquer le sac, parfois remplacé par un soufflet, et de quelques roseaux pour les tuyaux. Le principe est simple : le musicien souffle dans le sac, qui se gonfle d'air et en apporte une pression constante aux

tuyaux. Ceux-ci sont de deux sortes : le chalumeau, sur lequel l'interprète joue la mélodie ; et le bourdon, qui donne la note d'accompagnement basse et constante si caractéristique de la cornemuse.

Aujourd'hui, la cornemuse est toujours un instrument populaire dans de nombreuses contrées. Mais son nom change suivant les régions. En Bretagne, par exemple, elle devient biniou et rythme encore parfois les danses folkloriques traditionnelles des petits bals – les festounoz – avec l'ancêtre du hautbois : la bombarde. Le joueur de biniou est appelé le *biniawer*.

En 1915, le joueur de cornemuse Laidlaw mène ses troupes au combat à travers un nuage de gaz moutarde. Cc courage lui vaudra d'être décoré de la Victoria Cross.

LE MAGICIEN DE CRÉMONE
Le secret des stradivarius

Un violon fabriqué au XVIIIᵉ siècle par Antonio Stradivari, dit Stradivarius, luthier à Crémone (Italie), peut valoir aujourd'hui 1 million de dollars, car les stradivarius sont toujours réputés les meilleurs violons du monde.

Stradivarius forma ses deux fils à la lutherie, mais ils ne l'égalèrent jamais, si exceptionnelle que fût leur production. On s'est longtemps perdu en conjectures sur la perfection des stradivarius, souvent imputée à leur vernis. Stradivarius en avait noté la formule en page de garde de la Bible familiale. Hélas ! un de ses descendants l'a détruite.

Venise

Joseph Nagyvary, professeur de biochimie et de biophysique au Texas, croit avoir trouvé la clé du mystère à Venise, d'où Stradivarius faisait venir le sapin de ses instruments. Le stockage des planches dans la lagune provoquait dans le bois une multitude de trous minuscules, observés par Nagyvary au microscope électronique avec un grossissement de 2 000 fois. On les retrouve dans tous les stradivarius, mais pas dans le bois stocké à sec des violons actuels. D'après Nagyvary, cela doit donner une richesse et une résonance exceptionnelles au son.

D'autre part, Nagyvary a découvert dans le vernis qui couvre les stradivarius de minuscules cristaux minéraux provenant sans doute de pierres précieuses finement broyées, auxquelles les préparateurs du vernis prêtaient des pouvoirs magiques. Sur un violon, leur

Ce tableau de la fin du XIXᵉ siècle imagine l'atelier de Stradivarius : le luthier de Crémone émerveille ses compagnons en éprouvant la sonorité d'un nouveau violon.

effet serait de filtrer les aigus pour épurer et adoucir le son.

Nagyvary a mis ses théories à l'épreuve en fabriquant son propre instrument avec les mêmes techniques. D'après un expert, cela donna « le meilleur violon moderne » qu'il eût entendu. Des violonistes célèbres furent si impressionnés par la qualité de l'instrument qu'ils utilisèrent le nagyvary en concert.

Stradivarius, Amati et Guarneri, grands artisans de Crémone, avaient-ils conscience d'employer des matériaux exceptionnels ? « Je pense sincèrement, dit Nagyvary, que les anciens luthiers ne connaissaient pas mieux leur profession que ceux d'aujourd'hui (...). Ils n'étaient que les (...) bénéficiaires de la plus heureuse des coïncidences historiques. »

L'application des découvertes de Nagyvary affecterait-elle la cote des stradivarius ? Probablement pas. Car l'atout majeur du sorcier de Crémone reste à découvrir : le secret de son génie.

FAUSSES NOTES

« La plupart de nos membres ne savent toujours pas de quel côté on souffle dans un violon. » Tel est le titre de gloire du Sinfonia de Portsmouth, dans le sud de l'Angleterre, fier d'être l'orchestre le plus calamiteux du monde. Fondé en 1969 par des étudiants en art, il doit son succès à son jeu épouvantable. Certains de ses musiciens sont très bons, mais prennent bien soin de le dissimuler.

En 1981, le Sinfonia s'estima sérieusement menacé par l'évolution catastrophique de certains orchestres britanniques. Cette année-là, le Royal Philharmonic enregistra un pot-pourri d'airs populaires soutenus par un accompagnement disco. Le Sinfonia répliqua par son *Classic Muddly*, une abomination telle que personne ne pourra faire pis avant bien longtemps.

Son chef d'orchestre, John Farley, ne cesse de reconnaître sa propre nullité : « Ma direction est très mauvaise, dit-il à la presse, mais l'orchestre a ce qu'il mérite. »

LE SAVIEZ-VOUS ?

Jean-Baptiste Lully s'est blessé mortellement en dirigeant son Te Deum. Il battait la mesure à grands coups de canne sur le plancher, mais s'écrasa malencontreusement un orteil. La gangrène le prit et il en mourut.

* * *

Quand il était jeune, Schumann se ligotait le médius pour fortifier les autres doigts. Cela provoqua une grave malformation et mit fin à ses ambitions de virtuose. C'est ainsi qu'il devint compositeur.

L'AIR DU TEMPS
De l'avant-garde au classicisme

La première du *Sacre du printemps*, d'Igor Stravinsky, eut lieu le 15 mai 1913 à Paris. Dès les premières mesures, certains spectateurs se mirent à siffler et à manifester bruyamment leur désapprobation. On en vint aux mains, on appela la police et la soirée faillit virer à l'émeute. Ce charivari était dû à la nature révolutionnaire de la musique de Stravinsky. Heurtée et agressive, elle avait franchi la limite ténue séparant ce qui, en musique moderne, est « acceptable » et ce qui paraît discordant, voire offensant. Aujourd'hui, *le Sacre du printemps* est devenu un pilier du répertoire, comme si l'habitude l'avait imposé.

Le public moderne a parfois peine à croire que les expériences souvent déroutantes de notre époque connaîtront la même consécration. Les compositeurs sont passés de la musique sérielle, où accords, rythme et volume résultent dans leurs moindres détails d'un calcul mathématique, à la musique « aléatoire », où tout est en principe dû au hasard. Les musiciens en sont parfois aussi ébahis que les spectateurs. C'est le cas s'ils doivent jouer une œuvre où la portée est tracée sur un aquarium et où les notes sont figurées par le passage des poissons.

Mais la musique de variétés applique déjà certaines techniques expérimentales. Le compositeur anglais David Bedford est à maints égards un auteur d'avant-garde. Ses œuvres ont des titres bizarres, comme *les Tentacules de la sombre nébuleuse* ou *Un cheval, son nom était Henry Fenceweaver*. Dans certains de ses morceaux, les chanteurs doivent intervenir à n'importe quel moment et à n'importe quelle cadence. Dans d'autres, le public participe en jouant du mirliton. Mais Bedford travaille aussi avec des artistes de rock comme Mike Oldfield. De plus, la majorité des groupes de variétés utilisent aujourd'hui le synthétiseur, jadis apanage de l'avant-garde.

Pour la génération future, élevée à l'ère informatique, la musique d'avant-garde d'aujourd'hui paraîtra sans doute surannée.

LE SAVIEZ-VOUS ?

Mendelssohn oublia dans un fiacre la partition de l'ouverture du Songe d'une nuit d'été. Il la réécrivit entièrement de mémoire.

* * *

Les colères du chef d'orchestre italien Toscanini étaient légendaires. À New York, il brisa un jour une porte à coups de poing. Un admirateur garda les éclats de bois en souvenir.

LE CYGNE À MUSIQUE

Le Cygne d'argent fut exposé en 1774 au musée mécanique Cox, à Londres. Représenté grandeur nature, il incurvait son long cou avec grâce, plongeait la tête dans un lac de tiges de verre et attrapait un poisson d'argent, le tout sur un air de carillon. De merveilleux automates de ce genre furent à l'origine d'une mode qui fit fureur dans le monde entier au siècle suivant : la boîte à musique.

Le mécanisme en aurait été inventé en 1776 par l'horloger français Antide Janvier (1751-1835), célèbre pour avoir présenté, en 1789, à Louis XVI une horloge astronomique et une horloge géographique. C'est un cylindre muni de picots d'acier, dont la rotation fait vibrer les dents d'un peigne accordé selon la

Le cygne mécanique de Cox est posé sur un lac de tiges de verre où frétillent des poissons d'argent. La musique accompagnant ses mouvements a en partie pour but de couvrir le bruit du mécanisme. On peut l'admirer au musée de Bowes, dans le comté anglais de Durham.

gamme. La mélodie dépend de la disposition des picots.

Les premières boîtes à musique étaient très simples. À la fin du XIXᵉ siècle, c'étaient des engins perfectionnés où l'on changeait de mélodie en tournant un bouton. Les plus luxueuses étaient prodigieusement compliquées. L'une d'elles, conçue en 1901 pour un envoyé du chah de Perse, avait vingt cylindres pouvant jouer six airs chacun. Outre deux peignes d'acier, elle comportait un ensemble de percussions, avec carillon et cymbales, un orgue actionné par deux petits soufflets et, pour parfaire le tout, deux oiseaux chanteurs perchés dans un jardin. Malgré tout ce luxe, la boîte à musique ne pouvait rivaliser avec le phonographe d'Edison, qui connut un vif succès. En 1914, elle avait pratiquement disparu. Les modèles les plus complexes sont devenus des objets de collection. En 1985, le Cygne d'argent fut vendu 190 000 francs chez Sotheby's, à Londres.

UN TALENT DIABOLIQUE

Paganini avait quelque chose de surnaturel

En 1829, un critique musical écrivit : « La musique de Niccolo Paganini est si aérienne qu'elle semble issue d'un rêve. » Mais il ajouta aussitôt : « Il y a quelque chose de si démoniaque dans son aspect que nous cherchons un instant des sabots fourchus, et la minute suivante les ailes d'un ange. » Le violoniste italien avait alors quarante-sept ans.

Comme la plupart des grands compositeurs de son temps, il écrivait des œuvres très techniques pour servir sa prodigieuse virtuosité et son jeu extraordinairement expressif. Son talent inégalable était si fabuleux qu'on en vint à le croire d'origine divine ou satanique. La rumeur se répandit que le maestro avait vendu son âme au diable. L'étrange magnétisme, la pâleur et la maigreur du virtuose – que la maladie

aggrava peu à peu – ne firent qu'accréditer cette fable. Loin de la démentir, Paganini l'encouragea en menant au grand jour une vie dissolue, vouée au jeu et aux femmes. Il s'endetta au point de mettre un jour son violon en gage.

Vers l'âge de quarante-cinq ans, il se décida enfin à faire savoir que son talent n'était dû qu'à son travail et à son génie. Il envoya lettre sur lettre aux revues musicales pour faire taire les ragots sur son prétendu pacte.

Mais il était trop tard. Paganini mourut en 1840, à cinquante-huit ans, après avoir obstinément refusé de voir un prêtre. L'Église ne voulut pas l'inhumer en terre consacrée. Sa dépouille fut déposée pendant cinq ans dans une simple cave avant d'être décemment enterrée.

L'incroyable virtuosité et l'allure inquiétante de Paganini suscitèrent la rumeur d'un pacte avec le diable.

LA MAGIE DU PIANO MÉCANIQUE

Pendant les années 1920, les pianos mécaniques connaissaient une vogue générale, tant dans les salons huppés que dans les bouges. À la grande joie de tous, les touches de ces « Pianola » (nom de la marque la plus connue) s'enfonçaient toutes seules, comme sous les doigts d'un fantôme, et les États-Unis en

Le Pianola des années 1920 faisait la joie des jeunes filles de bonne famille.

produisirent quelque 500 000 exemplaires au début de la décennie. Mais à l'aube des années 1930, leur extinction était presque aussi totale que celle des dinosaures : radio et phonographe étaient passés par là.

Le brevet du premier piano mécanique a été déposé en France en 1863. Un casier placé devant l'instrument comportait un rouleau de carton où les notes étaient figurées par des perforations. Une barre de transmission les « lisait » (selon le principe des ordinateurs à cartes perforées) et, via un jeu de soufflets, actionnait des « doigts » de feutre qui frappaient eux-mêmes le clavier.

Par la suite, tout le mécanisme fut placé dans le piano par

souci d'esthétique. Les soufflets étaient parfois commandés par des pédales, pour que l'utilisateur puisse contrôler volume et cadence. Mais il y fallait de l'adresse, et le résultat était rarement satisfaisant. Dans les versions les plus élaborées, l'expression donnée au jeu par les pédales était enregistrée sur carte perforée, ce qui reproduisait toutes les nuances de l'interprétation, telles que les variations de rythme.

Qu'ils soient classiques ou modernes, les grands pianistes, entre autres : Rachmaninov, Debussy, Gerschwin, Fats Waller, se faisaient tous enregistrer sur des rouleaux perforés, ensuite reproduits et vendus comme nos disques et cassettes. Ce système avait l'avantage non négligeable d'utiliser un vrai piano : aujourd'hui, même le disque compact altère inévitablement le son du véritable instrument, malgré la quasi-perfection de la haute-fidélité.

La technologie informatique actuelle a permis un retour aux sources : pendant les années 1970, la société japonaise Marantz a mis au point le Pianocorder, qui permet aux utilisateurs de pianos électroniques de s'enregistrer tout en jouant. L'instrument peut ensuite répéter fidèlement leur interprétation. Fausses notes comprises.

POURQUOI ÉCRIVEZ-VOUS ?

Les écrivains et l'argent

La raison qui pousse un romancier ou un poète à écrire est aussi variable que le thème de son œuvre. Elle est souvent très difficile à définir par les écrivains eux-mêmes.

En témoignent les résultats de l'enquête qu'organisèrent Louis Aragon, André Breton et Philippe Soupault en 1919. Ils décidèrent de soumettre les écrivains de leur temps à une petite question : « Pourquoi écrivez-vous ? »

Les réponses furent souvent inattendues. Ainsi, Blaise Cendrars (1887-1961) rétorqua : « Parce que » ; Paul Valéry (1871-1945) répondit : « Par faiblesse », Paul Morand (1888-1976) : « Pour être riche et estimé. »

Le père de San Antonio

Frédéric Dard, qui créa en 1949 le personnage très populaire du commissaire San Antonio, eut récemment à répondre à la même question.

Cet auteur qui écrit trois ou quatre romans policiers par an, vendus à des millions d'exemplaires, expliqua qu'à quinze ans, âge auquel il commença à écrire, il écrivait par plaisir. Les aléas de la vie le poussèrent ensuite à écrire pour vivre. Aujourd'hui, il vit pour écrire.

Thomas Wolfe, loin de la vie trépidante de New York, aimait s'isoler non dans sa tour d'ivoire, mais dans sa cabane de rondins d'Oteen (Caroline du Nord).

Écrire pour vivre ou vivre pour écrire ?

De l'écrivain qui cherche à faire fortune à l'artiste totalement désintéressé, l'éventail a toujours été large.

Le romancier anglais Anthony Trollope (1815-1882) comparait volontiers l'écrivain au cordonnier, dont la « préoccupation première est de gagner sa vie ». Il affirmait vouloir exceller « en quantité, sinon en qualité » et était orfèvre en la matière : avant le petit déjeuner, il avait déjà aligné 3 000 mots.

L'Américain Thomas Wolfe (1900-1938), particulièrement prolixe, considérait les 500 000 mots de son roman autobiographique inachevé comme « un simple squelette de livre ». Au lieu des coupures exigées par son éditeur, il apporta des ajouts. Quand on lui expliqua qu'un tel pavé se vendrait mal, il rétorqua avec dédain que le premier idiot venu verrait que l'ouvrage n'avait pas été écrit par goût du lucre.

John Keats (1795-1821) fut quant à lui le type même du poète inspiré. Il avait pris l'habitude de cacher les bouts de papier sur lesquels il griffonnait ses vers. Un ami se rendit compte de cet étrange comportement. Il fouilla la maison de fond en comble et tira ainsi du néant plusieurs des plus grands poèmes de l'écrivain !

Joseph Severn a peint ce portrait de son ami John Keats peu avant la mort du poète, à vingt-cinq ans, dans un hôtel de Rome où il était venu soigner sa tuberculose.

LE GOÛT DU RISQUE

L'homme pour qui écrire était un dérivatif à la roulette russe

Un pari à 16 % de risques d'échec. C'est ainsi que Graham Greene considérait la roulette russe, à laquelle il avait joué dans sa jeunesse avec un revolver découvert dans le placard de son frère aîné. Mais l'écrivain anglais, qui devait mourir dans son lit en 1991 à l'âge de quatre-vingt-six ans, n'avait à cette époque aucune raison apparente de flirter avec le suicide. Il suivait de brillantes études à Oxford, s'y occupait d'une revue universitaire et menait une vie active.

L'ennui aux trousses

Comme le disait l'un de ses amis, la roulette russe était pour Graham Greene « un moyen non pas de quitter la vie, mais de lui donner plus de piquant ». Il a toujours fui l'ennui comme la peste.

Avec la fascination de la mort, c'est l'une des clés de son œuvre. Quand le revolver ne l'amusa plus, les points chauds de la planète l'attirèrent comme un aimant. De la guerre d'Espagne à l'indépendance du Congo belge, des conflits d'Indochine à l'enfer d'Haïti, du Cuba de Batista au Nicaragua présandiniste, de la guerre des Six Jours aux bombes de Belfast, il ne cessa de courir à travers le monde avec l'ennui aux trousses.

Greene disait vivre sur le fil du rasoir. Les régimes instables le fascinaient et il en vit s'effondrer plus d'un. Observer les situations ne lui suffisait pas, il fallait qu'il y participe. C'est ainsi qu'il fournit des tenues d'hiver aux maquisards castristes et des munitions aux sandinistes du Nicaragua. Il railla tant la dictature de Papa Doc que le gouvernement haïtien l'accusa d'être un pervers et même un tortionnaire.

Deux formes d'action

Il puisait souvent son inspiration dans ses voyages. Le plus célèbre de ses romans : *la Puissance et la Gloire* (1940) résulte d'un périple au Mexique en hiver 1937-1938. *Le Fond du problème* (1948) est né d'un séjour au Nigeria, tandis qu'*Un Américain bien tranquille* (1955) fait suite à des voyages en Indochine et en Malaisie. Pour *la Saison des pluies* (1960), il passa trois mois dans une léproserie du Congo. Greene avait autant besoin de voyager que d'écrire : c'étaient pour lui deux formes d'action. Il voyait dans l'écriture un moyen de comprendre « la folie et la mélancolie » de l'existence humaine. De plus, il n'arrivait pas à saisir, disait-il, comment les gens n'éprouvaient pas le besoin d'interpréter leur vie par l'écriture, la musique ou la peinture.

Toujours est-il que les œuvres de cet homme terrifié par l'ennui ont tenu en haleine, intrigué et émerveillé des millions de lecteurs.

Graham Greene, qui connut le succès à vingt-huit ans avec Orient-Express, *en 1932, mena une vie d'aventurier.*

UNE SAISON EN ENFER

Rimbaud, trafiquant d'armes et poète

Mars 1891. Dans le désert d'Arabie, une caravane transporte vers Aden un trafiquant d'armes de trente-sept ans atteint d'un cancer à la jambe. Arthur Rimbaud rentre en France après dix années d'Orient et d'Afrique. Tour à tour négociant, marchand d'ivoire et pourvoyeur d'armes de guerres oubliées, il a amassé quelque 30 000 francs (ce qui représente environ 540 000 francs actuels).

À cette époque, Rimbaud lui-même ne croit plus à sa gloire pourtant si proche et tient pour « rinçures » l'œuvre fulgurante de son adolescence. Sa plume est inactive depuis 1874. En France, on le croit mort.

Scandale et génie

Rimbaud a écrit tous ses poèmes entre quinze et vingt ans. « Monté » à Paris de sa Charleville natale, il y a fait scandale par sa liaison avec Paul Verlaine. Au grand dam de la bourgeoisie littéraire, les deux poètes ont bu force absinthe, se sont drogués au haschisch et ont ridiculisé l'Académie. La notoriété de l'auteur du *Bateau ivre* doit alors peu de chose à son génie.

En 1873, pendant une dispute à Bruxelles, Verlaine le blesse d'un coup de revolver et est emprisonné. Rimbaud est aussitôt frappé d'ostracisme par la communauté littéraire, qui l'en tient pour responsable. Il réagit par la flambée visionnaire d'*Une saison en enfer* puis se tait pour toujours.

Comme il le dit dans ce chant du cygne, Rimbaud a pratiqué l'« alchimie du verbe ». Il a voulu inventer la couleur des voyelles et « un verbe poétique accessible, un jour ou l'autre, à tous les sens ». Un soir, le désespoir lui fait brûler ses manuscrits et engager un long périple sur les routes d'Europe et d'Afrique.

À partir de la fin des années 1880, en grande partie grâce à Verlaine, ses œuvres sont publiées et appréciées. Mais Rimbaud ne savourera jamais le succès. C'est un moribond qui débarque au pays en mai 1891. On lui ampute la jambe à l'hôpital de Marseille. Trop tard. Trois mois après, Arthur Rimbaud est mort.

Un Personnage en Quête d'Intrigue

Qui a tué Christopher Marlowe ?

Une blessure au-dessus de l'œil gauche, de 2 pouces de profondeur sur 1 pouce de largeur. Telle est, d'après l'enquête, la cause de la mort du dramaturge Christopher Marlowe, poignardé à vingt-neuf ans, le 30 mai 1593, dans une auberge proche de Londres. Quatre siècles plus tard, on ne connaît toujours pas le mobile exact du meurtre.

Marlowe, auteur de *la Tragique Histoire du Dr. Faust* et d'*Édouard II*, était presque aussi connu que Shakespeare. Mais c'était également un paillard et un intrigant, aussi prompt à tirer l'épée qu'à vider un verre, et un mécréant, à une époque où l'appartenance religieuse pouvait faire ou défaire un homme. Tout cela suffit largement à expliquer sa mort.

Rapport d'enquête

Pendant quelque trois cent cinquante ans, on a retenu sans preuve concrète l'hypothèse d'une jalousie homosexuelle. Mais, en 1925, on retrouva le rapport d'enquête perdu depuis des lustres. Il passe au crible les dernières heures de Marlowe, identifie l'assassin, et suscite encore plus de questions.

Marlowe a vécu son dernier jour à la taverne d'Eleanor Bull en compagnie de trois hommes : Robert Poley, Ingram Friser et Nicholas Skeres. Ils ont bu toute la journée. Une querelle a éclaté entre Marlowe et Friser quant au paiement de la note. Marlowe a saisi la dague de son adversaire et l'en a frappé du pommeau. Reprenant l'arme, Friser en a porté un coup violent à la tête du dramaturge.

Espionnage

Au vu du rapport, c'est donc une affaire d'ivrognerie. Oui, mais Poley était un agent secret de la reine à peine rentré de mission à l'étranger, Skeres un petit malfrat et Friser un espion catholique et un escroc. Or, l'Angleterre élisabéthaine voyait en tout catholique un ennemi potentiel. Que faisait Marlowe en telle compagnie ?

C'était lui-même un ancien espion. Cela l'avait servi à Cambridge, où l'université ne lui avait accordé une bourse que sous la pression du gouvernement.

Cette gravure de l'époque victorienne représente la fin de Marlowe. En fait, il n'est pas mort d'un coup d'épée, mais de poignard.

Assez curieusement pour un athée déclaré, il fréquentait beaucoup les personnalités politiques catholiques. Aurait-il fait des découvertes compromettantes à leur égard ?

Quand il mourut, Marlowe était sur le point d'être jugé pour hérésie, car son ami le dramaturge Thomas Kyd l'avait impliqué sous la torture dans une affaire de pamphlets antiprotestants. Marlowe avait peut-être essayé d'échanger ce qu'il savait contre sa propre liberté. Ou, du moins, on a pu craindre qu'il ne le fît et charger Friser de le liquider.

Le rôle de Poley reste une énigme. Peut-être voulait-il profiter des révélations de Marlowe. Friser aurait alors précipité le meurtre pour protéger ses commanditaires. Mais on ne comprend pas pourquoi il fut si vite acquitté.

Meurtre politique ou querelle de pochards ? La réponse dort peut-être dans un autre rapport poussiéreux.

POÈMES D'OUTRE-TOMBE

L'amour morbide de Dante Gabriel Rossetti

Quand Lizzie Sidal mourut d'une dose excessive de laudanum, en 1862, elle n'était mariée que depuis deux ans au peintre et poète anglais Dante Gabriel Rossetti. Malgré de longues fiançailles, la vie du couple avait été aussi orageuse que brève. En 1861, Lizzie, déjà particulièrement nerveuse de nature, avait mis au monde un enfant mort-né et en avait été très affectée. Elle avait dû alors prendre du laudanum à la fois pour dormir et pour retrouver l'appétit.

Sa mort rendit Rossetti complètement fou de douleur. Il brûla toutes les lettres et photographies de sa femme, car aucune, disait-il, n'égalait sa beauté. Au comble du désespoir, il jeta le manuscrit de ses propres poèmes dans le cercueil de la disparue.

Artiste et excentrique

Rossetti était avant tout un peintre, mais vint à considérer la poésie comme un moyen d'expression encore plus pur. Pendant les années suivantes, il entreprit de publier ses différentes œuvres, dont les meilleures étaient enterrées avec sa femme Lizzie. L'artiste était aussi un excentrique, au point d'élever des kangourous et des wombats dans sa maison londonienne, et avait depuis l'enfance un goût prononcé pour le surnaturel. Après la mort de Lizzie, il participa à bien des séances de spiritisme et de mesmérisme.

En 1869, alors qu'il travaillait à de nouveaux poèmes, il rencontra pendant une promenade un pinson étonnamment peu farouche, et fut aussitôt convaincu que c'était la réincarnation de son épouse tant regrettée. C'est apparemment ce qui le décida à faire rouvrir la tombe de la défunte et à récupérer son manuscrit.

En 1852, Elizabeth Siddal fut le modèle du peintre Millais pour cette représentation d'Ophélie, qui se noie en croyant qu'Hamlet ne l'aime pas.

Rossetti n'assista pas lui-même à l'exhumation. Un de ses amis lui raconta par la suite que Lizzie était toujours aussi belle que le jour de sa mort et que sa magnifique chevelure cuivrée était plus longue qu'elle ne l'avait jamais été de son vivant.

L'affaire peu banale eut tôt fait de s'ébruiter et les curieux s'arrachèrent les poèmes « d'outre-tombe » dès leur parution. La légende de la femme dont la mort elle-même n'avait pas altéré l'extraordinaire beauté venait de naître.

LE MIROIR DE LA VIE

Quand il travaillait à un roman, Charles Dickens courait très souvent se planter devant un miroir, faisait toute une série de grimaces et retournait aussi vite à son bureau pour continuer à écrire comme un fou.

En ces instants, Dickens semblait être comme possédé par les personnages issus de son imagination. Il disait entendre toutes leurs répliques. À l'en croire, il n'inventait pas ses intrigues : il les voyait.

Les épreuves et la souffrance des enfants de ses romans le faisaient pleurer, et il se réjouissait de leur bonheur comme s'il avait été le sien. Mais il lui arrivait aussi d'être irrité par les hommes et les femmes nés de sa plume, car ils ne le laissaient jamais tranquille.

Bien qu'habité par ses personnages, Dickens redoutait de manquer d'imagination.

LE SAVIEZ-VOUS ?

L'auteur le plus lu au monde est la Britannique Barbara Cartland, dont les 500 romans sentimentaux ont été vendus à plus de 500 millions d'exemplaires. Depuis 1976, elle écrit en moyenne 23 livres par an, ce qui est un record.

Le Long Voyage d'Ulysse
Le chef-d'œuvre le plus censuré du monde

Toute l'intrigue d'*Ulysse,* de James Joyce, se déroule le même jour, le 16 juin 1904, dans le même lieu, Dublin. L'auteur a cependant calculé avoir consacré vingt mille heures à la rédaction de sa parodie de *l'Odyssée*. Soit quelque deux mille cinq cents jours ouvrables de durée normale, ou huit ans de travail à raison de six jours par semaine sans vacances.

Plus de seize ans se sont écoulés entre la publication de la première partie du roman, en mars 1918, et celle de son texte intégral, en 1934. Le chef-d'œuvre de Joyce, achevé dès 1922, avait été jugé trop sulfureux et fut censuré, interdit et détruit avant de parvenir en librairie.

Veto de la poste

Les premiers chapitres d'*Ulysse* furent publiés en 1918 aux États-Unis par le périodique *Little Review*. Mais, en 1921, l'administration américaine des postes traîna la revue en justice pour diffusion d'obscénités par voie postale. Chacun des éditeurs fut condamné à 50 dollars d'amende.

Joyce était soutenu par d'autres écrivains. Virginia Woolf, elle-même auteur d'avant-garde, et son mari Léonard étaient prêts à éditer *Ulysse*. Mais leur imprimerie était si désuète qu'il aurait fallu deux ans rien que pour composer le texte à la main. Quant aux grands éditeurs, ils exigeaient des coupures, ce dont il n'était pas question.

Tirages limités

En 1922, le minuscule éditeur parisien Shakespeare & Co produisit un tirage limité de 1 000 exemplaires. À Londres, Egoist Press en sortit 2 000, dont 500 furent aussitôt saisis à New York par l'administration des postes. Egoist Press effectua rapidement un retirage de 500 exemplaires, dont 499 furent brûlés par les douanes britanniques.

Pour couronner le tout, l'Américain Samuel Roth eut le front d'éditer une version expurgée dans sa revue *Two Worlds,* naturellement sans l'accord de Joyce. Celui-ci avait un tel prestige qu'il n'eut aucun mal à faire signer une

Après Gens de Dublin *et* Dedalus, Ulysse *fut le troisième ouvrage en prose de James Joyce à braver la censure.*

pétition de protestation par 167 personnalités, allant du physicien Albert Einstein au romancier E. M. Forster.

Il fallut attendre 1933 pour que, à l'issue d'un procès, la justice estime irrecevable l'accusation d'obscénité. L'éditeur américain Random House pouvait enfin publier une version intégrale. Pourtant, *Ulysse* ne parut à Dublin que pendant les années 1960.

Un Ouvrage de Référence
L'encyclopédie des Lumières

En 1745, le libraire Le Breton décide de publier en français l'encyclopédie de l'éditeur écossais Chambers. L'entreprise, confiée d'abord à l'abbé Gua de Malves, est bientôt dirigée par Diderot et d'Alembert. Conçue au départ comme une simple adaptation, l'*Encyclopédie* devient un ouvrage tout à fait original.

Machine de guerre de l'opinion éclairée, elle est une précieuse synthèse de la pensée des Lumières. Son audace justifie le recours à une tactique prudente : ainsi, on dissimule les charges les plus violentes dans des articles au thème apparemment anodin.

Cette œuvre collective rassemble plus de 150 collaborateurs – dont Voltaire, Buffon, Rousseau, Montesquieu – pour la rédaction de 60 000 articles. La publication des 35 volumes (17 volumes de texte, 11 de planches très soignées, 5 de supplément et 2 d'index) nécessitera le travail de 1 000 ouvriers pendant vingt-cinq ans.

Une publication difficile

Sa parution (de 1751 à 1772) donne lieu à de furieuses batailles. La noblesse de cour, les Jésuites et le clergé s'opposent, en effet, à sa publication. Dès 1752, un arrêt du Conseil du roi interdit en vain l'ouvrage. En 1759, d'Alembert décide de se retirer.

Mais, grâce à l'énergie de Diderot, le dernier volume de ce recueil de savoir paraît en 1772. Il reste aujourd'hui une mine sur l'état des sciences et techniques de l'époque.

Naissance d'un nouveau projet

En 1768, cette encyclopédie donna à Colin Macfarquhar et Andrew Bell l'idée d'un « dictionnaire nouveau et complet des arts et des sciences ». Ces deux hommes d'Édimbourg confièrent à un universitaire, W. Smellie, la direction de la rédaction de ce qui allait devenir l'*Encyclopaedia Britannica*.

Cet ouvrage, dont la version actuelle comporte 30 volumes et 43 millions de mots, se dit britannique alors que, d'inspiration française, il est édité à Chicago !

LA GUERRE DES GÉANTS

Quelle est la statue la plus haute du monde ?

À votre avis, si l'on vous posait la question : « Quelle est la statue la plus haute du monde ? », que répondriez-vous aussitôt ? La statue de la Liberté ? Le sphinx de Gizeh ? Si célèbres soient-ils, vous n'y seriez pas du tout. Ce titre a été, en effet, détenu pendant plus de 1 250 ans par le bouddha Dafo, haut de 70 m, érigé en 713 dans la ville chinoise de Leshan. Jusqu'à ce que la statue soviétique de l'*Appel de la patrie* fasse nettement mieux en 1967. La pointe de son immense épée de béton s'élève à près de 12 m au-dessus de la tête du bouddha. Le flambeau de la statue de la Liberté, du haut de ses 47 m, lui arrive tout juste à la taille, et le sphinx, qui mesure 20 m de haut, n'atteint même pas ses genoux.

La statue de la Liberté
Hauteur : 47 m.
Érigée sur un socle de 45 m de haut et visible à 95 km en mer, elle accueille les visiteurs dans le port de New York. La statue a été offerte aux États-Unis par la France en 1884, pour le centenaire de l'indépendance américaine. Son armature est due à Gustave Eiffel.

Le monument du mont Rushmore
Hauteur du menton au sommet : 18 m
Si l'une des quatre têtes du mont Rushmore (Dakota du Sud) avait un corps, cela donnerait une statue de 152 m de haut. Elles représentent George Washington, Thomas Jefferson, Theodore Roosevelt et Abraham Lincoln. Leur sculpture a pris quinze ans et elles étaient presque terminées à la mort de leur auteur, Gutzon Borglum, en 1941. Son fils en a achevé la finition.

Le Christ du Corcovado
Hauteur : 30 m
Au sommet du mont Corcovado (« bossu » en portugais), le plus grand Christ du monde domine la baie de Rio de Janeiro à 743 m au-dessus du niveau de la mer. Cette imposante représentation en béton du Rédempteur, bras étendus, est l'œuvre du Français Paul Landowski. Il n'a mis que quatre ans à la construire et l'a achevée en 1931.

Le bouddha de Bamiyan
Hauteur : 53 m
Sculpté dans les falaises de la vallée afghane du Bamiyan, près de la frontière indienne, c'est la deuxième sculpture bouddhique du monde par sa taille. Construite vers l'an 600, époque où le bouddhisme fleurissait dans la région, elle se trouve dans une grotte taillée à flanc de falaise, dont les voûtes sont peintes. Il y a dans la même vallée une statue semblable, inférieure de 15 m.

Le monument à Crazy Horse

Quand elle sera achevée, la statue du chef sioux Crazy Horse culminera à 171 m. Elle prend lentement forme sur le mont Thunderhead, dans le Dakota du Sud. Le sculpteur américain Korczac Ziolkowski l'a commencée en 1942 et pensait que les travaux dureraient sept ans. Mais Ziolkowski est mort en 1982, et sa famille a fait vœu d'achever son œuvre. 8 millions de tonnes de roc ont déjà été dynamitées.

L'Appel de la patrie
Hauteur : 82 m

Presque trois fois plus grande que le Christ du Corcovado, cette statue de béton est la plus haute du monde. Elle commémore la bataille de Stalingrad, dont les défenseurs subirent des pertes terribles en 1942-1943, et a été érigée en 1967 sur une colline surplombant la ville, devenue Volgograd en 1961.

Le bouddha Dafo
Hauteur : 70 m

Le bouddha Dafo (« grand ») se trouve à Leshan, sur la rive du Min, en Chine. Son gros orteil mesure plus de 8 m et chacun de ses ongles de pied fait 1,8 m de large, si bien qu'on pourrait s'allonger dessus sans problème. Cette statue monumentale a été achevée en 713, après quatre-vingt-dix ans de travaux, et a été conçue par un moine bouddhiste nommé Haitong.

Les colosses de Memnon
Hauteur : 21 m

Ils ont été construits en 1400 avant J.-C. à Thèbes. On venait jadis de toute l'Égypte écouter l'un d'eux « chanter » au lever du soleil : comme il avait été endommagé au Iᵉʳ siècle de l'ère chrétienne, son « chant » provenait peut-être de la dilatation du roc sous la chaleur. Il se tait depuis que l'empereur romain Septime Sévère l'a fait restaurer vers l'an 200.

Le sphinx de Gizeh
Hauteur : 20 m. Longueur : 73 m

Taillé dans une roche affleurante, le plus grand des sphinx égyptiens, symbole de la force souveraine, garde depuis des milliers d'années les pyramides de Gizeh. Pendant presque tout ce temps, seule la tête – portrait du pharaon Khephren, coiffé du nemes, attribut royal – émergeait des sables du désert. Ce n'est que pendant les années 1920 qu'on a désensablé l'énorme corps du lion.

L'HISTOIRE DE L'ART
Les origines de la peinture figurative

Il était une fois, dans la Grèce antique, deux amoureux que le sort allait séparer. Pour garder un souvenir de son bien-aimé avant qu'il ne prenne la route, la jeune fille traça sur le mur le contour de son ombre, projetée par la lampe à huile. Le profil parfait qui en résulta était le premier portrait de l'humanité.

Cette histoire romantique contée par l'auteur romain Pline l'Ancien ressemble étrangement à des légendes du Tibet et de l'Inde. Mais, comme elles sont sans doute toutes fausses, le mystère reste entier : où, quand et pourquoi l'art figuratif est-il né ?

Les peintures les plus anciennes connues à ce jour sont datées du paléolithique et furent découvertes dans des grottes de France et d'Espagne. Réalisées il y a plus de vingt mille ans, elles représentent généralement des animaux, ce qui a permis de deviner leur signification. Dans la fameuse grotte de Lascaux, par exemple, on a décompté près de 600 gravures et pein-

Les représentations figuratives les plus anciennes sont des peintures rupestres dues à l'homme des cavernes. Elles étaient sans doute le support de rites magiques visant à assurer le succès de la chasse. Celle-ci, dans la grotte de Niaux, sur le versant français des Pyrénées, a plus de vingt mille ans.

tures d'animaux, dont 355 représentent des chevaux, 87 des aurochs, 85 des cerfs et 35 des bouquetins.

Leur fonction était fort probablement symbolique ou magique : en peignant un bison percé de flèches, l'homme du paléolithique pensait ainsi assurer le succès de sa chasse.

Ces images étaient généralement peintes en rouge, bistre, jaune ou noir, au doigt ou à la brosse. Les pigments provenaient de matériaux naturels (tels que la rouille et la suie) broyés et dilués à l'eau. On les conservait dans des ossements et des crânes.

À mesure que l'art s'est développé, sa signification a subi une évolution et la fonction magique de l'image a décliné. Mais elle n'est pas totalement éteinte, comme en témoignent encore certaines pratiques de sorcellerie ou l'usage de talismans.

LA VÉNUS DES CAVERNES

À la fin du siècle dernier, on découvrit plusieurs statuettes préhistoriques dans une grotte des Pyrénées françaises. Comme elles représentaient des femmes, on les appela Vénus, bien qu'elles n'aient rien à voir avec nos canons de la beauté. Ce sont des figurines d'ivoire ou de pierre, très stylisées, aux formes robustes et généreuses, dont le visage n'est pas représenté. Seule exception, la Dame de Brassempouy, bien plus proche de la conception actuelle de la beauté féminine : une tête de jeune fille, petite et délicate, avec une longue chevelure.

Qui étaient ces femmes ? Et à quoi servaient ces figurines ? On a vite éta-bli qu'elles avaient été taillées il y a plus de trente mille ans dans des défenses de mammouth ou des pierres diverses par nos ancêtres du paléolithique. Beaucoup de statuettes semblables, représentant sans doute la mère-Nature, ont été découvertes en divers points d'Europe, de l'Atlantique à l'Oural. On devait leur prêter des pouvoirs magiques, et elles étaient probablement utilisées dans des cérémonies religieuses pour obtenir abondance et fertilité.

Cette Vénus préhistorique, reproduite à la moitié de sa taille réelle, a été trouvée à Lespugue, dans le sud-ouest de la France.

GLOIRE ET MISÈRE

Qu'y a-t-il de vrai dans l'image de l'artiste maudit ?

C'est en grand seigneur que le sculpteur et architecte Gian Lorenzo Bernini, plus connu sous le nom du Bernin, se rendit de Rome à Paris en 1664. Accompagné de l'un de ses fils, ainsi que de quatre domestiques, deux assistants et un cuisinier, il fut accueilli avec faste par les dignitaires de toutes les villes qu'il traversa et fut invité dans des palais princiers. Près de Paris, Colbert, principal ministre de Louis XIV, lui envoya le meilleur carrosse de son

Dans cet autoportrait de 1609, Rubens se plaît à donner l'image d'un homme de goût, et son épouse est vêtue à la dernière mode.

Cet artiste blotti près d'un feu bien maigre a été peint par Octave Tassaert en 1845. Génie artistique et richesse matérielle paraissaient alors incompatibles.

frère, et le Roi-Soleil le reçut avec respect dans la capitale. Pour le Bernin, talent rimait avec gloire et fortune.

Tout artiste reconnu pouvait alors espérer vivre largement. Le plus riche de tous fut sans doute Rubens, qui menait de front une carrière artistique bien remplie et une activité diplomatique secondaire, mais lucrative. À la fin de sa vie, il possédait un hôtel particulier à Anvers et un château à la campagne, et put encore léguer à ses héritiers la coquette somme de 400 000 florins, soit de quoi acheter quatre manoirs. Ce notable n'avait rien à voir avec le stéréotype actuel de l'artiste famélique en rupture de société.

Il y a pourtant du vrai dans cette image toute faite. Bien des artistes ont vécu dans la misère et n'ont connu qu'un succès posthume. Vincent Van Gogh est du nombre. Pendant ses dernières années, où il peignit beaucoup de ses œuvres maîtresses, il n'aurait même pas pu s'acheter gouaches et toiles sans le soutien de son frère Théo. Van Gogh ne vendit que quelques tableaux de son vivant et était totalement inconnu quand il se suicida en 1890. Comment aurait-il pu imaginer que, le 15 mai 1990 à New York, son *Portrait du docteur Gachet* se vendrait 82 500 000 dollars ?

Des années d'incompréhension

Non seulement des individus, mais aussi des écoles artistiques entières ont rencontré l'incompréhension. En 1874, la première exposition des impressionnistes, qui regroupait notamment Cézanne, Monet, Pissarro, Renoir et Sisley, fut accueillie par des railleries. Les plus chanceux mirent des années à connaître la consécration.

D'autres ont bénéficié d'une richesse fabuleuse. Ne dit-on pas que, pour s'acheter une maison, il suffisait à Picasso de la dessiner pour gagner plus d'argent qu'il n'en fallait pour la construire ?

LE CHOC DES TITANS
La rivalité de Léonard de Vinci et de Michel-Ange

En 1503, à Florence, Léonard de Vinci et Michel-Ange reçurent commande de scènes de guerre pour l'une des pièces du Palazzo Vecchio, ou Palais vieux. Cela aurait pu donner lieu à une extraordinaire collaboration. Mais il n'en fut rien, car ces deux titans de l'histoire de l'art se haïssaient.

Le prince et le rustre

Léonard de Vinci avait déjà la cinquantaine. Riche et célèbre, c'était un habitué des princes. Il émanait beaucoup de charme de cet homme grand et mince, qui s'habillait avec raffinement et entretenait une nombreuse domesticité. Michel-Ange était bien différent. Il avait vingt-huit ans et c'était un rustaud agressif et solitaire. Son nez cassé et son corps puissant évoquaient davantage un lutteur qu'un artiste.

Les deux hommes ne purent s'entendre. Léonard de Vinci, lent et méthodique, se comportait avec élégance en toutes choses. Au contraire, Michel-Ange était un emporté perpétuel, que ce soit dans le travail ou dans la vie quotidienne. Les mines de son grand rival l'exaspéraient. Si bien que, très vite, on vit ces deux génies échanger des invectives jusque dans la rue.

Michel-Ange accablait Léonard de Vinci de sarcasmes pour n'avoir pas achevé son projet le plus célèbre, la statue équestre du duc de Milan. Il est exact que le maître avait tendance à ne pas mener ses entreprises à terme. Son esprit prodigieusement fécond, toujours en quête de renouveau, bondissait sans cesse d'un projet à l'autre, que ce soit en sculpture, en peinture ou dans ses inventions. Mais quand il achevait ses œuvres, le résultat se passait de commentaire, comme en témoigne *la Joconde*.

L'esprit Renaissance

Tout comme Léonard de Vinci, Michel-Ange est représentatif de la Renaissance. Il excellait en quantité de disciplines : architecture, poésie, peinture, sculpture. Il nous a laissé bien plus de chefs-d'œuvre que son rival, du gigantesque *David*, à Florence, au plafond de la chapelle Sixtine.

Mais qu'advint-il des peintures du Palazzo Vecchio ? Michel-Ange ne dépassa jamais le stade de l'esquisse. En revanche, Léonard de Vinci acheva sa tâche. Malheureusement, les couleurs pâlirent presque tout de suite, et l'œuvre a disparu depuis longtemps.

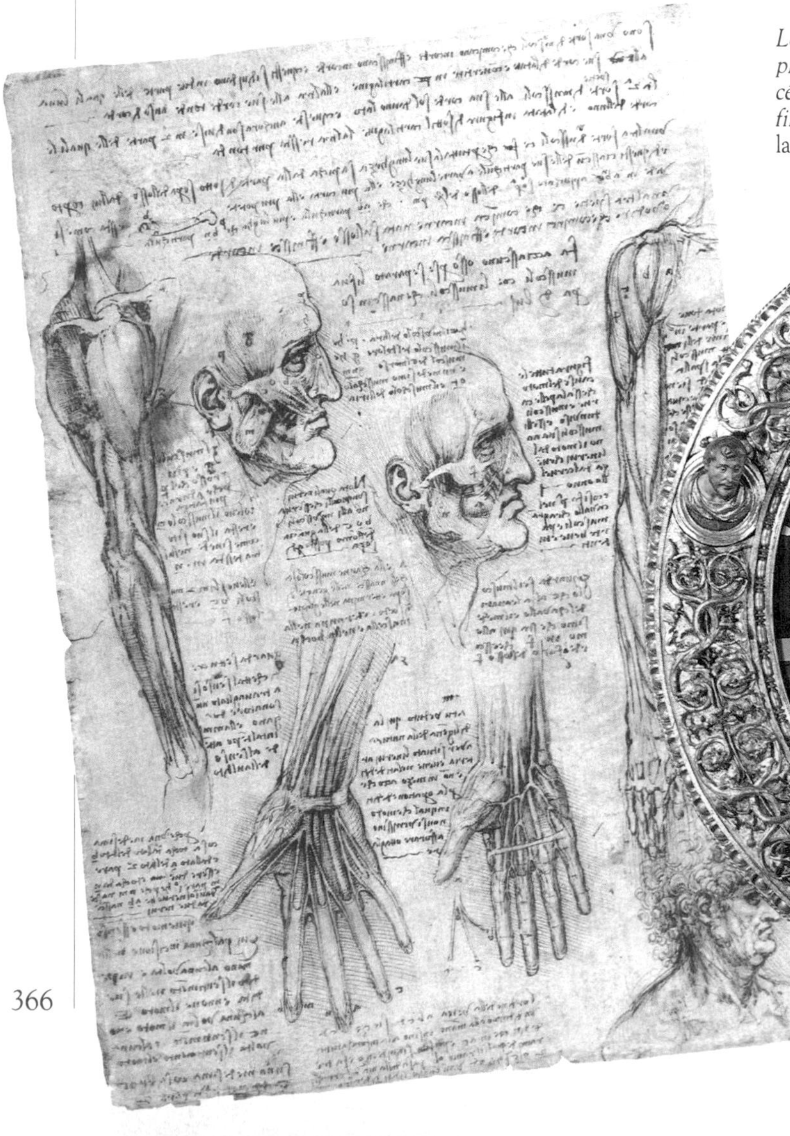

Le corps humain passionnait Michel-Ange et Léonard de Vinci. Les planches d'anatomie de L. de Vinci, qui disséquait des cadavres, sont célèbres pour leur exactitude (à gauche). Michel-Ange exagérait à des fins artistiques la musculature de ses personnages, comme dans la Sainte Famille (ci-dessous).

L'ART DU TROMPE-L'ŒIL

Le trompe-l'œil est un genre pictural censé créer l'illusion de la réalité, au point qu'un spectateur non averti puisse prendre l'œuvre pour son modèle. Le meilleur exemple en est peut-être la *Camera degli sposi* (chambre des Époux) du palais ducal de Mantoue, en Lombardie.

Vers 1465, l'artiste Andrea Mantegna fut chargé par les Gonzague de décorer cette pièce close d'environ 8 m sur 8, dans une tour du palais. Il s'attela à la tâche en 1471 et mit trois ans à y créer l'illusion d'un pavillon ouvert sur l'extérieur.

Il peignit le long des murs des tringles et leurs rideaux de cuir bleu et or ouvrant sur une terrasse ensoleillée et un vaste paysage de montagnes planté d'agrumes. On y voit les membres de la famille ducale, leurs gens de maison et leurs courtisans. On reconnaît entre autres Ludovic II (1448-1478), sa femme Barbara et leurs enfants, dont le cardinal François.

Le plafond du dôme, également peint en trompe-l'œil, semble s'ouvrir sur le ciel. Des femmes se penchent par-dessus une balustrade et des chérubins ailés s'ébattent alentour.

La chambre des Époux de Mantegna est un chef-d'œuvre d'illusion, sinon de réalisme : le duc de Mantoue Ludovic II apparaît sur deux panneaux, de part et d'autre de la fenêtre.

LA PALETTE EMPOISONNÉE

Souffrir par amour de l'art

Peu de peintres ont su exploiter la couleur aussi bien que Pierre-Auguste Renoir. La vivacité de ses rouges, l'or de ses jaunes et le velouté de ses bleus sont une fête pour l'œil. Deux savants danois, Lisbet Pedersen et Henrik Permin, pensent pourtant que les pigments à l'origine de ces tonalités éclatantes l'ont lentement rendu invalide.

Les couleurs les plus brillantes de sa palette contenaient toutes des métaux toxiques, notamment du cadmium, du mercure, du plomb, du cobalt et de l'arsenic. Renoir avait l'habitude de rouler ses cigarettes tout en travaillant, ce qui ne pouvait que favoriser le transfert des poisons de ses mains maculées de peinture à sa bouche et à sa langue, d'où ils se répandaient peu à peu dans l'organisme.

Cela provoqua chez lui une polyarthrite chronique évolutive. L'âge venu, ses mains devinrent rigides, et il ne put alors peindre qu'avec un pinceau attaché au bras. Pendant ses dernières années, il était si gravement atteint qu'il dut charger un jeune assistant d'exécuter son œuvre.

D'après Pedersen et Permin, Rubens, Raoul Dufy et Paul Klee ont aussi souffert de rhumatismes articulaires, et la recherche fera peut-être découvrir bien d'autres martyrs de l'art.

Les couleurs peuvent contenir toute une palette de poisons : mercure dans les rouges, arsenic et cadmium dans les jaunes, cobalt et manganèse dans les bleus et les violets.

DE QUOI ÊTRE EMBALLÉ
L'art d'envelopper un archipel dans du plastique rose

Pour réaliser *Pont-Neuf*, en septembre 1985 à Paris, l'artiste américain d'origine bulgare Christo Javacheff n'eut besoin ni d'un pinceau, ni d'un couteau à palette, ni même d'un burin de sculpteur. Son chef-d'œuvre était le pont lui-même. Il l'emballa entièrement dans quelque 41 000 m² de revêtement plastique couleur sable. Non sans mal, Christo avait mis dix ans à obtenir l'accord des autorités françaises. Il investit dans la réalisation de ce projet 3 millions de dollars, réunis grâce à la vente de modèles réduits de son œuvre.

Pont-Neuf n'est ni la première ni la dernière des bizarres entreprises de Christo. Il a commencé par emballer des sujets beaucoup moins importants –

lui-même, des femmes nues, des chaises – avant de donner dans le gigantisme en passant à des immeubles, des falaises et même des montagnes. En 1982, il a encerclé onze îles situées au large de Miami avec 1 660 000 km² de plastique rose.

Christo a aussi construit des clôtures spectaculaires. En 1979, les 40 km de nylon blanc de sa *Clôture courante* traversèrent le nord de la Californie.

Toutes les œuvres de cet artiste original peuvent être démontées sans nuire à l'environnement et les matériaux en sont recyclés.

Christo supervise les 300 ouvriers qui posent sa Clôture courante *(à droite). En 1970, il a emballé les falaises de Little Bay, au nord de Sydney, dans 90 000 m² de polypropylène arrimé avec du câble orange (ci-dessous).*

LE SAVIEZ-VOUS ?

Le plus grand tableau jamais vendu aux enchères est sans doute Solstice d'hiver *(Midvinterblot), du Suédois Carl Larsson. Il représente une scène de la mythologie scandinave et mesure 2,70 m sur 13,40 m. En 1988, une galerie japonaise l'a acheté 880 000 livres (soit 8,8 millions de francs) chez Sotheby's, à Londres. Paradoxalement, le Musée national de Suède l'avait refusé pour inexactitude historique lors de sa réalisation en 1915.*

DES PEINTRES MAUDITS

Les déboires des impressionnistes

S i les tableaux des impressionnistes sont aujourd'hui considérés comme des chefs-d'œuvre inestimables, ils furent longtemps boudés du public. La naissance du mot impressionnisme est significative. Il apparut en 1874 à l'occasion du premier Salon réunissant les œuvres de peintres évincés du Salon officiel. Parmi eux, Claude Monet, qui exposait *Impression, soleil levant*. La presse se déchaîna contre le Salon de ces artistes maudits. Au spectacle du tableau de Monet, un critique écrivit : « Impression, j'en étais sûr. Je me disais aussi, puisque je suis impressionné, il doit y avoir de l'impression là-dedans. » L'étiquette « impressionniste » était née.

Tous les peintres impressionnistes avaient en commun leur volonté de lutter contre l'académisme. Ce désir se manifesta d'abord chez Manet, autour duquel se groupèrent Renoir, Monet, Pissarro, Cézanne, Degas... et chez un peintre américain intime de Mallarmé, James Whistler. Celui-ci aussi rencontra de son vivant une vive opposition.

Le juge condamne le critique John Ruskin (à droite) à verser un farthing (1/4 de penny) symbolique de dommages et intérêts au peintre américain James Whistler (à gauche).

De la critique au procès

Son tableau intitulé *Chute de fusée* fut sévèrement attaqué en Angleterre par le célèbre critique John Ruskin. Censé représenter un feu d'artifice sur la Tamise, il se composait simplement de taches d'or sur fond bleu nuit. Ruskin accusa l'artiste de « réclamer 200 guinées pour jeter un pot de peinture au visage du public ».

Whistler était un bel esprit et cultivait l'esthétisme. Il saisit au vol cette occasion de polémiquer et attaqua Ruskin en diffamation. Il réclama 1 000 livres de dommages et intérêts. Cependant, il dut compter sur son seul esprit face à un juge hostile et à un jury sceptique quant à la valeur de l'art

moderne. Il gagna le procès, mais Ruskin eut le dernier mot : le peintre n'obtint qu'un farthing (1/4 de penny) symbolique de dommages et intérêts. Les frais de justice furent partagés entre les deux hommes, qui firent appel à la générosité du public en ouvrant des listes de souscription. Celle de Ruskin fut bien remplie et son procès ne lui coûta rien. Mais personne n'aida Whistler, qui fut ruiné.

BEAU COMME UN TABLEAU

Chaque été, maquilleurs, habilleuses, éclairagistes et décorateurs de spectacle se retrouvent à Laguna Beach (Californie) pour recréer les œuvres des grands maîtres, mais avec des modèles vivants. Le festival artistique de Laguna existe depuis 1933. Quelque 140 000 curieux viennent y assister à la reconstitution extraordinairement précise d'œuvres aussi diverses que *la Cène*, de Léonard de Vinci, un tableau impressionniste, une estampe japonaise, une sculpture art déco ou bien encore une frise étrusque.

Après avoir soigneusement étudié l'œuvre d'art, hommes, femmes et enfants adoptent des poses et des costumes exactement conformes à l'original. Décor, maquillage, costume et éclairage contribuent à créer dans ses moindres détails l'illusion saisissante d'une scène en deux dimensions. À tel point que bien des spectateurs ont du mal à croire à un spectacle de personnages réels. Le festival de Laguna fait vraiment vivre les œuvres d'art.

Les acteurs du festival recréent ici le tableau intitulé Coup de fouet, *de Winslow Homer.*

Un Petit Chez-Soi

Le président qui dessinait sa maison et ses meubles

Quand l'ambassadeur d'Angleterre fut présenté à Thomas Jefferson, troisième président des États-Unis et principal auteur de la Déclaration d'indépendance, il fut choqué par sa mise désinvolte et son indifférence aux bonnes manières. Un détail illustre bien le credo d'égalité et de simplicité du personnage : la table ronde dont il dota la maison présidentielle (vite surnommée Maison-Blanche) pour éviter de classer par rang social ses hôtes des dîners mondains.

Politicien, certes, Jefferson était aussi un architecte plein de ressources. Il construisit le palais du gouverneur de Williamsburg et l'université de Virginie. Meubles et architecture l'intéressaient tant qu'il conçut aussi l'extérieur et l'intérieur de sa maison de Monticello (Virginie). Elle regorgeait d'innovations pratiques : un monte-plats de la cave à la salle à manger, pour le vin ; des dessertes portables, pour que les invités se servent sans que la conversation soit interrompue par les domestiques ; ou encore, dans le bureau, une chaise pivotante de son cru, pour atteindre à la fois table de travail et livres.

La maison de Jefferson, à Monticello, regorge de détails fonctionnels. Par exemple, les bougeoirs de cette chaise longue, pour lire commodément le soir.

Il fit fabriquer une pendule-calendrier donnant le jour de la semaine et conçut un pupitre à musique à quatre côtés, utilisable par quatre instrumentistes à la fois et repliable en une petite boîte. Ce n'est toutefois pas lui qui a inventé son outil le plus élaboré : un « polygraphe » à deux plumes d'oie reliées par une tringlerie. Quand le président utilisait l'une, l'autre suivait le mouvement et écrivait un double.

En 1792, Jefferson présenta anonymement un projet de construction de la future Maison-Blanche. Il ne fut pas retenu, mais aurait sûrement donné un immeuble moins imposant que celui que nous connaissons, dont l'esprit égalitaire du président s'accommoda mal : il le trouvait « assez grand pour deux empereurs, le pape et le grand lama ».

Sous le dôme de sa maison, la salle de bal dessinée par Jefferson lui permettait de s'adonner à son amour de la musique.

CAUCHEMAR DE PHILATÉLISTE

À la fin du XIXe siècle, Albert Schafer — clown, inventeur et compositeur anglais — se choisit un passe-temps original : décorer des objets avec des timbres.

Schafer commença par des tasses, mais passa vite à des supports plus importants : une table et ses chaises, un piano et même une cheminée entière furent totalement recouverts de timbres oblitérés. Il ne les plaçait pas au hasard, mais les choisissait en fonction de leur taille et de leur couleur : collées en travers, par exemple, les effigies de George V formaient des écailles conve-

nant à merveille à un brochet farci.

Après un accident de funambulisme, cette distraction fut pour Schafer un moyen idéal d'occuper sa longue convalescence. Il réalisa des portraits et des paysages, parfois en découpant ou en froissant ses timbres. La grande famille du cirque lui en envoyait du monde entier. Sa collection — une pièce entière bourrée de tous ses collages — devint une véritable attraction touristique. Elle fut même exposée en 1951 au festival de Grande-Bretagne. Au début des années 1980, quelque trente ans après la mort

de Schafer, la collection subit deux catastrophes : pendant un déménagement, un grand nombre de timbres se décollèrent et furent emportés par le vent. Quelques années après, une fuite d'eau abîma divers objets. On les restaura tant bien que mal avec les timbres collés par Schafer dans et sous ses œuvres.

Aujourd'hui, l'ensemble se trouve au musée David-Howkins de Great Yarmouth (Norfolk). C'est un cauchemar de philatéliste : devenus rarissimes, les timbres vaudraient une fortune s'ils n'étaient revêtus de colle et vernis.

SOBRE ET DE BON GOÛT
La simplicité vertueuse du mobilier shaker

La communauté religieuse des shakers, florissante en Amérique au siècle dernier, est aujourd'hui célèbre pour la pureté des lignes de son mobilier. Paradoxalement, la beauté n'a pourtant jamais été leur objectif. Un de leurs dirigeants, Frederick Evans l'Ancien, a un jour déclaré : « Le beau est absurde et anormal. » Tout « objet de fantaisie » était interdit, et les accessoires de la vie quotidienne — chaises, tables ou pendules — devaient être simples, durables et strictement fonctionnels.

La première communauté américaine, originaire d'Angleterre, a été fondée pendant les années 1770 par la mère Ann Lee, que ses adeptes tenaient pour la réincarnation du Christ. À son apogée, vers 1845, la confession regroupait quelque 4 000 fidèles, vivant dans des communautés isolées réparties du Maine au Kentucky.

Austérité et perfection

Les shakers étaient persuadés que leur mission était d'établir le royaume de Dieu sur terre et qu'il fallait pour cela vivre dans la perfection. Leur existence était réglée par cette croyance dans ses moindres détails, de la première chaussure à enfiler le matin (la droite) au matériau des poignées de porte (le bois, pas le laiton). Propreté et efficacité étaient primordiales dans les maisons

shakers, où les murs comportaient des rangées de crochets, pour y suspendre les chaises pendant qu'on balayait le plancher.

L'austérité des meubles shakers, dictée par leur fonction, était à l'époque considérée comme de mauvais goût, car on aimait les décorations surchargées. L'écrivain Nathaniel Hawthorne, par exemple, trouvait qu'ils faisaient « peine à regarder ».

Paradoxalement, alors qu'on ne compte plus qu'une poignée de shakers, leur mobilier est devenu du dernier chic et se vend des milliers de dollars aux enchères. Pour le spectateur moderne, une simple chaise shaker dégage grâce et harmonie, comme si, selon les termes de l'écrivain mystique américain Thomas Merton, celui qui l'a créée « s'attendait à ce qu'un ange vienne s'asseoir dessus ».

Ordre, simplicité et propreté font tout le charme d'une maison shaker. La qualité robuste et austère des meubles y est l'expression directe d'une foi rigoureuse.

LA VOGUE DES PETITS MEUBLES
Comment allier l'utilité et l'élégance ?

Conçus pour lire ou écrire du courrier, pour la toilette du matin ou l'heure du thé, pour ranger son ouvrage ou ses cartes à jouer, les petits meubles deviennent très en vogue en Europe au XVIIIe siècle.

Objets d'art décoratifs, ils sont appréciés pour leur côté pratique et connaîtront, surtout en Angleterre, une production de type industriel.

Ils comptent aujourd'hui parmi les antiquités les plus ravissantes et les plus recherchées.

L'engouement pour les petits meubles est la conséquence de nouvelles habitudes de vie. Aux vastes palais et aux immenses salles d'apparat, la maison royale française préfère des petits châteaux et des pièces aux dimensions modestes. Il convient donc d'adopter un mobilier moins encombrant. On apprécie par exemple les tables gigognes, qui peuvent se glisser l'une sous l'autre pour ne prendre la place que d'une seule. La table pliante et rabattable connaît un vif succès.

En France, les petits meubles style Louis XV témoignent d'un grand raffinement. Souvent couverts d'une fine marqueterie, ils sont tout en courbes et en mouvements. Les petits meubles Louis XVI, au contraire, ont des formes très rectilignes, plus conservatrices : pieds droits, contours angulaires.

Sheraton

En Angleterre, la démographie galopante entraînait en ville une diminution de l'espace vital. Aussi, le style Sheraton se caractérise-t-il par la polyvalence du mobilier. Certaines tables, où un tour de clé révélait casiers secrets, tiroirs ou alvéoles habilement dissimulés, étaient transformables en marchepied de bibliothèque ou en secrétaire.

Ce secrétaire féminin du XVIIIe siècle, de style Sheraton, est tout à la fois fonctionnel et élégant.

LE LANGAGE DES TAPIS

Les motifs étranges et exotiques des tapis orientaux ont souvent leur langage secret. En Chine, beaucoup sont fondés sur l'homonymie. Par exemple, le son chinois *fu* désigne à la fois une chauve-souris et le bonheur. Une chauve-souris stylisée est donc symbole de félicité. D'autre part, certains chiffres et couleurs ont la réputation de porter chance. C'est

ainsi que cinq chauves-souris rouges représentent les cinq critères du bonheur parfait : santé, prospérité, longévité, mort naturelle et amour de la vertu.

On peut combiner les symboles pour envoyer un message au destinataire du tapis. Un daim (prospérité) et une cigogne (longévité) entrelacés expriment ainsi un souhait de vie longue et pros-

père. Le dragon, fréquent dans les motifs chinois, a un autre sens : le nombre de ses griffes indique le rang social du maître des lieux.

Sur les tapis persans, beaucoup de motifs trouvent leur explication dans l'islam. Le *mihrâb* (niche pratiquée dans la muraille d'une mosquée et où officie l'iman), la lampe sacrée ornent ainsi les tapis de prières. Deux arbres entrelacés symbolisent le mariage, voire le remariage de l'un des deux partenaires si une branche est coupée. Et si les coins du tapis comportent des cyprès, symbole de renouveau et de vie éternelle, c'est qu'il a été tissé pour recouvrir un cercueil lors de funérailles.

Cela dit, ce langage traditionnel s'est souvent perdu de nos jours : pour bien des tisserands, les motifs anciens ne sont que des ornements dont ils ignorent le sens caché.

Un tapis chinois orné d'un dragon à cinq griffes a été tissé expressément pour un empereur. La noblesse a droit à quatre griffes, et les roturiers doivent se contenter de trois.

LA CHAMBRE D'AMBRE

Qu'est devenue la pièce qui faisait l'orgueil des tsars ?

Au palais d'Été, près de Saint-Pétersbourg, la chambre d'Ambre était l'un des joyaux de la Russie tsariste. Un ambassadeur de Grande-Bretagne la considérait comme « la huitième merveille du monde ». Ses murs étaient revêtus – luxe incroyable – de 12 t d'ambre rarissime. Cette merveille s'est mystérieusement évanouie dans les fureurs de la guerre, en 1945.

La chambre d'Ambre avait été commandée en 1701 par Frédéric-Guillaume Ier, roi de Prusse, pour son palais de Königsberg (devenu Kaliningrad, en ex-URSS). En 1716, il en fit présent au tsar Pierre le Grand pour sceller leur alliance militaire. D'abord installée au palais d'Hiver, elle fut transférée en 1755 au palais d'Été par la tsarine Elisabeth, fille de Pierre le Grand.

La pièce a survécu aux tourmentes de la Révolution russe, mais pas à la Seconde Guerre mondiale : l'occupant nazi en a démonté les panneaux pour les réassembler à Königsberg, apparemment sur ordre direct d'Hitler. A la victoire alliée de 1945, ils avaient disparu.

À partir de photos, de dessins et d'aquarelles, une équipe de spécialistes tente de reconstituer les splendeurs de la chambre d'Ambre.

Depuis lors, Moscou n'a eu de cesse de les retrouver. Tout comme bon nombre de chasseurs de trésors et historiens. Différents indices ont tour à tour mené les enquêteurs dans un château de Saxe, une mine de sel polonaise et une épave de navire en mer Baltique. On a même soupçonné de vol la 9e armée américaine. À chaque fois, la piste a abouti à une impasse.

Aujourd'hui, les meilleurs artisans ont entrepris de reconstituer fidèlement la pièce à partir de photos, de dessins et d'aquarelles. Mais la tâche est immense.

LE SAVIEZ-VOUS ?

La petite croix allongée qui figure sur bien des tapis d'Orient symbolise une tarentule. Les tisserands turkmènes d'Asie centrale considéraient ce motif d'araignée venimeuse comme un porte-bonheur : en marchant sur la tarentule de fil, on risquait moins de poser le pied sur une vraie.

373

INDEX

C

I - J - K

L

W-X-Y-Z

CRÉDITS PHOTOGRAPHIQUES

Abréviations : g = gauche ; d = droite ; h = haut ; c = centre ; b = bas ; AAA = Ancien Art and Architecture Collection ; BAL = Bridgeman Art Library ; BC = Bruce Coleman Ltd. ; BL = British Library ; BPK = Bildarchiv Preussischer Kulturbesitz ; FSP = Frank Spooner Pictures ; HD = Hulton-Deutsch ; HL = The Hutchison Library ; KC = The Kobal Collection ; MC = The Mansell Collection ; MEPL = Mary Evans Picture Library ; NHPA = Natural History Photographic Agency ; OSF = Oxford Scientific Films ; P = Popperfoto ; PEP = Planet Earth Pictures ; PNP = Peter Newark's Pictures ; RHPL = Robert Harding Picture Library ; SPL = Science Photo Library ; Z = Zefa.

Couverture (de g à d et de h en b) RHPL ; MEPL ; FSP ; FSP ; **2** PEP/Herwarth Voigtmann ; **10** (h) MEPL, (b) J. L. Charmet ; **11** Victoria and Albert Museum ; **12** P ; **14** MEPL ; **15** (h) The Image Bank/Eddie Hironaka, (b) BC/Alfred Pasieka ; **16** (h) BC/O. Langrand, (b) SPL/Dr. Tony Brain, David Parker ; **18** (h)/David Parker, (b) FSP/Gamma ; **22** (g) Frank Lane Picture Agency ; **24** Ann Ronan Picture Library ; **25** (b) Z/A. and J. Verkaik ; **28** (h) Spectrum Colour Library, (b) Camera Press/Cecil Beaton ; **29** NHPA/Ivan Polunin ; **30** (b) AAA ; **31** J. L. Charmet ; **33** (g) BC/Michael Freeman, (d) Science Museum ; **34** SPL/David Parker ; **35** (h) SPL/NASA, (b) SPL/Adam Hart-Davis ; **36** (d) SPL/Doug Allen ; **37** (b) SPL/Dr. Gary Settles ; **38** OSF/Stephen Dalton ; **39** (b) The Image Bank/Pete Turner ; **40** SPL/Cern, P. Loiez ; **42** FSP/Gamma ; **44** FSP/Gamma ; **45** NASA ; **46** FSP/Gamma ; **47** SPL/U. S. Geological Survey ; **48** SPL/Ronald Royer ; **49** SPL/NASA ; **51** (b) SPL/NASA ; **56** MEPL ; **57** (h) SPL/Ronald Royer, (b) David Hardy ; **58** SPL/Dr. J. Bloemen ; **59** (h) SPL/NOAO, (b) SPL/Ian Robson, Phil Appleton ; **60** Prof. Lars Hernquist ; **61** (h) SPL/NOAD, (b) SPL/David Parker ; **62** Telegraph Colour Library ; **64** (h) Tony Stone Picture Library/Don and Pat Valenti, (b) RHPL/Geoff Renner ; **65** SPL/Stephen Krasemann ; **66** (h) RHPL/Photri, (b) BC/M. P. Price ; **67** Tony Stone Picture Library ; **68** (g) SPL/Simon Fraser ; **69** BC/Bob and Clara Calhoun ; **71** Spectrum Colour Library ; **72** MC ; **73** (h) SPL/NASA, (b) SPL/Dr. Ken Macdonald ; **74** Heather Angel ; **75** (h) PEP/Peter Scoones ; (b) BC/Keith Gunnar ; **76** (h) RHPL/Ian Griffiths, (b) Z/R. J. Wilson ; **80** (h) J. L. Charmet, (b) SPL/Dr. Jeremy Burgess ; **81** BC/C. B. Frith ; **82** (h) BC/O. Langrand, (b) BC/Anthony Healy ; **83** (h) BC/Jane Burton, (b) Heather Angel ; **84** (h) P, (b) BC/Jeff Foott ; **85** Richard Revels ; **86** (h) OSF/Nick Woods, (b) OSF/David Thompson ; **87** Heather Angel ; **88** NHPA/John Shaw ; **89** (h) BC/Kim Taylor, (b) OSF/Donald Specker ; **90** BC/Gerald Cubitt ; **91** (h) BC/Michel Viard, (b) OSF/Deni Brown ; **94** (d) FSP/Gamma ; **96** (h) Martin Lockley ; **97** (h) FSP/Gamma ; **98** (h) OSF/David Macdonald ; **101** (h) NHPA/ANT, (b) BC/Des Bartlett ; **102** (h) Heather Angel ; **103** MEPL ; **104** (h) OSF/Ronald Toms ; **105** (b) Heather Angel ; **108** (h) BC/Brian Coates, (b) BC/Frances Furlong ; **110** (h) BC/Gerald Cubitt ; **111** (h) BC/John Visser, (b) PEP/Herwarth Voigtmann ; **112** (h) BC/Peter Davey, (b) BC/Alan Root ; **113** (h) NHPA/K. H. Switak, (b) OSF/G. Bernard ; **114** (h) NHPA/Stephen Dalton, (b) NHPA/Haroldo Palo ; **115** (h) BC/Jeff Foott, (b) BC/Jen and Des Bartlett ; **117** PEP/Chris Prior ; **118** PEP/Herwarth Voigtmann ; **120** (h) Professors Beatrix and Allen Gardner ; **121** BC/Konrad Wothe ; **125** NHPA/Stephen Dalton ; **126** PEP/Herwarth Voigtmann ; **127** BC/Jen and Des Bartlett ; **129** (h) NHPA/ANT, (b) BC/Hans Reinhard ; **130** BC/Masood Qureshi ; **133** Spectrum Colour Library ; **134** Marc Henrie ; **136** BC/David Hughes ; **138** (h) SPL/Dr. Tony Brain, (b) MEPL ; **139** (b) J. L. Charmet ; **140** HD ; **142** MEPL ; **143** MEPL ; **144** BC/Gary Retherford ; **145** (b) SPL/Argentum ; **149** MEPL ; **150** (h) Z/H. Sochurek, (b) SPL/Astrid and Hans Frieder Michler ; **152** KC ; **153** (g) Stephen Hyde, (d) P ; **154** (h) SPL/CNRI, (b) SPL/Eric Grave ; **155** (h) The Image Bank/Robin Forbes, (b) MEPL ; **157** (h) Z/Teasy, (b) Z/H. Sochurek ; **158** (h) SPL/CEA-Orsay, CNRI, (b) Ann Ronan Picture Library ; **159**, (h) FSP/Gamma, (b) SPL/Alexander Tsiaras ; **160** FSP/Gamma ; **161** SPL/Alexander Tsiaras ; **164** MEPL ; **165** The Image Bank Pete Turner ; **166** Z ; **167** HD ; **169** HL/André Singer ; **170** Rotherham Borough Council ; **171** J. L. Charmet ; **172** Topham Picture Source ; **174** BAL ; **175** (g) Lowie Museum of Anthropology, University of California at Berkeley, (d) P ; **177** KC ; **180** (b) Michael Holford ; **181** FSP/Hutt ; **182** (h) MEPL ; **183** (g) MEPL, (d) E. T. Archive ; **184** BL ; **185** (h) MEPL, (b) J. L. Charmet ; **186** HD ; **187** (h) FSP/Gamma, (b) KC ; **188** HL/A. Tully ; **189** (h) PNP, (b) HL/Christine Pemserton ; **190** (h) BC/Frans Lanting ; **192** (h) RHPL/Ian Griffiths, (b) Historisches Museum, Basel/M. Babey ; **194** (h) MEPL, (b) HD/Bettmann Archive ; **197** Iowa State University Photo Service ; **199** (h) PNP, (c) HD, (b) MEPL ; **200** Musée d'Art et d'Histoire, Neuchâtel, Suisse ; **201** Rex Features/SIPA ; **202** (h) SPL/Labat, Lanceau, Jerrican, (b) TRH Pictures/U. S. Army ; **203** (h) Photri ; **206** MEPL ; **208** Aixam Automobiles ; **211** (h) SPL/David Parker, (b) Michael Holford ; **212** FSP/Gamma ; **214** (h) SPL/Hank Morgan, (b) SPL/Philippe Plailly ; **218** Z/Paolo Koch ; **219** Z/Sonia Halliday, (b) BAL ; **220** American School of Classical Studies at Athens ; **221** BPK ; **224** Japan Information Centre, Londres ; **225** (h) Reuters/Bettmann Newsphotos, (b) Z/R. Halin ; **226** P ; **227** Z/D. Cattani ; **228** MEPL ; **229** Courtesy Frank Lloyd Wright Archives ; **230** South American Pictures ; **233** (h) E. T. Archive, (b) Z ; **234** Polish Cultural Institute ; **235** Photoresources ; **236** Fortean Picture Library ; **237** (h) Scala, (b) Photographie Giraudon ; **238** Werner Forman Archive ; **239** BC/Nadine Zuber ; **240** Dominique Darbois ; **241** Musée du Grand Orient de France/J. L. Charmet ; **242** Fine Art Photographic Library Ltd ; **244** MEPL ; **245** HL/J. G. Fuller ; **246** MEPL ; **247** (h) J. L. Charmet, (b) RHPL/F. Jackson ; **248** BL/India Office Library ; **249** P ; **251** Peter Newark's Pictures ; **252** FSP/Gamma ; **253** Department of the Environment ; **254** MC ; **255** (h) MEPL ; **257** John Robert Young ; **258** (h) Photographie Giraudon, (b) MC ; **259** MEPL ; **260** MC ; **261** (h) Sheffield City Art Galleries, (b) PNP ; **262** MEPL ; **263** Michael Holford ; **264** (hg, hd) Michael Freeman, (b) HL ; **265** BC/Brian Coates ; **266** Bryan and Cherry Alexander ; **267** J. L. Charmet ; **268** Z ; **270** (g) HL/David Simpson, (d) Photosources, (b) P ; **271** MC ; **272** Intercol London : Yasha Beresiner/Derrick Witty ; **274** (h) The Mariner's Museum, Newport News, Virginia, (b) P ; **275** Walker Art Gallery ; **276** Walker Wingsail Systems ; **277** (h) PNP, (b) Fotoarchief Drents Museum, Assen ; **278** (h) Ben Line Group, (b) P ; **279** Trireme Trust/Paul Lipke ; **280** BL ; **283** BL ; **284** BL ; **285** (h) HL/Christina Dedwell, (b) Somerset Levels Project ; **286** Z/Jan Oud ; **287** (h) Fortean Picture Library, (b) Spectrum Colour Library ; **288** Scala ; **289** (h) MEPL, (b) PNP ; **290** (h) BAL, (b) PNP ; **291** PNP ; **292** (h) Z, (b) BC/Jaroslav Poncar ; **293** (h) Axel Poignant Archive ; **294** PNP ; **295** PNP ; **296** National Maritime Museum ; **297** Bodleian Library ; **298** MEPL ; **299** MC ; **301** (h) MEPL, (b) MC ; **302** Z/Hugh Ballantyne ; **303** FSP ; **304** Z ; **305** MEPL ; **306** Z ; **307** BAL ; **310** MEPL ; **311** Operation Raleigh ; **312** PNP ; **313** (h) Associated Press, (b) Frank Lane Picture Agency/K. Ghani ; **314** (h) MEPL, (b) P ; **315** FSP ; **317** MEPL ; **318** (b) Don Emmick ; **319** FSP ; **320** FSP/Gamma ; **321** (h) Camera Press, (b) Z/Dick Hanley ; **322** FSP/Gamma ; **323** National Motor Museum, Beaulieu/Nick Wright ; **324** Rolls-Royce Motor Cars ; **325** P ; **326** (h) Vauxhall Motors Luton, (b) General Motors Corporation ; **327** TRH Pictures ; **330** (h) MEPL, (b) Reg Wilson ; **331** MEPL ; **332** (g) KC, (d) MEPL ; **333** International Shakespeare Globe Centre ; **334** (h) The Image Bank/George Obremski, (b) Japan Information Centre, Londres ; **335** Sir Peter Saunders ; **336-340** KC ; **342** MEPL ; **343** (h) All-Sport/Tony Duffy, (b) P ; **344** (h) National Baseball Hall of Fame and Museum, (b) BPK ; **345** FSP/Gamma ; **346** (h) Z, (b) MEPL ; **347** MEPL ; **348** HD/Bettmann Archive ; **349** (h) Simon Fraser University, (b) All-Sport ; **350** Photri ; **351** MC ; **353** MEPL ; **354** PNP ; **355** BAL ; **356** The Bowes Museum ; **357** (h) Pack Memorial Library, (b) National Portrait Gallery, Londres ; **358** Camera Press ; **359** MC ; **360** (h) BAL, (b) MEPL ; **361** Irish Tourist Board, Dublin ; **364** (h) Photoresources, (b) AAA ; **365** (g) Photographie Giraudon, (d) MEPL ; **366** (g) By Gracious Permission of Her Majesty the Queen, Royal Library, Windsor, (b) Scala ; **367** (h) Scala, (b) Service photographique de la Réunion des musées nationaux ; **368** (h) FSP/Gamma, (b) Camera Press/Roger Whitaker ; **369** (h) MEPL, (b) Laguna Beach Festival of Arts ; **370** (h) BAL, (b) HL/Dr. Nigel Smith ; **371** American Museum in Britain, Bath ; **372** (h) BAL ; **373** FSP/Gamma.

LE SAVIEZ-VOUS ?
publié par Sélection du Reader's Digest

Photocomposition : Type Informatique, Paris
Impression : Maury, Malesherbes
Reliure : Brun, Malesherbes

PREMIÈRE ÉDITION
Achevé d'imprimer : août 1992
Dépôt légal en France : septembre 1992
Dépôt légal en Belgique : D-1992-0621-54

IMPRIMÉ EN FRANCE
Printed in France